'한국근대문학과 중국' 자료총서 ⑯

정론·실기·수필·희곡 Ⅱ

김 강·김병민 엮음

역락

『'한국근대문학과 중국' 자료총서』 편찬위원회

위원장: 김병민

위　원: 이광일 최창록 최　일 장영미 박설매 김　강

편찬자 소개

김병민 연변대학교 조선언어문학학과 교수. 문학박사.

이광일 연변대학교 조선언어문학학과 교수. 문학박사.

최창록 남경대학교 한국어문학과 교수. 문학박사.

최　일 연변대학교 조선언어문학학과 교수. 문학박사.

장영미 연변대학교 조선어학과 교수. 문학박사.

박설매 연변대학교 조선언어문학학과 부교수. 문학박사.

김　강 연변대학교 조선언어문학학과 전임강사. 문학박사.

배　홍 연변대학교 조선언어문학학과 전임강사. 문학박사.

김은자 하얼빈이공대학교 조선어학과 전임강사. 문학박사.

조영추 연세대학교 국어국문학과 박사.

박미혜 성균관대학교 국어국문학과 박사과정 수료.

'한국근대문학과 중국' 자료총서　　16

정론·실기·수필·희곡 II

김 강·김병민 엮음

역락

한국근대문학과 중국체험서사

― 서문을 대신하여 ―

김병민

1. 중국체험의 의미

한·중 문화 교류는 수천 년의 유구한 역사를 가지고 있다. 특히 한국은 한
자, 유·불·도, 각종 문물제도를 중국으로부터 수용함으로써 한(漢)문화권에
편입된 뒤 한(漢)문화를 중심으로 한 동아시아문화권의 형성과 발전에 중요
한 역할을 하게 되었다. 따라서 한국문학의 발전 역시 중국문학 및 문화와
불가분의 관계에 놓이게 되었다.

한국문학의 발전에 있어서 역대 한국인들의 중국체험은 한국 한(漢)문학
전통의 확립에 결정적인 역할을 했다. 한국문인들의 중국체험은 다양한 양
상을 보이고 있는바 최치원 등을 비롯한 문인들의 유학(留學)체험, 혜초, 의
상 등을 비롯한 불교 문인들의 구도(求道)체험, 정도전, 허균, 김만중, 홍대용,
박지원 등을 비롯한 문인들의 사행(使行)체험 등을 들 수가 있다. 이들은 중
국을 체험하는 과정에 중국의 문인들과 다양한 교류를 진행하게 되었고 한
중 문학의 쌍방향적 영향관계를 밀접히 했다. 실제로 한국문학에서 굴지의
작가로 불리는 최치원, 이제현, 허균, 김만중, 박지원 등의 문학은 중국 문학

및 문화와 깊은 연관성을 보여주고 있다. 한국문인들은 중국체험을 통해 자신들의 창작을 전개해갔고 또한 창작을 통해 그들의 문화의식 즉 세계인식과 시대인식을 구축해 가기도 했다. 최치원의 한시가 『전당시』에, 이제현의 사가 『강촌총서』에 수록되었으며 김만중의 경우 중국체험과 중국문화 수용을 통해 세계적 영향을 지닌 『구운몽』을, 박지원의 경우는 사행체험을 통해 세계 기행문학의 백미로 불리는 『열하일기』를 창작했다. 최치원, 이제현, 김만중, 박지원의 문학이 세계적인 명작이 되기에 손색이 없다고 할 때, 한국문학 발전에 있어서 중국체험은 큰 의미를 가진다고 할 수 있다.

중국체험은 한국 문인들에게 시간과 공간에 대한 새로운 인식을 심어주었고 자아와 타자에 대한 새로운 인식을 불러일으키기도 했다. 예를 들어 18세기 후반기 '북학파'의 맹주들인 박지원, 박제가 등이 중국체험을 통해 전통적인 문화의식에서 탈피하여 자본시장의 형성과 과학문명에 대한 인식을 얻고 중세의 몰락과 근대의 여명을 확인한 것은 시대를 앞서나간 문화적 초월이라고 할 수 있다. 그것은 말 그대로 국가 간의 경계, 문화 간의 경계, 민족 간의 경계를 넘어설 수 있었던 탈경계 체험의 산물이라고 하겠다.

20세기를 전후하여 한국은 근대 식민지체계에 편입되기 시작하여 1910년 '한일합방'으로 일제의 식민지로 전락되고 말았다. 망국을 전후한 시기부터 중국은 한국독립투사들의 항일투쟁의 정치적 공간과 근대적 이민의 생활공간이 되기도 했다. 따라서 한국근대문학은 중국의 문학 및 문화와 더욱 밀접한 연관을 맺게 되었고 보다 더 새롭고 다양한 발전 양상을 보여주게 된다.

따라서 한국근대문학과 중국과의 관련양상에 대한 연구는 비단 한·중 근대문학교류사 연구뿐만 아니라 한국문학사 연구에 있어서도 지극히 중요한 가치가 있다고 할 수 있다. 현재까지 이에 대한 한국 학계의 연구는 대체적으로 한국근대문학의 공간적 이동이라는 시각에서 접근하여 중국에서 벌어졌던 한국문인들의 문학을 '이민문학' 혹은 재외 한국근대문학의 범주에 두고 고찰하였다. 반대로 중국 학계에서는 중국에 이주한 한국문인들의 문학을 '조선족문학' 혹은 그 전사(前史)로 범주화하고 연구를 해왔다. 이러한 연구는 한민족문학의 연구에서 극히 중요한 작업임이 분명하며 또한 현재까지 괄목할 만한 성과를 거두었다. 하지만 한국문학의 공간적 이동으로만 접근하게 되면 인적 교류, 이론과 사상의 유동 내지는 상상력의 탈경계 등 한·중 근대문학 교류의 보다 다양한 차원의 문제들을 간과하게 된다. 한 마디로 한·중 근대문학 교류는 문학의 공간적 이동의 시각보다는 탈경계 연구(Border—crossing studies)의 시각에서 접근하는 것이 더 효율적이라고 할 수 있다. 이른바 탈경계 연구는 민족, 국가, 언어, 문화, 이데올로기 및 윤리 등의 탈경계 그리고 그 과정에서 문화적 재건, 융합 및 가치창조를 밝히는 새로운 연구 시각이다.

근대 전환기 및 근대과정에서 이루어진 한국문학의 중국과의 교류는 고금의 인류문학사에서 보기 드문 문학적 현상이었으며 일종의 '증후성(Symptomatic)'을 가진 문학적 사건이라고 할 수 있는바 다음과 같은 특징을 띄고 있다. 우선, 교류의 지속시간이 길고 방대한 양의 텍스트를 형성하였다. 다음으로 그 교류는 일방적인 영향관계가 아닌 쌍방향적인 상호작용의 관계였다. 끝으로 그 교류는 '중심'과 '주변'의 관계가 아닌 '주변'과 '주변'의 관계였다. 그중 탈경계 서사(beyond boundaries narrative)로 특징지어지는 한국근대문학의 중국체험서사는 한국문인들의 중국을 매개로 한 전통, 근대 그리고 미래와의 대화였다. 바로 이러한 의미에서 한국근대문학과 중국과의 문학·문화적 대화는 지극히 생산적인 것이었으며 근대 동아시아의 정신적 가치를 보여주는 소중한 유산이라고 할 것이다.

한국문학의 근대화 과정에서 일본을 통한 서양문학사조, 유파, 관념, 형식 등의 수용이 큰 역할을 하였음은 분명하나 식민지 출신의 한국문인들에게 있어 식민 종주국 일본이 생산적 가치를 가진 이상적인 공간이 될 수는 없었다. 오히려 비슷한 운명에 처한 중국이 생산적인 정치·문화공간이자 생존·생활공간이 될 수 있었다. 중국에 대하여 느낄 수 있었던 시대적 동질감과 유대감은 일본이 갖추지 못한 요소들이었다. 따라서 한국인들은 중국을 독립투쟁의 전장, 근대문명의 '박물관', 평등한 대화와 교류의 장소로 인식하였던 것이다. 한국근대문학과 중국과의 교류는 한국문학의 근대화 과정을 이해하는 데 있어 중요한 가치가 있을 뿐만 아니라 나아가 오늘날 한국과 주변의 관계를 이해하는 데 있어서 상당한 현실적 가치가 있다고 해야 할 것이다. 이에 『'한국근대문학과 중국' 자료총서』는 한국문인들이 중국과의 교류 과정에서 생산한 중국서사와 한국문인들에 의한 중국문학 번역과 소개 등 텍스트를 그 대표성과 중요도에 따라 선별적으로 수록하였다.

2. 저항과 항일체험서사

항일서사는 한국의 독립투사들이 중국에서의 반일활동에 근거한 탈경계 서사로서 의열단(義烈團), 한국애국단(韓國愛國團), 독립군(獨立軍), 유격대(遊擊隊), 조선의용대/의용군(朝鮮義勇隊/義勇軍), 한국청년전지공작대(韓國靑年戰地工作隊), 한국광복군(韓國光復軍), 중국국민군(中國國民軍), 팔로군(八路軍), 항일연군(抗日聯軍) 등 항일부대의 활동과 밀접히 연관되어 있으며 소설, 시, 수필 등 장르를 포함하고 있다.

소설로는 중국에서 전개된 한국의 반일독립운동을 소재로 한 신채호, 최서해, 강경애, 심훈, 장지락 등의 작품이 있다. 우선 아나키즘계열의 항일투쟁을 반영한 소설로는 신채호의 「용과 용의 대격전」, 장지락의 「기묘한 무기」 등이 대표적이다. 신채호의 소설 「용과 용의 대격전」은 환상적인 구조 속에서 일제 침략자를 상징하는 미리와 한국 민중을 상징하는 드래곤 사이의 격전을 그리면서 민중의 승리를 확인하고 있다. 「꿈하늘」(1916)에서 신채호가 국민국가 상상을 보여주었다면 「용과 용의 대격전」에서는 무산민중 주체의 민족국가 상상을 보여주었다고 할 수 있다. 장지락의 소설 「기묘한 무기」는 1922년 김익상 등 한국의 반일지사들이 상하이 황포공원에서 일제 육군대장 다나카를 저격한 사건을 다룬 단편소설로 1930년 북경에서 창작된 작품이다. 이 소설에는 사회주의, 아나키즘, 인도주의 등 다양한 사상들이 혼재되어 있다. '만주'지역에서 전개되고 있던 독립투쟁을 소재로 한 소설로 최서해의 「해돋이」와 강경애의 「모자」, 「축구전」 등이 있다. 「해돋이」는 생활에 시달리다 독립운동에 투신한 주인공 만수의 형상을 통하여 '만주' 지역 한국 이주민들의 일제와 그 주구들에 대한 분노와 항거를 보여주고 있다. 강경애의 「모자」는 간도지역에서 벌어진 항일유격투쟁을 배경으로 하면서 희생된 남편의 못 이룬 뜻을 어린 아들로 하여금 이어가게 하겠다는 한 어머니의 불굴의 의지를 보여주고 있고 「축구전」은 일제의 주구들이 조직한 축구경기에 참가하여 경기는 졌지만 민중들에게 반일정신이 살아있음을 보여준 진보적인 한국 이주민 중학생들을 그리고 있다.

반일투쟁 승리의 강력한 의지를 표출한 시작품으로는 신채호의 「매암의 노래」, 이육사의 「청포도」, 김창숙의 「넋이여 돌아오라」, 이두산의 「당신은 의용의 전사래요」, 문정진의 「4명의 열사를 추모하여」 등을 들 수 있다. 이두산의 시 「당신은 의용의 전사래요」는 중국에서 활약하고 있는 항일부대 '조선의용대'의 영용한 모습과 필승의 신념을 노래하면서 항전의 승리와 조국 귀환의 절절한 정감을 읊고 있다. 김창숙의 시 「넋이여 돌아오라」는 중국

하르빈에서 독립운동을 지도하다 일경에 체포되어 옥사한 독립투사 김동삼을 기린 시로 일제에 대한 불타는 적개심과 구국의 염원을 노래했다. "신계(神溪)는 목 메이고/ 한수(漢水)는 슬픈데/ 한 치의 묻을 땅이 없어/ 다비(茶毘)에 부치더니/ 아, 나라 찾을 그날/ 다가오리니/ 넋이여 돌아오라/ 주저치 말고"라고 하면서 전편에 걸쳐 혁명동지에 대한 뜨거운 애도 그리고 원수격멸의 의지를 그려내고 있다.

이밖에 항일투쟁의 제일선에서 싸운 군인들의 실기, 수필 등은 실제적인 체험을 기록했다는 의미에서 상당한 가치를 가진다. 예를 들면 '조선의용대' 대원들이 창작한 「전선에서의 조선의용대」, 「중국 전장에서의 조선의용대」, 「화평촌통신」 등은 항일전장에서 조선인 대원들의 대적 무장선전, 중국 항일부대와의 협동작전, 민중교육 등 상황을 그려내고 있는바 한국 근대 독립투쟁의 역사와 한중관계를 조명함에 있어서도 중요한 가치를 가진다고 할 수 있다. 중국에서 전개된 한국인들의 독립투쟁을 반영한 작품 『청산리 혈전실기』, 「조선혁명일사」 등과 신채호의 수필 「단아잡감록」, 「조선의 지사」, 이두산의 연작수필 「억(憶)」(「산중 40일」, 「중국 항전에 참가하다」 등 11편) 등 작품들은 중국에서 한국 독립지사들의 투쟁과 생활 그리고 그들의 정신적 궤적을 반영하고 있다는 의미에서 높은 문학적 가치를 가진다고 할 수 있다.

3. 정착과 이민서사

한국근대문학의 탈경계 서사에서 가장 많은 비중을 점하는 작품은 한국 이주민들이 중국에서의 생존체험을 소재로 한 이민서사로 그 주제적 경향에 있어서도 다양성을 보이고 있다.

우선, 한국 이주민과 중국인들과의 갈등은 이민서사에서 가장 많이 보이는 소재이다. 토지의 주인인 중국인들은 '지주'의 신분으로 등장하여 민족·계급이라는 이중적인 갈등구조를 이룬다. 최서해의 소설 「홍염」, 강경애의 소설 『소금』 등이 대표적이다. 「홍염」의 중국인 지주 '은 서방', 『소금』의 중국인 '팡둥'은 토지의 주인이라는 절대적 우위를 이용하여 한국 이주민들을 억압하고 있고 극한적인 생존환경에 처한 한국인 이주민들의 자연발생적인 항거가 계급적 인식으로 나아가게 된다. 이런 의미에서 중국으로의 이주는 한국작가들로 하여금 계급적 대립에 의한 억압의 보편성을 확인할 수 있게 하였고 나아가 현실 인식에 대한 깊이와 정확도를 획득할 수 있게 하였다.

다음으로, 중국에서 새로운 삶의 터전을 건설하려는 정착의식을 그린 작품들이 많이 있다. 안수길의 「벼」, 「북향보」 등과 현경준의 「선구시대」, 이기영의 『대지의 아들』, 『처녀지』 등 소설이 대표적이다. 안수길의 「북향보(北鄉譜)」는 주인공 정학도를 비롯한 이주민들이 어려운 여건 속에서 '북향농장'을 운영하는 과정을 통해 '만주'에 뿌리를 내려야 한다는 정착의식 혹은 지역의식(locality)을 상징적으로 보여주고 있다.

하지만 '만주'의 실질적인 지배자가 일제였기 때문에 '만주'를 향한 정착의식은 '상상적인 탈식민'으로 흐르게 되고 자칫하면 '만주'에서의 일제의 식민주의 담론에 포섭되게 된다. 마약중독자들을 '만주국' 건설에 필요한 인재로 '갱생'시키는 과정을 그린 현경준의 「유맹」, '내부 식민주의'적인 시각에서 원시적인 초원에 사는 몽고인들을 '개량'하는 주인공의 노력을 그린 한찬숙의 「초원」 등이 대표적이다. 이러한 정착의식은 일제에 대한 철저한 순응으로 타락하는 경우도 있어 박영준의 「밀림의 여인」과 같은 노골적인 친일문학작품을 낳기도 했다. 그럼에도 이러한 작품들은 '태평양전쟁' 이후 일제의 전시총동원체제 등 특수한 시대적 상황 속에서 한국문학의 현실대

응의 다양한 예시를 보여준다는 점에서는 상당한 가치가 있다.

중국 도시에서의 한국 이주민들의 삶을 그린 작품으로는 주요섭의 「봉천역식당」, 김광주의 「북평서 온 영감」, 「남경로의 창공」 등 소설이 있다. 주요섭의 「봉천역식당」은 화자가 봉천역 식당에서 우연하게 만난 한 한국 여인의 10년간의 변화를 그리고 있다. 처음 만났을 때 이 여인은 행복이 넘쳐흐르던 처녀였으나 점차 남성의 노리개로 전락하여, 나중에는 우울한 모습으로 목석처럼 변해버리고 만 비참한 운명을 그리고 있다. 김광주의 「북평서 온 영감」은 살 길을 찾아 '만주'와 북경 등지를 전전하다가 상하이에 온 한국 이주민의 정신적 소외를 보여준 작품으로서 식민주의와 봉건주의의 이중적 억압 하에 놓인 한국 이주민의 삶을 그리고 있다.

한국 시인들의 중국체험도 주목되는 바이다. 백석, 유치환, 이용악, 서정주 등은 중국체험을 통해 상상력의 확장, 이미지의 다양화 나아가 민족적, 시대적 인식의 전환을 이루게 되었다. 백석은 「조당(澡堂)에서」란 시에서 목욕탕의 벌거벗은 중국인들을 보면서 이방인인 '나'와 중국인들 사이의 역사와 문화, 언어와 몸짓, 그리고 표정 등의 차이를 느끼다가 인간은 결국 벌거벗은 우스운 몸에 지나지 않는다는 초월적 인식에 이르고 있다. 서정주는 취직을 위해 8~9개월 간 중국에 있었던 체험을 바탕으로 "저 만치의 쑥대밭 언덕에서는/ 역시나 때 절은 靑衣의 한 滿洲國 아줌마가/ 누구의 것인가 새 棺널 하나를 앞에 놓고/ <끅! 끅! 끄르륵……/ 끅! 끅! 끄르륵……>/ 꼭 그런 소리로 울고 있었다./ 우리 단군할아버님의 아내가 되신/ 그 잘 참으신 암곰님처럼/ 씬 쑥과 매운 마늘 많이 자신 소리 같았다."(「만주제국 국자가(局子街)의 1940년 가을」) 등 살아서 숨 쉬는 이국 이미지를 창조했다. 또 이용악은 중국 '만주'에서 목격한 망국노의 슬픈 모습을 "울 듯 울 듯 울지 않는 전라도 가시내야/ 두어 마디 너의 사투리로 때 아닌 봄을 불러줄게/ 손때 수집은 분홍

댕기 휘 휘 날리며/ 잠깐 너의 나라로 돌아가거라."(「전라도 가시내」)와 같은 주옥같은 시구에 담아내고 있다. 그런가 하면 유치환은 중국체험을 바탕으로 대체로 여성적인 한국 근대 시단에서 「생명의 서」, 「바위」와 같이 단연 돋보이는 역동적인 시를 써낼 수 있었다.

4. 타자와 중국서사

한국문인들의 중국체험은 중국과 중국인을 소재로 한 다양한 문학작품들의 출현을 가능토록 하였다. 이러한 작품은 중국에서의 전통문화체험을 통한 동양문화의 가치에 대한 재인식, 자본주의적 근대체험을 통한 서양적 가치에 대한 비판, 반식민지 반봉건 사회체험을 통한 현실사회의 부조리에 대한 비판, 항일투쟁체험을 통한 한·중 연대의식 등 다양한 주제를 표현하고 있다.

우선, 전통문화체험을 통한 동양적 가치의 재발견을 보여준 작품으로는 정래동의 수필집 『북경시대』, 한설야의 수필 「연경의 여름」 등과 주요섭의 소설 「진화」, 「죽마지우」 등을 들 수가 있다. 정래동과 한설야 등은 수필창작을 통하여 중국 전통문화의 거대한 힘에 대하여 예찬하였고 주요섭은 소설 「진화」에서 중국문화의 전통성을 인정하면서 동양의 정신적 가치를 발견하려고 했으며 소설 「죽마지우」에서는 북경을 자신의 정신적 고향으로 묘사하는 등 다원적인 문화정체성을 보이기도 했다.

다음으로, 반식민지 반봉건 사회체험을 통한 현실비판을 보여준 작품으로 심훈, 피천득, 박세형 등의 시편들과 최독견의 「벌금」, 주요섭의 「살인」, 「인력거꾼」, 강노향의 「상해야화」 등 소설 작품들을 들 수가 있다. 심훈은 시

「북경의 걸인」에서 걸인의 형상을 통해 하층민에 대한 동정을 보여준 동시에 동등한 운명에 놓인 자기 민족의 고통도 하소연하고 있다. 피천득의 시 「1930년 상해」는 옷을 전당 잡혀 먹을거리를 사야 하는 현실과 곧 팔려갈 어린 생명을 시적 대상으로, 하층민들의 비참한 생활에 대해 공소하였고 박세영의 시 「북해와 매산」은 군벌혼전으로 피폐해진 북경의 암울한 현실을 비판하였다.

이와 더불어, 최독견과 주요섭은 소설 창작을 통해 제국주의 침략과 문화 헤게모니로 하여 식민지화된 상하이 도시문명의 가치결손에 대하여 비판함과 동시에 하층민들의 소외를 적나라하게 폭로하고 있다. 이러한 소설들은 참신한 시각과 심각한 문제의식을 보여주고 있는바, 최독견은 소설 「벌금」에서 중국옷을 입고는 공원으로 들어갈 수가 없는 현실과 서양 여인이 개에게 먹이던 빵조각을 고맙다고 받는 중국인 여성을 통해 굴욕적으로 살아가야 했던 하층민에게 연민의 정을 보이고 있으며 중국의 반식민지 사회현실을 신랄하게 비판하고 있다. 또한 강노향은 소설 「상해야화」에서는 조계지 프랑스인 집에서 노예살이를 하는 중국인과 프랑스 여인의 부정당한 관계 등을 통해 서양의 가치결손과 식민지 조계지에서의 남성의 소외 내지는 타락을 보여주기도 했다. 한편, 주요섭은 소설 「살인」에서 도시 최하층 기생인 우뽀의 형상을 통해 버림받고 소외당한 하층민들의 운명을 보여주면서 그들의 각성을 촉구하기도 했다. 작가의 다른 한 소설인 「인력거꾼」 역시 자본주의 문명이 최하층 인간에게 들씌운 불행에 대하여 묘사하고 있다.

이처럼 상기 다양한 소설작품들은 근대 도시인 상하이를 배경으로 그 속에서 살아가는 하층민들의 불행한 운명, 특히는 생존권을 박탈당하고 소외되어가는 인물들을 통해 식민주의의 죄행을 공소하고 있다. 물론 이러한 문제의식은 한국문인들의 중국에서의 근대적 도시체험에서 얻어진 것이라 해야 할 것이다.

또한, 유자명, 이두석, 이관용, 문일평, 이광수, 최남선, 주요섭, 김광주, 정래동, 강경애 등 쟁쟁한 한국문인들의 수백 편의 기행문들에서는 중국체험과 시대인식이 다양하게 보이고 있다. 즉 이러한 기행문은 중국전통문화와 서양문명에 대한 새로운 인식, 시국에 대한 인식과 비판, 망국 국민으로서의 애환, 민족에 대한 뜨거운 사랑, 민족독립에 대한 열망 등으로 일관되어 있다. 특히 이러한 기행문들은 근대 중국사회를 인식하는 역외시각(域外視角)으로서 귀중한 문헌적 가치가 돋보이는 바이다.

5. 가치 수용으로서의 번역과 비평

한국근대문학과 중국의 관련 양상은 중국근대문학에 대한 번역과 비평에서도 잘 드러나고 있다. 한국에서의 중국근대문학작품에 대한 번역은 주로 양건식, 정래동, 유수인, 이육사, 김광주 등 중국 유학경력이 있는 문인들에 의해 전개되었다. 소설로는 루쉰의 「아Q정전」, 「광인일기」, 「고향」, 궈모뤄(郭沫若)의 「목양애화(牧羊哀話)」, 딩링(丁玲)의 「떠나간 후」, 위다푸(郁達夫)의 「피와 눈물」, 린위탕(林語堂)의 「북경호일」, 샤오쥔의 「사랑하는 까닭에」 등이 있으며, 시작품으로는 후스(胡適)의 「등산」, 「11월 24일 밤」, 궈모뤄(郭沫若)의 「봄 맞은 여신의 노래」, 「죽음의 유혹」, 쉬즈모(徐志摩)의 「가거라」, 「우연」, 주즈칭(朱自淸)의 「잠자라, 작은 사람아」, 저우쭤런(周作人)의 「소하」 등이 있으며, 연극으로는 궈모뤄(郭沫若)의 「탁문군 삼경」, 톈한(田漢)의 「상상의 비극」, 어우양위첸(歐陽予倩)의 「반금련」 등이 있다. 그 외에도 루쉰 등의 산문이 번역 소개되었다.

이외, 중국근대문학과 관련된 비평으로는 양건식의 「호적 씨를 중심으로 한 중국의 문학혁명」(1920, 번역문), 김태준의 「문학혁명 후의 중국문예관」 (1930), 정래동의 「중국 양대 문학단체 개관」(1931, 번역문), 「노신과 그의 작품」 (1931), 「중국문단의 신작가 파금의 창작태도」(1933), 김광주의 「중국 좌익문 예운동의 과거와 현재」(1931), 이육사의 「노신 추도문」(1936) 등이 있다.

이러한 중국근대문학 작품의 번역과 비평을 통해 한국 근대 문인들의 중 국문학에 대한 인식과 수용 자세, 한국 근대에 있어서의 중국의 사회사상과 미학사상이 미친 영향, 나아가서 한국 근대 문학번역사와 문체의 변천과정 도 이해할 수가 있다. 주지하다시피, 한국 근대 문인들은 대부분 일본을 통 해 서구문학을 수용하였고 또한 서구문학에 대한 번역과 소개도 적지 않게 진행한 바이다. 그럼에도 프로문학 등 특수한 영역을 제외하고는 한국 근대 문단에서 일본문학이 별로 번역·소개되지 않았음은 주목이 필요한 대목이 다. 이에는 식민지시기라는 특수한 시대적 상황 속에서 형성된 이질감과 거 부감이 작용했을 것이다. 이러한 점을 염두에 둘 때 한국에서의 중국 근대문 학의 전파와 수용은 근대 한국 문인들이 중국 근대작가들과 함께 20세기의 동아시아적 가치를 창출하고 공유하고자 한 시대의식과 무관하지 않을 것이 다. 바로 이런 의미에서 중국근대문학에 대한 번역·소개와 비평은 한국근 대문학과 중국근대문학, 나아가 중국과의 관련을 해명하는 데 불가결한 중 요한 영역이기도 하다.

6. 편찬 동기와 총서의 구성

일찍 2014년 연변대학 통문화센터에서는 중국어로 된 『'중국현대문학과 한국' 자료총서』(1~10권)를 간행한바 있다. 베이징에서 열린 이 총서의 출판 기념 좌담회에서 중국의 근대문학 연구자들은 필자에게 『'한국근대문학과 중국' 자료총서』를 편찬할 것을 제안한 바가 있다. 이에 상기 자료집 편찬의 중요성과 절박성을 깊이 인식하게 된 나머지 편찬위원회를 묶어 총서의 편찬사업을 시작했다. 한국근대문학과 중국 관련 자료는 이미 적지 않은 자료집에서 수록되기도 한 바이다. 예하면 연변대학 문학연구소에서 편찬한 『중국조선족문학대계』, 북경민족출판사에서 편찬한 『중국조선족 문학유산 정리편찬』 등에 수록된 적지 않은 작품들은 편찬자 나름의 시각에 따라 중국 조선족문학의 출발점으로 인식되어 중국 조선족문학 권역에 귀속시켰지만, 한국근대문학사에 있어서도 중요한 작가와 작품들이다. 물론 상기 자료집들은 한국근대문학과 중국 관련 연구를 위해 정리된 자료 총서가 아니며 한국근대문학과 중국과의 관련 양상을 살피기에는 전체적이지 못함도 짚고 넘어가야 할 것이다.

한국근대문학과 중국 관련 연구는 1990년대부터 학계의 주목을 받기 시작하여 적지 않은 연구 성과를 내고 있다. 그럼에도 아직까지 중요한 자료들에 대한 발굴과 정리가 진일보 요청되고 있으며 일부 연구들은 충분한 자료적 검토가 확실하지 못한 점도 없지 않다. 이러한 상황은 한국근대문학과 중국 관련양상의 전반적 검토와 연구의 심화에 장애로 작용하고 있으며, 이에 본 자료집은 그에 대한 극복을 목적으로 하고 있다.

『'한국근대문학과 중국' 자료총서』는 편찬 의도를 구현하기 위해 작품 선정에서 첫째로, 한국근대작가들의 중국체험을 바탕으로 중국의 시간과 공간에서 벌어진 인물과 사건들이어야 하며, 둘째로, 중국인들의 생활 혹은 중국에서의 한국인들의 생활을 소재로 해야 하며, 셋째로, 중국체험을 기반으로 하는 동서양 관련 문화인식을 다룬 작품도 가능하다는 원칙을 지키고자 했다. 한편, 편찬과정에서 적지 않은 애로에도 봉착하였는바, 일부 작품들은 당시의 중국 경내에서 꾸려진 신문, 잡지들에 발표되었으나 신문과 잡지의 보존상태가 완전치 못하여 그 전모를 알 수가 없으며, 아울러 신문, 잡지의 경우 여러 곳의 도서관과 서류관에 분산되어 있었다. 또한 일부 작품들은 유고로서 분실된 것도 있었기 때문에 편집자들은 이러한 난제를 풀기 위해 국내외 도서관들을 찾아다녀야 했고 따라서 관련 인사들을 찾아 방문하기도 해야 했다. 비록 편찬자들이 많은 노력과 심혈을 기울였지만 아직 미비한 점이 적지 않다.

본 총서는 총 16권으로서 창작편 11권(소설 4권, 시 3권, 기행문 2권, 정론·실기·수필·희곡 2권)과 비평집 5권이다. 편집과정에서 편찬자는 발표 당시의 원본 형태를 그대로 보여주기에 노력을 경주하였으며, 섣불리 개정이나 첨삭을 시도하지 않았다.

본 총서는 편찬과정에서 국내외 많은 한·중 문학관계를 연구하는 전문가들의 열정적인 관심과 도움을 받았으며 특히 국내외 도서관, 서류관의 지지와 성원을 받은 바 있다. 총서의 편집에 도움을 주신 모든 이들에게 진심으로 되는 감사를 드리는 바이다. 앞으로 본 총서가 한·중 문학관계 연구자들과 독자들에게 도움이 되기를 진심으로 바라며, 미진한 점에 대해 전문가들과 독자들의 기탄없는 비평을 기대하는 바이다.

2020년 2월 1일

차례

박효삼 편

천병림 편

이달 편

김인철 편

일러두기

1. 본 총서는 1919년 중국의 '5.4운동' 전후시기부터 시작하여 1948년 남북한 단독정부 수립에 이르기까지 중국인 및 중국에서의 체험을 소재로 창작한 문학작품 중 문헌적, 문학적 가치가 높은 작품들을 수록하였다.

2. 본 총서는 총 16권으로 구성되었는바 소설(1~4권), 시(5~7권), 기행문(8-9권), 평론(10-14권), 정론·수필·실기·희곡(15-16권)으로 나누었다.

3. 초간본을 저본으로 하여 원본의 표기를 최대한 보류하는 것을 원칙으로 하였으나 일부 초간본을 확인할 수 없는 작품의 경우 초간본에 가장 가까운 판본을 수록하였다.

4. 독자들의 읽기와 이해를 돕기 위하여 표기법은 아래와 같은 원칙을 적용하였다.

   • 근대 모음을 현대 모음으로 바꿨다.

     예: ·→ㅏ

   • 근대 겹자음을 현대 겹자음으로 바꿨다.

     예: ㅅㄱ→ㄲ, ㅄ→ㅃ

   • 띄어쓰기는 현행 한국어 표기법의 기준을 따랐다.

   • 소설의 경우 문장부호를 현행 한국어 표기법의 문장부호로 통일하였다. 대화는 " ", 간행물과 단행본의 명칭은 『』, 기사와 작품의 명칭은 「」, 음악작품의 제목은 <>, 연극 작품은 ≪ ≫로 통일하였고, 명확하지 않으면 ※⁂를 사용하였다.

   • 기행문, 평론, 수필, 정론, 시가, 희곡의 경우 원본의 문장부호를 보류하였다.

   • 원본에서 판독이 불가한 문자는 □로 표시하고 판독 불가한 문자가 1행 이상일 경우에는 주해에 "이하 × 자 판독 불가"를 밝혔다.

   • 원본의 오탈자, 오식은 보류하고 해석이 필요한 경우에는 주해에 "편자 주"를 밝혔다.

     예: 1) "浙江"은 "浙江"의 오식 ― 편자 주

5. 외래어는 원본의 표기를 보류하였다.

6. 인명, 지명 등 고유명사는 원본의 표기를 보류하였다.

7. 한자는 원본의 표기를 보류하였다.

8. 잘못된 인명, 작품명, 신문·잡지명 등과 한자들을 중국어 원문과 대조해 바로잡았다.

김구 편

한국 독립 및 동아시아 평화에 대해

1. 대내로는 민족 역사 정신과 애국 사상을 격려한다.

2. 중국에 대해서는 두 민족의 역사적 공조 사실 및 금후의 합작 경로에 대해 선양한다.

3. 세계 열부들에 대해서는 힘을 합쳐 동방의 해적인 일본을 토벌하고 동아의 평화 및 세계 안정을 수호하도록 간절히 권고한다.

4. 일본 민중에 대하여서는 동아의 평화를 교란하는 그 죄를 경계하고 그 과거를 뉘우치고 사악한 군벌을 타도하고 자국의 멸망을 구원하고 동아시아 평화를 수호하도록 감독, 독촉한다.

한국 독립운동의 근본적인 의미는 일본 제국주의를 쫓아내고 동아의 평화를 보장하고 고유문화를 선양하고 독립, 자유, 평등의 한국을 건립하여 대동세계를 만드는 데 있다.

한국이 왜구에 비참하게 합병당한 후 어느덧 30년이 흘렀다. 이 30년 동안 우리나라에 대한 왜구의 잔인무도한 억압과 착취, 죽을지언정 반항하는 우리의 장렬한 운동이 마멸할 수 없는 깊은 인상을 남겼다. 9·18사변으로부터 7·7사변에 이르기까지 동북 4성과 군찰 등지에 대한 도이의 야만적인 행동으로 인해 우리 한국처럼 중국도 영용한 7·7항전을 시작하여 지금까지 근 3년에 이르렀다. 왜적은 일부의 도시를 강점하고 있기는 하지만 자체의 물질, 인명, 경제 등의 손실로 인해 더는 지탱할 수 없게 되었고 날로 더 붕괴의 위기에 직면해 있다. 중국은 지금까지 항전하는 동안 10여개 성의 중요한 땅을 잃기는 했지만 여전히 사기가 충천하고 민심이 분발하여 섬나라를 짓밟을 기개로 넘치고 있다. 포악한 적은 사면으로 수렁에 빠져들고 있으며 벗어날 수 없는 절망적인 상황에 처해 있다. 그리하여 우리 한국 장정들을 이용하여 한국 사람으로 중국을 침점하려는 독계를 쓰고 있다. 나는 왜적이 최후 발악을 하면서 기울어져가는 국면을 돌려세우려고 하는 이때에 한시 급히 우리나라 사람들을 각성시켜 적의 음모궤계를 파괴하며 아울러 중·한 두 나라가 함께 공동으로 왜구에 저항할 필요성과 가능성을 선언하며 연합하여 힘을 합쳐 잔인한 일본에 제재를 가하도록 세계 열방들을 감독, 독촉함으로써 동아 질서 및 세계 평화를 수호하는 것이 본 지의 중요한 사명이라고 생각한다.

1. 국민들에게 고하노라

왜구와 우리 한국은 세세대대 양립할 수 없는 원수이다. 우리 한국의 선종시기 임진년에 왜구 도요토미 히데요시가 군대를 이끌고 대거 침범해 와 8년 동안이나 대치했다. 나라의 3분의 1의 인구가 희생되고 재산적인 손실은 이루다 헤아릴 수 없었다. 선천적인 강도 근성을 갖고 있는 잔폭한 왜구는 이른바 메이지 유신 이후 서방 제국주의의 피상적인 것을 모방하고 더욱 잔혹한 수단으로 우리 한국이 스스로 규칙을 고치게 하여 경술합병에 이르게 했다. 그 전후 50년 동안 그들에 의해 우리의 부친들은 학살당하고 형제들은 노예로 되었고 자매들은 겁탈, 살해를 당하였다. 재산은 강점당하고 농경지는 빼앗기고 조상의 무덤은 파헤쳐졌다. 한인 교육을 말하자면 역사와 지리 등 민족성에 관한 과목은 금지시켰다. 최근의 왜구 두목인 미나미 지로가 새로 한국인의 성씨를 바꿀 데 관한 조례를 내왔다. 소수의 무치한 문인, 군료와 적의 간첩들은 조상이 세세대대 물려준 한국 성씨를 버리고 얼토당토않은 카토요, 요시다요 하는 왜성으로 고치고 있다. 그야말로 백주대낮에 요괴가 횡행하는 꼴이다. 이 모든 것은 왜구가 한국인의 역사 관념을 마멸하려는 지악하기 그지없는 음모궤계이다. 왜적은 중국에 대한 침략전쟁을 발동한 이래 우리나라 사람들의 반항운동을 방비하고 일반 국민들의 심리를 마춰시키기 위해 이른바 국민정신 총동원 조선 연맹, 청년단, 사상보도 연맹, 시국대응 사상보국연맹, 조선지원병 후원회 등 오가잡탕의 조직체를 창설하여 곧 몰락할 자신의 국운을 연장시켜 보려고 애를 쓰고 있다. 아울러 중국 침략 전쟁에서 희생된 적군의 부족한 병원을 보충하기 위해 모험적으로 조선 징병제를 실시하였다. 전 한국 내 징병 적령자들에 대한 훈련을 시작하고 지원병을 모집해 화북진지에 수송함으로써 포탄으로 써먹고 있다. 또 이른바 국방헌금조례를 강요하고 한인 재산에 값을 매기고 헌금을 부과시켜 울며 겨자 먹기의 참상을 겪게 하고 있다.

오로지 반항만이 유일한 출로이다. 금후 적들의 패망은 날로 더욱 심해질 것이니 우리에 대한 억압과 착취의 방법도 끝없이 나올 것이다. 그러나 우리의 조국 광복의 기회도 따라서 오게 되니 천재일우의 기회로 삼고 지역은 내외를 따지지 말고 사람은 남녀를 불문하고 일치하게 단합하며 역량을 집중해야 한다. 중국의 용감한 항전 전사들과 함께 항적의 역량을 연락해 왜구에게 치명적인 타격을 가하기만 하면 우리의 강토를 수복하고 자유를 되찾는 일은 시간적인 문제에 불과할 것이다. 그러나 왜구를 물리치고 새 한국을 만들려면 새 건설 전략을 신중히 고민해야 한다. 이 문제를 원만하게 해결하지 못하면 앞길에는 필시 가시덤불 길이 많을 것이다. 어떤 사람이 왜 조국 광복을 하려고 하느냐, 라고 묻는다면 나는 통쾌하게 대답할 것이다. 대대손손 자유롭고 행복한 생활을 누리고 안락한 생활을 향수하려면 반드시 내부 질서가 안정돼야 한다. 우리는 4,000여 년의 역사를 가지고 있다. 유구하고 영광스러운 역사를 계승하려면 반드시 선조들의 고유의 도덕문화를 되살려야 한다. 현실에 맞지 않는 것은 쫓아가지 말고 피상적인 새 학술에 편중하지 말며 국인들의 관념을 혼란스럽게 하는 무의미한 분쟁은 조장하지 말아야 한다. 그러므로 수단만 말하고 도의를 말하지 않는 유물이기주의를 단호히 배격하고 인애, 신의, 겸손, 상호 협조의 왕도화를 선양하고 장구한 안정을 위한 국기를 다져야 한다. 광복운동을 열렬하게 진행하는 동시에 건국 방략의 중요한 의미를 절실하게 인식해야 한다.(구체적인 방략은 후에 계속 진술할 것이다.)

2. 중국 동지들에게 고하노라

중국의 신성한 항전은 지금까지 근 3년째 진행되고 있다. 나는 이에 대하여 이렇다 할 실적을 올린 바가 없어서 가슴에 손을 얹고 자문해보면 부끄럽기 그지없다. 그러나 정신적인 지향은 늦춘 적이 없으니 보충할 기회는 얼마든지 있어서 늦지 않았으므로 팔을 휘둘러 외치게 되면 만민이 호응할 그 시간을 기다리고 있다. 중·한 양국은 중당부터 송명 두 조대에 걸쳐 환난을 함께 겪고 서로 도와왔다. 명조 때에는 양국 모두 왜 나라와의 관계 때문에 서로의 관계가 더욱 빈번해지고 밀접해졌다. 그동안 우리에 대한 중국 각계의 열정적인 원조에 실로 많이 감격하고 있다. 일부 인사들은 한국인의 실제 상황에 대해 오해가 많다. 한국인의 광복운동에 대해 당파가 복잡하게 얽혀 있어 역량을 집중할 수 없을 것이라고 생각하고 흔히 대수롭지 않은 태도를 취하고 있어 퍽 유감스럽다. 이른바 당파가 복잡하게 얽혔다는 것은 절대로 없는 일이다. 있다고 해도 주의나 주장이 같지 않거나 혹은 소수의 투기적인 혁명분자가 있을 뿐이다. 터무니없는 날조를 하고 혼란스러운 틈을 타서 목적에 도달하려는 계략은 보잘 것 없는 잔재주에 불과하다. 그러므로 전반 사업에 아무런 영향도 미칠 수 없다. 해가 중천에 떠오르면 나쁜 기운이 사라지는 것과 같아 염려할 필요가 없다. 예를 들면, 나는 중국의 신해혁명부터 중화민국에 이르기까지의 11—12년, 또 민국 13년부터 7·7사변까지를 두 단계로 나누어 말해보려 한다. 중화민국 2년부터 12년까지 이 10년 동안은 각 세력이 할거상태를 이루고 내란이 끊이지 않았다. 당시 중국 국민당의 환경은 아주 험악하여 방관자마저 걱정하지 않을 수 없었다. 민국 11년에 이르러 광동 진씨의 반란이 있었다. 손중산 선생은 광동의 질서를 유지하려 애썼다. 민국 12, 13년에 진계군벌이 날뛰는 통에 중국 국민당은 매일 힘든 나날을 보냈다. 당시 중국의 중흥원훈으로 불린 장개석 선생은 손선생의 위탁을 받고 황포군관 학교를 창설했다. 기본 간부를 훈련시키고 광동 반동 진부의 근거지를 소탕하고 진계군벌의 세력을 몰아내고 당과 나라의 기초를 잘 닦아 놓았다. 당국에 대한 장선생의 위대한 공적은 그야말로 지속적으로 지워질 수 없는 가치가 있는 것이다. 그러나 당시 중국 국민당의 처지는 우리의 상황보다는 몇 배나 더 좋았다. 아무리 어렵더라도 자기 나라의 땅에 근거지를 두고 물력, 인력을 자유자재로 발동할 수 있었으니 이역만리 타국에 나가서 떠돌아다니는 우리와는 비교가 안 된다. 그러므로 우리의 어렵고 외로운 상황은 장선생이 황포군관학교를 설립할 당시보다 썩 더 힘들다. 그러나 우리는 절대 환경이 악렬하다 하여 낙심하지 않고 시종 초나라에 단 세집만 남아도 반드시 진나라를 멸망시킬 것이라는 신념을 견지하고 있다. 현재 왜구의 군심이 흩어지고 중국의 민심은 분발하고 있어 조금이라도 상식이 있는 사람이라면 잔혹한 왜구가 필패하고 중국이 필승하리라는 것을 예측할 수 있다. 그러나 잔혹한 왜구는 아직도 중국 사람으로 중국 사람을 다스리려고 하며 전쟁으로 전쟁을 확대하려는 독계로 각 적 점령구 내에서 괴뢰정권을 세우고 괴뢰군을 편성, 훈련시키며 괴뢰화폐를 닥치는 대로 발행하여 법적 화폐 신용을 파괴하는 등 음모로 중국의 장기 항전의 국책에 저항하려고 시도하고 있다. 한국에 대해서는 징병제를 실시하고 전 한국의 징병 적령자들에 대한 대규모 훈련을 진행하며 지원병을 모집해 중국침략의 적병의 부족한 명액을 보충하려고 시도하고 있다. 이 모든 것이 다 항전의 앞날에는 극대한 영향을 미치게 된다. 그러므로 목하 적이 쇠약해지고 있어도 항전을 끝까지 진행할 결심을 늦추지 않고 더 다진다면 한국인의 항전의 기회는 얼마든지 있고 항전의 방법은 다방면적이다. 그러므로 중국 측이 한인의 항전 역량과 손잡고 공동으로 왜구를 토벌할 필요성에 대한 느낌은 일치해야 할 것이다. 다시 말해 중국이 왜구를 쫓아내고 잃은 땅을 수복하려면 한인의 독립운동을 홀시할 수 없다는 말이다. 그러므로 화북을 안정시키려면 동북을 우선 수복해야 하고 동북을 수복하려면 반드시 한국독립을 원조해야 한다. 이에 대해 양측의 식견이 있는 사람은 다 동일한 관념을 가지고 있어야 한다. 친애하는 중국혁명동지들은 한인들의 일시적인 곤난으로 인해 두 나라 민족의 백년대계를 홀시하지 말고 가장 짧은 시간 내에 한국광복군을 조직하는 일에 지원을 하여 공동으로 왜구를 몰아내고 두 나라 민족의 독립, 자유, 평화와 새 국가기초를 마련하기 바란다.

3. 세계 열방들에게 고하노라

인류사회는 멸망하지 않는 한 정의와 인도가 함께 존재하는 법이다. 개탄할 일이지만 우리 한국은 1910년에 불행히도 잔폭한 일본의 강제 합병을 당했다. 1919년에 구라파전쟁이 결속되고 민족자결의 목소리가 전 세계를 뒤

흔들었다. 같은 해 3월 1일에 우리는 깃발을 들고 일떠나 독립, 자유평등을 높이 부르짖으며 잔폭한 일본의 야만적인 식민지 정책에 반항하였다. 이런 전투 후 수없이 많은 장렬한 희생이 있었으나 잔폭한 일본은 이를 압제하고 덮어 감추어 세계에 널리 알려지지 못하게 하였다. 간악한 일본제국주의자들은 한국을 병탄한 후에도 이른바 북진 정책을 실행해 갑자기 1931년 9월 18일에 무조건적으로 만주 3성을 강점하였다. 이는 일본이 중국에만 강도짓을 한 것이 아니고 사실은 9개국 공약, 켈로그 브리앙 공약, 국제연맹 맹약 등 제 조약들을 어긴 것이다.

당시 국제연맹 맹원국들은 적당히 얼버무려 책임을 회피했다. 그리하여 일본은 이를 관망하다가 한층 더 대담하게 동북에서 화북으로 치고 나가 거리낌 없이 거대한 땅을 잠식하였다. 결국은 1937년 7월 7일 공공연히 침략의 발걸음을 다그쳐 남북을 병합하여 해구를 봉쇄하였다. 평화를 사랑하는 중국 민족은 침략군의 비참한 도살과 겁탈을 당했고 전 중국의 생명재산의 손실은 유사 이래 가장 비참한 새 기록에 이르렀다. 다행스럽게도 중국 군사위원 위원장 장개석 선생이 짧은 동안에 상당한 군사배치를 하고 엄격한 훈련을 실시하고 영용한 7·7항전을 시작해서 지금까지 4년이 됐다. 잔혹한 일본은 표면으로는 일부의 성에 거점을 잡고 있으나 중국 정규군은 싸울수록 강하고 적후의 중국 유격대는 신기한 기습을 하기 때문에 일본은 진퇴양난에 빠졌으며 헤어 나올 수 없는 궁지에 몰려 있다. 최후의 승리는 중국에 속한다는 것은 이미 의심할 여지가 없는 사실이다. 그러나 이렇게 전례 없는 재난을 당하게 된 원인을 보면 각 국제 연맹 맹국들이 그 책임을 피할 수 없다. 아울러 제2차 유럽전이 일어나게 된 원인도 시작 전부터 열국들이 일본을 방종한데 있다. 제멋대로 중국을 침략했을 초기, 이를테면 9·18 당시에 국제 연맹이 맹약 의무를 절실히 이행하고 일본에 조약을 준수할 데 대해 강박명령을 하고 아울러 실제적인 제재를 가했더라면 왜구들이 감히 이처럼 방자하게 행동하지는 못했을 것이다. 국제 연맹의 맹국들이 그렇게 하지 않았기 때문에 일본은 더욱 욕심을 부리며 전 중국을 혼자 삼켜버리고 동아를 독차지하려고 시도했다. 이때 유럽의 신흥 파쑈 국가들은 그것을 보고 손이 근질거려 그야말로 잔혹한 침략 경쟁을 벌였다. 희생된 국가들로는 에티오피아, 알바니아, 오지리, 체코, 네델란드 등이다. 이렇게 제2차 대전의 화염이 유럽 전체에 만연됐다. 이에 가장 먼저 불을 지른 나라가 바로 일본이다. 그러나 시종 강 건너 불구경하며 끄려고 하지 않아 자신에게까지 그 불이 미치는 일은 많고도 많다. 작자는 이에 대해 특히 말하지 않을 수 없으매 과거를 추궁하는 것이 아니고 또 하늘을 원망하는 것도 아니며 아직은 열방에게 희망을 거는 사람이다. 정의적이고 인도적인 원칙에 따라 힘을 합쳐 잔혹한 일본을 바다 밖으로 몰아내자는 것이다. 중국의 항전, 건국 국책의 성공을 돕는 일은 무의식간에 우리 한국의 독립을 돕는 일이 됐고 금후에는 동아시아에서의 열방의 권익이 보장되게 할 뿐만 아니라 동아시아의 안정과 세계의 평화도 실현될 수 있게 하는 일이 됐다. 현명한 열방정치가들이 함께 힘을 보태기를 바란다.

4. 일본 국민에게 고하노라

인류사회의 문명과 야만의 계선은 도덕관념의 유무로 구별된다. 동방 문화가 서방보다 더 우수한 것은 도의관념이 공리주의보다 더 중요하기 때문이다. 일본은 체이도국(蕞爾島國)으로서 그 문자, 풍속, 예의, 법규 등은 다 중·한 두 나라 문화의 여음을 이어받은 동방인류사회에서 시작됐다. 이는 타국을 비웃는 의미가 아니다. 중·한·일 3국역사를 섭렵한 사람은 다 자세히 아는 사실이다. 이른바 무사도, 야마토 타마시(大和魂) 등 명사들도 섬나라 국민의 횡포한 열근성을 나타낸 것으로서 당당한 인의, 신의의 왕도를 갖고 있는 평화의 영역에 참여하기에는 부족하다. 이른바 메이지유신이라는 것도 서방 물질문명의 찌꺼기를 받아들여 살인 방화의 야수성을 강화한데 불과하다. 남의 나라를 멸하고 남의 부모를 살해하고 재산을 빼앗는 그 악독하고 야만적인 행위는 침략주의를 집대성한 것이다. 경술년에 한국을 병탄한 후 전심전력으로 이른바 대륙정책을 실행하여 1931년 9월 18일 뻔뻔스럽고 비열한 수단으로 오야에 중국의 동북3성을 강점하고 또 열하와 난동에 쳐들어가 비인간적인 폭행을 감행했다. 1937년 7월 7일에는 공공연히 전쟁을 도발해 전례 없는 대 도살과 대 파괴를 시작함으로써 암흑한 인간지옥을 만들었다. 묻노니, 이번 중국 침략전쟁의 의미는 무엇인가? 어떤 이유에 근거한 것인가가? 일본의 국민들은 조금이라도 인간성이 있다면 가슴에 손을 얹고 생각해 보라. 두렵지 않은가. 일본에도 대세를 알고 훈목왕도를 추구하는 문화인이 많은데 인류 사회의 전례 없는 대재난을 만회 할 일에 대해 절실히 연구해야 한다. 동방은 자고로 그 얼마나 많은 성철들이 강자를 누르고 약자를 부축하는 것을 불평등을 대신하는 처세의 최저 법칙으로 삼았던가. 그리하여 이를 대인대덕이라 했다. 정의를 위해 용감하게 뛰어들면 이 또한 어진 자는 당할 자 없다고 했다. 시종 구세안민을 하는 것이 인류 사회의 기본 원리이다. 약한 자를 공격하고 외로운 사람을 괴롭히고 남의 어려움을 틈타 남을 업신여기는 수단으로 재부와 땅을 빼앗는 짐승 같은 행위를 절대적으로 배척해야 한다. 불의를 많이 저지르면 반드시 멸망한다. 일본 국민은 계속 세상에서 살아가려면 반드시 과거를 참회하고 앞날을 경계하며 어서 빨리 야만적인 폭행을 타도하고 이른바 만세일계의 황통을 짓부시고 동방왕도의 문화로 돌아와 뿌리를 박고 자국이 멸망하지 않도록 구하며 동아시아 평화를 다

지기를 부디 바란다. 작자 본인은 도덕기준으로 사람을 사랑하는 뜻에서 이와 같이 진술했으니 어떻게 할 것인지 스스로 선택하기 바랄 뿐이다.

『韓民』, 第1期, 第1號

김약산 편

중국에서의 조선의용대

항전이 진행되고 있는 이때에 영광스러운 쌍십절을 맞이하게 되었으며 조선의용대의 창립 및 항전에 참가한 경위에 대한 진술로 헌사를 대신하고자 한다.

중국의 영용한 항전대오에 조선의용대가 참가했다. 이 의용대는 조선 내지에서 중국에 파견된 것이 아니고 중국 당국에서 모집한 것도 아니다. 사실은 중국에 망명한 조선혁명청년들이 조선혁명 진행상 특수한 환경 때문에 중국에서 자원적으로 조직한 것이다.

그렇다면 이 특수한 환경이란 무엇인가? 조선에 대한 일본제국주의의 식민지정책은 그 잔혹하고 포악한 수단이 인도와 필리핀 등지에 대해 영미가 취한 정책에 비하면 아주 많이 다르다. 그들은 무력적이고 전제적인 고압정책으로 모든 조선인의 집회결사의 자유를 금지시킬 뿐만 아니라 소극적인 개량운동마저도 금지시키고 있다.

조선혁명운동은 이런 고압적인 무력(武力) 정책 치하에서 조선혁명을 위해 일떠선 무장대오로서 현재 국내에서는 산생, 조직될 수가 없다. 개량운동, 이를테면 '국산애용운동' 혹은 '산업장려' 등도 공개적으로 진행할 수 없어서 비밀리에 '지하운동'을 해야만 장래의 대 궐기를 준비할 수 있다. 이것이 바로 조선혁명운동을 진행함에 있어 특수한 환경이다.

이런 특수 환경 속에서 조선민족이 압박을 당하고 있는 실정은 편폭의 제한으로 자세하게 말할 수 없다. 다만 중국 '9·18사변' 이후 조선혁명청년들이 왜놈에 의해 쫓겨난 상황을 적음으로써 그 경우를 짐작하게 하고자 한다. 혁명의식이 조금이라도 있는 조선청년은 한번이라도 체포됐거나 구금됐다면, 혹은 어떤 혐의 때문에 수시로 적의 감시를 당한다면 조선 땅에서 절대 발을 붙일 수 없고 반드시 쫓겨나 망명을 해야 하며 살아갈 곳이 더는 없는 것이다. 중국 각지에 남은 조선청년들 대다수는 이런 압박 때문에 쇠사슬을 벗어나 망명한 사람들로서 그야말로 비분이 가슴에 가득 차올라 억제할 수 없다. 미처 도망치지 못했거나 지체된 사람들은 체포되고 투옥되어 현재 1만 6천여 명의 '정치범'이 있다. 그리고 중국 항전이 시작된 이후 일본 제국주의자들은 '사상보호관찰법'이란 법률을 내와 유'죄'이든 무'죄'이든 제멋대로 체포한다. 적에게 구금된 사람들도 6천400여 명이나 된다.

이런 상황에서 핍박에 못 이겨 중국에 망명한 조선 혁명청년들은 중국 동북, 중부와 남방 각지에서 혁명을 위해 바람이 부나 비가 오나 밤낮없이 고생하면서 어느 하루도 빠짐없이 혁명공작을 진행하고 있으니 이는 중외에서 다 아는 사실이다. 이들 조선 혁명청년들은 항전 이전에 조선민족에 대한 중국 민족 수령 장위원장의 깊은 동정을 받아 남경에서 '조선혁명간부학교'를 창설했고 한곳에 모여 군사정치 및 각종 기술 훈련을 받았다. 이 학교는 제3기까지 꾸렸으며 많은 혁명의 인재들을 양성해냈다. 항전이 시작된 후에도 중국 중앙군관학교 특별훈련반 등에서 훈련을 받았다. 이 수백여 명의 조선혁명청년들은 어렵게 잡은 이 중국 전면 항전의 기회에 결연히 '조선의용대'를 자원적으로 조직했으며 이 위대한 항일전쟁에 직접 참가하기 위해 적극적으로 분투하고 있다.

이상과 같이 중국에서 조선의용대가 산생한 주요 원인에 대해 말했다. 조선혁명의 기본인 무장대오는 이런 환경 속에서 반드시 해외에 건립되고 조선국내로 진입해야 한다. 중국 항전 전에 중국 동북에 살고 있는 한교들은 이미 백만여 명에 이르렀다. 항전 후에는 핍박에 못 이겨 중국 각지로 이주했는데 이들 또한 수십만 명이나 된다. 이 방대한 조선민중은 우리 혁명발전의 하나의 동력이며 또한 조선의용대가 중국에서 발전할 수 있는 근거이다.

이런 실제에 근거하여 조선의용대는 이 중화민족의 위대한 항일전쟁에서 신성한 임무를 담당하는 한편 조선혁명의 무장역량을 건립하게 된다. 조선의용대는 본토에서 산생된 것이 아니라 해외에서 설립되었으니 정당하지 않은 일종의 기형적인 발전이라고 하겠지만 이 구체적인 사실은 중·한 두 민족 혁명은 불가분리적이고 실제적으로 연관돼 있다는 것을 말해준다. 즉 다시 말해 중한 두 민족은 연합하여 공동의 적을 타도해야 하는 사실을 말해주고 있다.

중국의 항전은 동방 피압박 민족의 해방의 첫 시작이며 또한 일본 제국주의 장벽을 돌파하는 주력이다. 우리 조선 혁명자들은 이 기회를 잘 틀어쥐고 용감하게 돌진하고 영광스러운 승리를 쟁취하여 동방의 진정한 평화를 마련할 것이다. 이것은 우리 조선의용대의 과업이자 철의 정신이다!

『中國靑年月刊』, 第一卷, 第4號

중국 민족 항일전쟁 중
조선 국내 혁명동지들에게 알리는 글

친애하는 전국 혁명 동지들!

중화민족 항일전쟁은 이미 9개월 남짓이 진행되었습니다! 이 동방에서 피압박 민족해방 투쟁이 전례 없이 긴장한 시기에 들어섰습니다. 저는 동지들도 이 전쟁이 어떻게 발전하고 이 전쟁의 소용돌이 속에서 우리는 뭘 해야 하는지를 시시각각 관심하고 있을 것입니다. 지금 저는 이 문제에 대해 여러분에게 개괄적인 보고를 올리겠습니다.

여러분도 알다시피 조선과 중국은 과거 수천 년 동안 서로 떨어질 수 없고 고락을 함께 해온 역사적인 관계였습니다. 일반적으로 말해 중한 양국은 바다와 육지로 수천 리의 변계를 가지고 있습니다. 지금은 일본의 해륙공군이 조선의 평양, 경성, 인천, 나남 등지에서 직접적으로 중국에 뛰여들 수 있습니다. 조선의 대외무역은 일본을 제외하면 중국과의 무역이 1위입니다. 조선의 외국 교민들 중에는 일본의 이주민을 제외하면 중국 교민이 1위를 차지합니다. 이런 화교들이 조선에서 조선민중과 마찬가지로 일본제국주의의 압박과 착취를 받고 있습니다. 또 중국 동북에 거주하고 있는 조선인민은 그 수자가 200여만 명이 넘는데 이들도 중국 인민과 함께 일본제국주의의 압박과 착취를 당하고 있습니다. 이런 관계는 정치면에서 더욱 밀접해지고 있습니다. 즉 일본제국주의는 조선민족의 적일뿐더러 또한 중국민족의 적입니다. 중국의 혁명운동은 직접적으로 조선민족의 해방투쟁에 영향을 미치고 있습니다. 바로 이렇기 때문에 목전 중국의 항전의 승리는 의심 할 나위 없이 조선혁명운동의 성공을 촉진하는 것과 같습니다. 마찬가지로 조선혁명운동의 발전도 중국항전의 승리를 촉진할 수 있습니다. 중·한 두 나라 민족의 이 같은 관계는 금후에도 사회의 발전과 더불어 더욱 긴밀해질 것으로 보입니다.

지금 중국의 항전은 이미 제2기의 승리의 단계에 들어섰습니다. 이 2기 항전에서 전략적인 전변과 항전 역량의 강화로 인해 전반 반공격에서 적에게 큰 좌절을 안겼습니다. 즉 로남 대아장 전투에서 왜적의 정예부대인 이소야, 이타카키의 두 사단을 포위 전멸하여 전례 없는 대승리를 거두었습니다. 그리하여 진포선을 뚫으려던 왜적의 계획이 분쇄됐습니다. 이런 승리는 절대 진포선의 한 전역에만 국한되지 않습니다. 최근에는 남북 각 전선에서 모두 크고 작은 승리의 첩보를 울리고 있습니다.

우리는 군사면에서 이처럼 놀라운 발전이 있게 된 것은 정치면의 위대한 진보에서 기인했다는 점을 알아야 합니다. 최근 중국 국민당은 임시대표대회를 개최하고 민의기관을 조직하여 전국인재를 집중하기로 결정함으로써 항전의 정치역량을 증강하기로 했습니다. 항전 건국 강령을 선포하고 외교, 군사, 정치, 경제, 민중 운동 및 교육 등 여러 면에서 진보적인 구국정책을 수립하여 모든 전기의 항전 장애물을 청리하기로 하였습니다. 영수제도를 특별히 확립하여 전국 군민에 대한 통일 지휘를 실현하였습니다. 이런 정치적인 위대한 성과가 있어야만 군사면의 최후 승리를 담보할 수 있습니다.

이상의 군사면의 승리와 정치면의 성과를 통해 우리는 중국민족의 위대성을 알 수 있습니다. 이 점에 대해 우리는 몇 가지 실례를 들겠습니다.

첫째, 중국 민족은 단합된 위대한 힘을 가지고 있습니다. 여러분도 알다시피 중국의 국공 양당은 십여 년 동안 대립한 역사가 있습니다. 그러나 나라에 위기가 닥치자 곧 한결같이 뭉쳐서 함께 분투하고 있습니다. 이것은 중화민족의 정신의 위대함을 말해주고 있으며 또한 중국민족의 최고 영수 장개석 선생의 위대함을 보여주고 있습니다. '항전이 모든 것보다 중요하다'라는 구호는 중국 항전의 최고 전략 원칙입니다. '형제는 집안에서는 싸워도 밖에서는 협력하여 외인의 괴롭힘에 맞서 싸운다.'라는 것은 중화민족의 국가 도덕의 최고 기준입니다. 이런 고유한 정치도덕과 새로운 정치 전략이 통일되면 위대한 조직적인 힘이 생기게 됩니다.

둘째, 중국민족의 위대한 희생정신을 갖고 있습니다. 상해의 4행 창고에 서 있은 800명 장병들의 영용한 전과와 보산현에서 장렬하게 희생된 전영 장병의 업적, 그리고 각 전장에서 중국 군인들이 남긴 수많은 감동적인 혈전 기록들은 일일이 다 말할 수 없습니다.

셋째, 중국민족은 위대한 동원력을 갖고 있습니다. 전국 민중은 남녀노소를 불문하고 정부의 영도 하에 돈이 있는 사람은 돈을 내고 힘이 있는 사람은 힘을 내면서 다 같이 일떠나 무장하고 적과 싸우며 국민의 일원으로서의 의무를 다 하고 있습니다.

이번 전쟁에서 일본 군벌의 행위는 어떠하였겠습니까? 당신들은 적들의 소식봉쇄 때문에 그들의 잔인무도한 행위의 진상을 잘 모를 수도 있다고 생각합니다. 그들은 과거 9개월 동안 비행기와 대포로 비무장 된 도시를 폭격하고 문화기관을 파괴하고 부상자병원, 난민수용소를 습격하는 외에도 이르는 곳마다 살인방화를 하고 재부를 겁탈하고 부녀자를 강간하면서 야만적이고 무치한 참사를 단행했습니다. 일본 군벌의 이런 행위는 전 중화민족의 원한과 설욕심을 불러일으켰으며 골수에 사무치게 했습니다. 이보다 더 한 것은 중국 역사상 가장 침통한 '양주 10일' 참극이었습니다. 일본강도는 동아의 맹주라고 자부하나 그들은 맥주, 여인, 천녀침 및 미신적이고 허위적인 수단으로 순수한 노농청년들을 기만하여 침략전쟁에 종사하게 했습니다. 중국의 군인들은 이와는 정반대입니다. 그들은 자기 민족의 생존과 자유를 위해 자각적으로 항전에 참가했으며 세계 평화와 정의를 위해 선봉의 과업을 수행하고 있습니다. 이 두 민족의 정신과 행동을 비교해보면 하나는 부흥의 기상이고 다른 하나는 몰락의 기상이라는 것이 분명해집니다.

그리하여 '중국의 항일전쟁은 잃은 땅을 수복하는 것에 그치지 않고 대륙에서의 일본제국주의 세력을 깨끗이 제거하고 아울러 조선독립의 완성을 담보하는 것으로써 반세기 이래 쌓이고 쌓인 낡은 장부를 청산하게 됩니다. 이는 중국 민족의 영수 장개석 선생의 의지이며 또한 중화민족의 공동하고 일치한 결심이기도 합니다.

다음은 중국 관내에서의 우리의 운동 상황에 대해 간단하게 말씀 드리겠습니다. 1925년부터 우리의 많은 청년 동지들은 중국 혁명 책원지 황포군관학교에서 공부하고 많은 군사간부를 양성하여 직접 중국의 북벌전쟁에 참가했습니다. '9·18'사변이후 장개석 선생의 직접적인 원조 하에 다수의 조선 군사간부인재들을 양성했습니다. 아울러 다수의 전사들을 파견하여 조선혁명운동에 종사하게 했습니다. 1932년에 조선혁명당, 한국독립당, 신한독립당, 조선의열단, 대한독립당 등 5개의 단체가 연합하여 '대일전선통일동맹'을 결성하고 그 후 1935년에는 이 5개의 단체의 공동한 결의 하에 원유의 단체를 자체로 해산하고 조선민족혁명당을 따로 결성했습니다. 또 1937년에는 조선민족해방운동자동맹, 조선혁명자연맹, 조선민족혁명당 등 3개의 단체가 연합하여 '조선민족전선연맹'을 창설했습니다.

여태까지는 조선혁명 전선에 크고 작은 당파로 나뉘어 있어서 매우 복잡했습니다. 그러나 5개의 단체가 자체로 해체되고 통일적인 '조선민족혁명당'이 창설됐으니 이는 당연 진보적인 현상입니다. 특히 지금 이런 단체들은 공동강령에 근거해 민족전선연맹을 결성하였으니 또 한걸음 더 나간 성과라고 말하지 않을 수 없습니다. 지금 우리의 연맹은 중국 항일전쟁에서 활발하게 혁명 사업을 하고 있습니다. 이는 조선혁명내부의 경험 및 세계 반침략 세력의 앙양된 영향력에 의해 이뤄진 것으로서 중국 항일혁명의 통일적인 발전의 보다 중대한 영향과 교훈에서 비롯된 것이라고 말하지 않을 수 없습니다.

다음은 조선 국내의 운동에 대해 약간의 의견을 말하겠습니다. 목하 중국의 항전은 일본제국주의의 역량을 분쇄하고 있으며 아울러 우리의 혁명운동을 촉진하고 있습니다. 전 세계의 반침략운동도 적극적으로 중국의 항전을 원조하고 있습니다. 소련의 평화로운 분투도 세계 침략주의의 미친듯한 발걸음을 적극적으로 방지할 수 있습니다. 일괴는 침략전쟁으로 국력을 소모하고 있으며 또 내부의 모순으로 인해 혁명위기가 발생하고 있습니다. 이런 형세에서 우리의 운동도 자연히 유리한 진전이 있게 될 것입니다. 그러나 우리는 절대 소홀해서는 안 됩니다. 적들의 혁명진압의 기술이 아주 발달했고 이미 혁명을 진압할 준비와 배치가 충분한 상태입니다. 그러므로 객관적인 정세가 우리에 아무리 유리하더라도 우리 자신이 정확한 노력으로 승리를 쟁취하지 않으면 혁명은 단연코 요행에 의해 성공되지는 않습니다. 그렇다면 우리는 어떻게 노력해야 하겠습니까?

첫째, 우리 모두가 일치하게 단결해야 합니다. 사상이 다르고 계급이 달라도 불문하고 다 반일독립의 기치아래 단합하여 전 민족적인 통일전선을 구축하고 공동으로 일본강도를 타도해야 합니다. 우리가 일본의 통치를 뒤엎지 않으면 그 어떤 주의나 이상도 다 실현할 수 없습니다. 그러므로 우리 전 민족적인 투쟁 대상은 여전히 일본제국주의입니다.

둘째, 대중 속에서 새 간부 조직 기초를 확대해야 합니다. 우에서 말했다시피 지금 객관적인 정세는 우리에게 아주 유리합니다. 그러나 우리의 혁명투쟁이 왜 아직도 맹렬하게 진행되지 못하고 있습니까? 이는 많은 슬기롭고 유능한 간부들이 적에 의해 체포 투옥되어 새 간부의 조직 기초를 다질 수 없는 까닭입니다. 대중에게 지도자가 없다면 정확한 투쟁을 진행할 수 없습니다. 우리는 하루 빨리 슬기롭고 과감한 새 간부들을 양성하여 대중 속에서 조직과 투쟁을 강화, 확대해야 합니다.

셋째, 타협주의 및 개량주의자들에 대한 투쟁을 추호도 늦추지 말아야 합니다. 그 어느 시대거나 그 어떤 나라의 혁명운동이거나를 막론하고 다 이런 타협, 개량 등의 나쁜 경향을 가지고 있습니다. 이런 경향이 나타나면 흔히 적에게 이용될 수 있고 혁명진영 내부가 균열이 생겨 적에게 쉽게 공략당할 수 있습니다. 이를테면 최근에 최린, 최남선, 차재정 등이 투항했는데 이것은 우리 민족의 치욕일뿐더러 대중의 혁명 지조를 거세한 것과 같습니다. 이는 우리가 타협주의자들을 대중 앞에서 충분하고 엄밀하게 감시하고 폭로하고 공격하지 않았기 때문입니다. 이것은 바로 우리의 운동이 늘 실패를 겪는 중대한 요소이기도 합니다.

넷째, 혁명의 결정적인 승리는 군중의 무장의 총궐기에 있습니다. '3·1', '6·10', '11·3'운동 등 비무장투쟁은 비록 아주 격렬했지만 일본강도를 쫓아낼 수는 없었습니다. 일본강도를 쫓아내려면 최대의 유혈과 장렬한 희생을 치르지 않고는 성공할 수 없습니다. 그러나 이런 칼날과 피와 살로 새로운 역사를 개척하는 신성한 결전은 반드시 전국 규모의 일치한 행동이어야 하고 반드시 최후의 순간까지 분투해야 하고 반드시 국내외의 혁명 역량을 긴밀히 단결해야 합니다. 그러나 우리는 이런 최고 결승전의 무장 투쟁을 발동하는 이때에 반드시 우선적으로 크고 작은 대중적이고 일상적인 반일투쟁을 끊임없이 전개해야 합니다. 동시에 이런 대중적이고 일상적인 반일투쟁에서는 반드시 폭넓은 대중의 생활 요구를 망라한 구체적인 강령을 분명하게 제기해야 합니다. 이런 행동 강령이 없다면 대중의 크고 작은 투쟁은 일정한 목표가 없게 됩니다. 또 이런 행동 강령과 혁명의 기본 강령이 긴밀하게 연결되지 않으면 혁명은 쉽게 개량주의의 수렁에 빠지게 됩니다. 현재 우리의 혁명적 기본 강령은 일본제국주의를 타도하고 친일파 등 반동세력을 박멸하고 독립적인 민족국가를 건설하며 민주주의 정권을 확립하고 적들의 모든 공사재산을 몰수하고 민중의 생활을 개선하며 중국 민족 및 세계 반침략세력과 연합하여 공동 분투하는 것 등등입니다.

동지들! 일떠납시다! 30년 동안의 노예의 치욕을 씻고 자유롭고 행복한 새 국가를 건설하는 시기가 이미 왔습니다! 대담하게 희생적으로 일떠나 분투합시다! 끝으로 감옥에 갇힌 동지들에게 경의를 드립니다.

『朝鮮民族戰線』, 第2期

두 번째 해의 시작

우리 조선의용대는 작년 10월 10일에 한국에서 창설된 후 한구 후퇴수비전 3일전에 한구를 떠나 제1, 제5, 제9전구로 나뉘어 출발하여 각 전구의 전방과 후방의 정치공작에 참가했다. 지금까지 꼬박 1년이 걸렸다. 조선민족이 이렇게 중국을 협조해 작전한 사례는 멀리로는 명나라가 만청의 침략을 당한 시기에 한번 있었고 최근 수십 년 사이에는 조선동지들이 개별적으로 중국을 협조한 일들이 있었다. 일례로 국민군 북벌시기에 300여 명이 그 혁명운동에 참가했었다. 그러나 전 조선민족적인 기치를 내걸고 싸운 적은 없었다. 중국 측으로 보면 항전 2년이 넘는 동안 전 민족적인 입장으로 중국 항전에 참가한 사례는 지금까지도 조선민족 하나뿐이다. 그러므로 이는 중한 두 민족의 역사상 하나의 새로운 운동이다. 아울러 두민족의 친선의 견고한 기초를 다져주었다.

우리 의용대가 바로 이런 특수한 의미를 가지고 있기 때문에 두 번째 해의 사업이 금방 시작된 오늘 지난 1년의 사업을 절박하게 검토할 필요가 있다고 생각한다.

작년에 의용대가 창설될 때에 우리는 이런 구호를 내걸었다. 1, 우리의 행동으로 중국을 멸망시키고 중·한민족에 이간을 도발하는 적의 음모를 분쇄한다. 2, 일본제국주의에 쫓겨서 중국에 온 조선동포들과 일본 군민을 쟁취한다. 3, 동방 각 민족의 반일 역량이 중국 항전에 참가하도록 발동하는 것이 중국에 있는 조선혁명동지들에게 부여된 임무라고 생각하며 이를 조선민족의 해방 사업으로 간주한다.

중국과 조선을 대처하는 적의 정책은 비열하고 뻔뻔스러운 여러 가지 날조를 통해 각 민족의 통일을 분열시키고 두 민족의 단결에 이간을 놓는 것이다. 1930년의 만보산 참안 역시 완전히 적이 만들어낸 음모와 비극이다. 이번 전쟁이 시작된 이후 적군이 조선 군인으로 가장한 실례가 그야말로 헤아릴 수 없이 많다. 예를 들면 악북에서 체포된 아라키를 조선인 김춘근이라고 했다. 환남에서 체포된 이토우 이사무도 자신이 조선인이라고 하면서 이르는 곳마다 중국 민중에게 기만적인 선전을 했다. 일본군대에는 수염을 기른 사람은 다 조선인이라고 하면서 이들은 살인 방화도 하며 진정한 일본 군대는 중국 백성을 살해하지 않는다고 했다. 이렇게 기만했을 뿐더러 더욱 재미있는 것은 조선의용대는 조선인으로 구성된 것이 아니고 중국 정부가 조선인과 일본인을 기만하기 위해 중국인으로 조직한 것(상북에서)이라고 했다. 적들은 그야말로 모든 틈을 타서 기만선전을 했다. 그러나 사실은 웅변보다 낫다. 기만술은 진리의 앞에서 영원히 굴복할 수밖에 없다. 적들의 음모는 곧 실패로 돌아갔다. 이들은 우리 의용대를 파괴하려고 사처로 다니며 역선전을 하고 우리를 소멸하려고 그렇게 한 것이다. 지어 염탐꾼을 파견해 현상하는 방법으로 우리 의용대 대원을 잡으려고 했다. 확실히 적들의 음모는 아주 음험했다. 그러나 성과를 거뒀는가? 우리의 동지들을 잡기라도 했는가? 아니다. 실로 불가능한 일이다. 우리의 동지들은 영용하게 투쟁하고 있고 이미 중국 정부와 민중의 사랑을 받고 있다. 중·한 양 민족의 친절한 우의와 혁명적 연맹 앞에서 적들은 속수무책이다. 우리의 동지들이 이르는 곳마다 민중은 뜨거운 사랑을 보내고 있으며 체포된 일본 형제들도 우리 의용대에 참가하기를 원하고 있다.

대적선전은 효과적이었다. 상북 통성 부근의 XXX지방에서 우리 동지들은 적과 100미터의 근거리에서 일본어로 구호를 부르면서 강연을 했다. 그리하여 일본 병사들을 설득했고 200여 명의 적병은 감동하여 총을 내던지고 전호에서 뛰쳐나와 투항을 의미하는 백기를 들었다. 이런 사실은 적들의 대포와 비행기가 대단하기는 하지만 우리의 진보적인 혁명적 의지, 희생정신 및 높은 기술로는 군대 인력도 투입할 필요가 없고 적군마저 쟁취할 수 있다. 전쟁이 계속될수록 이럴 가능성은 더욱 커질 것임은 의심할 나위가 없는 일이다. 또 한 번은 악북에서의 공작에 투입된 우리의 호유백동지가 적과 80미터 떨어진 곳에서 일군을 향해 강연을 했다. 그때 적의 측에서도 강연을 했다. 이런 화선 변론회는 4일 밤 동안 계속 진행됐다. 결국 적들은 더는 할 말이 없자 화가 치밀어 마구 사격을 가했다. 이번 변론회의 현장에는 오사까 마이니치신문사의 특파원 XXX가 있었다. 그는 이 변론경과를 오사까 마이니치 신문에 발표했다. 그러나 조선의용대라고 하지 않고 중국인이라고 했다. 여하를 막론하고 이 사실은 결과적으로 대적선전 사업을 강화한 것이다.

동지사이의 우정과 환난을 함께 하는 행동은 두 민족의 친선을 더 강화했다. 민족사이의 우의는 사람사이의 관계처럼 고생스럽고 위험한 환경일수록 더욱 분명하게 나타나는 법이다. 우리 동지들이 용감히 결사대, 변복대에 참가하고 적들의 쇠사슬 속에서 중국 형제들과 함께 협력하여 적과 박투해야만 우리는 두 민족에게 오로지 하나의 적이 있고 오로지 하나의 공동한 운명만이 있다는 것을 더욱 느끼게 된다.

제X연의 황반장이 부상을 당하자 리만영 동지는 '자기가 비 오듯 쏟아지는 총탄 속에서 죽을지언정 부상당한 동지가 죽어가는 것은 보고만 있을 없어' 자기의 생명은 아랑곳 하지 않고 황반장을 구하였다. 진한중, 관건, 이동호 등 동지들도 최전선에서 유연장을 구하여 업고 적들이 매복한 수림을 지나 십여 리의 산등성이를 넘어 안전지대에 호송했다. 그들의 옷에 유연장의 피가 스며들었을 때 그들은 서로 크나큰 영광을 깊이 느꼈다. 이는 우리 의용대의 정신이며 조선혁명전통의 희생정신이다. 우리는 오직 이런 행동만이 중한 두 민족의 우의를 더욱 단단히 다질 수 있다는 것을 굳게 믿는다. 우리가 일 년 동안 분투하고 불요불굴의 새 작풍을 수립하고 견고한 단결기초를 닦았기 때문에 적들의 그 어떤 음모도 이를 파괴할 수 없다.

조선동포와 대만, 일본 형제들도 적극적으로 우리의 사업에 호응하고 있다. 멀리 미국에 있는 만여 명의 교포들도 조선의용대가 창설됐다는 소식을 듣고 즉시 조선의용대 후원회와 중국항전후원회를 조직해 그곳 중국 인사들을 도와 시위를 벌였으며 원수의 물건을 불매하는 운동을 추진하고 금전 약품을 모금하여 중국에 보냈다. 의용대의 창립 한 돐이 되는 그날 그들은 대규모의 시위행진을 하고 일본영사관을 포위하였다. 중국에 있는 대만, 일본의 지사들도 우리의 발전에 큰 힘을 기울였다. 지금 그들은 다 우리와 같은 의용대를 조직하여 중국의 항전에 참가할 준비를 하고 있다. 동방 여러 민족의 반일 역량은 이미 생기발랄하게 성장하고 있다. 점차 서로 긴밀히 연결되어야만 적들의 멸망을 가속화시킬 수 있다!

다른 한면에서 보면 일 년 동안의 실제적인 투쟁은 재중 조선 혁명자들의 이론면의 통일을 추진시켰다. 과거에는 실제적인 대규모 투쟁의 기회가 없었으므로 재중 혁명 진영에 텅 빈 이론과 초현실적인 환상이 많았다. 이런 현상은 혁명운동의 통일과 발전을 저해했다. 그러나 지금은 다르다. 객관적인 변화가 우리의 통일에 큰 영향을 미치기는 했지만 더 실제적으로 보면 현실을 떠난 요구는 주관적인 억측이나 정확하지 못한 이론이며 실제 투쟁 가운데서 동요상태가 나타났고 지어는 발도 붙일 수 없게 됐다. 그러므로 일 년 동안의 전투는 확실하게 해내외 조선동지들을 교육했고 이론 수준을 높여줬으며 정예한 간부들을 양성하고 과거의 분기 현상을 청산하여 유력한 단합을 이룩했다. 이 사실에서 보면 해외의 조선혁명운동은 조선의용대의 기치아래 점점 더 견고해지고 있다.

영용한 투쟁의 한해가 지나가고 우리는 일부의 과업을 완성했다. 이는 중국 정부 당국과 민중이 우리에게 절실한 도움과 지도를 해주었기 때문이며 우리 동지들이 깊은 군사정치교육을 받고 전투생활경험과 고생을 두려워하지 않는 정신이 있었기 때문이다.

두번째 해가 시작되는 이때 우리는 반드시 다시금 새로운 환경과 새로운 사업대상을 선택해야 한다.

제국주의의 제2차 대전이 끝내 얼마 전에 폭발했다. 그러나 이것은 제1차 대전과는 상황이 다르다. 제국주의자 쌍방이 서로 담벽을 쌓는 외에 약소민족의 혁명 역량은 이미 경시할 수 없는 정도로 발전했고 또 거대한 반제 평화세력이 존재하고 있다. 이 새로운 조건의 존재로 말미암아 이번 전쟁은 발전, 연속되는 과정에서 약소민족의 해방운동이 보다 큰 발전을 가져올 수 있을 뿐만 아니라 성공을 할 수도 있다.

중국 항전은 점차 승리의 단계에 들어서고 있다. 일본 국내 및 대만의 반일운동의 전개, 인도 반전운동의 새 자세 등 모두 새로운 광명의 동방의 도래를 예시하고 있다.

이런 시기에 우리 동북의용군은 최영장군의 영도 하에 두만강을 건너 적의 모터찌클 부대를 전멸했다. 또 동북항일연군에 있는 조선혁명동지들과 연해주의 조선군대도 조국해방을 쟁취하기 위한 투쟁을 진행하고 있다.

일본통치자들은 국내의 혁명운동을 두려워하고 조선민족의 해방운동을 더욱 두려워하고 있다. 그리하여 새로운 음모를 꾸며냈다. 그들은 민족적인 계선이 존재한다면 조선민족의 해방운동을 소멸할 수 없다고 생각하고 한편으로는 '내선일치', '일선한만몽 동종'이라는 구호를 부르짖고 다른 한편으로는 능청스럽게 학자들을 홋카이도, 조선, 몽골 등지로 파견해 고대인의 골상을 연구하게 하고 이것으로 증명하려고 하고 있다. 일본통치자들이 조선인에게 새로운 대우, 즉 동종이라는 대우를 주었으니 새로운 과업을 짊어지도록 요구하고 있다. 과대한 선전으로 조선에서 200만 명의 군대를 징집하여 중국에 와 복역하게 하는 동시에 조선 농민들을 계획적으로 국내에서 쫓아내고 있다. 나라가 망한 이래 이렇게 조국을 떠난 조선 농민은 동북, 화북에서 이미 200여 만 명이나 된다. 소련 연해주에도 30만 이상이 살고 있다. 이들은 대다수가 생활의 핍박에 의해 떠나온 것이며 자유의 신천지와 조국의 해방을 갈구해 나온 것이다. 오늘도 개인의 생활을 위해 우마보다 못한 생활을 하고 있다. 그러나 그들은 내일이면 적을 추격하는 선봉이 될 수도 있다. 이에 대해 우리는 최근의 사실을 통해 설명할 수 있다. 화북 각지에서 유격대에게 잡힌 이른바 '조선포로'는 일본군대를 위해 일한 것이 아니라 생활의 핍박에 의해 기타 대다수 교포들과 마찬가지로 중국에 온 사람들이다. 지금 그들은 이미 흥분하여 '우리 의용대'에 참가했고 적과 싸우겠다고 자진하여 전선으로 나갔다. 그들은 저마다 일본제국주의가 조선민족의 모든 재난의 근원이라는 것을 깊이 인식했다. 또한 누구 때문에 화북에 오게 되었는지에 대해서도 알게 됐다. 이 모든 것은 뼈에 사무친 원한을 불러일으켰고 들끓는 분노를 느끼게 하였다. 그들은 저도 몰래 외쳤다. "우리도 적을 소멸하러 가겠습니다!", "전선에 가는 것은 우리의 가장 큰 영광입니다!" 출발할 때에도 우렁차게 외쳤다. "조선독립 만세! 분투하고 희생하는 정신으로 조국에 보답하자! 중화민족은 단결하자!" 그야말로 인심을 흥분시켰다.

이처럼 가슴에서 우러나오는 분노와 진정한 열정은 오랫동안 노예생활을 해온 조선 민족의 마음을 잘 표현했으며 우리는 화북, 동북의 교포들을 발동하여 민족선봉의 길을 가야 한다는 것을 더욱 확신하게 되었다. 그러나 우리는 여전히 경각성을 높여야 한다. 적들은 아직도 마음이 죽지 않았다. 새로운 음모를 끊임없이 만들어내고 있고 간교한 수단은 점점 더 지독하다. 그러므로 우리의 새 과업은 더욱 간고하고 더욱 중대하다. 우리는 반드시 아래와 같은 점에서 노력하는 것으로 우리의 금후의 목적을 달성해야 한다.

(1) 통일적인 이론을 확립하고 단결을 공고히 해야 한다. 비록 과거 1년 동안의 투쟁 속에서 초현실적인 공상 및 지난 시기의 고집스러운 경향에 대해 엄중하게 타격하여 혁명이론의 정상적인 발전을 가져왔지만 아직도 철저하지 못한 점이 분명히 있다. 이에 대해 우리는 금후 잘 청산해야 한다. 통일적인 이론이 없으면 강철 같은 단결이 있을 수 없으며 더욱이는 적을 전승할 역량을 발휘할 수 없다. 그러므로 우리의 중대한 과업을 수행하기 위해서는 반드시 모든 동지들이 정신을 분발하여야 한다. 지난 1년 동안의 투쟁을 계속 이어나가고 혁명 이론의 통일을 이룩하고 단결을 공고히 하는데 힘써야 한다.

(2) 양적인 발전을 확대해야 한다. 마침 두 번째 해가 시작되는 이때에 '평화촌'에서 해방된 31명의 새 동지들이 우리의 대오에 참가했다. 이는 우리 모두가 축하해야 할 일이다. 그러나 이것만으로는 부족하다. 목전의 사업을 수행하려면 더욱 대량적인 신병 대오가 없으면 보다 큰 승리를 쟁취할 수 없다. 그러므로 우리는 목전의 사업을 잘하는 외에도 북방 및 조선 군중 속에서 발전하여 적의 통치구역의 동포들을 쟁취하고 우리의 군사 역량을 확대해야 한다. 목전의 상황으로 보면 중국 각 군정기관이 다 우리 동지들의 복무를 필요로 하고 있으나 우리는 그렇게 하지 못하고 있다. 그러나 사업은 해야 한다. 여하를 막론하고 양적인 발전은 아주 중요한 위치에 있는 문제이다!

(3) 정치문화기술수준을 제고해야 한다. 고도의 정치문화 수준이 없으면

높은 기술도 있을 수 없다. 높은 과학기술이 없으면 당면한 적을 이기기 어렵다. 고도의 정치문화수준과 고도의 기술은 상호 보완적인 불가분리의 관계이다. 첫해의 대적 선전 사업에서 호유백 동지는 악북 전선에서 적들과 4일 밤이나 '변론회'를 하여 적들을 어처구니없게 했으니 이는 확실히 쉽지 않은 일이다. 일본어를 잘해야 할뿐더러 더욱이는 고도의 정치의식, 정확한 혁명이론, 영민한 두뇌와 침착한 태도가 있어야 된다. 상북의 주혁 동지는 침착하게 응변하여 적들을 설득했다. 이는 대적 선전공작의 새로운 기록을 돌파했다. 그러나 스스로 물어본다면 우리 모든 사람이 다 이런 정도에 도달하지는 못했다. 이제 두번째 해가 시작된다. 우리는 모든 사람이 다 노력하기를 바라며 가장 좋기는 모든 동지, 모든 간부들이 다 독립적으로 사업을 잘 수행할 수 있기를 바란다.

(4) 조선의용대의 정신을 더욱 널리 선양해야 한다. 의용대 창설 초기에는 모든 사업이 다 금방 시작되는 것이어서 주관 및 객관적인 각 면에서 많은 곤난에 부딪쳤다. 그러나 본부와 전선의 동지들이 다 고생을 두려워하지 않고 착실하게 싸운 데서 오늘의 기초가 마련되었다. 특히 이만영 등 동지들은 총탄이 비 오듯 쏟아지는 위험 속에서도 자신의 생명을 돌보지 않고 용감히 앞으로 돌진하여 중국동지를 구했다. 오직 이런 희생정신이 있어야만 중한 우의를 강화하고 중한 연합을 공고히 하고 자기 민족의 해방을 쟁취할 수 있다. 우리 동지들은 이런 두려움 없는 정신으로 우리의 두번째 해의 사업을 잘 할 수 있기를 바란다.

(5) 중·한 양 민족의 단결을 공고히 하고 대만, 일본의 반일 역량과 계속 밀접한 연락을 취해야 한다. 대만은 일본의 남진 정책에 의한 근거지이고 조선은 일본이 대륙을 침략하는 교량으로서 반일 입장에서 보자면 다 아주 중요하다. 그러므로 오늘 우리는 대만 형제들과 밀접한 연계를 취하고 대만의

용대를 창설하려는 그들의 절박한 요구에 대해 도와야 한다. 일본의 혁명 역량은 일본 혁명의 중요한 요소이다. 그러므로 일본의 재중 혁명동지들과의 연계가 아주 필요하다. 이뿐이 아니다. 우리는 또 인도, 안남, 미얀마, 필리핀 등이 적극적으로 중국 항전을 원조하도록 추진해야 한다. 동방 약소민족의 운명은 연대관계를 갖고 있다. 가령 중국 항전이 승리하지 못한다면 이런 나라들도 다 제2조선이 될 수 있다. 그러므로 반일전쟁가운데서 동방 피압박민족은 단결해야 한다. 공고화된 연합만이 적의 멸망을 가속화할 수 있다. 때문에 우리는 실제 행동으로 선봉 역할을 해야 한다.

총적으로 두 번째 해가 시작되는 오늘의 국제 정세와 조선혁명 환경은 우리들에게 다음과 같은 점을 말해주고 있다. 즉 반드시 우리의 혁명 이론을 통일하고 단결을 강화하고 정치문화기술 수준을 제고하고 북방을 향해 발전하여 조선동포들을 쟁취하고 적에 대한 와해 사업을 강화하고 동방 약소민족의 반일 역량을 발동하고 동방 피압박민족의 연합을 공고히 하기 위해 계속 우리의 혁명 정신을 발양해야 한다.

중국 항전의 승리가 적들을 압록강으로 쫓아낼 때에 우리의 임무는 계속 적을 부산의 대안까지 쫓아내고 우리의 국기를 제주도 해변에 꽂아 높이 휘날리게 하는 것이다.

『朝鮮民族戰線』, 第28期

3년간 조선의용대의 사업 회보 및 금후 사업 방침

중국의 항전은 이미 다섯 번째 해에 들어섰다. 우리 조선의용대의 깃발이 항일의 물결 속에서 휘날린 지 벌써 3년이 되었다! 이 3년 동안 우리 조선의 용대의 모든 대원들은 전투의 나날 속에서 간고한 사업을 하였고 영용하고 웅위로운 기백과 열악한 환경 속에서도 참고 견디는 정신을 아주 충분히 표현하였다. 우리는 어떤 점에서 이런 기여와 표현을 볼 수 있는가? 나는 이런 기여와 표현은 주로 다음과 같은 몇 가지 점이라고 생각한다.

첫째, 조선의용대는 3년 동안의 사업가운데서 조선민족의 국제적인 지위를 제고시켰다. 중국 항전이 시작된 후 전 세계의 평화를 사랑하는 나라와 민족은 이에 큰 동정과 관심을 보였다. 우리 조선의용대는 민족 독립의 기치를 높이 들고 중국의 항전에 직접 참가하여 전 세계의 찬양을 받았다. 아울러 조선의용대가 직접 중국의 항전에 참가하였기 때문에 조선 혁명문제에 대해 별 관심이 없었던 국제 인사들이 큰 관심을 기울이고 있다. 이것이 바로 우리가 3년 동안 간고 분투한 결과이다.

둘째, 조선의용대의 깃발이 중국 항일 전장에서 휘날림으로써 국내외 3천만 동포들이 정신적인 자극과 고무 격려를 크게 받았다. 물론 그 어떤 나라의 혁명 주력이든지 다 국내에 있고 국외에는 있지 않다. 조선도 예외는 아니다. 그러나 조선이 지리적으로 일본 제국주의와 양립할 수 없는 중·소 양국과 접근해 있기 때문에, 특히 조선민족과 중화민족은 역사적으로도 서로 돕고 서로 사랑하는 관계였고 동시에 근 백 년 동안 공동한 적—일괴의 압박을 받아왔고 생사와 고락을 같이 하면서 서로 구할 수밖에 없었기 때문에 조선이 망한 후 해외 혁명운동이 다 중국을 중심으로 진행되게 되었다. 아울러 이런 해외 혁명운동은 국내 혁명에 상당히 중대한 역할을 하고 있으며 또한 가볍게 볼 수 없는 것도 사실이다. 조선혁명운동이 이런 특수한 조건을 구비하였기 때문에 중일전쟁이 폭발한 후 해외 동포에 대한 국내 동포의 기대가 어느 정도인지는 가히 상상 할만하다. 그러므로 조선의용대는 이런 기대에 부응하여 산생된 것이다. 물론 조선의용대가 창설된 후 우리가 이룩한 사업 성적은 우리 국내 동포들이 우리에 대한 기대의 정도에는 아직도 많이 미치지 못하고 있다.

그러나 여하를 막론하고 중국에서의 조선의용대의 활동 상황은 이미 우리나라 사람들 속에서 널리 퍼졌고 그들은 정신면에서 커다란 위안과 흥분을 느끼고 있으며 아울러 그들의 반일투쟁의 용기도 더욱 커지고 있다. 이 사실 또한 부인할 수 없다. 이것이 바로 우리가 3년 동안 간고하게 분투한 결과이다.

셋째, 조선의용대는 창설된 후 중·한 두 민족의 단결합작의 기초를 마련했다. 중·한 두 민족은 지리적인 면에서나 역사적인 면에서나, 특히 동일한 적의 압박을 받고 있는 지위 면에서 아무 문제 없이 서로 친밀하게 손을 잡고 강한 국제 반일 전선을 결성할 수 있었다. 그러나 조선의용대가 창설되기 전에는 중·한 두 민족이 연합해 항일하자는 것이 텅 빈 구호에 지나지 않았고 실제적으로는 아무런 구체적인 표현도 없었다. 조선의용대가 창설된 후 우리에 대한 중국 정부와 인민의 원조는 정신적인 면에서나 물질적인 면에서나를 막론하고 아주 극진한 정도이다. 그런데 우리는 어떤가? 물론 아주 부끄럽다. 중국의 항전에 큰 기여를 하지 못했고 우리에 대한 중국 정부와 인민의 기대를 대할 면목이 없다. 그러나 이 3년간의 사업은 중국 항일 군민들로 하여금 조선은 중화민족과 연합하여 항일하기를 가장 원하는 민족이라는 것을 느끼게 했다. 이 점은 우리가 자신할 수 있는 점이다. 이것이 바로 우리가 3년 동안 간고하게 분투한 결과이다.

넷째, 조선의용대는 창설된 후 중국의 각 전장에서 아주 귀중한 공적을 쌓았다. 조선의용대의 과거의 사업은 주로 대적 선전이었다. 이 면의 사업에서 우리는 각 전장에서 최대한의 노력을 기울였고 당지 군민이 안겨준 영예와 상을 여러 차례 받았다. 대적 선전사업 외에도 우리는 후방에서 동원 선전 사업도 하였고 우리의 임무를 아주 훌륭히 수행했다. 물론 이런 사업은 숫자로 성적을 통계해낼 수는 없다. 그러나 여하를 막론하고 우리의 이런 사업은 중국에서 항전하고 있는 군민들에게 어느새 아주 중대한 정신적인 원조를 한 것이라는 점은 단언할 수 있다. 이것이 바로 우리가 3년래 간고하게 분투한 결과이다.

다섯째, 조선의용대의 모든 대원의 혁명정신은 주로 희생을 두려워하지 않고 간난신고를 두려워하지 않는 점에서 표현되었다. 이는 장기간 고생을 참고 견뎌온 생활 속에서 단련된 것이다. 조선의용대 대원들은 대부분 지식 청년이다. 이들은 중학교 이상의 교육을 받았다. 이들은 군사기술과 정치경험이 풍부하다. 이들은 저마다 우수한 군사정치간부의 자격을 갖추었다. 그러나 이들이 의용대에 참가한 후 이들의 지위는 극소수의 당 간부 외에는 다 보통의 대원에 불과하다. 이들의 생활은 전선의 사병들과 마찬가지로 간고하다. 그러나 이런 상황도 이들의 혁명 의지와 투쟁 정신을 동요시키거나 약화시키지는 못했다. 반대로 환경이 간고 할수록 그들의 혁명 의지는 더욱 굳세고 그들의 투쟁 정신은 더욱 분발했다. 이것이 바로 우리가 3년 동안 간고 분투한 결과이다.

간략하여 말하면 3년 동안 조선혁명과 중국항전에 대한 조선의용대의 기여와 모든 조선의용대 대원들이 표현한 혁명적인 정신은 바로 이상과 같다.

중국항전은 이미 다섯 번째 해에 들어섰다. 조선의용대의 깃발이 항일의 거센 물결 속에서 휘날린 지 벌써 꼬박 3년이 되었다. 소·독 전쟁이 폭발한 후 세계는 이미 세계 민주국가가 파쇼침략세력에 대항하는 두 전선으로 분명하게 나뉘어졌다. 이 긴박하고 엄중한 대변혁의 시대에 우리는 우리의 책임이 더욱 중대함을 특히 느끼게 된다. 물론 우리는 과거의 사업에 대해 자부할만한 점이 있다. 그러나 우리는 또 우리의 과거의 사업이 많은 점에서 결함이 있고 여러 면에서 만족스럽지 않은 부분이 있다는 점을 느끼게 된다. 그러므로 아래와 같은 몇 가지 점을 말하여 금후 우리 사업의 방침으로 함이 아주 필요하다고 생각한다.

첫째, 단결사업을 강화해야 한다. 의용대가 창설돼서 지금까지 관내 혁명집단이 아직 완전한 통일을 이루지 못하였기 때문에 의용대 자체도 약간의 영향을 받지 않을 수 없다. 그러므로 목전 우리는 의용대 자체 내부의 단결을 강화해야 할 뿐더러 우리는 또 이것을 근거로 하여 관내의 전체 조선동포 및 혁명단체가 독립자주의 구호를 내 걸고 한 사람처럼 단합하여 폭 넓은 항일 독립 사업을 전개해야 한다. 우리는 관내의 그 어떤 조선혁명 집단 혹은 개인에 대해 줄곧 대공무사하고 서로 돕고 서로 사랑하는 태도를 취해왔고 질시하는 마음은 추호도 없었다. 그러나 지금까지 관내의 각 조선혁명집단은 아직도 통일적인 영도 밑에 단합되지 않았다. 주로는 군중기초가 결여된 관내 조선혁명운동단체의 객관적인 환경에 의해 기인된 것이다. 그러나 우리 역시 단결사업에 대한 우리 자체의 노력이 부족한 책임을 피면할 수 없다. 그러므로 우리는 금후 이 문제에 대해 더욱 큰 노력을 기울여야 한다. 반드시 가장 짧은 기간 내에 국내 각 혁명집단 혹은 각 개인이 통일적인 영도

하에 단결돼 있는 국면을 조성해야 한다. 우리는 우리가 오로지 사업에서 힘쓰고 주장 면에서 공평하며 일관적으로 통일적인 목표를 향해 매진한다면 그 어떤 역량도 우리가 이루고저 하는 우리의 목적을 저애하지 못할 것임을 굳게 믿는다.

둘째, 국제 선전 사업을 강화해야 한다. 우리 조선의용대는 중국 항전에 참가하여 한 면으로는 조선 자유 독립을 쟁취하는 우리 민족의 과업을 수행하고 다른 한 면으로는 중국 항전을 원조하는 우리의 반파쇼 임무를 수행하고 있다. 그러므로 우리는 가능한 조선국내인민이 일본침략자의 야만적인 압박착취를 받고 있는 상황과 끊임없이 반일투쟁을 진행하는 행동을 특별히 중국 항일 군민들에게 널리 선전해야 한다. 이를 통해 그들 민족의 각오를 높이고 그들의 투쟁 용기를 북돋아주어야 한다. 아울러 우리는 한층 더 나아가 전 세계 인사들에게, 특히는 일본 파쇼 침략을 당한 약소민족에게 이를 널리 알림으로써 그들의 동정심과 관심을 이끌어내야 한다. 이는 한 방면이고 다른 한 방면은 다음과 같다. 우리는 또 중국 항전이 어떻게 승리를 했고 적들과의 전장에서 어떻게 실패했는지에 대해 국내 인민들에게 널리 선전함으로써 정신적으로 고무격려와 원조를 느끼게 해야 한다. 아울러 전 세계 인사들에게 널리 선전하여 중국 항전에 대한 그들의 더 큰 동정과 원조를 이끌어 내야 한다. 마감으로 우리는 세계 반파쇼 입장에 서서, 특히는 동방 반일본파쇼의 입장에 서서 조속히 동방 각 민족 반일본파쇼 국제 통일전선을 건립할 필요성을 제의해야 한다. 이런 사업은 중·한 두 민족의 합작에 대해 막대한 관계가 있다는 것은 더 말할 필요가 없다. 더 나아가 동방 피압박 인민의 연합 항일 사업의 미래에도 막대한 영향을 일으킬 것이다. 우리가 이런 사업을 함에 있어서는 많은 곤난이 있다. 그러나 우리는 이 사업은 우리가 가장 잘 할 가능성이 있다는 점도 알아야 한다. 그러므로 금후 우리는 이 사업에 각별한 노력을 기울여 조선의용대의 정치영향을 확대시키는 동시에 국제 반침략 문화 사업을 위해 복무해야 한다.

셋째, 대적 선전 공작을 강화해야 한다. 조선의용대는 창설된 이래 이 사업에 대해 각별한 중시를 돌려왔다. 아울러 우리는 이 사업에서 풍부한 경험과 귀중한 성적을 거두었다. 그러나 우리가 이 사업에 대해 전문적으로 해왔고 진행한 지도 오래되므로 어떤 사람들은 이 사업에 대해 싫증을 내기도 한다. 지어 어떤 사람들은 대적 선전공작은 일종의 기술적인 업무에 불과하며 조선혁명에 중대한 역할을 하지 못하기 때문에 보다 더 실제적이고 효과적인 군사정치사업을 하여 조선혁명을 추동하고 중국 항전을 원조해야 하며 계속 이런 기술적인 일만 해서는 안 된다고 생각한다. 그러나 그들의 이 관점은 다는 맞지 않다. 대적 선전 공작이야말로 중국 항일전쟁에서 가장 중요한 정치사업의 하나이며 기술적인 일이 아니기 때문이다. 그리고 적의 부대를 와해하여 그들로 하여금 중국 침략전쟁을 반대하고 일본 국내 혁명전쟁을 발동하게 하는 것이 바로 조선혁명을 추동하고 중국 항전을 원조하는 가장 효과적인 방법의 하나이기 때문이다. 황차 우리의 선전 대상은 일본 사병에만 제한돼 있는 것이 아니다. 동시에 적의 대오 및 피점령지역 내의 수십만 조선동포들에게로 확대되기 때문에 중국 항전에 참가하는 동시에 조선혁명을 하는 일거양득의 일임이 틀림없다. 그러므로 우리는 이 사업에 대해 과소평가를 해서는 안 된다.

물론 대적선전 공작이 우리의 유일한 혁명 사업이고 대적선전공작보다 더 중요한 혁명 사업은 없다는 뜻은 아니다. 물론 가장 중요한 혁명 사업은 군중조직 사업이다. 우리는 조선혁명을 추동하기 위해 반드시 조선국내와 동북 조선군중 속으로 깊이 들어가 항일복국운동을 널리 전개해야 한다. 우리는 가능한 각종 곤난을 극복하고 이 사업을 위해 최대한의 노력을 해야 한다. 그러나 우리는 아직 이런 곤란을 극복하지 못했고 아직도 이 사업을 진행할 수 없는 상황에서 우리는 우리가 할 수 있는 혁명 사업을 절대로 포기해서는 안 된다. 그리고 우리가 이 사업에서 거둬야 할 효과를 거두지 못한다면 더 힘든 두 번째 사업은 논할 여지조차 없다는 점을 알아야 한다. 그러므로 목전의 우리의 이 사업에 대해 경시하는 태도를 취해서는 안 된다. 반대로 우리는 적극적인 태도로 참을성 있게, 탄력적으로, 지구적으로, 끈질기게 자신의 일터에서 자신의 임무를 충실하게 수행해야 한다. 경솔하게 함부로 행동하지 말고 자신의 일에 안착하지 않는 일이 없도록 해야 한다.

넷째, 적후에 있는 조선동포들에게 혁명의 무장 대오를 조직해줘야 한다. 의용대 자체는 간부단이고 군중단체가 아니다. 일종의 반군사 반정치 집단이다. 의용대 자체의 발전을 위해 반드시 적후 동포들을 쟁취하는 동시에 그들을 무장시켜 직접 전투에 참가할 수 있는 무장대오로 되게 해야 한다. 한 발 더 나아가서 조선혁명과 중국항전의 중요성을 위해 우리는 이 면에 대한 노력을 하지 않을 수 없다. 물론 우리는 중국 영토에서 조선의 무장 대오를 건립했기 때문에 많은 어려운 점이 있고 이를 피면할 수 없다. 우리는 원칙적으로 말하면 조선혁명과 중국항전은 같으며 주로 자력갱생의 힘에 의거한다. 그러나 우리가 목전에 처한 환경은 항전 중의 중국 영토이기 때문에 국내 동포들과 밀접한 연계를 취할 수 없다. 적후의 피점령 지역에 있는 우리 동포들도 당지 중국 군민의 원조가 없으면 우리는 그들과 접근하기가 아주 힘들다. 이런 특수한 조건에서 우리의 건군운동의 선결조건은 바로 중국측의 보다 큰 원조를 쟁취하는 문제이다. 그러나 원조를 어떻게 받느냐 하는 문제 역시 우리 자체의 노력이 어떠냐에 의해 결정된다.

우리는 화북 일대에만 해도 조선동포가 20여 만이 있다는 것을 알고 있다. 오로지 우리가 곤란을 두려워하지 않고 희생을 두려워하지 않고 그들 속으로 깊이 들어가서 그들을 교육하고 조직한다면 우리는 그들이 자연적으로 우리에게로 와서 조선혁명과 중국항전을 위해 복무하거나 혹은 그들이 당지에서 반일반전운동을 일으키게 할 가능성이 있다. 이것이 바로 우리의 건군운동에서의 우리 사병들의 기본적인 내원이다. 우리는 과거 우리가 했던 적후공작에 대해 커다란 관심과 노력을 하지 않는 것이 아니다. 그러나 각종 조건의 한계 때문에 우리는 대부분의 역량을 이 면에 집중시킬 수 없었다. 그러나 올해 봄부터 우리는 일부분의 역량을 화북에 보내었다. 뿐만 아니라 화남화중에서도 계속 적후공작을 했다. 물론 우리는 이 사업에서 많은 곤난에 부딪치고 희생을 하기도 했다. 그러나 우리는 전체 동지들이 곤난을 두려워하지 않고 희생을 두려워하지 않는 단호한 혁명정신을 발양해 화북의 20만 동포들을 우리의 깃발아래에 단합시키는 동시에 동북의 조선 무장 대오들과 긴밀한 연계를 취한다면 멀지 않은 장래에 반드시 강대한 통일적인 조선민족 무장 대오를 건립해 조선민족의 자유해방을 쟁취하고 중국 항전의 최후승리를 다그칠 것이라는 것을 견결히 믿는다. 우리는 가장 큰 희망과 용기를 가지고 우리의 앞에 있는 승리를 맞이해야 한다!

이상 네 가지는 목전 우리의 중요한 사업 방침이다. 어떤 시기에는 어떤 점에 대해 특별히 중시해야 한다. 그러나 동시에 우리는 그 어떤 점에 편중하고 다른 한 가지를 포기해서는 절대 안 된다.

『朝鮮義勇隊』, 第40期

동방 여러 민족 우의의 새로운 토대를 마련하자

노구교사건이 발생한 후 중국 정부와 민간은 전례 없는 일치단결의 분위기로 반일본제국주의 항전을 진행해왔다. 동방은 이미 두개의 뚜렷한 대치 진영으로 갈라졌다. 한 진영은 타민족을 침략, 압박, 도살, 착취하고 절대 다수 인민의 행복을 희생시키는 제국주의자이고 다른 한 진영은 반제반침략의 혁명대중과 피압박민족의 연합전선이다. 이에 대해 동방 피압박민족의 당면한 급선무는 공동의 적 일본제국주의를 타도하는 결전을 진행하는 것이다. 이 결전에서 중국 항전은 분명히 영도적이고 주력적인 역할을 하고 있다.

공동의 적을 타도하기 위해 재중 조선 혁명자들은 1928년 10월 10일 한구에서 조선의용대를 조직했고 대만혁명동지들은 1939년 9월 절강 금화에서 대만의용대를 조직했다. 일본혁명동지들 및 그 반전 사병들도 1939년 12월 계림에서 일본인민반전동맹 서남 지부를 조직했다. 반일을 지지하는 이 대오는 모두 대만, 조선, 일본의 혁명동지들이 중국의 우의적인 원조 하에 자각적으로 조직한 것이다. 조선의용대는 지난 1년 동안 남북 각 전구의 제1선에서 대적선전공작을 했다. 대만의용대와 일본인민반전동맹의 동지들도 최근 동남, 서남의 각 전장에서 일병을 쟁취하고 적군을 와해하는 사업을 했다. 일본제국주의의 압박과 유린을 직접 받고 있는 대만, 조선, 일본 인민의 대오 외에도 인도 역시 구호대를 파견해 중국의 항전을 도와주고 있다.

중국의 항전이 불길의 발원지가 되어 동방 여러 민족은 혁명의 횃불을 불태우고 있다. 이는 동방 피압박 민족의 반일본제국주의 혁명의 새로운 발전이다. 이 새 발전은 동방 여러 민족의 해방 이후의 우의의 토대를 마련할 것이다.

그러므로 우리는 목전의 가장 주요한 사업인 재중 각 민족의 무장 대오를 한층 더 조직하는 동시에 각 민족의 국내의 혁명군중과 각 민족들 사이에 밀접한 연계를 취해야 할 것이다. 이렇게 해야만 더욱 힘 있게 중국 항전의 승리를 추진하고 각 나라 민족의 해방을 쟁취할 수 있다.

재중 각 민족 무장대오의 건립은 각 민족이 해방을 쟁취하는 기간 부대일 뿐더러 중국 항전 승리후의 동방의 평화를 담보하는 맹군이다. 그러므로 우리가 무장 대오를 건립하는 의의는 완전히 중국 항전의 승리와 동방 각 민족의 영원한 우의의 연합을 위한 데 있다.

『朝鮮義勇隊通訊』, 第31期

조선의용대

우리 조선의용대는 작년 10월 10일에 한구에서 창설된 후 제1, 제5, 제9 전구에서 각기 출발해 각 전구의 전방과 후방 정치공작에 참가했으며 지금까지 꼬박 1년이 됐다. 조선민족은 중국을 협조해 작전한 일이 멀리는 명나라가 만청의 침략을 받았을 때에 한번 있었고 가까이로는 국민군 북벌시대에 300여 명이 참가한 적이 있다. 그러나 이번처럼 전 조선민족의 기치를 내들고 진행하지는 않았다.

작년에 의용대가 창립될 당시에 우리는 다음과 같은 몇 가지 구호를 내걸었다. 1, 중국을 멸망시키고 중한민족의 이간을 도발하는 적의 음모를 우리의 행동으로 짓부시자. 2, 일본제국주의에 의해 중국에 쫓겨 온 조선동포와 일본군민을 쟁취하자. 3, 동방 각 민족의 반일역량을 발동해 중국 항전에 참가하게 하자. 우리는 이것이 재중 조선혁명동지들이 해야 할 임무라고 생각한다. 이를 조선민족의 해방 사업으로 간주한다.

중국과 조선을 대처하는 적의 정책은 각종 비열하고 무치한 날조를 하여 각 민족의 통일을 분화시키는 것이다. 1930년 만보산 참안이 그러했거니와 오늘날 역시 그러하다. 적들은 조선의용대는 조선인으로 구성된 것이 아니며 중국 정부가 조선인과 일본인을 기만하기 위해 중국인이 조직한 것이라고 했다. 그러나 사실은 웅변보다 낫다. 우리 조선의용대는 더 많은 조선동지들을 단결했다. 이밖에 일본의 형제들도 있다. 적은 우리를 소멸하기 위해 정탐꾼을 파견해 현상하는 방법으로 우리 의용대 대원을 사로잡으려고 했다. 그러나 무슨 소용이 있는가? 우리의 동지들을 잡기나 했는가? 못했다. 이는 불가능한 일이다. 우리 동지들의 영용한 투쟁은 이미 중국 정부와 민중의 보호를 받고 있다. 중한 두 민족의 친절한 우의와 혁명적인 연맹은 적들을 속수무책이 될 수밖에 없게 했다.

우리 의용대의 주요한 사업은 대적선전이다. 이 사업은 효과적이다. 상북 통성 부근의 □□□지역에서 우리 동지들은 적들과 100미터 상거한 근거리에서 일본어로 구호를 외치며 연설했다. 끝내 그 일본 사병 200여 명을 설득했다. 그들은 감동하여 총을 버리고 전호에서 투항하는 백기를 들고 뛰쳐나왔다. 이런 사실은 적들의 대포와 비행기가 대단하기는 하지만 우리의 진보적인 혁명의식과 희생정신은 병사 한명도 희생시키지 않고 적병을 쟁취할수 있다는 것을 보여준다. 전쟁이 계속될수록 이럴 가능성은 더욱 클 것임이 틀림없다. 또 한번은 호북성 북부에 있는 우리의 동지들이 적과 80미터 떨어진 곳에서 일본군에게 연설을 했다. 적들도 한사람이 나와 연설했다. 이렇게 전선에서 변론회를 4일 밤이나 진행했다. 결국 적들은 낭패스러운 모습을 드러냈다. 분이 치밀어 미친 듯이 사격한 것이다. 전선에서 우리의 동지들은 용감하게 결사대 편의대에 참가하여 적들의 철조망 안에서 중국 형제들과 함께 공동 협력하여 적들과 박투했다. 우리는 두 민족은 죽으나 사나 한마음 한뜻이며 하나의 공동한 운명만이 있다고 생각한다.

호북 전역에서 □군□사 제□련의 황반장이 부상을 당하자 우리의 이만영 동지는 자신이 죽더라도 탄알이 빗발치는 속으로 뛰어들었다. 그는 부상당한 동지가 구원을 받지 못해 죽게 내버려둘 수는 없었다. 그는 자신의 생명도 돌보지 않고 용감히 앞으로 돌진했다. 황반장을 둘러업고 적들이 매복한 수림 속을 꿰질러 10여 리의 비탈길을 달려서 안전한 지대에로 호송했다.

지금 전 조선의 동포들과 일본, 대만의 형제들은 이미 적극적으로 우리의 호소에 호응하고 있다. 멀리 바다 건너 미국에 있는 만여 명 교포들은 조선의용대가 창설됐다는 소식을 듣고 즉시 조선의용대 후원회와 중국 항전 후원회를 조직했다. 중국 인사들이 단행하는 시위사업을 협조하고 일본제품 불매운동을 추진하는 동시에 금전과 약품을 모금해 중국으로 보내왔다. 의용대 창설 1주년이 되는 날에 그들은 뉴욕에서 대규모의 시위행진을 단행했는데 그 과정에 일본영사관을 에워싸고 시위하기도 했다. 재중 대만, 일본의 지사들도 우리의 발전에 아주 큰 기여를 했다.

다른 한 면에서 보면 1년 동안 실제적인 투쟁으로 재중 조선혁명자의 이론의 통일을 다그쳤다. 한 해 동안의 전투는 해내외 조선동지들을 교육했고 과거 분기가 많았던 현상을 청산하고 유력한 단결을 이룩했다. 해외의 조선혁명운동은 조선의용대의 기치아래 날로 더 강해지고 있다.

『老百姓』, 第3期

새로운 형세 및 새 임무

　전 중국 민족의 항전 견지의 결심으로 인해 일본침략자의 '평화공세'는 또 한 번 분쇄됐다. '일왕협정'이 공포되자 일본 강도의 흉악한 모습이 적나라하게 드러났고 왕정위 역적의 무치한 본질이 드러났다. 중국인민의 의지는 동요되지 않았을 뿐더러 더욱 굳세어졌고 더욱 단합된 모습으로 일본제국주의자들의 음모에 대답하고 있다.

　일본제국주의는 점점 더 난국에 빠져서 중국 침략의 진흙탕 속에서 허우적거리고 있다. 남진하여 영미와의 모순이 깊어가고 국내 인민들의 반전운동이 고조되는 등 일본제국주의는 식민지에 대한 착취를 더욱 다그치는 것으로 죽어 가는 생명을 이어나가는 수밖에 없다. 경제면에서 식민지에 대한 노역과 압박착취를 다그치고 정치면에서 기만선전과 잔폭한 통치를 다그치고 '동화정책'을 실행하여 우리 조선인민의 민족의식을 철저히 소멸하려고 시도하는 동시에 가장 잔혹한 수단으로 조선민족의 반항을 진압하고 있다.

　일본침략전쟁이 폭발한지 3년여 되는 동안 조선국내의 민족 지사들이 피체된 수자는 이미 3만 여 명이나 된다. 이는 일본침략자의 모든 시도는 헛된 짓이고 조선민족의 잠재한 역량은 거대하고 조선민족해방운동의 전망은 무한히 밝다는 것을 말해준다.

　조선의용대는 조선민족해방의 선봉대이며 조선 해외혁명운동의 가장 유력한 대오의 하나이다. 지금의 항전의 수요에 적응하기 위해, 지금의 조선혁명운동의 수요에 적응하기 위해, 이 위대한 시대의 수요에 적응하기 위해 우리 조선의용대는 반드시 한층 더 굳세어지고 공고화되고 발전적이고 전투화되어 적극적인 역할을 충분히 발휘해야 한다.

그러므로 우리 조선 혁명자들은 중국 전장에서 2년간의 단련을 거쳐 이제는 반드시 과거 2년 동안의 경험을 받아들이고 새로운 객관 정세에 근거해 우리의 사업을 포치하여 우리의 사업이 전반적인 전변을 가져오게 함으로써 더 높은 단계로 올라서야 한다. 단순한 대적선전 과업으로부터 전투적이고 무장적인 작전 과업에로 승화하여 단순한 전선공작으로부터 우리의 사업 중심을 적후에로 발전시켜 적후에 깊이 들어가 조선 군중을 쟁취해야 한다. 이 두 가지 과업은 본 대의 금후 사업의 기본 방향이다.

우리는 믿고 있다. 적후의 수십만 조선군중(동북 제외)을 동원하고 조직하면 무시할 수 없는 역량이 될 것이고 중국 항전과 조선혁명에 큰 도움이 될 것이며 적후 유격전쟁에 아주 큰 영향을 미칠 것이다. 정치면에서 전반 조선혁명의 생기발랄한 발전을 도모하여 적의 통치를 동요시키고 중국 항전의 승리와 조선혁명의 성공이 더욱 빠른 시일 내에 달성되게 할 수 있을 것이다.

적후에로 발전하고 무장화의 길로 나아가는 것은 오늘날 관내 조선혁명의 유일 정확한 혁명노선이다. 우리는 모든 어려움을 극복하고 그 어떤 저애도 다 물리쳐야 한다. 역사의 법칙과 간고한 투쟁은 사사로운 정을 용납하지 않고 결국은 누구의 노선이 정확한지를 증명할 것이다.

물론 조선혁명의 주요진지는 여전히 조선 국내이다. 우리는 중국에 거주하는 모든 조선동포들에게 조선의용대의 기치아래에 단합하여 고향으로 쳐들어가고 조선으로 쳐들어갈 것을 호소한다!

『朝鮮義勇隊通訊』, 第39期

형대 승리의 의의를 논하고
손, 왕, 최, 주 4명의 전사한 동지들을 추모하여

조선의용대는 창설돼서 지금까지 전방에서든 후방에서든, 강남에서든 화북에서든 시종 중국 항전과 조선혁명을 위해 영용하고 간고하게 투쟁해왔다. 그러나 우리는 과거에 항전의 수요에 따라 대적선전공작에 대해서는 특별히 중시했지만 직접 적과 전투하는 임무에 대해서는 중시하지 않아 별로 중대한 성적을 거두지 못했다. 물론 우리는 지난날 강남 각 전구에서 영용한 무장투쟁을 하기도 했다. 예하면 석산 진공과 동성 진공에 있어 조선의용대는 빛나는 성과를 거두었고 당지의 중국 군정 관계 장관들과 일반 군민들의 칭찬을 받았다. 그러나 이런 전투성과는 우리의 사업의 부수적인 임무에 지나지 않았다. 전반 사업 성적에서도 중요한 지위를 차지하지 못했다. 작년 봄부터 우리 제3지대는 적후의 조선동포들을 쟁취하고 조직하기 위해 화북 형대에서 공작을 했고 이런 환경의 수요에 적응하기 위해 무장투쟁을 중시하기 시작했다. 최근에 "제3지대가 작년 12월 26일 하북 형대에서 있은 적과의 격전에서 적군 100여 명을 소멸하고 전리품을 노획했으며 우리의 손일봉(孫一峰), 왕현순(王現淳), 최철호(崔鐵鎬), 주동욱(朱東旭) 이 4명의 동지들이 불행하게도 총탄에 맞아 희생됐다."라는 소식을 접했다. 이는 그야말로 기쁜 첩보인 동시에 슬픈 부보이다! 이에 대해 관내의 전체 조선혁명인사들은 희비가 엇갈린 눈물을 금할 수 없었을 뿐더러 중외의 반파쇼 인사들도 극도의 흥분과 애석함을 금치 못하고 있다! 지금 나는 이번 형대의 승리의 의의에 대해 조금 설명하고 나중에 다시 장렬하게 희생된 4명의 전사들에 대해 어떻게 추모할 것인지에 대해 말하고자 한다.

물론 이 위대한 항전에서 "백여 명을 소멸"했다는 것은 그야말로 작은 승리에 불과하다. 그러나 이런 작은 승리이지만 이는 조선의용대가 처음 독립적으로 싸워 세운 전공인 동시에 항전이후 조선혁명인사가 중국 군민과 어깨 걸고 적과 싸워 얻은 최대의 전과이기도 하다. 그러므로 우리는 군사면에서만 평가할 것이 아니라 정치면에서도 관찰해야만 이번 형대의 승리의 의의에 대해 정확한 인식을 얻을 수 있다. 나는 이에 대한 정확한 인식에는 다음과 같은 몇 가지 점이 망라돼야 한다고 생각한다.

첫째, 우리는 이번 승리를 통해 "조선의용대를 공고히 하고 확대하여 항전에 참가한 강유력한 조선혁명무장대오로 되게 하자."라는 이 구호가 완전히 정확할 뿐만 아니라 실현 가능성이 있다는 것을 증명했다. 뿐만 아니라 "조선의용대는 관내의 가장 우수한 조선혁명 군정간부를 집결한 반군사 반정치의 대오이고" "관내의 조선혁명 무장 대오를 건립하는" 이 위대한 역사적인 과업은 조선의용대가 짊어질 수밖에 없으며 가령 조선의용대를 떠나서 관내의 조선혁명무장대오의 건립을 운운한다면 그것은 완전히 불가능하다는 것을 증명했다. 동시에 조선민족은 강하고 용감하고 전투를 잘하는 민족이며 조선민족이 무장되기만 하면 일본제국주의를 전승할 승산이 있다는 것을 증명했다.

둘째, 이번 승리로 인해 조선의용대의 깃발은 더욱 찬란하게 빛났고 동시에 관내의 전체 조선혁명집단 혹은 각 개인의 지위도 높아졌다. 국내외에 있는 조선의 3천만 동포들도 정신적으로 큰 고무격려와 자극을 받았으며 아울러 4만만 5천만의 중국 인민 및 전 세계 자유와 평화를 사랑하는 인사들의 항일정서도 더욱 높아졌을 것이다.

셋째, 이번의 승리로 인해 금후의 적후공작에 순조로운 발전이 있을 것이다. 우리는 적의 압박을 받으며 살고 있는 화북일대의 수십만 조선인민의 반일정서가 날로 높아가고 있으며 중국의 항전에 참가한 조국의 혁명 깃발이 그들을 한시라도 빨리 이 불구덩이에서 구해주기를 기다리고 있다는 것을 잘 알고 있다. 그러므로 우리는 그들이 있는 곳으로 깊이 들어가서 선전, 교육, 조직 등 공작을 해야 한다. 그러나 지난날 우리는 무장투쟁의 승리가 부족했기 때문에 그들을 혁명의 깃발아래에 모이게 하지 못했다. 그러나 이번 형대의 승리는 그들을 꿈속에서 깨여나게 했고 조선의용대의 깃발을 보면 물고기가 물을 만난 듯이 조선의용군의 깃발아래에 모이리라고 짐작한다.

간단하게 말하면 형대의 승리의 의의는 바로 이상과 같다.

물론 우리는 이 영광스러운 승리를 경축하고 싶고 기뻐하고 싶다! 그러나 이 승리는 아무 대가 없이 거둔 것이 아니다. 우리의 가장 영용한 4명의 동지들의 장렬한 희생으로 바꾼 것이다. 그러므로 우리는 경축하는 기쁨 외에도 엄청난 애석함과 슬픔을 금할 수 없다!

일봉, 철호, 현순, 동욱 이 4명의 동지들은 다 십년동안 계획적으로 양성된 노간부들이다. 그들은 다 조선혁명 간부학교와 중앙육군군관학교를 졸업하고 중한 혁명에 참가한 영광스러운 역사를 갖고 있다. 우리는 지난날 그들과 함께 환난을 같이 했을 뿐만 아니라 아무리 열악한 환경 속에서도 시종 한 전선에 서서 함께 가장 간고한 투쟁을 해왔다. 특히 이 4년 동안 의용대의 사업을 위해 함께 싸워온 것은 더 말할 것도 없다! 목전 태평양전쟁이 폭발함으로서 관내의 조선혁명운동과 본 대의 사업은 순조롭게 발전했다. 이런 시기에 우리는 평생 갈고 닦은 사업 능력을 발휘할 수 있는 그들이 더욱 필요하다. 그러나 잔혹한 강도 일본침략자들의 포화는 우리의 가장 친애하고 존경하는 이 4명의 전사들을 이역 모래장의 백골로 만들었다! 그들은 조선 독립 및 중국 항전과 세계 반파쇼전쟁의 승리를 직접 볼 수 없게 됐다. 그들은 승리의 노래를 부르며 오랫동안 이별했던 조국의 품으로 돌아갈 수 없게 됐다. 그들은 일본침략자를 타도하고 새 조선을 건설하려던 위대한 혁명 이상을 더는 직접 실현할 수 없게 됐다. 정말 영혼이 있어 이를 안다면 어찌 구천에서 한을 품지 않으랴? 때문에 우리는 인간의 감정에 잡혀 슬프면서도 조선혁명의 이익을 위해 통탄하게 된다!

그러나 우리의 이 4명의 전사들은 중국의 항전과 조선의 혁명을 위해 희생됐다. 그들은 영광스럽게 죽었고 장렬하게 죽었고 가치 있게 죽었고 사람들이 숭배하고 찬미하도록 죽었다! 그들의 죽음으로 인해 중·한 두 민족의 뜨거운 피는 전장에서 함께 응고됐다. 그들의 죽음으로 인해 중국의 항전수도에서 16개의 국제단체가 연합하여 장엄하고 성대한 추도대회를 거행하게 되었다. 이는 중·한 두 민족의 합작토대를 더욱 공고히 했고 아울러 전 세계 반파쇼 나라들과 민족들이 조선혁명을 더욱 관심하고 동정하게 했다. 그러므로 우리는 그들의 죽음에 대해 슬픔과 애석함을 금할 수 없지만 동시에 나라를 위해 희생된 위대한 혁명정신을 한층 더 발양하고 그들의 생전의 우량한 사업 작풍을 잘 학습하여 강열한 복수심과 용기로 그들이 채 하지 못한 뜻을 철저히 실현하기 위해 더욱 앞을 향해 매진해야 할 것이다.

나라를 위해 희생도 두려워하지 않은 그들의 위대한 혁명정신은 과거 석산, 동성전역 등에서 총알이 우박처럼 쏟아지는 때에 앞장서 적진으로 깊숙이 돌격하여 적과 싸웠던 그 비할 나위 없이 영용했던 전투행위로 이미 충분히 표현됐다. 최후로 이번 형대 전역에서 그들은 평생을 다 바쳐 죽더라도 나라에 보답하겠다고 했던 그 뜻을 이루었다. 그들은 '의용'이라는 두 글자에 손색이 없을 뿐더러 조선민족의 영웅적인 기개를 보여주었다! 우리는 금후 조선의용대의 발전과 조선혁명의 승리를 위해 나라에 자신을 바친 4명의 동지들의 위대한 정신을 계속 발양해야 한다.

그들의 생전의 우량한 사업 작풍은 주로 자기 자랑을 하지 않고 자고자대하지 않고 억세게 투쟁하고 고심하게 분투하고 착실하게 일하는 것에서 표현되었다. 물론 이것은 그들 개인의 작풍이 아니라 조선의용대의 전반 사업 작풍이다. 그러나 그들은 이신작칙하여 조선의용대의 이러한 우량한 사업 작풍을 가장 잘 표현했다. 그들의 이런 가장 모범적인 실천이 없었다면 조선의용대의 전반 사업 작풍도 수립될 수 없었을 것이다. 금후 우리는 조선의용대의 발전과 조선혁명의 승리를 위해 이 4명의 동지의 생전의 우량한 사업 작풍을 잘 따라 배워야 한다.

그들이 생전에 완성하지 못한 유지는 주로 아래와 같은 두 가지 점에 있다. 첫째, 적후의 조선동포를 쟁취하여 조선의용대를 공고히 하고 확대함으로써 조선의용대가 항전에 참가한 강유력한 조선혁명무장대오로 되게 하는 것이다. 둘째, 관내 조선혁명의 최고 통일기구를 건립하는 것이다. 이 두 가지 중대한 역사 과업을 수행하기 위해 후에 죽게 되는 우리가 그 책임을 더 많이 짊어질 수밖에 없다. 지금 이 두 면의 사업은 다 새로운 발전이 있다. 예하면 본 대는 각 전구의 적후에서의 공작이 순조롭게 진행되고 있다. 최근에는 임시정부에서 소집한 '3·1'기념대회에서 만장일치로 '임시회의 소집'에 관한 제안을 통과했다. 이는 우리가 멀지 않은 장래에 이 두 가지 중대한 과업을 확실하게 실현할 수 있다는 것을 증명하고 있다. 그러나 우리는 우리 앞에 아직도 엄청나게 간고한 곤난이 놓여있다는 것을 알아야 한다. 때문에 우리는 단호하고 지구적인 투쟁정신으로 이를 극복해야 한다. 우리는 이 4명의 동지들이 완성하지 못한 유지를 맹세코 완성하기 위해 그들이 걸었던 피어린 길을 따라 나가야 한다!

『朝鮮義勇隊』, 42期

윤세주 편

본 회 창립 2주년 기념 소감

　관내의 많은 조선혁명동지들이 본 대의 기치아래에 중국의 정의적인 항전에 참가한지 2주년이 되는 오늘 우리는 저마다 뜻 깊은 소감을 가지고 있다. 시간은 비록 짧고 짧은 2년밖에 안되지만 이 2년은 중국과 전 세계의 전대미문의 위대한 변화와 발전의 역사 단계에 속해있다. 동시에 또한 우리가 직접 이 위대한 변화 및 발전에 참가한 유력한 혁명실천 시기이기도 하다. 우리 전체 동지들의 소감은 대체적으로 같겠지만 어떤 부분에서는 각자의 특징을 가지고 있다. 그러므로 나는 개인적인 추억과 미래에 대한 전망에 대해 몇 가지 감상을 간단하게 말하고자 한다.

　지난 2년 동안 중국 항전에 대해 본대의 기여가 대체 얼마나 컸느냐, 라는 문제에 대해서는 잠시 말하지 말자. 우선 조선혁명자인 본 대의 전체 동지들은 중국 항전을 지지하고 원조하는 사업에 일반적인 형식으로 참여한 것이 아니다. 희생적인 정신으로 직접 전선에 나가 중국의 용감한 장병들과 생사고락을 함께 하면서 적들과 피어린 투쟁을 했다. 이 점은 확실히 우리가 영광스러워하고 만족스러워하는 부분이다.

　우리는 오로지 공동의 적 일본제국주의를 훼멸시켜야만 조선민족이 다시 독립, 자유의 천지를 볼 수 있다고 생각한다. 일본제국주의를 훼멸시키려면 우리의 역량은 아직 아주 취약하다. 우리는 중국 항전 장병들을 협조해 적들과 박투하는 외에는 다른 길을 찾을 수 없다. 우리는 오로지 이런 솔직한 실천을 통해서만이 수천수만의 조선동포들이 우리를 호응하여 우리의 피어린 발자국을 따라 해방의 큰길로 나아갈 수 있다는 것을 확신한다. 아울러 이렇게 해야만 실질적인 중·조 두 민족의 연합전선을 확립할 수 있다. 그러므로 과거 2년 동안 우리는 텅 빈 외교활동 및 소란스러운 이론토론을 절대 하지 않고 실제적으로 남북 각 전장에 참가하여 우리의 모든 역량을 동원해 사업에 매진하였다. 가령 우리가 여전히 일부 동지들처럼 중국 항전이 3년째 진행되고 있는 오늘까지도 그 무슨 "어떻게 국제적인 연락을 취할 것인가?", "국군 당군의 문제", "자주 및 피동의 문제" 등 이런 실제에 맞지 않는 문제만 떠들썩하게 토론하면서 지난 2년의 실천을 오늘까지 미뤄왔다면 어떻게 됐을까? 그랬더라면 모든 것은 여전히 환멸적인 공상에 지나지 않으며 오늘 우리가 느끼고 있는 승리와 자신의 만족감은 없을 것이다.

다음은, 동방의 영구적인 평화에 대해 생각해보았다. 중국을 떠나서는 있을 수 없다는 것은 더 말할 필요도 없다. 아울러 조선이 참가하지 않는다면 역시 상상하기 어려운 일이다.

지난 수천 년 동안 동방 문화와 정치의 역사에서 중·한 두 민족의 관계, 현재 두 민족의 생사존망의 관련성 및 미래 동방의 영구적인 평화 문제에서 두 민족 간의 관계의 밀접성과 중요성은 그 누구도 부인할 수 없다. 중·조 두 민족은 공동으로 과거의 유구하고 영광스러운 역사를 창조했고 아울러 미래 동방의 영구적인 평화 공존의 토대를 닦아야 할 공동의 사명을 가지고 있다. 이런 위대하고 영광스러운 사명은 오늘날 중국 항전에 직접 참가한 본 대의 전체 동지들의 어깨에 놓아져 있다. 동시에 그 누구도 이런 위대한 사명이 본 대의 과거 2년 동안의 실천에서 이미 조금씩 실현되고 있다는 점을 부인하지 못할 것이다. 확실히 과거 2년 동안 본 대의 동지들은 남북 전장과 후방의 각지에서 400만 명의 중국의 영용한 항전 장병 및 민중과 함께 공동의 적에 대한 적개심을 불태우고 생사고락을 같이 하면서 노력 분투했다. 두 민족은 과거부터 서로 밀접했던 역사가 오늘날 다시 재현되었다. 특히 두 민족의 미래에 억만 년 공존공영 할 든든한 기초를 닦았다. 이 점 또한 우리를 무한히 흥분하게 한다.

마지막으로 말할 것은 오늘 우리의 전체 동지들은 본 대의 광명한 전도와 혁명이 필연코 성공하리라는 것에 대해 특히 굳센 자신감을 가지고 있다는 점이다. 지금 비록 본 대의 깃발 아래에 단합된 사람이 수백 명에 불과하지만 우리는 백분의 백 모두 당의 혁명 간부이며 모두 다 수년간의 정치군사훈련을 받았고 대부분은 건장한 청년들이다. 우리는 비장한 전장에서, 중국의 위대한 혁명 과정에서 혁명에 대한 식견이 넓어졌고 혁명 경험도 더 풍부해졌으며 신체도 더 건장해지고 더 굳게 단결되었다. 그러므로 우리가 계속 이렇게 발전하면 반드시 전 조선민족이 본 대의 기치 하에 동원되어 적들을 조국의 땅에서 몰아내고 혁명의 최후 목적을 완성할 수 있을 것이다.

이상 몇 가지 소감을 말하면서 이것이 아마도 우리 전체 동지들의 오늘의 공동한 소감이 아니겠는가, 라는 생각을 하게 된다!

『朝鮮義勇隊』, 第37期

이두산 편

추억(憶)

1. 한 폭의 그림

압록강이 장백산 아래에서 사품쳐 흐른다. 금강산은 동해변에 우뚝 솟았고 파도는 천 무더기, 만 무더기의 눈사태처럼 산기슭에서 쏟아져 내린다. 그 웅장한 자태를 내가 어찌 잊으랴.

내 머리 속에는 이와 같은 그림도 깊이 새겨져 있다. 한 시골 마을이다. 아아하게 높은 산봉우리들이 삼면에 둘러싸이고 다른 한 면은 도시로 통하는 큰길이다. 멀지 않은 곳에서 맑은 큰 강이 흐르고 있다. 마을 안은 광활한 평지로 중간에는 냇물이 흘러 지난다. 백양, 적석, 감, 살구, 복숭아, 자두 등 무성한 나무들의 가지에 백여 호의 인가가 가려져 있다. 밭들이 반듯하게 나열돼 있고 냇물이 유유히 흘러가고 있다. 사람들이 징검다리를 건너며 냇물의 동쪽 기슭에서 서쪽 기슭으로, 또 서쪽 기슭에서 동쪽 기슭으로 한가롭게 오간다.

집은 다 볏짚이거나 띠로 지어서 아주 정갈하다. 집 밖의 사면 담장은 다양한 돌들로 쌓아서 만들었다. 담장에는 이름 모를 화초 덩굴이 얽혀있고 얼룩덜룩한 이끼가 가득 피어있다. 농부는 입에 담뱃대를 물고 나무 아래거나 지붕 밑에서 한담을 한다. 아름다운 긴 머리태를 드리운 소녀들이 바구니를 들고 밭으로 가서 나물을 뜯는다. 염소는 잔디밭에서 풀을 뜯고 돌아와서는 얌전하게 사람들의 발치에 엎드려 있으면서 사람들이 손으로 자신의 부드

러운 털을 만지작거리게 한다. 게나른한 누렁이들이 울타리 아래에서 기지
개를 켜고 고양이들이 눈을 가늘게 뜨고 햇빛을 쪼인다. …모든 정경이 그렇
게도 안온해 보인다.

이것이 조선의 한 시골, 나의 머나먼 고향의 정경이다!

이 시골에서 나는 자랐다. 내가 태어난 그해는 20세기가 곧 서막을 열
1896년이었다. 동란의 세월이었다. 만청정부는 그 해에 이홍장을 러시아에
파견해 '중로밀약'을 체결했다. 왜구는 조선에서의 만청의 세력을 몰아내고
조선을 점령했다. 조선 국내에서는 당쟁 관계로 인해 서로 죽일 내기를 했
다. 바로 2년전—1894년에는 조선의 피압박민중이 '동학당'을 조직해 당시
부패한 정부를 타도하고 새로운 정부를 창설할 목적으로 남방에서 대대적
으로 활동했다. 그러나 '미신'으로 민중을 선동한 결과 실패하고 말았다. 같
은 해에 왜구는 조선의 내란을 틈타 조선을 보호한다는 명의를 내건 만청과
'청일전쟁'을 일으켰다. 만청이 또 실패하고 말았다. 1895년에 만청은 대만
과 요동반도를 일본에게 주고 배상금 200조 원을 배상했다. (그 후 러시아, 독일,
프랑스 3국은 일본의 압박에 의해 요동반도를 돌려주었다.) 그 후년에 조선의 왕은 '대
한황제'로 칭하고 '독립자주'의 정부를 세웠다. 그 후 몇 년이 안 되여 대한
정부는 핍박에 못 이겨 일본과 '보호조약'을 체결했다. 일본은 또 러시아와
'일로전쟁'을 감행했다. …이렇게 보면 나는 마치도 '동란'과 함께 이 세상에
온 듯하다.

이 시골에서 우리 집은 꽤 잘사는 집이었다. 논이 70여 마지기가 있었고
아주 큰 부림소 두 마리가 있었다. 집과 뜰 안이 차지한 면적은 약 2천여 평
이 되었다. 이는 다 조부님이 부지런하고 알뜰하게 가업을 일으킨 결과였다.

나의 조부님은 아들이 하나밖에 없었다. 바로 나의 아버지였다. 나는 12
명의 형제자매가 있었다. 나와 함께 학교에 가서 공부하는 형제들로는 누님

한 명, 여동생 두 명과 남동생 두 명이 있었다. 남은 동생들은 집에서 놀고 울고 웃고 떠들었다. 그래서 집도 학교인 듯했다. 조부님과 부친은 새 시대에 대한 인식이 있어서 독서의 중요성을 잘 아셨다. 아울러 많은 '희망'을 우리 형제자매에게 걸었다. 그리하여 우리는 모두 선후로 학교에 가 공부했다.

해마다 음력 5월부터 9월까지는 벼의 종식 및 수확기이다. 10월부터 이듬해 4월까지는 보리의 종식 및 수확기이다. 우리 집은 2명의 머슴을 고용했다. 이 2기의 농사 기간에는 집안의 노약자를 제외하고는 다 밭에서 일을 했다. 벼를 수확한 후에는 한동안 한가한 시간이 있었는데 그때는 밀이 노랗게 익기를 기다렸다.

조부님은 고된 가무에 시달리며 매일 바쁘게 돌아쳤다. 머리칼도 하얗게 세였지만 수확 철에는 머슴들보다도 일찍 일어나 농기구를 들고 밭으로 나가시곤 했다. 나는 동생들과 함께 낫을 들고 나갔다. 그이는 웃으시면서 "얘들아, 너희들은 공부나 잘할 것이지!"라고 했다.

여름이면 우리 집 뒤 뜰 안은 늘 벅적거렸다. 더위를 식히기 좋은 그늘이 있는 까닭이다. 다섯 그루의 커다란 감나무가 있었다. 또 아버지가 손수 심은 복숭아나무와 배나무도 있었다. 무성한 나무 잎사귀들은 뜨거운 태양을 막아주었다. 나는 동생들과 함께 그 그늘 밑에서 공부하거나 노래를 불렀다.

나는 어려서부터 자연을 사랑했다. 번마다 학교에서 하학하고 돌아오면 늘 혼자서 험한 절벽을 타고 오르군 했다. 겹겹하게 어린 안개를 헤치며 소나무 숲속으로 들어가서 새들이 지저귀는 소리를 들었다. 산속의 꽃들이 바람에 하느작거리는 모습을 바라보고 멀리 강에서 배들의 흰 돛이 움직이는 모습을 바라보았다. 어떤 때에는 새벽부터 해가 질 때까지 앉아 있었다. 떠오르는 태양과 지는 저녁노을이 높고 낮은 수많은 산봉우리를 암자홍색, 진홍색, 진남색, 금황색이 뒤섞인 형언할 수 없는 색깔로 물들이는 모습을 바라보곤 했다.

봄이 오면 나는 들판에서 들려오는 소녀들의 노랫소리에도 깊이 매료되곤 했다. 이들은 삼삼오오 짝을 지어 고대 조선에서 전해져온 민가들을 불렀다. 어느 날 나는 한 소녀가 처량하고 슬픈 노래를 부르는 소리를 들었다. 아마도 어머니나 자매를 잃지 않았을까, 라는 생각을 했다.

들꽃이 노랗게 피었네!
바구니를 메고 엄마를 따라가네.
엄마를 따라가네.
밭머리에서 캔 나물을 냇물에서 씻네!
냇물은 달고
나물은 향기롭네.
해마다 나물은 파랗게 돋아나네!
나물을 캐는 애는 엄마가 없다네!

노래 곡 또한 그처럼 처량했다.

나는 중국의 당시며 일본 지오규와 미국 휘트먼의 시를 아주 좋아했다. 산속으로 들어갈 때마다 잊지 않고 이들의 책을 갖고 가곤 했다.

──나의 동년은 이런 순진한 생활 속에서 흘러갔다.(본 글은 완고, 전문은 미완.)

『東方戰友』, 第2期, 1939年 2月 1日

추억

2. 낙인

8월의 가을이면 조선은 아주 아름답다. 하늘은 티 없이 맑은 파란색이다. 얇은 구름 몇 송이가 어려 있어 마치도 소녀가 푸른색 치마저고리를 입고 목에 팔락거리는 흰 수건을 두른 듯하다. 들에서는 벼이삭이 황금빛으로 물들고 시냇물 속에서 미꾸라지며 뱀장어가 흐르는 물결을 따라 헤엄치며 벼 내음에 취해있다. 도시의 사람들은 삼삼오오 떼를 지어 전야에서 해질 무렵의 볕을 쪼이며 한가롭게 노닌다. 농부들은 원만한 수확의 풍경을 바라보며 춘계——농사제를 지낸 그 날부터 이때까지의 피로도 깨끗이 잊고 가을 수익금으로 무엇을 할 것인지를 생각한다. 소박한 얼굴에는 미소가 걸려있다.

이런 8월의 어느 날이다. 하학 후 애들이 들오리 떼처럼 운동장으로 달려가 온갖 유희를 벌렸다. 교실에서도 와글와글 떠들어댔다. 어떤 애들은 분필로 흑판에 웃기는 그림을 그렸다. 나는 이토 히로부미의 머리를 그리고 나서 안중근 의사의 자세를 본 따 그놈을 조준해 사격하는 동작을 했다. 어떤 애들은 벌떡 일어나 강단에 올라가 힘껏 호루라기를 불고 목청껏 노래를 불러댔다. 다들 이 가을의 높은 하늘에 도취돼 있었다.

그러나 가을은 필경 '가을'인지라 "가을바람이 불어치면 흰 구름이 날려가고 초목은 누렇게 변하고 기러기는 남쪽으로 날아"가는 쇠락한 풍경을 보게 마련이다. 이런 쇠락의 풍경은 조선의 운명에서도 연출되었다.

우리 어린 가슴에 영원히 지워지지 않는 낙인을 찍은 일이 생겼다. 그것은 바로 깊은 가을의 어느 날——1910년 8월 29일이었다. 이날은 나 개인의 '가을'일뿐더러 우리학교 전체 동학들의 '가을'이기도 했다. 아울러 우리나라 금수강산 조선의 '초목'이 누렇게 쇠락하는 '가을'이기도 했다!

우리 모든 동학들은 역사 교과서를 통해, 또는 자기 집 어른들의 말을 통해 1895년의 청일전쟁에서 청정부가 일본에 전패하고 일본과 화평해 마관조약을 체결하고 조선독립을 공식 인정했으며 1905년에 일본이 조선을 보호국으로 인정한 사실을 머릿속에서 잊을 수가 없다. 지금 1910년에는 보호국이라는 명의마저 없다. 삼천리 국토가 이렇게 망했다!

이 불행한 소식이 우리 학교에 전해졌을 때 수백 명 동학들이 한 곳에 모였다. 어떤 애들은 두 손을 호주머니 속에서 꽉 움켜쥐고 어떤 애들은 다른 애의 허리를 안고 어떤 애들은 다른 애들의 어깨에 엎드려 울었다.

××선생은 두 손을 꼭 맞잡고 땅만 쏘아보면서 강당(중국의 강당과 같음.)을 향해 걸어갔다. 동학들은 소리 없이 그의 뒤를 따랐다. 도착하였지만 다들 자리에 앉지 않았다. 무거운 침묵이 모든 것을 압도했다.

가을바람은 허공을 스쳐 지나고 대지는 조금씩 흐느끼는 것 같았다.

"동학들…" ××선생은 불쑥 교단에 올라서서 두 손을 교차해 가슴에 안고 눈물이 가득 찬 눈길로 아래의 동학들을 주시했다. 그 목소리는 하나하나의 예리한 화살처럼 우리의 마음을 찔렀다.

"조선은 4천여 만 년의 역사를 가지고 있는 나라이다. 우리의 선조들은 절벽을 평지로 만들고 메마른 땅을 옥토로 만들어 풍부하고 아름다운 문화를 창조했다. 이 공적에 대해 우리는 반드시 잘 지키고 빛나게 발양해 나가야 할 것이다. 그러나…" 그의 힘 있는 목소리는 점차 떨리기 시작했다. 눈물이 비 오듯 쏟아져 책상에 흘러내렸다. 나는 그의 고통을 알게 되었다. 나는 조국의 수난을 알게 되었다. 그러자 통곡을 금할 수 없었다.

"그러나…" 그는 계속 말을 이어나갔다. "오늘 우리 다 같이 울자. 우리는 우리의 선조에게 미안하다. 우리의 조국은 이제 멸망했다! 왜구는 처음에는 '독립', '보호'의 명의를 내걸더니 결국은 '합병'을 하여 우리 삼천리강산을 삼켜버렸다! 오늘 왜구는 한간 이완용과 결탁하여 경성에서 황제(융희황제)를 핍박해 '합병'조약을 체결했다. 오늘 왜구는 으시대고 우리는 '망국노'의 딱지를 달게 됐다…"

"와――"누가 먼저 통곡했는지 알 수 없다. 나는 울음소리의 파도 속에 묻혀버렸다. 나도 그 '파도'로 변했다.

××선생은 이때 주먹으로 책상을 누르며 슬픈 어조에서 강한 어조로 바꾸고 말하였다. '동학들, 우리는 굳세야 한다. 오늘부터 우리는 투쟁해야 한다. 반드시 알아야 할 일이 있다. 300여 년 전 임진년에 왜구 수십만이 우리나라로 쳐들어와 우리의 선조를 도살했다. 살해된 사람이 전국 인구의 10분의 2나 됐다. 우리는 왜구에 의해 도살된 사람들의 후예이다. 우리는 선조를 대신해 복수도 못했다. 그런데 지금 자신이 또 노예로 됐다. 안 된다! 우리는 노예로 살수 없다. 우리는 간고하게 투쟁해야 한다, 오늘부터! …"

침묵이 또 모든 것을 압도했다. 동학들은 숨을 가다듬고 두 주먹을 꼭 쥐고 이를 악물었다.

긴장한 분위기가 지나간 후 사위는 다시 안정됐다. 다들 관계되는 질문을 많이 하고 토론했다. 그리고 왜구들에 의해 강박적으로 "일한합병 제등 경축대회"에 참가했다. 대회에서 우리는 침묵만 지켰다. 원한의 눈빛으로 일본인 학생들을 쓸어 보았다. 그들은 "대일본제국 만만세"를 외쳤고 우리는 그 반대의 의미로 소리를 질렀다.

그때로부터 나의 '동국역사'는 빼앗겨버렸다. 전국의 애국 사상이 있는 서적은 다 왜구들에게 빼앗겨 불에 타버렸다.

그때로부터 '한국'이라는 두 글자를 쓰는 것마저 자유롭지 않았다.

그때로부터 나의 가슴은 고통으로 꽉 찼다. 나는 고통스러운 마음으로 투쟁의 기술을 공부하였고 사상과 행동을 통일시켰다. 나는 조국을 고난에서 구해야 했다. 나는 의지를 굳게 가지고 학습, 연구, 행동, 사상 등을 혁명에 사용하기로 마음을 다졌다. "5시간의 수면", "수불석권", "신체 단련"…… 을 나의 좌우명으로 삼았다. "오W주의"——What, Why, Which Who, How가 바로 학업에 대한 나의 일관된 태도였다.

그때로부터 혁명의 맹아는 나의 어린 가슴에서 자라났고 나는 혁명의 길에 들어서기 시작했다. (본 글은 완고, 전문은 미완.)

『東方戰友』, 第3期, 1939.2.12.

추억

3. 어머니의 얼굴

여러 해째 나의 행적은 가을의 구름마냥 종잡을 수없이 흘러간다. 밤이 깊어갈 때마다 사랑스러운 조국을 떠올리고 2천3백만 동포들을 생각한다. 적들의 유린을 받으며 인류가 향수해야 할 권리도 없이 살다니, 생각만 해도 뜨거운 눈물이 얼굴을 적신다.

어떤 때에는 동년시절의 생활을 떠올린다. 어머니의 얼굴이 특히 핍진하게 눈앞에 떠올라 곤난을 이겨나갈 수 있는 용기를 북돋아준다.

동년시절에 나는 누님 한 분, 여동생 둘, 남동생 둘과 함께 고향에서 몇십 리 떨어진 ××시에 가서 공부했다. 집에서 너무 멀리 떨어진 학교다보니 우리는 부친의 한 친구 집에 얹혀살았다. 그러나 그 집에 아이들이 너무 많은 데다가 불편한 점이 한두 가지가 아니었다. 집에서는 우리가 나이도 어리니 시름이 놓이지 않아했다. 그리하여 할아버지는 학교 부근에서 공터를 사서 초가집 한 채를 지었다. 방이 세 개였는데 우리 여섯은 그 집에서 살았다. 할머니가 특별히 오셔서 함께 살면서 우리의 공부를 감독했다. 환경이 아주 조용해서 우리는 공부를 더 열심히 했다.

학교에서 나는 각 학과 성적이 다 괜찮았다. 어떤 때에 선생님이 일이 있어 휴가를 내시면 교장은 나더러 임시로 선생님을 대신해 나보다 낮은 학년의 동학들을 가르치게 했다. 유난히 부끄러움을 타는 한 아이가 교단에 올라선 것이다. 그 정경은 지금도 생각하면 우습기만 하다. 어떤 때에는 상을 타면 조부모님과 부모님에게 드렸다. 그러면 그이들은 얼굴 가득 미소를 지었다. 나도 즐거워서 풍풍 뛰었다. 그때 내 나이 열네 살이었다. 그런 아이가 몇백 명 동학들 중에서 공부를 잘하여 상을 타곤 했다. 조부모님과 부모님은 많은 희망을 우리에게 걸었으므로 당시에 큰 즐거움을 느끼셨다. 나는 그 점을 잘 알았다.

여름 방학이 다가오면 우리는 아쉬운 마음으로 학교 근처 집을 떠나 집으로 갔다. 날씨가 무더웠으므로 매일 많은 시간을 집 뒤뜰 안 그늘 속에서 보냈다. 나무의 잎사귀는 푸르싱싱하여 무척 사랑스러웠다. 매미가 위에서 울어댔지만 시끄럽지 않고 오히려 즐거웠다. 새들도 많았다. 부드럽게 지저귀면서 우리가 과문을 읽는 소리에 화답이나 하는 듯 했다. 밤에는 달이 밝았다. 우리는 나무 잎사귀 틈새로 달을 바라보았다. 또 여러 가지 곤충들이 있었는데 매미보다 더 아름다운 소리를 냈다. 주변의 환경은 학교 부근의 초가집보다 더욱 정다웠다. 한 달 남짓한 동안에 우리는 각 과목을 복습하거나 예습했다. 혹은 어머니에게서 재미나는 이야기들을 들었다. …… 무척 달콤한 나날들이었다.

어느 날 어머니가 한창 바삐 돌고 있는데 문가에 2명의 거지가 나타났다. 머리는 마구 헝클어져있고 옷은 너덜너덜했다. 발은 불구였고 마른 나무처럼 앙상하고 떨리는 손을 내밀고 어머니에게 사정을 했다. "마나님, 제발 도와주세요!" 어머니는 나를 바라보더니 짐짓 못들은 척 계속 자기 일을 했다. 나는 괴로웠다. 어머니가 평소에는 무척 자애로웠고 가난한 사람들을 잘 도와줬는데 왜 지금은 저렇게 변했지? 왜 사람과 사람 사이의 경제수준이 이처럼 큰 차이가 나지? 나는 눈물이 흘러나왔다. 나는 거지의 불쌍한 상황을 어머니에게 알려주며 그들을 도와줬으면 좋겠다고 했다. 어머니는 여전히 못들은 척 신경을 쓰지 않았다. 그러나 내가 계속 울면서 말하자 어머니의 태도는 달라졌다. 그는 손수건으로 나의 눈물을 닦아주고 나의 볼에 입을 맞추며 나의 어깨를 잡고 부드럽게 말씀했다.

"착한 애야, 나는 네가 어쩌는지 지켜보고 싶었단다. 저 사람들은 정말 불쌍하구나. 우리가 도와야. 너의 동정이 막 눈물로 흘러나오니 나는 아주 기쁘단다. 이런 동정심을 계속 가지고 있고 계속 선양해야 한단다. 우리 전 민족에 대해, 전 인류에 대해서 말이다!"라고 하고는 입쌀을 꺼내어 그 거지들에게 주었다. 나는 마치도 잃어버렸던 소중한 물건을 되찾은 듯 기뻤다. 절뚝거리며 멀어져가는 그들을 즐겁게 바래였다. 지금도 어머니가 그때 나에게 주신 그 가르침이 가슴속 깊은 곳에 간직돼 있다. 그런데 지금 전 민족을 위해, 피압박 민족의 행복을 위한 나의 사명은 완성된 것인가? 이것으로 구천에서 깊이 잠든 자애로운 어머니에게 위로가 될 것인가? 이렇게 질문하고 나니 나는 부끄러움을 금할 수 없다. 더 노력해야겠다.

어머니의 훈육을 받아 나의 혁명 사상은 나날이 발전했다. 집에서와 학교에서 우리는 늘 서로 취향이 같은 친구들이 함께 모여 많은 공약을 맺고 서로 검토했다. 애국적인 서적을 수집하여 함께 읽었다. 우리는 민족 독립 자유에 대한 토론을 아주 많이 했다. 매주 토요일마다 우리는 전부 모이곤 했다. 우리는 두개 대대로 나뉘었는데 하나는 조선의병대이고 하나는 왜병대였다. 대대 밑에 또 몇 개의 분대로 나누고 분대장, 기병, 나팔병을 뽑았다…… 잘 조직한 다음 ××시에서 출발해 도시에서 멀지 않은 곳에 있는 들판이거나 산마루로 달려갔다. 그곳을 전쟁터로 삼고 쌍방이 전술을 운용해 진지하게 전투를 했다. 진정한 무기는 없지만 나는 듯이 달리며 씩씩하게 싸웠다. 하늘이 점점 어두워지고 새들이 자기의 둥지로 돌아갈 때면 우리도 노을빛을 밟으며 노래를 부르며 집으로 돌아왔다. 그 후 우리의 이런 '유희'는 왜구들에게 알려져 그들의 감시를 받았다. 그자들은 우리에게 경고하고 이런 유희를 금지한다고 했다. 그들은 이런 '불령'한 방식이 순민교육에 불량한 영향을 미친다는 것을 잘 알았다. 그러나 우리는 더욱 교묘한 방법을 써서 토요일마다 그 유희를 계속 진행했다. 지금 각지에서 싸우고 있는 혁명동지들 중에는 당시 '불령'운동을 일으킨 동학들도 일부 있다!

세계 각 나라 위인들의 전기에 대해 나는 아주 큰 흥미를 가졌다. 나는 그들을 아주 경모했을 뿐더러 그들을 많이 모방했다. 미국 프랭클린은 생활에 대해 아주 엄격했다. 매일 반성표에 근거해 자신의 행위와 사상을 점검했다. 당시 나도 그렇게 했다. 반성표 한장을 책장에 붙여놓고 매일 자신을 점검했다. 나는 자신을 관용한 적이 없다. 흡연과 음주는 비위생적이다. 동학들 중에 그런 나쁜 취미가 있는 사람이 있다는 것을 알게 되면 나는 그들이 고치도록 권고했다. 그들이 금연, 금주를 하면 나는 한없이 기뻤다. 나는 33살이 되도록 담배 한 대, 술 한 잔 입에 댄 적이 없다. …나는 자애로운 어머니의 유교가 생각나서 더 큰 노력으로 자신을 채찍질 했다. 나는 희망을 갖고 지금의 모든 고난을 견뎌낼 것이다!(본 글은 완고, 완전문은 미완.)

『東方戰友』, 第4期, 1939.3.1.

추억

4. 밤에 압록강을 넘어

국내의 분위기는 질식할 것만 같았다. 게다가 나는 새로운 이상을 동경했다. 1919년에 나는 조국을 떠나 중국의 문화중심지인 상해로 갔다.

나와 동행한 사람은 ×동지였다. 우리가 계획한 일정은 남방에서 기차를 타고 경성을 지나 신의주에 도착해 안동, 봉천, 북경, 천진, 제남을 거쳐 상해에 이르는 것이었다.

때는 깊은 가을이었다. 바다와 하늘은 한결 넓어 보였다. 우울했지만 즐겁기도 했다. 사랑스러운 고향의 들판을 떠나 신의주로 향하는 기차에 올랐다. "조국이여, 잘 있거라!" 우리는 낮은 소리로 되뇌였다. 젊은 심장은 기차 소리와 함께 뛰었다.

신의주까지는 아직도 몇십 리나 더 남아있었다. 우리는 백마역에서 내렸다. 일본경찰검문소가 조선 땅에 수림처럼 가득했다. 그 숫자는 해마다 더 늘어났다. 그들은 모든 조선인의 사상을 의심했다. 경찰은 미친개마냥 사처에서 행인들을 쫓아다녔다. 온갖 장애를 피면하기 위해 검문이 신의주처럼 심하지 않은 백마역에서 내리기로 하고 도보로 걸어갔다.

둘 다 가벼운 행장을 지녔다. 탐험이나 떠나는 것 같기도 하고 어둠속을 더듬으며 가는 것 같기도 했다. 서로 돌보면서 오솔길을 꿰질러 갔다. 아름다운 흰 구름층과 홍갈색의 산봉우리가 강렬한 대조를 이루었다. 갈대가 가

을바람에 흐느적거렸다. 기러기가 긴 울음소리를 남기며 머리를 스쳐 지나
갔다. 그러나 우리는 별로 감상하고 싶지 않았다.

시골마을은 한산했다. 몇 달 동안 혹독한 가물이 들어 논밭이 갈라 터져
핏빛으로 변했다. 벼이삭은 말라서 불이라도 확 일 것 같다. 수수 등 잡곡들
도 수확하게 없었고 농민들은 볏짚처럼 누렇게 말라있었다. 실망스럽고 가
엾어 보이는 창백한 눈길로 우리를 바라보았다. 이제 앞길은 더욱 힘들 것인
데! 나는 그들을 보기가 안쓰러워 발걸음을 더욱 다그쳤다.

배도 고파났다. 그러나 어찌 기근에 잡혀있는 마을에 가서 배부르기를 바
라겠는가?

"이건 우리 집 식구들의 한 끼니도 안 되는 곡식이오. 오늘 저녁 끼니를
해 먹으려고…"

한 농민이 우리에게 해주려고 보리그릇을 들고 나와 이렇게 말할 때 우리
는 멍해지고 말았다. 돈으로 바꾼다고는 하지만 그들은 그 돈으로 오늘 밤에
먹을 식량을 어데 가서 구한단 말인가? 우리는 그렇게 할 수 없었다. 배고픔
을 달래며 다시 길을 떠났다.

"맙소사! 일이 생기면 안 되는데." ×동지가 나의 어깨를 툭 치며 앞을 가
리켰다. 작은 소리로 말했다. "봐봐, 경찰 둘이 마주 오고 있잖아?"

우리는 숨을 죽이고 다급히 숲속에 숨었다. 적을 기다리는 마음으로 가만
히 엿보았다. 십분도 채 되지 않아 과연 경찰 둘이 거들먹거리며 앞을 지났
다. 경찰은 코를 길게 내밀고 수캐처럼 코를 킁킁거렸다.

숲속을 나와 얼마 걷지 않아 산기슭에 이르렀다. 이때 맞은편에서 자그마
한 집이 시야에 들어왔다. 자세히 살펴보니 여관이었다. 우리는 기쁨을 금할
수 없었다. 한 할머니가 웃으면서 우리를 맞아주었다. 우리가 적적해 할가봐
걱정되는 듯 속에 있던 말들을 가득 쏟아냈다.

"두 젊은이, 어디서 왔어요? 어디를 가려고 그러나? 참, 길 걷기가 얼마나 힘든데…"

"남방에서 왔어요. 신의주에 가서 친구 만나서 장사를 좀 하려구요. 길을 많이 걸었어요. 먹을 게 좀 있으세요? …"

"아, 남방에서 왔어요?" 그녀는 차를 부어주며 말했다. "먹을 건 있지만 자네들이 먹어내지 못 할까봐 걱정이요. 남방에서는 쌀밥을 먹잖아요, 여기서는 조밥을 먹는다오. 먹을 수 있겠나? 내가 금방 해올 거요. 그런데 얼마 되지도 않아, 후유, 너무 가물어서 죽을 맛이요…"

먹을 것이 있다는 소리에 우리는 더는 할머니의 말씀을 원하지 않았다. 그녀가 조밥을 해오자 한 알도 남기지 않고 다 먹어치웠다. 돈을 지불하고는 곧 길을 떠났다. 속으로는 압록강변에서 만나기로 한 친구가 그리웠다. 그런데 갑자기 큰비가 쏟아졌다. 번개가 예리한 검마냥 하늘 공중에서 춤을 추었다. 천둥소리, 빗소리가 골짜기에 메아리쳤다. 좋다! 하늘에서 땅이 푹 젖을 정도의 큰 비가 내릴 때도 됐다.

비가 멈추자 우리의 목적지도 가까워졌다. 우리는 인력거 두 대를 고용해 신의주로 갔다. 이곳은 인력거가 대부분 산동인과 만주인의 것이었다.

사전에 약속한 친구는 이미 목적지에 와서 우리를 기다리고 있었다. 다들 흥분하여 무슨 말부터 했으면 좋을지 몰랐다. 압록강변을 따라 걸어서 도시에서 30여 리 떨어진 곳으로 갔다. 인적이 드문 야외였다. 이곳에서 옷차림을 바꿨다. 보따리 장사꾼이나 늙은이, 혹은 품팔이꾼으로 가장하고 서로 손가락질을 해댔다. 아주 웃기는 차림이었으나 누구나 웃지 않았다. 다들 엄숙한 표정으로 주변의 모든 것을 경계했다.

생명에 대한 위협이 우리의 마음을 조여오고 있었다. 나는 강변의 풀숲으로 안내됐다. 썩은 풀 냄새가 났다. 이곳에서 작은 배 한척을 꺼내어 밀고 강심을 향해 밀고 갔다. 강물은 검은색이 났다. 파도가 대안의 바윗돌에 부딪쳤다가 다시 물러나면서 쪽배를 뒤흔들었다. 쪽배에는 네 사람만이 앉을 수 있었다. 배는 강심으로 나아갔다. 우리를 안내하는 한 동지가 부채 같은 나무 노로 물을 저었다. 노를 저을 때마다 배가 강물에서 조금씩 나아갔다. 우리는 앉은 자리에서 감히 움직이지도 못했다. 말도 하지 않았다. 물소리만이 또렷이 들려올 뿐이다. 하늘은 점점 더 어두워졌다. 별도 없고 달도 없었다. 밤바람만이 무서운 공기를 몰아왔다.

대안에서 불빛이 희미하게 보였다. 갑자기 예리한 총소리가 들려왔다. 총알은 미친 귀신처럼 강 쪽으로 날아왔다.

"웬일이지? 정보가 새였나? …" 다들 이런 생각을 했다. 그러나 누구도 입 밖에 내지는 않았다. 다들 본능적으로 손을 내밀었다. 힘껏 물을 저었다. 심장이 툭툭 뛰는 소리를 우리는 또렷이 들었다.

총소리는 계속 들려왔다. 탄알이 물 위에 떨어져 내렸다. 간혹 귀가를 스쳐 지나 강물에 떨어졌다.

날은 더욱 캄캄해졌다. 그러나 우리는 그 밤에 대안에 올랐다. 머리를 돌려 호탕하게 흘러가는 강물을 바라보았다. 안도의 숨을 길게 내쉬었다. 곧 더 먼 여정을 시작했다.

『東方戰友』, 第5期, 1939.3.15

추억

5. 근로자

19××년에 나는 조국을 떠나 상해로 온지 ×이 되었다. '3·1'운동이후 우리의 혁명 동지들은 상해에서 아주 많은 기관을 설립하고 '독립신문' 및 기타 간행물을 꾸리고 더욱 적극적으로 혁명 사업을 했다. 한 가지 사명을 수행하기 위해 이 해에 나는 일본을 경유해 조선으로 가게 되었다.

나는 프랑스 조계지에서 살았다. 일정이 잡힌 후 나는 일본 상인으로 가장하고 짐을 홍구의 일인이 경영하는 한 여관에 옮겼다. 손님 등기부에도 일본이름으로 등기하고 하문에서 오는 근로자로 기록했다. 여관에서 배표를 대매하는데 어려움이 없도록 하기 위해 이렇게 할 수밖에 없었다.

희망에 부푼 마음으로 여관 직원의 손에서 배표를 받았다. 근로자의 신분에 맞아야 하기 때문에 나는 즉시 보기 좋은 양복은 벗고 근로자 차림을 했다.

배에 오를 때 마음이 복잡했다. 내가 지닌 사명을 급히 완수해야 한다는 생각을 하면서도 사랑하는 친구마냥 친절하게 느껴지던 상해탄을 곧 뒤로 해야 한다는 것 때문에 저으기 섭섭한 생각이 들었다. 배에는 대부분 일본인들이 탔다. 그들은 자주 쌀쌀한 눈길로 나를 쓸어보았다. 나와 좀 떨어진 자리에 조선동포 2명이 앉아 있었다. 장사를 하는 사람인 듯 했다. 폭력의 중압 속에서 볼품없이 쭈그러져 몹시 고통스러워 보였다. 내가 볼 바에는 그 정도가 한시가 새로운 듯 했다. 파도는 선체를 밀고 앞으로 나갔다. 뒤흔들리는 배가 조선민족의 운명을 상징하는 것인가? 나는 머리를 창밖에 내밀고 깊게 탄식했다.

배가 모지에 이르자 수상경찰이 먼저 배에 올라와 조사를 했다. 나에게 질문할 때 나는 일본말을 전혀 모르는 촌뜨기인 척 하면서 조선말로 대답했다.

"무슨 말인지 모르겠는걸요."

"넌 어디서 왔어?" 그들은 조선말을 할 줄 아는 일본인을 불러다가 다시 물었다.

"상해요!" 나는 말했다.

"난 장사하는 사람인데 잡화를 가지고 한구, 무창, 장사 일대를 돌아다니며 팔았어요. 전에는 돈을 좀 벌었는데 요즘은 이름도 모를 곳을 지나다가 갖고 있던 돈을 다 토비한테 빼앗겼어요. 더는 장강 일대로 갈수가 없어졌어요. 조금 괜찮은 옷을 여비로 저당 잡혔지요. 돈이 부족할까봐 감히 여관에도 들지 못하고 홍구의 한 공원에서 밤을 지냈어요. …"나는 일부러 말을 길게 했다. 스스로도 연극하는 것 같았다. 나는 학교 시절에 연극하면서 배웠던 기교들을 떠올렸다.

"프랑스 조계지에 들었다구?" 그는 또 물었다.

"나는 상해를 지나는 사람이라 프랑스 조계지가 어딘지 몰라요. 돈이 없는데 어찌 조계지에 들어가나요?" 나는 정색하고 말했다.

"한국 가정부가 있는 건 아는가?"

"몰라요. 지금은 총독부 시대잖아요!"

"지금 어디로 갈 생각인가?" 그자는 좀 실망한 어조로 물었다.

"조선으로 돌아가요. 농장에 가서 벌어 먹으려구요. 선생님! 절 불쌍하게 생각하고 돈 좀 주세요. 나는 돈 한 푼도 없어요. 조선에 가서 벌어먹는 일도 힘들어요. 일 년 동안 피땀으로 조미 석 섬도 못 바꿔요. 선생님, 여비를 좀 도와주세요!"

"쓸데없는 말을 하지 마!" 그는 나를 제지시키며 짐을 풀라고 했다. 나는 속으로 쾌자를 불렀다. 모든 중요한 문건은 이미 가죽 트렁크의 밑바닥의 가죽 안에 넣었다. 일부분은 구두 밑창을 째고 넣고 다시 꿰매었다. 나는 이 자가 검사 결과에 실망할 것을 미리 알았다.

"저리 가!" 경찰은 너덜너덜한 옷 견지밖에 없고 아무런 수확도 없자 나를 가라고 하는 수밖에 없었다.

나는 석방된 범인마냥 즐겁게 모터보트에서 내렸다. 배를 타고 마관에 이르렀다. 이곳은 이홍장과 이토 히로부미가 마관조약을 맺은 곳이다. 짐을 부두에 옮기고 나는 부두의 긴 의자에 앉아 휴식을 취했다. 이 부두는 조선을 드나드는 요도이다. 조선동포들도 이곳에 아주 많다. 오사까 혹은 도꾜에서 조국으로 돌아가는 사람도 있고 조선에서 오는 사람도 있다. 말하지 않아도 모두 생활의 채찍에 휘둘려 사처로 분주히 오가는 사람들이다.

"선생님, 왜 이곳에 있으세요?" 홀연 등 뒤에서 부르는 소리가 들려왔다. "선생님"이라는 말에 나는 멍해졌다. 머리를 돌려보니 내가 ×중학교에서 교원으로 있을 때의 학생이었다. 나이는 나와 비슷했다. 나는 얼른 눈빛으로 암시했다. '3·1'운동이 발생한지 얼마 되지 않았으므로 나는 그가 내 뜻을 알아들었다고 믿었다.

그가 나에게서 백여 보쯤 떨어진 곳으로 왔을 때 나는 또 한번 눈빛으로 암시했다. 하등 정도로 보이는 찻집으로 따라오라는 뜻이었다.

"자네는 어디로 가나?" 나는 낮은 소리로 물었다.

"돌아갑니다!"

"그럼 우리 같이 가세. 하지만 나를 아는 척은 말게." 그 말 밖에는 하지 않았다. 떠날 때에 조선옷 차림을 한 정탐꾼이 와서 우리를 조사했다. 우리는 조선으로 떠나는 배에 올랐다.

조선 각지에서는 이때 전염병이 돌았다. 배는 부산에서 엄격한 위생검사를 받아야 했다. 배가 기슭에 도착했을 때는 아침 8시경이었고 햇빛이 부드러웠다. 나는 짐을 메고 근로자들 무리에 섞여 기차역으로 갔다. 물론 거기에서도 경찰의 검사를 받았다.

기차역의 운행시간표에는 개면××지——나의 목적지로 향한 차가 오후 8시에야 있다고 적혀 있었다. 나는 짐을 메고 조용한 곳으로 가서 벌렁 누웠다. 온갖 상상을 하면서 황혼이 오기를 기다렸다.

차가 ××역에 도착하자 검사는 더욱 심해졌다. 일본의 수색망이 이곳에 아주 엄밀하게 설치돼 있었다. 그러나 나는 교묘한 방법으로 통과했다.

해외에 몇 년 있다가 일단 고향으로 돌아오니 그 희열은 형언할 수 없었다. 그러나 경찰의 주의를 피하기 위해 도시에서 30여 리 떨어진 집으로 돌아갈 때에 나는 치벽한 오솔길을 택할 수밖에 없었다. 때는 오전 네 시가 넘은 때였다. 하늘에서는 윙윙 소리를 내며 북풍이 불었다. 나는 질고 미끈 흙길을 밟으며 길을 에돌아 걸어갔다. 아침 일찍 일어나 일하러 가는 농민들과 마주치지 않기 위해서였다.

산길 사이의 풀들은 말라서 누런 색깔이었다. 장송들이 바람에 몸을 흔들었다. 마치도 외로운 노인들처럼 보였다. 하늘에서 비가 내리기 시작했다. 빗소리와 장송의 울부짖음 소리가 서로 잘 어울렸다. 그리하여 나는 호랑이와 표범이 생각났다. 이런 무서운 짐승들이 이 곳 어딘가에 있을지도 모를 일이었다.

용기를 내어 산 몇 개를 넘었다. 평평한 산비탈에 올랐을 때 나는 어머니의 묘지를 보았다.

묘비가 우뚝 솟아있다. 마치도 어머니가 그곳에 서있는 것 같았다. 뜨거운 눈물이 눈에서 확 솟아 흘러내렸다. 나는 비석의 글자들을 바라보며 비석을 손으로 만졌다. 어머니가 떠나실 때 그의 아들은 멀리 수천 리 밖에 있었다. 어머니의 최후의 유언을 들을 수 없었고 최후의 얼굴도 볼 수 없었다. 나는 통곡하며 울었다.

나는 전마마냥
전장에서
나는 듯이 달렸습니다.
수년 동안
전투를 치루면서
단 한 번도 멈추지 않았습니다.
지금
나는 또 중임을 떠메고
조국의 강토에 들어섰습니다!

찬바람
가랑비가
나를 엄습하고 있는데
희미한 불빛을 빌어
나는 어머니의 묘비를 보았습니다.
고통은 나의 기억을 불러일으킵니다.
"넌 나를 그리워하지 말거라!
너의 조국을 위해
2천3천백만 동포를 위해

너는
너의 모든 힘을 다 바쳐
앞을 향해 나가거라.
후퇴는 없다!"
어머니!
이것이 바로 당신께서 하신 마지막 당부셨습니다!

지금은
나무가 몸부림치고
바람이 울부짖고 있습니다.
소나무 숲의 저 깊은 어두움이
바로 조국의 운명을 상징하는 것이오니
나는 우뚝 일어나
주먹을 불끈 쥡니다.
어머니!
나는 적들과의 투쟁으로 당신을 기리겠사옵니다.

투쟁하겠습니다!
머지않은 장래에
나는 국기를 높이 추켜들고
당신의 묘비 앞에서
우렁찬 노래 한곡 지어서
당신께 들려 드리겠사옵니다!
어머니!

『東方戰友』, 第6期, 1939.4.1.

추억

6. 텅 빈 방

　외지에서 온 이 '근로자'의 얼굴을 스쳐 지나는 빗줄기, 푹 젖은 소나무 가지를 흔드는 바람, 하늘가에서 대지로 내려온 가을 아침의 희미한 빛, 이 산에서 몇 리만 더 가면 있을 시골마을의 개 짖는 소리와 닭이 우는 소리, 이 모든 것이 다 이제 어머니의 묘지 앞에서 금방 일어난 이 '반역아'의 앞에 펼쳐질 것이고 그를 둘러쌀 것이다.

　바람은 쌀쌀하고 비는 차갑다. 슬픔은 아프고 눈물은 짜다. 그러나 나의 이 가슴속에 가득한 열망과 타오르는 혁명 열정은 이런 장애물을 극복하게 한다. 나는 성큼성큼 걸어갔다. 두 산 사이에 움푹 꺼져 들어간 곳을 걸어내려 갔다. 곧 삼간짜리 집이 엷은 안개 속에 조용히 서있다. 이 집은 아버지가 방학에 복습을 잘하라고 우리 자식들에게 사준 사숙이다.

　집 뒤쪽으로 다가갔다. 소나무 한 그루가 집안을 들여다보고 있다. 전과는 많이 달라져 있었다. 헐망하고 한적하다. 수십 년간 중이 들지 않은 오랜 절간과도 같다. 몇백 자 정도의 거리에 있는 작은 못이 여전히 조용히 이 오랜 절 같은 집을 지키고 있다. 영리한 물고기 한두 마리가 수면 위에 올라와 자유롭게 헤엄쳐 다닌다. 못가에 드리운 수양버들이 흙탕물 속에서 자라는 연꽃을 내려다보며 연연한 표정을 짓는다. 문은 열려있었다. 나는 들어가 보았다. 사람은 그림자도 얼씬하지 않았다. 땅바닥에는 쓰레기가 쌓여있었다.

뜻밖이었다. 지난 세월과는 너무나도 달랐다.

이때 갑자기 극도로 피곤했다. 바닥의 그 볏짚으로 만든 자리에 벌렁 드러누웠다. 날은 이미 환하게 밝았다. 나는 감히 나가지 못했다. 남들에게 알려지고 소문이 나면 위험하기 때문이다. 배는 고팠지만 일단 아는 사람이 온 다음에 방법을 대야 했다.

거의 아홉 시가 돼서야 밖에서 들려오는 발걸음 소리를 들었다. 발작소리는 점점 더 가까워졌다. 문틈으로 내다보는데 그 사람은 벌써 들어서고 있었다. 그는 나를 보자마자 "아이고!"라고 소리를 질렀다. 우리는 서로 잘 아는 사이었다.

나는 낮은 소리로 말했다. "우리 집에 가서 아버지한테만 말씀해주세요. 내가 여기에 있다고 말입니다. 절대 다른 사람에게는 말하지 마세요." 잠깐 뒤에 그는 아버지와 함께 왔다. 아버지는 몇 년이나 보지 못했다. 만나기는 했지만 개인적인 대화는 별로 하지 않았다. 이번에 수행해야 할 사명과 잠시 기거할 곳에 대해 의논했을 뿐이다. 즉 밤에 가만히 우리 집에서 몇백 미터 떨어진 빈집으로 가서 들기로 했다. 이 빈 집 주변의 이웃에는 다 사람들이 살았는데 다 아는 사람들이었다.

몸의 먼지를 털고 나서 나는 수년간 이별했던 고향의 들판을 밟을 수 있었다. 그러나 그 초록색 나무, 홍갈색의 아름다운 산언덕은 감상할 수 없었다. 동년에 동경했던 대자연이 그 익숙한 소리로 나를 부르고 있지만 혁명 사명을 지녔기 때문에 나는 고향땅에서 자유롭게 오갈 수 없었다. 시내가의 버드나무 밑의 정경도 기억 속에서만 볼 수 있었다.

나는 밤이고 낮이고 이 빈집에서 숨어 지냈다. 집은 혈망했다. 오랜 세월 먼지가 끼어서 벽이 얼룩덜룩했다. 새며 쥐며 개미들이 둥지를 틀었던 것 같다. 기둥에는 거미줄이 가득 끼었다. 바람이 격자창문으로 불어 들어와 거미

줄을 휘둘러놓았다. 음침한 기운과 암흑이 방안의 모든 공간을 차지해버렸다.

아버지는 가정의 생활 중임을 혼자 감당하시느라고 얼굴이 많이 초췌해져 있었다. 나는 비밀리에 혁명 사업을 수행하기 위해, 또 아버지가 나 때문에 근심하지 않게 하기 위해 아무 말도 하지 않기로 했다. 흉포한 일본 정탐들은 온갖 수단을 다 동원하여 심문하고 위협하면서 나의 행적과 사업 상황에 대해 정찰해내려고 하기 때문이다. 그리하여 나는 아무 소리도 내지 않으려고 애를 썼다. 나의 일을 그 누구도 알게 하고 싶지 않았다.

아버지는 자신의 '방랑자' 아들을 손으로 만지셨다. 마치도 자신의 상처를 만지는 것 같았다. 그리고 눈빛으로 위로하고 격려했다. 아버지는 내가 기거하는 방을 정리해주시면서 집안에서 아무런 소리도 내지 말라고 당부하셨다. 기침소리마저 내면 안 된다고 하셨다.

밖에는 나무가 띄엄띄엄 서있는 수림이 있었고 볏짚을 쌓아놓은 무지가 있었다. 겉곡식을 널어 말리는 공터… 등도 있었다. …닭과 오리가 그 곳에서 소리를 지르며 걸어 다녔다. 소와 양을 끌고 다니는 목동들도 보였다. 나는 벽 틈으로 이런 풍경을 똑똑히 보았다. 귀로도 소리를 가려낼 수 있었다. 어느 날 나는 한 경찰이 순찰하는 모습을 보았다. 그러나 그 경찰이 어찌 이렇게 오랜 옛 절 같은 이 집안에 자기가 쫓고 있는 사람이 있을 줄을 생각이나 하겠는가?

"아! 너무 고달프다. 소작료가 해마다 늘어나는구려. 한 해 동안 아무리 바삐 돌아쳐도 죽물도 못 먹고 살아야 하니, 오늘은 이런 구실, 내일은 저런 구실, 이 세월을 어찌 하노! …" 가끔 사람들은 이웃집 처마 밑에 앉아 담배를 피면서 살아가는 일에 대해 말하곤 한다.

"무슨 세상인지 좀 보시구려, 살기가 정말 힘들어요! 안 그래요? 한 해 동안 남을 위해 일한 꼴이니 우리도 좀 잘 사는 날이 와야지 않겠수!" 일본 제국주의의 유린을 받는 조선은 그 어느 구석에서나 다 반항의 불씨가 보인다!

시골 사람들은 농사를 짓다가 틈만 나면 나 이 망명자에 대한 이야기를 하면서 한담했다. 그들은 내가 사는 이 집에서 수십 발짝 떨어진 곳에서 나에 대한 이야기를 했다. 그러나 그들은 이역을 떠돌고 있는 내가 그들 가까이에 있으리라고는 생각도 못하고 있었다. 나는 자신이 변장한 '어사'와도 같다는 생각이 들었다.

황혼이 다가왔다. 소와 양들이 긴 울음소리를 내며 자신의 아들딸들을 불러들이고 있다. 농부들도 호미 등을 가지고 집으로 돌아갔다. 대지에는 점차 침묵이 드리웠다. 하늘에서는 별이 하나, 둘…나타나 반짝거리기 시작한다. 나는 창가로 다가가 하루 동안의 피로를 털어버리고 신선한 공기를 들이마셨다. 천천히 아버지의 검은 그림자가 다가온다. 음식 통에 하루의 음식을 담아서 나에게 주신다. 얼굴에는 미소가 가득 어려 있다.

매일 햇빛이 비쳐들어 올 때면 나는 하루의 일을 시작한다. 나는 사업계획을 짰다. 그리고는 각종 선전물들을 등사기로 찍어냈다. 이런 선전물들은 이 집으로부터 밖으로 여러 번 이동하여 전해졌다. 밖의 정보도 여러 번 이동하여 나의 이 집으로 전해져왔다. 사람은 혼자 있게 되면 자연히 많은 이상한 일을 떠올리게 된다. 또는 자신의 과거에 대해 엄격한 점검을 하게 된다. 나는 고독하지 않았다. '암흑'은 나를 위협했지만 암흑 뒤에 오는 것이 광명이 아니던가? 나는 이렇게 자신했다.

운동이 부족하거나 집안의 공기가 유통되지 않은 까닭이리라. 어느 날 나는 땅바닥에 까무러쳤다. 마침 급히 추진해야 할 일을 계획하던 중이었다. 천정이 마치도 풍차마냥 돌아갔다. 나는 얼마나 오랫동안 졸도했는지 알 수 없다. 깨여났을 때에는 마치도 금방 혼돈의 세계에서 돌아온 듯 했다.

"너 자기의 건강을 잘 챙겨야 한다!" 어느 날 아버지는 밥을 가지고 왔다가 이렇게 나를 꾸짖었다. 그는 내가 너무 많이 야위었다고 했다. 나도 매일 이 캄캄한 집안에 갇혀있으면 나의 건강이 침식당할 거란 생각을 했다. 이런 시기에는 밖으로 나가서 여러 관계 측과 연락을 취하면서 다녀야했다. 더는 이곳에 박혀있어서는 안될 일이었다.

"20일이나!" 이 빈집에서 나와서 한 동지를 만났을 때 그는 나와 악수하며 마치도 금방 출옥한 범인이나 만난 듯이 이렇게 소리를 질렀다.

『東方戰友』, 第7期, 1939.4.15.

추억

7. 산속에서의 40일

가을은 여름의 끝에서 다가왔다. 쌀쌀한 날씨가 대자연의 모든 것을 뒤덮어버렸다. 바람은 살랑살랑 불다가 점점 더 날카로워졌다. 나무 잎사귀는 누렇게 변하여 하나 둘 모체를 떠나며 가벼운 탄식을 하며 떨어져 내렸다. 들판의 풀들도 누렇게 변했다. 산마루의 송백만이 여전히 푸르고 사랑스러웠다. "한겨울의 추위를 알아야 송백이 마지막에 지는 이유를 알겠구나."라는 말이 있다. 조선의 10월 날씨는 중국 강남의 12월의 날씨와도 같다. 그렇기는 하나 그 날씨는 강직한 지조를 나타내고 있다.

시골에서는 계절의 변화를 가장 민감하게 느낄 수가 있다. 이런 느낌 때문에 나는 고향을 더욱 사랑한다. 이곳에는 나에게 익숙한 모든 것이 있다. 헌 절 같은 빈 집에 갇혀있을 때에 나는 더욱 내가 동경하는 모든 것을 갈망했다.

그러나 나는 늑대 같은 일본 정탐에게 쫓기는 신세여서 마치도 순한 양이 범의 아가리에서 감시를 당하며 꼼짝 못하는 꼴이 돼있다. 나는 혁명 사업을 위해, 어렴풋이 보이는 광명을 위해 마수들의 손아귀에 잡히고 싶지 않다. 그러므로 부득불 산속에 숨어 '은거자'로 되어야 했다.

산은 내가 머물렀던 집에서 몇 리밖에는 안되었다. 아버지가 미리 준비한 아침밥을 먹고 나서 나는 모든 옷가지들을 다 챙겨 입고 광주리 하나를 지녔다. 그 속에는 종이와 필묵 등이 가득 담겨져 있었다. 나는 자정이 지난 시간에 그 집을 작별했다.

이때 나는 그 집이 더욱 사랑스럽게 느껴졌다. 자애로운 노인마냥 인자한 눈빛으로 내가 한 발짝 또 한 발짝 산으로 향한 오솔길에 들어설 때까지 바래다주었다.

대지는 깊은 잠에 빠져있다. 풀숲에서 작은 벌레들의 소리가 들려온다. 마치도 벌레들이 코를 고는 소리와도 같다. 별빛도 아주 희미하다. 어디에나 다 어둠이 가득 웅크리고 있다.

이 산골에서는 늑대들이 시도 때도 없이 출몰했다. 우리는 늘 이쪽 어느 집 아이가 없어졌다거나 저 쪽 어느 집 돼지가 없어졌다는 등의 소식들을 듣게 된다. 이런 일들은 대개 야밤에 발생한다. 틀림없이 이 산속에 흉악한 야수들이 가득 숨어있는 까닭이다. 나는 번연히 알면서도 사업을 위해 모든 위험을 감수하면서 여우, 늑대, 올빼미, 산새, 귀뚜라미 등과 동무하기로 했다. 그래도 머릿속으로 항상 경계하고 있는 마수들보다는 이들이 썩 더 귀엽다.

산꼭대기에 올라서 둘러보니 사면이 다 몽롱한 어둠 속에 포위돼 있었다. 나는 소나무 밑에 누워 한숨을 돌리었다. 솔 잎사귀에서 나는 특유의 맑은 향이 코끝에 전해졌다. 나는 저도 몰래 몸을 흠칫했다. 차츰 동쪽 하늘에서 붉은 색이 드러났다. 구름과 노을이 파란 하늘에서 서로 어울려 그처럼 아름다웠다. 붉은 태양이 불쑥 솟구쳐 올라왔다. 이는 내가 고향으로 돌아와서 처음 보는 일출이다. 이제부터는 매일 저 일출과 동무하여 산속에서 은거의 나날을 보내게 될 것이다.

집은 없다. 마침 산속에는 어떤 시골 사람이 소나무 가지를 잘라서 잘 묶은 나무 단이 수백 개나 널려 있었다. 시골 사람들은 조금은 평평한 땅에 이 나무 단을 펴고 약초를 말렸던 모양이다. 나는 누구의 것인지도 모를 이 수

많은 나무 단을 몇몇 동지들과 함께 옮겨서 새로 발명한 집을 만들었다. 특히 출입구 쪽은 득의양양한 작품이었다. 나는 현대 군대가 만들어낸 방공시설도 이것보다는 더 기묘할 수 없다고 생각했다.

지금 소나무 잎은 나의 천막이고 소나무 잎은 나의 침대이다. 집안 벽도 소나무가지로 대신했다. 밤이면 부엉이가 "부엉 부엉"하고 나의 귀를 찌른다. 여우, 간악한 여우의 모습이 머릿속을 맴돈다. 아! 혁명 유자가 받은 선물은 오직 이 은혜뿐이다!

밤의 산골은 바람이 맹렬하고 비장했다. 불평등에 대한 피압박자들의 외침과도 같다. 바람소리 때문에 나는 잠을 잃을 때가 많다. 어느 날 밤, 금방 자리에 누웠는데 늑대가 우는 소리가 멀리서 들려왔다. 그 소리는 점점 더 가까워졌다. 이 부근의 늑대는 다 아주 큰 야생 늑대이다. 조선말로는 늑대 (Lukte'), 아주 사납고 교활한 짐승이란 뜻이다. 나는 유일한 무기인 삽을 들고 일어섰다. 과연 송아지만큼 큰 짐승 두 마리가 나타났다. 놈들은 내가 있는 방향으로 달려왔다. 그러나 이런 위험한 상황도 나의 담량을 위협하지는 못했다. 나는 학교 시절에 축구선수와 야구 투수를 담당한 적이 있다. 이 야수쯤은 능히 감당할 수 있다고 자신했다. 생명이 위협에 닥쳤을 때면 어떤 사람이든 다 자연스레 "사람 살리오!"라고 외치는 것으로 주변의 구원을 바랄 것이다. 그러나 나는 유독 예외인 듯 다른 사람의 지원을 받을 자유와 권리란 조금도 없었다. 오로지 자신의 힘에 의거하여 그 어떤 적이든 반항하는 길 밖에 없었다.

순간적으로 어떤 계시를 받고 나는 절벽 밑으로 물러갔다. 절벽을 등지고 있으면 앞뒤로 오는 협공을 피면할 수 있다. 사람을 잡아먹는 야생 늑대의 전술이 교묘하기 때문이다. 번마다 상대의 앞과 뒤면, 좌우를 포위해서 쓰러뜨린 후에야 입으로 사람의 피를 빨아먹는다. 그러므로 나는 가장 유리한 장소를 차지하고 적을 막으려는 자세로 앞을 향해 삽을 휘둘렀다. 두 마리의 야생 늑대는 앞으로 감히 다가오지 못했다. 그러나 물러나지도 않았다. 결국 십분 가량 서로 대치 상태를 유지했다. 한 놈을 찍어 부상을 입혔더니 두 놈은 동시에 퇴각했다. 그러나 나는 야생 늑대가 그림자도 보이지 않을 때까지 뒤쫓았다.

매일의 음식은 자정이 지난 후 산을 내려 사전에 약속한 지점에 가서 가져왔다. 매 주마다 이 산꼭대기에서 동지들과 약속하고 만나 회의를 했다. 그 차수는 일정하지 않았다. 동지들은 언제나 한밤중 1, 2시경에 왔다. 내가 담당한 사업은 아래와 같은 몇 가지를 목적으로 한 것이었다. (1) 한간(韓奸)을 숙청한다. (2) 일본 기관에서 근무하는 직원의 사직을 선동한다. (3) 납세를 거절한다. (4) 혁명을 선전한다. (××잡지를 꾸린다.) (2), (3) 두 가지는 간디의 비합작주의 방법을 베껴온 것이다. 이는 '3·1'운동을 경과한 후의 환절에서 산생한 운동의 일부분이다. 그런데 상응한 효과를 거두었다. 중간에 자원 퇴직으로 혁명에 대한 동정을 표시한 사람들이 아주 많았다.

매일 밖에서 전해오는 정보를 접할 때마다 나는 잠 잘 생각마저 잊었다. 어떤 때에는 신경이 너무 긴장하고 흥분하여 고독하다는 생각이 전혀 들지 않았다

어느 날 아침, 한 나무꾼이 머리를 흰 천으로 동이고 등에 지게(남색 광주리)를 지고 목소리를 높여 산노래를 부르며 내가 머물고 있는 거처의 옆을 지나갔다. 자세히 보니 ×동지였다. 그 뜻을 금방 알아챘다. 무슨 뜻밖의 일이라도 있을까봐 나는 즉시 그의 옷차림을 본따서 차려 입고 경각성을 높이며 산꼭대기를 향해 길을 에돌아 올라갔다. 노래를 부르며 높은 곳으로 타고 오르는데 나한테서 약 200보 정도 떨어진 곳에서 경찰이 보였다. 경찰은 나의 그 거처를 돌아보고 있었다. 경찰의 눈길이 나를 응시하는 듯 했다. 나는 여전

히 아무렇지도 않은 척 계속 산노래를 부르면서 나무꾼인척 일했다.

일단 경찰의 주의를 불러 일으켰으니 안 좋은 일이었다. 장소를 바꿀 수밖에 없었다. 나는 즉시 40일간 머물렀던 산꼭대기를 떠나기로 마음먹었다.

"아, 야인이 다 됐네." 나는 거울을 들고 자신을 바라보다가 저도 몰래 소리를 질렀다.

『東方戰友』, 第8期, 1939.5.1.

추억

9. 검문

제국주의자가 약소민족을 통치하는 가장 묘한 수단은 언론을 통제하여 피압박 대중의 고통스러운 신경을 무형 중에 마비시키는 것이다. 동시에 세계 각 나라 인사들의 이목을 가리고 이른바 문명의 선정을 선양하는 것이다. 이는 이들의 일관적인 지독한 이상이다. 특히 일본 통치하의 식민지에서 이 고명한 정책이 철저하게 표현되고 있다. 주밀한 언론 통제 시설만 해도 세계적으로 그야말로 첫째가는 나라에 손색이 없다.

여하를 막론하고 어떤 사회 상태의 산생은 이유 없이 나타난 것이 아니다. 반드시 시대적인 조류의 자연적인 추진에 의해 인류의 보편적인 요구로 조성되는 것이다. 그 요구에 의한 목적에 도달하기 전에는 그 어떤 저애력도 이 잠재한 역량을 가라앉힐 수가 없다. 반대로 압박자는 통치적인 지위를 영원히 유지하기 위해 약소민족의 응당한 권리가 희생됐음에도 불구하고 지독한 수단을 마음껏 사용한다. 그러나 그렇게 얻은 결과는 출발점과 반비례를 이루게 된다. 이는 세계 각국의 혁명사의 과정에서 많이 증명된 자료이다.

일반적으로 뉴스에 대한 통제가 제국주의자들이 취한 정책 중 가장 보편적인 것이다. 그들의 목적은 원래의 흉포한 모습을 드러내지 않는 것으로 '반역'적인 의식을 완화하려는데 그 적극적인 역할이 있다. 그러므로 일본 군벌의 통치하에 있는 조선인 기자들은 일본 군벌의 진면모에 대해 감히 비평을 가하지 못한다. 일단 비평을 하여 검문에서 발각되면 '관청을 혼란'시켰다는 죄명을 들쓰게 된다. 지어 '일본 황제'를 모욕했다는 죄명마저 들쓰고 엄청난 고생을 하게 된다. 우리는 조선문 신문을 보게 되면 그 어느 날의 신문에서든 다 삭제된 흔적을 볼 수 있다. 그리하여 '내용이 엉망'인 글을 보게 되는 것이다. 가장 공개적이고 일반적인 뉴스도 다 칙명을 받든 것이어야 하기 때문이다.

이런 상황에서 그 어떤 언론, 결사, 집회의 자유는 조선에서 전혀 운운할 수 없다. 아니, 전혀 불가능하다. 어느 교회당의 한 목사가 기도할 때에 기도사에 "하나님께서 우리를 구해주시옵소서…"라는 말을 했다. 왜구 정탐이 이를 불온한 어투를 사용했다고 왜곡적인 해석을 하고 그 목사를 구속시켰다. 그자들은 "우리를 구해주시옵소서"라는 말의 뜻을 일본의 손에서 구해달라는 것으로 인정한 것이다. 이는 한 가지 실례에 불과하다. 그러니 조선의 평상시의 언론에 대한 속박이 어느 정도인가를 짐작할 수 있다.

우리의 비밀적인 사업은 아주 교묘하게 진행되고 있다. 동시에 우리는 일본군벌의 흉악한 면모를 여실하게 폭로하는 것으로 조선에 적개심을 불러일으키고 있다. 나는 19××년에 소형의 등사기로 찍은 ××잡지를 발간하였다. 이 잡지에는 전문적으로 적들의 모든 죄악적인 문장들을 실어 조선 동포들의 의식을 각성시키고 있다.

이런 인쇄물의 질이 어떠한지는 아마도 상상이 될 것이다. 질이 아주 차하다. 인쇄공, 잡역부, 편집은 다 나 혼자 도맡아 했다. 돕고 싶어 하는 동지들도 적지 않다. 그렇지만 나는 비밀사업은 한 사람이라도 더 적은 것이 더 많은 것보다 낫다고 생각한다. 만일의 경우에 발각되면 여러 사람이 연루될 수 있기 때문이다.

인쇄 지점은 물론 도시로 선정할 수 없다. 사람이 많으면 보는 눈이 많기 때문이다. 그리고 고지식하게 한 곳에서만 인쇄해서도 안 된다. 대부분 3개월 정도 벼 무지 속에서 하거나 혹은 산속의 소나무 무지와 같은 치벽한 곳에서 한다. 나는 혼자서 밤낮없이 원고를 만들기에 바쁘다. 몸에 지닌 물건은 우스울 정도로 간단하다. 그러므로 그 누구도 내가 무슨 궁리를 하는지 알지 못하고 구태여 생각하려고도 하지 않는다.

이런 간행물은 그 수준이 고명하다고 할 수 없다. 그러나 그 문자 선전의 힘은 제국주의자들을 엄청 불안하게 만드는 것이다.

나는 땅굴 같은 환경 속에서 결사적으로 사업했다. 살금살금 치벽한 구석으로 숨어들어 나의 임무를 수행했다. 가장 걱정스러울 때가 바로 한창 조판하고 인쇄를 할 때이다. 놈들이 등 뒤로 귀신같이 따라올까봐 두렵다. 물론 뒤가 켕긴 내 마음 때문이겠지만 적들이 빽빽하게 늘인 정탐망에 의해 어느 순간에 들통 날지 알 수 없기 때문이다. 양복을 입으면 의심을 당할까봐 절반 낡은 시골 노인의 옷차림을 했다. 머리를 다 깎아버리고 두자 남짓한 곰방대를 물었다. 거울 앞에 서면 나도 맞은편의 사람이 누구인지 알아볼 수가 없다.

열악한 환경에서도 낮이면 계속 원고를 쓰고 조판, 인쇄를 했다. 환경에 의해 위축된다면 이는 혁명자의 치욕이다. 우리는 견인불발의 기개로 환경적인 곤난에 대해 이를 악물고 절대적으로 극복해야 한한다. 그때의 나는 수시로 반성하고 자신을 격려하고 분투의 의식으로 자신을 점검하곤 했다.

어느 날 나는 시골사람으로 변장하고 ××시로 가서 각종 선전물을 배포하여 민중의 사기를 북돋아주었다. 그날 밤 나는 한 학생이 기숙하는 여사에서 하루 밤을 보내려고 작심했다. 여사에 들어간 후 금방 곰방대를 들고 담배를 피우려고 하는데 갑자기 창문이 삐꺽 열리는 소리가 났다. 두 쪽 다 열렸다. 나는 바람이 불어서 창문이 열린 줄로 알았다. 그러나 사실이 증명하다시피 이는 감각기관의 틀린 판단이었다. 창문에는 분명 경찰 몇 명이 서 있었다. 나는 속이 한 절반 얼어들었다. 어떻게 할 것인가? 선전물은 다 몸에 있다. 검문하면 영락없이 위험한 처지에 빠지게 된다.

"검문!"이라는 소리가 경찰의 입에서 튀어나왔다. 그들은 여객들을 하나 하나 대청에 불러서 몸을 검사했다. 나는 위험을 무릅쓰고 손으로 품속의 원고를 틀어쥐었다. 마침 문 어구에 이불을 두는 곳이 있었다. 이 이불은 문 옆의 벽에 가려져 야수들의 눈에는 보이지 않았다. 급한 중에 꾀가 떠올라 나는 문가로 가는 한편 문손잡이를 잡는 척 하면서 손을 놓아 순식간에 종이한 다발을 다리 옆에 내려놓고 발끝으로 차서 그 이불속으로 밀어 넣었다. 다행스럽게도 모험은 성공해서 경찰에게 발각되지 않았다. 발각됐더라면 나의 진면모가 당연히 폭로되는 것이다.

나는 가슴을 누르던 돌을 내려놓은 것 마냥 가벼운 마음으로 대청으로 걸어 나가 검사를 받았다.

그들은 사람들의 몸을 다 검사했지만 아무런 결과도 얻지 못했다. 나는 원고는 몸에 없지만 이자들이 떠나지 않는 한 시름을 놓을 수 없었다.

"당신은 왜 이곳에 왔는가?" 한 경찰이 나를 쏘아보며 물었다. 나의 얼굴에서 뭐라도 발견하고 싶은 눈길이었다.

"장날에 물건 사러 시내에 왔는데 오늘 밤 돌아갈 수 없어서 여기에 머물 었습니다." 나는 거짓말을 하면서도 아주 침착했다. 속으로는 막부득이한 사태가 벌어지면 저 짐승들을 밀어버리고 담장을 뛰어 넘어 도망칠 궁리를 했다. 속으로는 어떻게 하면 나의 무쇠주먹으로 길을 막는 순경들을 뚜드려 엎고 담을 뛰어넘을 것인지에 대해 생각했다. 그자들은 나의 모양새와 나의 말태도를 자세히 살펴보고 나서 나를 진짜 촌사람으로 인정한 듯 했다.

"이봐, 미안하군. 우리도 명령을 받고 한 정치범을 검거하는 중이라오."

"미안하군. …"이라는 말이 내 귓가에서 몇 분간 메아리쳤다.

『東方戰友』, 第10期, 1939.7.15.

추억

10. 옥중 추억

추억할만한 일은 언제나 아무 곡절도 없는 일일 수는 없다. 선명하게 머리에 남아 지워지지 않는 흔적이 있기 때문에 사탕수수를 씹는 것처럼 곱씹을수록 맛이 나는 것이다. 당시에는 피눈물 겨운 것이었지만 말이다.

이는 십몇 년 전의 일이다. 불행 중 다행으로 나는 이른바 흔하고 흔한 '정치범'에 연루되었다. 세계 정치의 미래의 변화 추이, 이전과 목전에 실시해야 할 방침 등을 말하라고 하면 나로서는 이런 방대한 문제를 감히 담론 할 수가 없다. 그러나 조선의 피압박 실황이 나의 양심을 자극하여 자연적으로 불만이 생겼고 동지들의 피어린 투쟁으로 자유를 바꾸는 행동을 고취하게 되었다. 아마도 이것이 이른바 제국주의자들에게 '불령지도(不逞之徒)'로 보이는 주요 원인일 것이다.

물론 무릇 '정치범'은 다 철창에 갇힐 수밖에 없다. 특히 일본 제국주의 마수적인 통치하의 일반적인 상황에서는 자연히 예외는 없다. 나는 운수가 나빠 ×지방에서 경찰에게 발각돼 ××형무소에 잡혀 들어갔다.

물론 나는 행운스러운 점도 있었다. 나는 사면이 석 장(丈) 높이의 담 벽에 에워싸인 철창 속에 갇혔다. 간수가 엄밀하게 지키고 있었다. 그 속에서 나는 식견을 크게 넓혔다. 마치도 인류 역사상 찾아볼 수 없는 공부를 이곳에서 한 것 같다. 조선의 이른바 형무소는 외국의 감옥과 같은 의미를 갖고 있다. 그러나 내부 조직은 아주 복잡하다. 미결소, 기결소, 병감, 공장, 의무소 등등이 망라돼 있다. 미결소는 전문으로 아직 범죄자라고 확실하게 판단하지 않은 사람을 위해 설치한 것이다. 경찰에 잡히면 먼저 경찰서의 유치장에 들어가며 그 후 경찰서가 각종 범죄 사유를 제출한다. 일본은 조선인에 대한 재판 방법이 그야말로 아주 교묘하다. 그자들은 이른바 '법보'를 이용해 심문하고 사실에 대한 자백을 꼭 받아내고야 만다. 채찍으로 때려눕히는데 어찌 자백을 받아내지 못하겠는가. 일본인들의 재판 수완은 세 가지로 나눌 수 있다. 어떤 사람들은 사실 너무 억울하여 자백할 것이 없지만 이 야수들은 즉시 자기들의 '법보'를 사용한다. 몽둥이찜질은 아무 것도 아니다. 고무몽둥이로 때리기, 물 부어넣기, 대나무 바늘로 찌르기, 철 막대기를 끼워넣기 등 이 몇 가지 형벌기구로 모든 죄수들을 자백시킨다. 이 몇 가지 법보의 고통은 비슷하고 지독한 맛도 비슷하다. 그중 특히 고무몽둥이는 진짜 잔인무도한 행위이다. 야수들은 범인들의 자백을 받기 위해 고무몽둥이로 머리를 마구 때려서 눈앞이 아찔하게 한다. 고무몽둥이는 나른해서 표면에 상처가 나타나지 않지만 머리는 이미 망가진 상태로 된다. 일본인들은 이런 형벌을 특히 '불온' 지식인의 머리에 사용하기 좋아한다. 이런 지독한 방법으로 그들의 머리를 망가뜨려서 사고를 할 수 없게 한다. 즉 사상을 도태시키는 악형이다. 물 부어넣기 방법도 비슷하다. 한주전자의 물을 콧구멍에 대고 직접 부어넣는다. 대나무 바늘로 찌르기 형벌은 뾰족하게 깎은 대나무 바늘을 모든 손톱 틈으로 찔러 넣는 것이다. 피가 낭자하게 흐르고 머리끝까지 떨린다. 철 막대기를 끼워 넣기 형벌은 두개의 철 막대기를 범인의 손가락에 끼어 넣고 주먹을 힘껏 조이는 것인데 어떤 때에는 손가락이 다 떨어져 나간다. 이상 몇 가지 법보를 실시하면 어떻게든 자백을 안 할리가 없다. 결국은 이렇게 억울하게 죄명을 들쓰는 일이 얼마나 많은지 모른다. 모든 범인에 대해서는 죄를 인정하는 공술을 기록한 후 자백서에 손도장을 찍게 한다. 그것을 형무소의 미결소에 가져가고 재판을 기다리는 것이다. 다시 지방 법원에서 법정 심문을 한 후 범죄의 경중에 따라 형벌을 내린다.

나도 위에서 말한 몇 개의 과정을 거친 후 최후로 지방 법원에 왔다. 법정에는 몇몇 사법경찰 외에 재판장, 검사, 서기장, 통역관 등 추물들이 앉아 있었다. 재판장은 냉혹한 얼굴이었다. 나는 보기도 싫었다. 그자는 자세하게 묻고 나서 내가 왜 일본에 반항하느냐, '불령지도' 몇 명과 내왕했느냐고 물었다. 나는 물론 절대 탄백, 인정하지 않았다. 더는 알아낼 수 없게 되고 시간이 연장되자 그는 짜증을 내며 분노하여 다음과 같은 최후 판결을 내렸다.

"너 이 정치범, 위험한 분자, 죽어봐야 말하겠구나."

죄명이 확정되자 짐승 같은 자들도 퇴장했다. 그자가 내뱉은 '위험'하다는 두 글자는 대체 무슨 뜻이라고 분석할 수가 없다. 아마도 일본 자전에는 "노예로 되기 싫은 사람은 이런 법규를 범한다."라는 주해가 적혀 있을 것이다. 제국주의자들의 야수적인 폭위와 감독 하에서 방구도 자기들의 허가가 없으면 마음대로 뀔 수 없는데 하물며 위험 불령분자라는 것에 대해서야 더 말해 무엇하랴.

나는 감방에 끌려갔다. 감방에는 이미 24명의 '중요 범인'이 들어와 있었다. 감방안의 면적이 얼마나 되는지 자로 재보지는 못했다. 밤에 누우면 벽 양쪽의 두 사람은 반드시 무릎을 꼬부리고 두 손으로 벽을 짚고 버텨야 한다. 이러지 않으면 밀려서 숨도 못 쉬게 된다. 몸이 딱딱한 벽에 밀려 딱 붙기 때문에 중간에 누운 사람보다 더 힘들다. 더구나 혹서의 여름이어서 뒷벽은 창문을 열어야 했다. 앞 벽은 출입하는 철문이 있고 그 우에 작은 감시구멍이 있었다. 경찰이 시도 때도 없이 범인의 거동을 감시하는 구멍이다. 벽 구석에는 대변 통이 있다. 땀이 쉴 새 없이 흘러내리는 침침한 감방 안에서 암모니아 냄새까지 맡아야 했다. 사람들은 다 정어리처럼 아침에 일어나면 바닥에 땀자국이 사람 모양으로 찍혀 있곤 했다.

나는 기결수로 판정이 났다. 만일 미결수였다면 좀 더 편하게 있을 수 있었다. 끼니도 미결시에는 자유롭게 친우들이 가져온 밥을 먹을 수 있다. 일단 기결소에 들어가면 민생문제는 그자들이 하는 대로 따라야 한다. 끼니도 감옥은 일정한 제한이 있다. 끼니마다 밥은 절반 썩은 쌀 5분의 1, 흰콩 5분의 2, 수수 5분의 2를 삶은 것이다. 국은 소뼈에 말린 썩은 배추에 소금을 조금 넣은 것이다. 짠 맛 밖에는 없고 고기라고는 한 점도 없다. 이밖에 또 깨와 소금을 친 무 조각이 한 조각 있을 뿐이다. 양력설이거나 '천장절'이 오면 특별히 우대한다는 것이 소금에 절인 물고기를 한 조각 더 주는 것이다. 이것도 어쩌다가 한번 있는 은혜인 것이다. 가끔 재수 없는 죄수들은 그가 범한 범죄의 경중에 따라 처벌을 받기도 한다. 가장 보편적인 것이 바로 금식이다. 밥을 한 사발의 4분의 1 혹은 3분의 1정도 주고 지어 이삼 일씩 굶게 한다. 조금 더 엄중한 사람에게는 태형을 친다. 즉 사람을 거꾸로 달아매고 몽둥이로 죽을 지경으로 내리 친다. 이건 그래도 가벼운 형벌에 속한다. 가장 지독한 것은 가죽으로 몸을 꽁꽁 동이고 냉수를 가죽 바깥쪽에 치는 것이다.

가죽은 습기가 있으면 점점 더 죄여든다. 그렇게 가슴까지 조여들면 공기가 통하지 않아 기절하게 된다. 그러면 의사를 시켜 주사를 놓고 정신을 차리게 한다. 이런 형벌을 당한 후 허약해져 희생된 범인들도 적지 않다. 이밖에 캄캄한 독방을 특설하여 범인을 오랜 시간 그 속에 처넣는다. 이것도 형벌중의 한가지이다.

감옥 생활 규칙은 아주 따분하다. 아침 6시에 일어나 줄을 지어 세수하는 곳으로 간다. 사람마다 이를 닦을 소금을 조금씩 탄다. 간수의 구령에 따라 세수하고 이를 닦는다. 다 끝날 무렵 또 간수의 구령에 따라 즉시 옷을 벗고 공장으로 간다. 밥을 먹을 때에도 같은 형식으로 식사문제를 해결한다. 일단 그자들의 구령이 떨어지면 배가 차지 않아도 밥은 다 먹은 것으로 된다. 범인들이 하는 일은 그물을 짜고 짚신을 삼고 끌신을 만들고 서화를 표구하고 모자를 만드는 등 일이다. 또 야외에 나가서 농사를 하거나 도로를 시공하는 등 일도 한다. 일하는 중에도 오전과 오후에는 운동장에 나가서 십여 분씩 훈련을 한다. 벌칙을 받지 않은 범인은 감옥에서 이런 일들을 한다.

나는 감옥에 갇혀 자유를 잃은 생활을 하다 보니 너무나도 초조하여 한바탕 소리라도 지르고 싶었다. 다행스럽게도 이틀이 채 되지 않아 뜻밖의 정신적인 위로를 받을 수 있었다. 감방에는 나와 같은 죄명의 동지가 나까지 도합 20명이 있었다. 다 함께 같은 환경에 있으니 동병상련하고 서로 위로하고 힘을 북돋아주었다. 그리하여 나는 큰 격려를 받았고 무척 흥분됐다. 조선민족은 독립을 할 만한 기백을 가지고 있고 절대 적들이 무한정 우리를 압박하게 하지는 않을 것이라는 자신감을 갖게 되었다. 우리 민족은 압박을 당하는 시간이 아주 길기는 하지만 해방을 요구하는 분위기도 날로 농후해지고 있다. 이 감방 안에 갇힌 동지들의 일치한 정신만 보아도 우리 민족의 앞날의 역량을 추측할 수 있다. 나는 우리 민족의 혁명에 대해 절대적으로 낙관하였고 갇혀있다는 생각은 거의 잊고 지냈다.

우리 이 감방의 20명 외에도 옆방에도 20명이 있었다. 합치면 도합 4, 50명이 된다. 다들 초롱 속에 갇힌 새이다. 언제 나갈 수 있을지 무기한이다. 아니, 어찌 무기한뿐이랴. 우리의 생명마저도 마수들에게 잡혀 그자들이 하고 싶은 대로 할 것이 아닌가!

그러나 나는 성정이 괴벽하여 불평등한 사태에 대해서는 집요하게 반항해왔다. 나는 절대로 순한 양처럼 승냥이, 이리를 보고도 감히 대들지 못하는 그런 사람이 아니다. 나는 적극적으로 반항하면 눈을 펀히 뜨고 손해를 볼 수 있을뿐더러 짐승 같은 일제가 '불온' 사태가 벌어질 때마다 범위를 확대하기에 오히려 많은 사람이 연루될가봐 걱정스럽다. 어느 날 어떤 참을 수 없는 사건이 있었다. 감옥의 '죄수'들은 다 감옥당국에 큰 불만을 품고 있었다. 나는 이 기회를 타서 '금식동맹'을 조직할 것을 제의했다. 잠시 간디선생의 비합작주의를 모방해 일제 짐승들과 겨뤄보자는 뜻이었다. 가장 기뻤던 것은 정치범 4, 50명이 그 큰 뜻을 깊이 이해하고 전부 열렬하게 참가한 것이다. 단식 첫날에는 아무런 반응도 없었다. 연속 이틀을 단행했더니 이 짐승들이 다 뛰쳐나왔다. 사흘날에는 그자들도 죄수인구를 흩어지게 하는 수단을 사용했다. 단식하는 동지들을 각 감방에 분산시킨 것이다. 그렇게 우리의 역량이 단합하지 못하게 했다. 동지들이 다 어느 감방에 갇혔는지 알 수 없었다. 나는 한 일본 간수병에 의해 괜찮은 감방으로 이송됐다. 감방 안에 감금된 사람들은 전문적인 강도, 살인자 등의 형사중범들이었다. 나를 그들 속에 밀어넣은 것을 봐서는 나의 죄가 이들처럼 중하다는 것을 보여주는 듯 했다. 강도짓을 한 친구여, 정말 남의 물건을 빼앗았는가? 살인을 한 친구여, 정말 사람을 죽였는가? 그렇다. 그 수단은 다 고명하지 못하다. 세계에는 칼이 필요하지 않은 살인이 있다. 그러나 그것은 당신들보다 더 잔폭하다. 기관총을 줄줄이 내 걸고 무고한 평민들을 한바탕 소사하기도 한다. 이는 인류를 짓밟는 것이 아니고 치안을 유지하는 것이란다. 압박착취의 수단으로 약소민족을 억누르고 생명, 자유, 재산 등 모든 것을 박탈한다. 이런 조치는 강도 행위도 아니고 살인 증거조차 없다. 세상의 불안한 현상은 이런 나라와는 아무런 관계도 없다. 국제공약은 이들의 눈에는 텅 빈 종이장이나 다름이 없다. 친구여, 당신은 사람을 죽였다. 어떤 이는 강도짓을 했다. 그러나 세상에서 가장 큰 강도 혹은 살인범은 바로 당신을 감금시킨 자들이라는 것을 아는가?

나는 이런 강도, 살인범들과 함께 있었다. 그러나 나는 그들이 흉포하다고 생각하지 않았다. 저 짐승들처럼 흉악하고 무서운 얼굴이 아니었다. 일본인들이 형용하는 그런 정도로 죄가 대단하지도 않다. 나는 이들을 알고 있다. 조선이 착취당하는 상태에서 단지 배를 불리기 위해 부득이하게 죄를 지은 것이다. 이는 일본의 이른바 '덕정'(德政)이 산생한 현상이다. 나와 한 감방에 있는 죄수들은 나의 상황을 알고는 나를 편하게 해주려고 애를 썼다. 그러다보니 우리는 서로 아주 잘 지냈다.

어느 날 아침 나는 세수를 하던 중 갑자기 등 뒤로부터 "무릎 꿇엇!"라는 난폭한 소리를 들었다. 이상했다. 문명한 나라라고 자칭하는 자들이 이처럼 무례하다니, 이것이야말로 동방의 가장 문명한 특징인 모양이다. 그물에 걸린 물고기 신세인지라 나는 속으로는 분노했지만 어떻게 풀 수가 없었다. 나는 하마터면 눈물이 나올 뻔 했다. 이를 악물고 쪼크리고 앉았다. 그 순간 나를 무릎을 꿇으라고 했던 간수는 나의 얼굴을 찬찬히 들여다보더니 풀이 죽어 가버렸다. 즉시 다른 한 간수가 오더니 나를 일어나라고 했다.

이렇게 치욕을 겪고서도 나는 대체 무슨 영문인지 알 수 없었다. 그날 저녁이었다. 아직 잠들기 전인데 나더러 무릎을 꿇으라고 했던 간수가 들어왔다. 그는 나에게 사죄했다. 사람을 잘못 봤다는 것이다. 여러 해째 죄를 범한 다른 한 강도인줄로 알았다면서 미안하니 자신을 양해해달라고 했다.

나는 이렇게 말했다. "이것은 당신의 상사가 명령해서 한 일이니 누구를 탓하겠소."

나는 입으로는 좋은 말로 위안했지만 속으로는 그의 처지를 동정했다. 그도 우리 동포였다. 생활의 핍박에 의해 부끄러운 하수인 역을 하고 있다. 그러나 우리는 알아야 한다. 우리의 동포들은 지금 온갖 어려움을 다 겪고 있다. 이것이 결국은 어떤 자들 때문인가!

그날부터 그 동포는 나를 힘들게 하지 않고 오히려 나를 대신해 동지들에게 소식을 전해주었다. 어떤 때에는 순라 한다는 명목으로 나를 돌봐주었다. 그 동정의 마음이 나를 흥분시키는 큰 추진력이 되었다. 사실 감옥에서 심부름꾼으로 일하는 모든 동포들의 태도에서 큰 위로를 받을 만 했다. 작업장에서 나와 마주칠 때마다 그들은 나에게 머리를 끄덕여 인사를 했다. 다른 '정치범'들에 대해서도 특별히 경의를 표했다. 나는 이곳에서 우리 조선인들의 혁명에 대한 관심, 조국에 대한 열애를 느낄 수 있었다. 이는 나를 더욱 흥분하게 했다. 나는 조선인의 혁명정신이 이미 조국의 모든 곳에 퍼져있으며 더욱이는 조선의 망국을 절대 인정하지 않는다는 것을 믿고 있다.

재판장은 나를 유기형에 언도했다. 아마도 내가 '불온'한 정도가 너무 심하지 않았던 모양이다. 나는 나갈 기회가 있었다. 감옥에 감금돼 있었지만 너무 힘들지는 않았다. 감옥내의 동포들이 나를 위안해주기 때문에 나는 고민을 거의 다 잊었고 하루하루가 아주 빨리 흘러갔다. 감옥살이가 마치도 한잠 자고 깬 것처럼 느껴졌다.

나는 형이 만기되자 출옥했다. 감옥 문 어구에 이르자 대자연의 모든 것과 만날 수 있었다. 아름다운 햇빛이 펼쳐진 금수강산이 생동하게 미소했다. 새들이 노래를 부르고 길옆의 노랗고 파란 이름 모를 꽃들이 바람에 나붓겼다. 사랑스러운 풍경이 도처에 있었다. 나는 마음이 많이 가벼워졌다. 공포와 살인의 마굴을 벗어났기 때문이다.

사람은 감옥을 떠났다. 그러나 하늘은 알 것이다. 감옥은 작은 세상일뿐이었다. 나오기는 했지만 더 큰 감옥에 갇힌 거나 다름이 없었다. 그랬다. 오늘의 조국에서는 동포들마다 다 큰 감옥에 갇혀있는 꼴이다. 더욱이 위험분자인 나는 일본 '황은'을 입어 특별대우를 받았다. 수시로 사복경찰이 쫓아와 의무 경호대 구실을 한다. 내가 고마울 리는 없다. 이런 놈들 때문에 나는 지긋지긋하고 머리가 아프다. 밥을 먹고 잠을 자는 시간마저도 편안하지 못하다.

사복경찰들이 비밀리에 나를 따라다녔다. 그자들은 내가 그 어떤 활동도 펼치지 못하게 한다. 나는 이렇게 밀행 당하는 것이 일이 아니다 싶었다. 생각 끝에 그래도 도망치는 것이 가장 좋겠다는 생각이 들었다. 그리하여 변장을 하고 이 열악한 환경을 벗어날 준비를 수시로 했다.

경찰의 감시는 아주 주도면밀했다. 그러나 나의 비밀스러운 행동은 막아내지 못했다. 결국 나는 조선 변계를 떠나 중국으로 도망쳐 오고 말았다.

잘 있거라, 조국이여, 나의 동포여!

『東方戰友』, 第11~12期, 1939.10.30.

추억

11. 중국 항전에 참가하다(끝)

1. 남경행

그대가 누구든 앞을 향해 나아가자!
남자든 여자든 다 앞을 향해 나아가자!
그대 집에 있지 말자
용감하게 혹은 태연하게

....

암흑의 속박에서 벗어나자!
막 뒤에서 앞으로 나오자! Whitmag

내가 편저한 '최신한국의사열전'(1935년 판)에는 이렇게 씌어있다. "표범마냥 지독한 왜적은 깃발을 높이 들고 전고를 울리면서 우리 삼천만 민중을 위압하고 우리 의사를 십자가에 못 박아놓고 우리 의사를 단두대에 죽이고 우리 동포들을 도탄 속에서 살륙한다. 오로지 생명을 기꺼이 바치는 우리 의사의 뜻, 생명으로 묘지를 적시는 우리 협객의 기개, 그리고 또 삼천만의 분투정신은 영원히 멸하지 못하리라. 세상에 그 무엇도 우리의 뜻을 꺽지 못하리. 한 번도 죽지 않은 우리 세대들은 아직 어리석다. 반드시 선열들을 우러러 추모하면서 아침이면 날영을 넘고 밤이면 사수를 건너고 비바람 맞으며 끊임없이 혁명 사업을 하자. 계속 분투하는 것으로 구천 황진을 위로하는 것이 살아 있는 자의 의무이다."

이런 혁명적 의무와 정신이 늘 나를 지배하고 나를 부리고 나를 충동한다. 특히 1937년 로구교의 포성은 적들과 사활적인 투쟁을 하려는 변함없는 마음을 더욱 굳세게 한다.

지난날 나는 필묵을 총포로 삼고 문자를 검으로 삼아 나의 참된 마음으로 많은 동지들과 함께 맹세하고 남북을 전전했다. 오늘날 '7·7'사변의 포성이 세계를 놀래웠고 전 동아시아 약소민족을 각성시켰다. 특히 중국 민중이 용감하게 일떠섰을 때 나뿐이 아니라 전 광동에 체류 중인 조선청년들이 다 흥분했다. 이들은 말했다. "우리에게 기회는 이미 왔다!" 최근 7, 8년간 우리의 당과 유지인사들은 광주에서 중산대학교를 중심으로 많은 조선의 뜻있는 청년들을 각 대학교, 중학교에 소개시켜 공부시킴으로써 조선혁명의 중추인재를 양성했다. 많은 학생들은 물고기가 물을 만난 듯이 대학교에서 근검 독학하였다. 나도 인재양상 사업에 참가한 일원으로서 학생들과 함께 서로 격려하고 서로 도왔다. 이 4, 50명 되는 열혈 청년들은 혁명지식이 날로 제고되었고 시대를 획분하는 이 기회에 다 함께 편승하였다. 그들은 선뜻이 나서서 '붓을 버리고 종군'하는 것을 자신의 당면한 과업으로 간주했다. 양담에서 뜨거운 여름이 지나가고 백운산 쪽에서 서늘한 가을바람이 불어와 주강의 수면을 스쳐 지날 때에 우리는 "시간이여, 시간이여, 다시 오지 않으리."라는 말을 그대로 느낄 수 있었다. 조선인 학생들은 모두 다 자기의 모교에 '학적보류'를 요구하고 '전방으로 나가 적을 소멸하겠다.'라고 높이 외쳤다.

그해 10월에 나는 40여 명 조선 혁명청년들을 데리고 남경으로 가는 과업의 담당자로 되었다. 우리는 남경에 집합하기 위해 각 측에서 도착한 조선청년들이 집단적인 행동을 할 필요가 있다고 생각했기 때문이다.

적들의 폭격기가 연일 폭격했기 때문에 월한철도가 잠시 끊어졌다. 나는 북상하는 다른 노선을 택할 수밖에 없었다. 그러므로 전보로 당시 광서성 제4집단군 이총사령관 덕린 선생에게 전보를 보내어 우리가 양강을 건너서 광서성을 통해 북상할 것이니 수륙 교통도구를 쓸 수 있느냐고 물었다. 전기를 약탈당하다보니 광서성을 동원했지만 그렇게 할 수 없었다. 이렇게 초조해하고 있을 때에 마침 월한철도가 개통됐다는 소식이 와서 우리 일동은 곧 기차를 탈수 있었다. 경적이 울리고 곧 북상의 '영광'스러운 노정을 시작했다. 이때 광동군의 월여 총사령관 악기선생의 도움을 많이 받았다. 우리는 그에 대해 늘 감복하고 잊지 않고 있다.

우리는 남경에 도착한 후 우리 당부의 계획대로 곧 각지에서 온 조선청년들을 조직하여 중국 중앙군관학교 특별훈련반에 보내어 훈련을 받도록 했다. 이번 훈련을 거친 결과로 '조선의용대'가 1938년 10월 10일 한구에서 정식으로 창설됐다.

2. 지울 수 없는 상처

나는 남경으로 가는 과업에 대해 1937년에 나의 필과 나의 입으로 중국과 외국에 선전했다. 나는 우리가 아직도 총을 들고 적을 무찌르는 기구가 설립되는 시기는 오지 않았지만 최대한의 정력과 기능을 전부 이 위대한 시대에 바쳐야겠다고 다졌다. 나의 충효의 혁명성, 이것은 나의 양심위에 세워진 것이다. 나의 월담에서의 사명은 잠시 문자를 칼로 삼고 필묵을 총포로 삼고 세치 혀를 적들의 심장을 찌르는 비수로 삼는 것이다. 나는 필묵을 다루는 장인이지만 전방으로 나가는 사업도 잘해야 했다. 그러나 나를 도와줄 사람은 하나도 없었다. 그러나 나의 천직은 여전히 나의 것이니 다른 사람에게나 가족에게 밀어버릴 수는 없었다. 혁명 사업은 남녀노소 할 것 없이 각기 자기 사업 범위 내에서 할 일이 있으니 각자가 당연히 자신의 의무와 직책을 잘 이행해야 할 것이다. 나는 내가 해야 할 바가 있으니 아무 곳에서든 수시로 잘 할 것이다.

수년간 나는 '조선사'를 편찬해왔다. 약 200여 만 자가 된다. 아직 인쇄는 하지 못했다. 기타 문학 및 혁명에 관한 글도 이미 정리한 것이 있다. 조선 및 중국에서 지금 한창 일본 제국주의를 타도하는 시기이므로 일제를 향해 가장 유력한 진공을 하는 것이야말로 나의 생애에 부합되는 일이다.

광주시 방송국 ×를 통해 나는 조선, 중국과 일본 민중을 향해 선전했다. 나는 중국의 항전 소식을 국제에 전파시켜 항전 인사들을 쟁취했다. 이는 내가 하는 사업이다. 물론 임금은 한 푼도 없다. 나는 나의 돈으로 밥을 먹고 나의 사업을 했다.

매 주마다 질서 있게 이틀씩 정하고 한국어, 중국어, 일본어, 영어 등 네 가지로 강연고를 작성했다. 한 가지 언어로 원고를 적어서 2천 자는 만들어야 번마다 10분 내지 20분간 말할 수 있었다. 번마다 새 내용으로 방송했다. 이런 방송 사업을 1938년 2월 19일부터 그해 10월 중순경까지 했다. 함락되기까지 8개월간 지속했다. 방송차수는 120여 회나 된다. 강연고는 약 60만 자가 넘었다. 중문, 영문의 강연고는 당지의 중문 및 외국문 신문에 일부 발표되었다.

나는 이상의 사업을 한 외에도 당무판공실의 사업도 했다. 또 일부 문장을 써서 당시 각 신문에 발표했다. 그때 나는 사업 때문에 너무 다망하여 뱅뱅 돌아칠 정도였다. 이렇게 나의 생활은 긴장하게 흘러갔다.

10월 11일, 적들은 광동성 오두에서 상륙했다. 그 후 10일도 채 되지 않아 그들의 전마는 백운산을 짓밟았다. 일반인에게는 너무나도 뜻밖이었다. 우리는 또 한번 망명해야 했다. 그야말로 일본놈들이 죽지 않으면 우리의 망명 운명도 끝나지 않을 것이다. 이 귀신들은 왜 이렇게 따라다니는 것일가? 비분에 찬 마음 때문에 목이 눌리는 것 같아 아무 말도 할 수 없었다.

나는 짐을 정리하고 온갖 고생을 다 하고서야 광주 하남 남석두라는 곳에서 배편을 기다렸다. 나의 짐의 15박스에는 중요한 서적들이 담겨져 있었다. 그리고 300여 만 자의 각종 초고를 담은 짐과 기타 짐들을 해주 다리가 폭발하는 당시에 총망히 다른 동지에게 맡겼다. 그런데 그의 행방을 알 수 없었다.

22일 아침 2시에도 배편은 없었다. 남석두 대안에서 방황하다가 적의 기병이 이미 백운산 용안동에 도달했다는 소식을 듣고 수천 명의 난민들과 함께 초조한 마음을 금할 수 없었다.

22일 오전, 군관 10명도 이곳에 왔다. 그들은 나직한 소리로 적의 기병이 이미 백운산 용안동에 왔다고 말했다. 이 소식은 동행한 □동지가 나에게 알려줬다. 젠장! 이곳에는 오가는 배도 없으니 생명은 이미 끝장날 위험이 닥친 게 아닌가! 다행이 하늘이 무너져도 솟아날 구멍은 있다고 한가닥 희망은 있었다. 분명히 배편이었다. 군관들은 고함치다가 아예 총을 쏘아댔다. 죽기를 겁나하는 것은 사람의 천성인가보다. 총소리는 위력을 발산하여 배가 기슭으로 다가왔다. 가까이 오니 몇백 명은 실을 수 있는 큰 배였다. 하지만 사람들이 일시에 몰려드니 붐비기는 마찬가지였다. 나의 많은 물건은 실을 수 없었다. 평소에 가장 아끼던 수천 권의 서적도 버리는 수밖에 없었다. 솜이불 한 장을 몸에 묶었다. 배가 대안에 이르렀을 때 하늘의 점차 어두워지고 비행기가 하늘 저편에서 광주 방향으로 날아갔다. 길은 이슬로 질척거렸고 논 주변은 울퉁불퉁 한지라, 세 번이나 넘어지는 바람에 바지는 어떤 색으로 변했는지 알 수도 없었다. 날이 밝을 때까지 걸었다. 머리를 돌려 보니 광주는 여전히 불길로 뒤덮이고 하늘 한쪽이 회색빛으로 뒤덮였다. 나는 중국 당국, 혹은 적들이 이미 시 중심에서 …(결손됨)… 했는지도 모른다. 나는 중국군인의 용맹하게 적들을 물리치는 모습을 그려보았다. (『동방전우』 제1기를 참조)

눈물과 피는 모든 감상의 흔적이요, 지금은 눈물과 피 뿐이다.

광주를 떠나 위험에서 벗어났으니 사경에서 다시 살아온 것을 자축할 일이다. 사람이 무사히 왔으니 신외지물은 아무래도 상관이 없었다. 가죽트렁크, 옷, 이불 …모든 것은 몸에 걸친 반쯤 낡은 양복 외에는 아무것도 없다. 잃은 것이 많아도 계산하고 싶지 않았다. 잃었으면 그만이다.

그러나 지워버릴 수 없는 상흔은 바로 내가 애독했던 서적과 300여 만 자의 원고를 잃은 것이다. 12월경에 우리는 전전하여 오주에 도착했다. 수십 일이 지나서 ×동지의 편지가 도착했다. 겉봉을 뜯기 전에 나는 보배나 얻은 듯 말로 형언할 수 없었다. 그들이 다 무사하다는 것을 알게 된 까닭이다.

편지에는 이렇게 적혀있었다. "휴대했던 원고는 중도에서 잃어졌습니다." 이 두 구절을 보는 순간 나는 멍해졌다. 다른 구절을 읽을 수 없었다. 눈앞이 아물거렸다. 아무것도 보고 싶지 않았다. 이보다 더 불행한 소식은 없었지만 가슴 가득 슬픔이 차 넘쳤다!

이 원고들은 나의 심혈이 깃든 것으로서 신외지물과는 다르다. 나는 조급해났다. 처음에는 이 뜻밖의 불행을 믿고 싶지 않았다. 편지를 다시 한번 똑똑히 보았다. 한글자도 틀리지 않고 그렇게 씌어져 있었다. 나의 심혈이여! 적들을 향해 날아가던 포탄이 아니었던가?

이 원고는 합치면 300여 만 자나 된다. 이 원고에는 수년 동안 쓴 여러 유형의 글이 망라돼있다. 8개월간 광주방송국에서 방송하면서 쓴 원고에는 중문, 영문, 한글, 일본어 4개국 방송고가 들어있었다. 그런데 이 모든 것을 잃어버렸다. 내가 심혈을 쏟아 부은 글들이 아무런 흔적도 없이 소멸되었다.

번마다 나는 구사일생으로 모험하며 사업을 했다. 압록강을 밀항해 넘어왔다. 그 만경창파는 동포의 자유 의식의 팽창을 상징했다. 그 아름다운 장백산맥은 하늘가에 이어져 우뚝 솟아있었다. 이는 우리 조선민족의 혁명의 불요불굴의 역량을 닮았다. 동쪽을 돌아보면 하얀 구름 속에 가려진 저 적국에 의해 그 얼마나 많은 대중과 희생된 동지들의 뼈가 묻혀있는지 알 수 없다. 그러나 그 뼛속에서 흘러나온 납즙은 조선의 미래의 아름다운 국화(国花)를 키우고 있다. 나는 국화가 한창 싹트고 있고 오로지 더 많은 우리 동포들의 피로 재배하기만 하면 된다는 희망을 갖고 있었다. 그리고 더욱 이를 믿었다. 나는 사랑스러운 고향에서 피해 왔다. 고향을 승냥이들의 검은 발톱 밑에 두고 왔다. 정의를 위해 동지들이 총포의 유린 속에서 희생될 때마다 나는 가슴속에 가득 차오르는 피눈물을 어찌할 수가 없다. 나는 오로지 붓을 들고 눈물어린 보고를 써서 적들의 잔혹성을 폭로할 수밖에 없었다. 그런데 그 글과 구술의 흔적이 지금은 아마도 잿더미로 변한 것 같다.

나는 굶주림에 시달리고 추위 속에 웅크리고 있으면서도 이를 아무렇지 않게 여겨왔다. 고국의 동포들이 적들의 무쇠발굽 밑에서 신음하고 있는 것을, 그리고 폭정의 흉포한 진면모를 볼 때마다 나는 가슴에 넘치는 울분을 참을 수가 없었다. 나는 개인의 안위를 따질 수가 없었다. 대중의 외침소리에 나는 온 몸이 떨리고 흥분했다. 천리 길 만리 길 들판의 가시덤불 속에서도 돌격했다. 꽃가시들이 나의 옷자락을 찢어놓고 나의 손발을 찔러 상처를 입혔다. 그 뚝뚝 떨어지는 피가 흰 종이위에 내렸다. 그렇게 쓴 글들, 피의 흔적이 지금은 재로 변했다.

그러나 나의 입장에는 절대로 이런 소극적인 요소가 있어서는 안 된다. 지금 우리는 말 할 시간조차 없다. 유일하게 혈투로 우리의 앞날을 바꿔야 한다. 나는 후회한다. 평소에 말을 너무 많이 했던 일, 말이 글을 쓰는 시간의 절반을 차지했던 것을 후회한다. 목이 터지도록 외쳐도 만족스러운 성적을 따낼 수 없었다. 나는 지금 부끄럽다. 그런들 무슨 소용이 있는가. 점차 수백여만 자의 원고를 누적해 백여만 차의 치열한 행동을 바꿔온다면 혁명의 전도가 지금처럼 뒤떨어지지는 않을 것이다. 시대적인 국가를 만들 수도 있을 것이다. 후유! 나의 희생된 원고, 어쨌다는 거냐. 수만 명의 동포들의 피땀이 적들에게 여지없이 착취당하고 있거늘. 이런 생각을 하자 나는 더욱 분노의 화염이 치솟아 오른다. 적들을 잡아서 씹어치워도 성차지 않다.

지난날은 더 따지지 말자. 우리는 앞날을 위해 더욱 노력해야 한다. 가장 빠른 시간 내에 우리의 본래의 자유를 회복한다면 과거의 상흔과 유감을 많이 미봉할 수 있을 것이다. 희생됐으면 된 거다. 더 말해 무엇하리.

1939년 1월 1일, 나는 오주에서 『동방전우』 반월간을 창간하여 광주에서 사용한 방송국을 대체했다. 여전히 일본제국주의 타도를 목표로 계속 사업했다.

"본 간행물은 피압박민족이 분노하여 울부짖는 방송기이다. 그 사명은 적들의 죄장을 선포할 뿐더러 피압박자들의 불평을 대신 외치며 또한 세계 인사들에게 우리의 정의적인 입장을 밝혀 적들의 날조와 선전에 기만당하지 않게 하려는데 있다."(『동방전우』 창간사 참조.)

나는 조선의용대와 기타 사업의 관계로 『동방전우』 잡지를 계림에 이전시켰다. 불요불굴의 의지로 일떠서서 적들과 사활적인 고투를 하며 모든 노력을 다 하여 중·한 양 민족의 해방운동에 기여하는 것이 나의 참된 마음이다.

『東方戰友』, 第13期, 1940.1.15.

'황화절'을 기념해 적을 더욱 힘 있게 타격하자

중국이 만청정부를 뒤엎고 전제적인 마수에서 벗어나 민주의 길로 나아가고 있는 이때에 우리는 1911년 3월 29일에 있은 광주 황화강 72열사의 위대한 희생을 상기하지 않을 수 없다.

'황화절'이 있은 지 7개월이 채 되지 않은 날 호북 무창에서 거대한 우레가 울더니 부패한 만청정부가 무너졌다. 중화민국은 이때로부터 탄생했다. 이는 '황화절'의 위대한 희생이 있음으로 하여 생긴 것이다.

손중산 선생은 「황화강열사 사략」의 머리말에서 다음과 같이 말했다. "이번 황화강 기의는 열사의 피가 사방에 휘뿌려지고 굳세고 도도한 정기가 사방에 충만되게 하였다. 그리하여 초목도 슬퍼하고 풍운도 변했다. 전국의 민심이 이로 인해 크게 흥분했다. 오랫동안 쌓여왔던 원망과 분노가 산골짜기를 휩쓰는 노도마냥 억제할 수 없이 터져 나와 반년도 채 걸리지 않아 무창혁명이 성공했다. 그러므로 황화강 기의의 성공의 가치는 천지를 놀래었고 귀신마저 울게 했으니 무창 혁명과 함께 천고에 길이 빛날 것이다." 이 구절이 가장 좋은 설명이라 하겠다.

'황화절'의 혁명동지들은 혁명 영수 손중산 선생의 영도 하에 나라와 민족을 위해 힘들고 어려운 먼 길을 달려왔다. "죽을 때까지 몸과 마음을 다 바친다." 이런 위대한 정신은 영원히 중국에서, 그리고 세계에서도 빛나고 있다.

—'황화절' 열사의 피는 분명하게 말해 주고 있다. 희생의 힘은 위대하다.

자유행복의 꽃송이는 '피'를 쏟아야만 피울 수 있다. 피압박자는 자신의 몸의 족쇄를 반드시 짓부시고야 말 것이다.

중국 항전이 가장 고달프고 힘든 단계에 이른 지금 '황화절'을 기념하면서 모든 중국인은 72명 열사의 혁명정신을 기억하고 이런 정신으로 건국의 위업을 완성해야 한다. 우리 조선동지들은 특히 이런 정신에 입각해 조국의 부흥을 위해 중국 전우들과 함께 더욱 용감하게 일본제국주의를 타격해야 한다!

이 자리에서 우리는 헝가리아 인민의 시인 페퇴피(petofi)의 「나는 두렵다」라는 시로 우리 모두를 격려하기로 하자.

나는 정녕 두려워라, 침상에서 죽을까봐!
벌레 먹은 꽃송이마냥 조금씩 시들어 죽을까봐
사람이 없는 방에 버려진 타다 남은 초불마냥 죽을까봐……
아!
하느님이시여!
나에게 이런 죽음은 주지 맙소서!
나는 우레에 저항하다가 죽는 나무처럼
광풍에 뿌리 채 뽑혀 쓰러진 나무처럼
하늘땅을 울리는 천둥 번개 속에서
절벽에 떠밀려 떨어지듯이
그렇게 내 생명의 끝점에 이르고 싶어라!
몇백 년 동안 압박당하던 인민은 다 같이 힘을 합쳐 수쇄를 짓부시고
압박자에게 저항할 때가 왔노니
각 측의 투지를 불태우자.

세계의 평등과 자유를 위해
반항의 깃발을 틀어쥐고
목 터져라 외치며
뜨거운 피를 전장에서 끝까지 휘뿌리자!
무쇠 소리, 나팔 소리
대포의 절규 속에서
그 속에서 내 목소리는 사라져 버리리라!

많은 경우에 나는 조선인은 아주 강직하고 침착하다고 생각된다.

조선은 독립될 것이다. 조선의 독립과 중국의 항전은 지극히 밀접한 관계에 있다. 이는 더 말할 것도 없다. 그러므로 조선과 동3성의 변계에 '조선의 용대'가 조직되어 중국의 항전을 돕고 있다.

조선의 독립은 이미 새로운 역량으로 전개되고 있다. 그 성공은 멀지 않은 장래에 있으니… 바로 지금과 내일 사이에 있다.

『東方戰友』, 第6期

3월의 봄

—'3·1'과 '3·29'를 위해 쓰노라! —

봄, 이는 탄생, 해방과 새로운 비상을 상징한다. 약자는 험준한 산악에 기어오르는 봄을 보면서 다시금 기진맥진한 몸을 가다듬고 머리를 쳐들게 된다. 또 마른 나무에 기어오른 봄을 보면서 풀렸던 주먹을 다시금 움켜잡고 가슴을 내밀게 된다.

'봄'은 사막을 만들 수도 있지만 또한 오아시스를 이 사막에 펼쳐줄 수도 있다. '봄'은 황막한 땅을 만들 수도 있지만 또한 낙원을 이 황막한 땅에 옮겨 올수도 있다.

조선은 '봄'이 필요하고 중국도 '봄'이 필요하다. '겨울'의 냉혹함과 메마름은 조선과 중국을 미치게 만들고 있기 때문이다!

30년 동안 조선의 '봄'은 조선대중에게 그 존재의 의미가 있었던가? 근 10년 동안 중국의 '봄'은 중국 민중에게 생생하게 존재한 적이 있었던가? 봄은 오고 가기를 거듭했지만 봄은 봄대로 오갈뿐 조선은 조선대로 그 봄을 느낄 수 없었고 중국도 그 봄을 느낄 수 없었다. 그동안 유린당한 중·한 두 민족은 봄의 오아시스와 낙원을 소유한 적이 없었다.

그렇다. 3월 1일의 '봄'은 한동안 조선에 머문 적이 있었고 조선민중의 피를 끓게 했었다. 조선의 사막에서 수많은 '오아시스'의 종자를 심고 싹이 돋고 성장하게 했다.

그렇다. 3월 29일의 "봄"은 한동안 중국에 와서 중한 민족의 72명의 혈화를 피워냈다. 중국의 황막한 땅에 수많은 "낙원"를 심어놓고 생생한 싹을 키워냈다.

'3월의 봄', 정녕 중·한 두 나라 인민이 기념할 만한 것이다!

이 해의 '3월의 봄'은 여전히 이 대지에서 피고 있다. 그 '엄혹한 겨울'과 투쟁하고 있는 조선민중의 피는 더욱 끓어 번질 것이고 중한민족의 피로 키운 혈화는 반드시 더욱 찬란하게 피어날 것이다. 조선도 '봄'이 필요하고 중국도 '봄'이 필요하다!

압록강안의 버드나무는 이해부터 조선의 아들딸들의 가슴에서 영원히 청춘으로 푸를 것이고 황화강의 방초는 이해부터 중국민중의 마음속에서 유구하게 푸를 것이다.

노예로 되기 싫은 사람들이여, 어서 빨리 그대들의 '봄'이 이 대지에서 자유롭게 꽃피게 하라!

『東方戰友』, 第15期

화선에서 활약하는 조선의용대

객관적인 사물이 우리의 두뇌에 반영되어 우리의 사상과 인식을 산생한다. 이 사상과 인식이 우리의 실천을 추동하여 끊임없이 진보하고 끊임없이 발전하게 한다.

30여 년 동안 유린당하고 압박당했던 사실이 우리 조선의 뜻있는 선배들을 핍박해 많은 선혈을 흘리게 했다. 민족의 생존과 자유가 위협을 받고 있는 상황에서 조선의 의남의녀(義男義女)들의 시체가 점점 더 많이 나타나고 있다.

이런 비장한 희생, 눈물겨운 분투의 사실과 이런 굴함 없는 정신이 끊임없이 이어져 무수한 혁명의 씨앗을 심고 위대한 혁명의 진영을 발전시켜 조선혁명의 튼튼한 기반을 만들고 있다.

보라! 조선청년의 심장의 피를 자극하여 만장의 고조를 일으키게 하는 저것은 무엇인가? 바로 생명의 화염을 상징하는 불꽃, 청춘의 열정이다!

보라! 저 금방 떠오르는 태양처럼 조선의 아들딸의 앞길을 비추며 찬란한 빛을 발하는 원동력은 무엇인가? 바로 혁명의 정신, 의용의 기백을 보여주는 것이다. 생의 욕망을 위하여 자유의 횃불을 높이 들자!

'조선의용대'는 피범벅이 된 모래사장에서 중화민족 해방의 깃발을 들고 왜놈 침략자를 격살하며 전진하고 있다! 앞으로!

이것이 바로 조선혁명의 횃불이며 또한 조선청년의 집단 혈액의 결정체이다.

그들 중에는 적지 않은 천재학자도, 대학생도, 중학생도, 그리고 군사가들도 있다.

이 민족의 진영에는 시인도 있다면 그는 반드시 Palamas처럼 단호하게 외칠 것이다.

"나는 조국에 대해 뭐라고 할만한 기여는 하지 못했다. 그러나 나는 오로지 자신에게만 속하는 시인이 될 수는 없다! 나는 나의 시대와 민족의 시인이다! 무릇 내 마음에 담겨져 있는 것은 외부의 세계와 떨어져 있을 수는 없다.

그들은 다 모든 고통을 참고 견디는 용사들이다. 다 생명을 위해 싸우고 중국을 위해 싸우고 조선을 위해 싸우고 정의를 위해 싸우고 있다.

'조선의용대'는 "조선은 영원히 생동할 것이다."라는 점을 설명해주고 있다. 뿐만 아니라 다른 한 면으로는 "중국 항전은 신성하다"라는 것을 해석해주고 있다.

일본 군벌의 압박 밑에 있는 동방의 각 약소민족에게 있어 지금 가장 절실한 전제는 연합전선으로 해방을 공동 도모하는 도경이다. 이는 누구다 다아는 사실이다. 이는 그야말로 여러 민족 전체의 근본적인 방법이다. 중국은 이번의 전례 없는 민족해방운동을 위해 최후로 울부짖었다. 이는 중국 국내 통일의 성공을 촉성한 동시에 중국과 밀접한 연계를 가지고 있는 민족도 이 기회를 빌어 정상적으로 혁명의 노도를 발전시켰다. 언론과 정신적인 면에서는 수시로 발견할 수 있을 정도로 공동한 요구에 대한 표현을 많이 했다. 그러나 이것만으로는 안 되며 반드시 군사적인 행동으로 격렬한 실천을 해야 한다. '조선의용대'의 산생이 바로 가장 현명한 일례이다.

"조선의용대는 국제종대의 선봉이다!"

"동방 피압박 민족은 연합하라."

"중·한 두 민족은 연합하여 일본 제국주의를 타도하자!"

이런 눈에 뜨이는 표어들은 조선의용대가 근무하는 지역에만 가득 나붙어있는 것이 아니다. 적들과 싸우는 모든 전사들의 머릿속에서 중·한의 국기가 시시각각 나붓기고 있다는 것을 나는 믿는다.

확실히 현 단계의 전쟁은 단순한 중·일 양국의 문제가 아니다. 실제로는 일본의 압박을 받는 각 약소민족이 쇠사슬을 벗어나는 총 결전이다. 중국항전 표식을 단 사람들 중에는 망국노가 되기 싫은 중국 민중만이 있는 것이 아니다. 여러 나라의 여러 민족도 이미 항전의 소용돌이에 말려들어 중국의 전방에서 장병들과 협동하고 있다. 그들이 지닌 사명은 다 민족독립을 위한 것이며 유일한 상대는 바로 공동의 적 일본군벌이다. 여러 민족은 다 공동의 사명이 있으므로 이 민족전선에서 긴밀히 연합하여야 한다. 더욱이는 민족 간의 근본적인 이해에 근거하여 피차의 계선에 대한 생각을 없애야만 서로의 불가분리의 민족전선이 결성될 수 있다.

조선의용대는 중국 항전 진영에서 중·한 두 민족의 상호 불가분리의 연합전선 이론을 실천함으로써 평화를 사랑하는 전 세계 인사들에게 이를 보여주고 있다. 최근 모 지역에서 적의 병영을 습격하고 있는 제1구대의 이런 보고가 있었다. "대적 선전은 효과적이어야 한다. 실제로 습격부대를 따라 통일적인 행동을 하지 않으면 안 될 때면 우리는 반드시 실제 전투에 참가한다. 참가하지 않으면 양심이 허락되지 않고 또 임무에 대한 책임을 다 하지 않는 것 같기 때문이다. 탄장은 만일의 위험상황을 고려해 우리가 참가하는 것을 막아 나섰다. 그러나 우리는 그의 선의를 거절하고 그날 밤에 대사평에 있는 적의 전호 옆으로 잠행했다. 귀로 적이 말하는 소리가 들려오자 우리는 소리를 쳤다. "일본형제들! 우리는 조선의용대입니다. 당신들은 소수의 군벌들을 위해 희생하고 있으니 죽어도 개의 목숨이나 마찬가지입니다. 우리한

테로 오면 우대를 받을 수 있습니다!" 외침소리가 고요한 사방 들판에 울려 퍼졌다. 적들 내부에서 소동이 일었다. 그들은 기관총으로 우리 방향을 향해 사격했다. 우리는 즉시 총을 쏘며 응전했다. 사격하는 한편 구호를 외쳤다. 또 대적 선전삐라를 적의 진지 부근에 많이 뿌렸다. 이는 전선에서 활약하는 우리 의용대에 대한 현장 보고서이다.

의용대의 한 이씨 성을 가진 동지는 어느 한 곳의 적의 경계선 지역에 있는 양씨네 집에서 탄알이 우박처럼 쏟아지는데도 자신의 생명은 아랑곳 하지 않고 한 중국 부상병을 업고 모험적으로 380미터나 되는 전선을 지나왔다. 그의 이 용감한 정신은 많은 장병들의 특별한 흥분을 자아냈다. 또 한 이모 동지는 한 중국 병사가 적탄을 맞고 중상을 당한 것을 보았다. 상처에서 피가 끊임없이 흘러내렸다. 그는 즉시 적삼을 찢어 붕대로 삼아 상처를 동여맸다. 포연이 자욱한 전선이지만 몇몇 동지들과 함께 침착하게 나뭇가지로 임시 담가를 만들어 그 부상병을 싣고 태연하게 그 곳을 떠났다. 그 부상병을 위생소에 넘겨 구급하게 하였다. 그의 이런 책임적인 정신은 우리 후방 사람들의 감탄을 자아냈다.

우리는 전선에서 온 보고서를 보고 조선의용대가 전방에 진출해 실제적인 전투에 참가하여 전과를 올린 사실을 알게 되었다. 아주 대단하다. 예를 들면 적의 병영을 습격하고 적의 보초병과 편의대를 섬멸하고 전화선을 끊어놓고 교통을 파괴하고 적측의 탄약고를 불태워버리는 등의 성적은 그야말로 대단했다.

조선동지들은 무기를 부여잡고 백병전을 벌리며 희생도 아랑곳 하지 않는다. 이는 자기 민족의 해방을 전제로 한 것이지만 다른 한 면으로는 중국을 돕고 있다. 우리의 부대는 직접 일본침략자에게 엄중한 타격을 주는 부대로서 열강들이 중국에 대해 '동정'의 명사를 쓰는 것과는 완전히 다르다. 이렇게 보면 중국 항전은 조선혁명과 불가분리성을 가지고 있다! 두 민족 간의 이해관계가 일치하고 서로 떨어질 수 없는 관계에 있다는 것이다. 중국의 최후 승리와 조선의 독립 실현의 시기의 속도는 우리 모든 사람의 항전 정신과 합작의 역량에 의해 결정된다. 그러므로 중·한 두 나라의 혁명 역량을 연합하는 길에서 우리는 우선 '관양문장' 등 실제에 맞지 않는 형식을 제거하고 모든 표면적인 화려한 말, 적당히 얼버무리는 가살스러운 말들은 버려야 한다.

우리는 혁명정신으로 생사고락을 함께 하고 피로 진실하게 협력하여 우리 두 나라 무장의 역량을 공고히 하고 영광스러운 승리의 날이 하루 속히 오도록 속도를 내야 한다.

『朝鮮義勇隊』, 第15期

중국의 국제관계

중국이 노구교에서 민족해방의 첫 포를 울리자 동방에 서광이 비꼈다. 20개월 동안 진행된 신성한 항일전쟁은 국제에서의 중국의 지위를 제고시켰다. 국제 각 나라의 동정과 원조를 이끌어냈고 동방 피압박민족의 옹호를 받게 되었다. 일본 측은 국제적으로 날로 고립되었다. 코노에의 사직이 바로 일본의 국제 관계 상황이 날로 열악해지고 있다는 것을 보여주고 있다. 중국에서의 일본의 군사력의 소모 및 국력의 쇠약화 때문에 일본은 휘청거리고 있다. 따라서 중국과 기타 평화를 사랑하는 나라의 실력은 더욱 강화되었다.

이 자리에서 우리는 더욱 분명하게 말할 수 있다. 중·일전쟁의 최후 승리자는 대체 누구인가? 중·일 쌍방 자체에서만 이 해답을 찾지 말아야 한다. 반드시 태평양의 대세를 주시해야 한다. 간략하여 말하면 국제관계, 국제에서의 중국의 외교 전략에 주의를 돌려야 하며 국경에서의 군사전략과 긴밀히 협동해야 한다.

일본제국주의의 대륙정책은 중국을 정복하고 아시아를 통해 세계를 정복하려는 것이다. 조선을 병탄한 것은 대륙정책 실행의 시작에 불과하다. 태평양 연안의 식민지와 반식민지 국가, 예하면 안남, 섬라, 인도, 오스트레일리아, 필리핀, 남양군도 및 남미 브라질 등 모두가 일본제국주의의 목적물이며 직접, 혹은 간접적으로 일제의 온갖 침략을 당하였다.

'9·18'사변을 통해 일본은 피가 가득 묻은 손을 만주에로 뻗쳐 9개국 조약, 켈로그 브리앙 조약을 찢어버리고 태평양 질서를 어지럽힘으로써 태평양 바다에서 거대한 풍랑을 일으켰다.

때문에 일본은 다른 제국주의와의 갈등도 한층 첨예해졌다. 특히 태평양에 중대 이익관계가 있는 영국, 미국, 프랑스 등 나라들이 태평양을 활동 무대로 하고 있는데 일본의 대륙정책이 이를 배척한 것이다. 영국, 미국, 프랑스 등 나라 및 유럽 각 나라들은 중국과 태평양의 이익을 지키기 위해 일본에 저항할 것이니 이는 필연적인 것이다.

소련을 말하자면 중국에 중대한 이익은 없으나 태평양에서는 가볍게 볼 수 없는 나라이다. 일본이 만주를 점령한 후 소련은 중국에 인접된 관계로 일본의 위협을 받고 있다. 서로의 충돌은 날로 심해지고 있다.

그러므로 '9·18'사변이 일어난 후부터 유럽 각 나라와 일본의 첨예한 대립이 형성됐다. 일본에 대한 유럽 각 나라의 연합전선이 형성됐다. 유럽 각 나라들은 군사, 외교로부터 기타 면에 이르기까지 일본을 포위하고 있다. '9·18' 이후부터 일본은 1914년의 독일처럼 여러 나라의 비난의 대상이 되었다.

'9·18'이후부터 우리는 다음과 같은 점을 보게 되었다. (1) 영국이 대규모로 군비 확충을 하고 싱가포르 군항 건축을 완성, 홍콩에 방어시설 구축, 오스트레일리아에 군사근거지를 새로 건설하고 있다. 프랑스는 안남에 군항을 건축, 네델란드에 남양방수 역량을 증가하고 있다. 소련은 원동 군비를 확충하여 단독작전을 준비하고 있다. 미국은 워싱톤조약의 허용 범위내의 군비를 완성하고 호놀룰루에 방어시설을 구축, 영국의 군비확장 상황에 따라 군비 확장을 하고 있다. (2) 미국은 소련을 승인하고 국교관계를 회복했다. 영국도 원동에서의 소련의 해군 확충을 승인했다. (3) 영국과 미국은 일본의 해군평등 요구를 거절함으로써 일본의 해협 탈퇴가 초래됐다. (4) 미국은 '9·18' 당시 스팀슨주의가 나타났다.

'7·7'사변이후 일본은 중국에서의 영국, 미국, 프랑스 등 나라의 이익을 배척하고 계속 자기 주장대로 함으로써 영국, 미국, 프랑스 등 나라와의 모순이 특별하게 확대되었다. 우리는 다음과 같은 점을 볼 수 있다. (1) 영국과 미국이 성공적으로 상무협정을 체결, 영국과 캐나다가 성공적으로 상무협정을 체결, 영국과 미국이 전쟁 빚 문제를 해결, 미국과 오스트레일리아가 상무협정을 체결, 또 루스벨트가 영국 왕을 초청해 미국을 시찰하게 하여 영미가 유럽에서 합작 할 뿐더러 원동에서의 합작도 가능해졌다. (2) 중·미 신용대부금, 중·영 신용대부금 계약이 잇달아 성공, 영·미 두 나라가 대일 경제보복을 진행, 이들의 원동합작이 바로 그 단서이다. 아울러 그들은 대 중국 반일원조의 적극화, 구체화에로 나가고 있다. (3) 영국, 미국, 프랑스 3국이 대일 항의를 공동 제출, 동시에 9개국 조약을 수호할 것을 공동 제출, 평형 행동을 취하겠다고 재삼 표시했다. (4) 미국이 파나마운하 강화 계획을 세우고 원동 및 남태평양 통행 항로 보호에 중시하고 있다고 표시했다.

또 대서양함대를 구축해 카리브 해에서 매년 크게 활동하기 위해 대서양 방면에 주의를 기울이고 있으며 여전히 태평양함대를 구축할 데 대한 장기적인 계획을 갖고 중시하고 있다. 그러므로 태평양을 방어계획의 중심에 두고 있다. 이 모든 것이 다 유럽 각 나라가 일본에 대응하는 표시이다. 그들 사이의 상호 모순은 다 근본적인 것이고 각 나라의 생존에 밀접히 연관되는 것으로 서로 조해될 수 없는 것이다.

일본 측은 어떤가? 독일과 이탈리아 두 나라는 일본과 손을 잡기는 했지만 서로 갈라지기 쉽다. 각자의 이익을 위해 그들은 각자 자기 수판알을 튕기고 있다. '공산당을 방지'한다는 구호를 내걸었는데 독일과 이탈리아는 영국, 미국, 프랑스 등 나라와 정치투쟁을 하기 위한 것이고 일본은 중국을 침략하는 연막탄으로 써먹기 위한 것이다. 사실상 독일도 소련을 침략할 능력은 없다. 독일의 출로는 식민지를 거둬들이는 것뿐이며 그것도 정치 방법으로 영국, 프랑스 등 나라에 요구할 뿐이고 영국, 프랑스 등 나라를 전승하는 일에는 파악이 없다. 이런 상황에서 영국, 프랑스 등 나라들이 약간의 조건을 교환하는 것으로 인정을 하고 넘어가면 문제는 해결되는 것이다. 영국은 지금 이런 방법으로 독일을 농락하고 독일, 이탈리아, 일본 집단을 분산시키고 있다. 이탈리아와 영국, 프랑스의 충돌은 이탈리아와 에티오피아의 전쟁이 끝난 후에 이미 완화됐다. 그들이 독일을 농락한 후 이탈리아는 어쩔 수 없이 영국 프랑스와 평화관계를 유지하는 길 밖에 없다. 영국과 프랑스도 협상의 문을 활짝 열어놓고 마찬가지로 이탈리아를 농락했다. 이렇게 되다보니 이른바 독일, 이탈리아, 일본 집단은 존재할 수 없게 되고 일본은 고립에 빠질 수밖에 없다. 이렇지 않더라도 독일과 이탈리아는 원동에서 아주 멀리 떨어져 있기 때문에 일본에 대한 견제작용은 영국, 프랑스, 소련 등 나라의 유럽 역량이면 응부할 수 있다. 그들의 원동에서의 역량이 미국과 연합한다면 일본을 눌러놓는 일쯤은 가능하다. 그러므로 영국, 미국, 프랑스, 소련 등 나라가 일치하게 공동한 행동을 취하고 있기 때문에 일본이 더 고통스러운 전패의 위험을 피면하려면 '굴복' 외에 그 어떤 다른 방법이 있겠는가?

2월 10일, 일본이 해남도를 침점하여 태평양에서 또 거대한 파도를 일으켰다. 이 태평양의 '태평'하지 않은 원인 및 그 발전은 태평양과 관계되는 각 나라가 어떻게 해야 태평양이 '태평'하게 하겠는가 라는 문제의 구체적인 방법을 철저히 인식하고 그것을 취할 때만이 가능하다.

그러나 중국은 국제형세의 발전에 대해 조용히 지켜보기만 해서는 안 된다. 국제의 공동 행위가 막 진행될 때까지 조용히 지켜보기만 해서는 안 된다. 응당 능동적인 역할로 국제형세를 추진하고 원동에서의 영·미와의 진일보의 합작을 추동하고 영국, 미국, 프랑스, 소련 이 4개국의 대연합을 촉진하

기 위해 애를 씀으로써 국제형세가 항전의 발전에 유리하게 해야 한다. 이것
은 오직 중국이 더욱 굳세게 일본을 타격해야만 이룩할 수 있는 일이다.

『東方戰友』, 第6期

'7·7'사변과 중국의 부흥운동

'8·29'—한국이 병탄된 쓰라린 날—전야의 일본은 세계를 향해 다음과 같이 선언했다. 한국의 영토주권을 존중하고 한국이 문명의 길로 나아가게 할 것이다. '7·7'전야의 일본은 열강들에게도 선언했다. 중국의 법률과 질서를 잘 바로잡고 중국이 문명의 길로 나가게 할 것이다. 동시에 일본은 또 정중하게 성명했다. 일본은 중국 영토를 침략할 야심이 없다. 일본은 웃음 속에 칼을 품고 항상 착한 척 하는 것을 잊지 않고 있다.

일본 제국주의자들의 사람을 깔보는 흥타령과 황당한 성명이 어느 정도 행동에 옮겨졌는지 그 진면모를 낱낱이 밝히자고 한다. 일본의 음침하고 사람을 해코지하는 독염이 이미 조선을 불사르고 있고 중국도 마찬가지로 불사르고 있어 그 위협이 끝이 보이지 않을 지경이다.

일본은 사실 수단이 지독하기 그지없으나 입으로는 항상 달콤한 말만 한다. 보라, 지금도 평화와 친선만 말하고 있지 않는가? 그러나 '도깨비물'의 냄새는 한번만 맡아도 사흘 동안 구역질이 난다. 미친 짓 하는 '미친개'는 죽어 마땅하다.

'7·7'사변 전야인 1937년 4월, 중국 중앙정부 철도부는 모든 국제투자는 중앙정부의 최후 인가를 받아야 하고 지방 당국이 조인한 협정은 효력을 발휘하지 못할 수도 있다고 선포했다. 워낙 당시 일본은 산서의 탄광을 개발하려고 중국 화북 당국에 창석철도 혹은 진석철도를 건축하고 북평과 화중남의 관계를 차단하려고 음모를 꾸미던 중 뒤통수를 제대로 맞은 것이다.

1937년 4월 30일 일본 대선거 결과 군인 의원의 표수가 30석에서 1석으로 떨어져서 일본 평민에 의해 지게 되었다. 일본 군벌—파쇼—은 이번 대선에서 실패하자 계속 적극적으로 행동하지 않으면 자신들의 위신이 땅에 떨어질 뿐더러 육군들 속에서 반란이 일어날 수도 있는 것이 걱정스러웠다. 특히 중국 통일의 기회를 촉진하게 될까봐 걱정스러웠다. 그리하여 일본 군벌은 정세의 핍박에 의해 갑자기 중국을 진공하는 행동을 시작했다. 이른바 '선전포고 없이 전쟁'을 벌인 것으로 이것이 바로 7·7사변 폭발인 것이다.

어떤 사람들은 일본을 다음과 같이 비난했다. 일본이 1868년부터 유성처럼 흥기하여 1937년에 정점에 도달했다. 그때로부터 1등 강국의 지위에서 점차 떨어져 내렸다. 이 말은 틀리지 않았다. 우리는 '7·7'사변 이후의 전투에서 일본의 국세가 강물이 날마다 아래로 흐르듯 강하일하(江河日下)의 몰락을 하고 있다는 것을 보아낼 수 있었다. 반대로 중국의 최신역량은 우후죽순마냥 솟아나고 있다.

우리는 이 새 중국 탄생의 날— '7·7'—에 2년 동안의 항전사실에 근거해 우리에게 참고가 될 만한 몇 가지 점을 말하고자 한다.

1. 일본 침략자들은 중국의 통일을 파괴하고 중국의 민족생존의식을 소멸하여 침략야심을 달성하기 위해 '7·7'사변을 발동했다. 그러나 중국 측은 민족생존의식의 요구에 따라 공동으로 국가 제1, 민족 제1의 정신을 받들고 항전을 끝까지 할 결심을 다지었다.

2. 조선, 대만, 필리핀, 안남과 인도 등 동방의 여러 약소민족은 일본침략자가 발동한 이 '7·7'사변의 동기가 전 중국을 정복하는 것뿐이 아니라는 것을 알아야 한다. 이는 동아시아 평화질서를 파괴하는 시작이라는 점을 잘 인식해야 한다. 그러므로 우리는 중국 항전을 중심으로 각 민족의 인력과 물력

을 동원하여 일치하게 연합해 평화질서를 교란하는 공공의 적을 제거하는 방향으로 나가야 한다.

3. 일본 피압박민족은 이미 일본군벌이 자신들의 적이라는 것을 똑바로 인식하고 이 기회에 혁명을 발동해 새 일본을 건설하려는 동기를 가지고 있다. 이렇게 함으로써 여러 나라 민족들과 진정한 우호적인 관계를 유지하려고 하고 있다.

4. 평화를 사랑하는 전 세계 인사들은 중국이 '7·7' 전면항전을 발동한 후부터 민족전선이 공고해졌고 일치한 대외 단결이 완벽해졌으며 신흥의 길에 들어섰다는 것을 알고 있다. 일본은 동아시아에서 극심한 횡포를 한 결과 제3자의 권익을 침해했고 더욱이는 열강들로 하여금 중국에 정신적인 동정과 물질적인 지원을 하게 하였다. 중국 항전의 승리는 바로 평화전선에서 강유력한 우군을 얻는 것이기 때문이다.

형세를 보면 일본은 확실히 무력으로 중국을 통일하려고 하고 있다. 이는 분명 이번 전쟁이 비극이기는 하지만 또 희극일수도 있다는 생각이 들게 한다. 우리는 그날부터 일본이 공공연히 공개적으로 중국 경내에서 강탈하고 간음하고 '황제'나 된 듯 위세를 부리고 민가를 폐허로 만드는 것을 보았다. 세상에 이처럼 잔인무도한 짓도 있을가 라는 생각이 들 정도이다. 이것이 바로 일본의 '친선'방식이 중국에서 표현된 것이라 하겠다. 중국인은 과거 일본에 대해 모든 것을 얕보았는데 이때에는 일본을 더욱 똑바로 알게 되었다. 일본이 아무리 전선에서 잔인한 짓을 하고 후방에서 제멋대로 폭격해도 일치하게 적을 대처하는 중국인의 의지는 그 흉포한 유린의 영향을 받지 않는다. 일본은 항일분자를 모조리 죽이려고 들지만 그들의 인식과 판단이 아주 틀렸다는 것을 알아야 한다. 일본은 중국이 일본의 핍박에 의해 항전의 결심을 내렸다는 것을 알았다면 중국의 의지는 절대 우세한 해군, 육군, 공군에 의해 굴복하지 않는다는 것도 알아야 한다. 또 일본이 정령구역에서 괴뢰조직을 조직해 '중국인으로 중국을 다스리는' 음모를 실현하려고 하지만 유격대가 끊임없이 준엄한 습격을 가할 것이고 일본 괴뢰의 '치안'을 '교란'할 것이다. 전반 형세로 볼 때 중국의 민족성은 일본군에게 자존과 강직한 특색을 시종 보여줄 것이다.

'7·7'사변의 날 중국은 대변혁의 시대의 계선을 분명하게 그었다. 과거의 모든 부패한 기운이 불의 세례 속에서 깨끗하게 사라지고 새로운 생기가 끊임없이 생장하고 있다. 모든 중국인의 지금의 유일한 신념은 바로 항전하여 나라를 건설하는 것이다. 바꾸어 말하면 건국의 토대를 항전 위에 닦는 것이다. 앞날은 이미 결정됐다. 중국의 장기적인 항전 계획은 이미 일본의 속전속결(速戰速決)의 실패를 초래했고 일본의 속화속결(速和速結)의 시도가 백년전쟁의 궁상에 빠지게 했다. 중국의 일반 청년들의 적개심과 일본의 각성한 지식인의 반전 정서를 살펴보면 복잡한 국제 국면에 의한 일본의 고립무원한 위기 상황을 제외하고라도 중일전쟁이 어떻게 마무리 될지 그 결과는 이미 빤히 보인다.

표면만 본다면 중국이 '7·7'사변 이후 많은 동포들이 희생되고 광대한 토지를 잃고 많은 광산을 일본이 침점한 것만 보일 것이다. 그러나 우리는 그 반면도 보아야 한다. 중국은 2년의 항전을 통해 진실한 성적을 거뒀다. 이는 일본이나 지어 중국 자신도 예측하지 못했던 것이다. 정치, 군사, 경제 및 모든 분야에서 전례 없는 진보를 가져왔다. 전쟁가운데서 민족운동이 정상적으로 전개되어 전 민족 의지의 통일을 이뤘다. 중국은 국제지위도 높아졌다. 이는 이번 피압박에 의한 항전의 결과이다. 중국은 늪과 바다 부근의 광대한 토지를 준비하여 공간적으로 시간을 벌고 일본군 80, 90만 명 이상의 수량을 이 곳에 분배해 놓았다. 현재 전선은 끝이 없이 발전하고 있다. 일본 병력의 분배는 최대의 문제로 되고 있다. 일본군벌은 중국에서 작전 시간이 연장되고 승리의 희망이란 아득하기만 하다. 일본 내부의 사회 상태에도 변동이 생기고 있다. 반침략, 반군벌 운동이 일어나 치명적인 타격을 입고 있다. 그리고 일본은 중국을 침략해 '굴복'시킬 야심을 실현할 수 없게 됐다. 자신의 국제적인 지위가 중국의 저항으로 인해 날로 떨어지고 있는데 조선, 대만의 민족혁명 운동도 중·일전쟁의 대풍랑 속에서 팽배하고 있다. 이 내외 협공의 형세는 일본을 충분히 붕괴의 길로 내밀어버릴 수 있다.

전 민족적인 입장의 관점에서 본다면 중국인은 유혈투쟁 속에서 고통을 참으며 웃음을 머금고 일본군벌이 보내온 귀중한 선물에 감사할 수밖에 없다.

중일전쟁의 추세로 보아 최후승리는 절대적으로 중국에 속한다. 그러나 전선은 지금도 발전하고 있고 침략세력은 아직도 최종 붕괴하지 않았으며 중국이 아직 완전한 승리를 거둘 시기는 오지 않았다. 중국은 계속 더 큰 노력으로 '7·7'사변의 이 위대한 나날이 부여한 사명을 수행해야 할 것이다.

『朝鮮義勇隊通訊』, 第16期

'3·1'운동의 의의

'3·1'운동은 조선혁명 역사에서 중대한 의의가 있다. 이 운동이 일어나서부터 지금까지 우리가 끊임없이 혁명운동의 원동력을 추진해왔던 것도 이 '3·1'운동의 혁명정신에서 배태된 것이다.

대원군의 쇄국정책은 결국 당시 일본침략자의 공성포를 막아내지 못했다. 이 쇄국주의가 타개된 후 조선의 농업경제는 즉시 일본 자본주의 침탈세력의 소용돌이 속으로 말려들었다. 일본의 윤선이 들어온 후 따라온 것이 전함이었고 대포가 들어온 후 따라온 것이 거대 자본이었다. 이렇게 이 허약한 조선은 큰 파도 속에서 기우뚱거리며 그 거대 자본을 막아내지 못했다. 제국주의의 대포는 더욱 막아낼 수 없었다.

그러므로 조선은 1910년에 왜놈에게 망하고 말았다. 일본은 이 비옥한 조선의 대지에서 모든 것을 제멋대로 착취하고 약탈했다. 일본 군벌과 재벌이 결탁하여 '조선총독부'를 세우고 조선에서 정치를 실시했다. 물론 일본 자산계급 이익을 대표하는 기관이므로 그 어느 한 조목의 '법'이나 '명령' 모두 조선민중의 이익은 꼬물만치도 생각하지 않았으며 다만 착취와 약탈의 지독한 획책일 뿐이었다.

조선인민은 이 야수들의 유린 속에서 투옥, 피살, 자살, 축출을 당하는 '복'을 '향수'하면서 우마보다 못한 생활을 했다. 복종할 의무만 있고 시중들 의무만 있고 그자들이 제멋대로 요구하는 희생을 당할 의무만 있다.

일본제국주의자들은 일본의 공업상품이 낙후한 조선에서 잘 팔리게 하기 위해 저렴한 원료를 빼앗아 가고 조선민족의 공업의 발전을 극력 저애하고 철도 부설 혹은 기타 공사를 할 때에는 민중을 강제적으로 아무런 보수도 없는 부역에로 내몰고 토지조사에 착수해 민간의 경작 토지를 강탈하고 중요한 물산에 대한 전매를 강점하고 민간매매를 하지 못하게 하고 각종 가렴잡세의 명목으로 가혹하게 세금을 거두거나 백성의 재물을 억지로 빼앗았다. 기타의 온갖 침탈 만행은 필로 일일이 형용할 수 없다.

15세기에 독일 농민들이 압박당했던 상황, 제정 러시아 시대에 러시아 농민들이 착취당했던 상황이 지금 조선에서 그대로 나타나고 있다. 이런 피압박 사실들은 조선민중의 불같은 분노를 불러 일으켰다. 조선민족의 정신이 분발하던 양춘 3월에 저항투쟁의 혈향(血香)이 피어났다. '3·1'운동의 피의 격류 속에서 조신민족은 빛나는 새 길에 들어섰다.

제1차 유럽전쟁이 끝난 후 전 세계적으로 개조풍조가 일시에 거세차게 일어났다. 모든 노예였던 민족은 정의의 가슴을 내밀고 그들을 묶었던 쇠사슬을 짓부셨다. 그때의 조선민족은 강렬한 민족의식과 소멸될 수 없는 민족문화로 이 위대한 '3·1'운동을 일으켰다. 나라가 망한 후 10년 동안 쌓인 원한이 홍수마냥 폭발했다. 삼천만 민중은 강철 같은 거센 물결을 이루며 단숨에 일본제국주의를 향해 돌격했고 혁명의 꽃을 조선 삼천리강산에 휘뿌렸다.

우리는 '3·1'운동의 의의를 천명함에 있어 이것이 표면적으로는 일종의 '조국광복'의 독립운동이지만 사실은 진화적인 요소를 망라하고 있다는 것을 알고 있다. '3·1'운동은 비록 실패했고 원했던 목적을 달성하지는 못했지만 조선민족은 이 운동의 교훈을 통해 급작스레 각성했고 일떠났다. 낡은 시대의 잔여에 대해 아무런 미련도 없이 뿌리치고 신문화 쪽으로 비약적으로 발전했다. 20여 년 동안 이 새로운 시대가 요구하는 혁명사상에 적응했고 이는 조선민중의 가슴속에 깊이 새겨졌다. 정확한 혁명이론을 실제에 결부시키고 끊임없이 표현하였다. 조선민족의 해방운동의 길은 이미 선명하게 조선민족의 앞에 펼쳐졌다. 이는 '3·1'운동의 교훈으로 얻은 것이다.

중국 민족의 영용한 투쟁 속에서 우리는 반드시 '3·1'운동의 혁명정신으로부터 출발하여 계속 분투하고 결사적으로 최후의 승리를 쟁취해야 한다. 이것이 바로 이 위대한 '3·1'운동을 기념하는 의의이다!

『朝鮮義勇隊通訊』, 第33期

이정호 편

중·한 두 민족은 어떻게 연합해서
일본 제국주의를 타도할 것인가?

연합전선의 의의

김약산(金若山)동지는 그의 「조선 국내 혁명동지들에게 알리는 글」에서 국내의 동포들에게 다음과 같이 말했다.

"여러분도 알다시피 조선과 중국은 과거 수천 년 동안 서로 의지하고 돕고 슬픔과 기쁨을 함께 나누는 관계였다. 조선이 망국한 후 중한 두 민족은 그 어느 면에서 보나 서로 떨어질 수 없는 밀접한 관계이다." 또 다음과 같이 말했다. "이런 관계는 정치면에서 더욱 밀접하다. 다시 말해 일본제국주의는 조선민족의 적일뿐더러 중국민족의 적이다. 중국의 혁명운동은 더욱 직접적으로 조선민족의 해방투쟁에 영향을 미친다. 바로 이렇기 때문에 목전 중국 항전의 승리는 의심할 바 없이 조선혁명운동의 성공을 촉진한다. 마찬가지로 조선혁명운동의 발전도 중국 항전의 승리를 촉진한다. 중·한 두 민족의 이런 관계는 금후 사회의 발전에 따라 필연코 더욱 긴밀해질 것이다." 이 한 단락의 고백에서 이미 중·한 두 민족의 연합전선의 의의를 선명하게 지적했다.

다른 한 면에서 볼 때 약소민족의 운동을 원조하는 것은 중국 국책의 주요한 한 부분이다. 우리는 중화민국의 국부—동방혁명의 선구자 중산 선생의 유언에서도 "우리를 평등하게 대하는 민족과 함께 공동 분투한다."라는 구절을 볼 수 있다. 중국국민당 제2차 전국대표대회 선언에서도 이렇게 말했다. "민족혁명은 반드시 공동의 적이 누구라는 것을 분명히 해야 한다. 공동의 적에 대한 공동 분투에 있어서는 자기를 돕고 서로 돕는 것이 별다른 차이가 없다. 그러므로 세계의 모든 피압박민족의 혁명운동은 연합할 필요가 있다." 먼 일은 젖혀두고 최근의 중국의 항전 건국 강령에만 해도 분명하게 제출돼 있다. "일본제국주의 침략을 반대하는 모든 세력은 연합하여 일본의 침략을 제지하고 동아시아의 영구한 평화를 수립하고 담보해야 한다." 그리고 항일구국 10대 강령 및 모택동 선생의 언론에서는 더욱 구체적으로 지적되고 있다. "조선, 대만 및 일본 국내의 노농인민과 연합하여 일본제국주의를 반대해야 한다." 그러므로 약소민족과 연합하여 침략세력에 대항하는 것은 중국의 국책의 주요한 부분의 하나이다.

그러므로 중한연합전선, 특히는 중국 대일 항전이 세 번째 해에 들어선 지금 이 문제는 보통사람들이 인사치례로 하는 빈 말이 아니고 실제적인 문제이다. 원칙적인 문제는 아니며 중·한 두 민족이 연합하여 일본을 대처함에 있어 행동 문제이다. 그러므로 이런 의미에서만이 중·한 연합전선이 산생하며 이는 급히 서둘러야 할 일이다.

중·한 연합전선은 인식의 통일 위에 구축돼야 한다.

중·한 연합전선을 강화하려면 우선 인식의 통일이 있어야 한다. 인식이 통일되지 않으면 연합전선의 발전에 장애가 생길 수 있기 때문이다. 지금 몇 가지 착오적인 관점을 열거해보기로 하자.

1. 속국이라는 관점: 이 점에 대해 나청 선생의 말을 인용해 설명하기로 한다. 나청 선생은 다음과 같이 말했다. "중국은 반봉건의 나라이고 중국 사회는 공업화의 과정을 거치지 않았으므로 중국인민의 민족사상은 아직 정

상적인 양성과 발달을 거치지 않았고 아직도 다소 역사의 전통에서 비롯된 자고자대하는 관념에 심취돼 있다. 이런 관념은 지금까지도 일반인의 심리를 강하게 지배하고 있다. 그리하여 다른 민족의 존재와 지위를 의식하지 못하고 있다. 조선에 대해서도 늘 지난날 우리나라의 속국이었고 지금은 나라가 망한 약소민족이니 그 존재는 중요하지 않다고 생각하기 때문에 조선 문제 역시 중국의 문제가 해결되기를 안심하고 기다리기만 하면 될 것이라고 생각한다. 이는 매우 정확하지 않고 독소가 함유된 심리이다. 이런 심리가 존재하기 때문에 우리는 조선민족이 갖고 있는 국제적인 지위를 홀시하고 말살하고 망각하고 있다." 맞는 말이다. 이런 낙후된 관점은 중국의 일반 하층민에 이르기까지, 지어 지식계층에서도 그 의식형태에서 중요한 지위를 차지한다. 이는 청산돼야 할 일이다. 왜냐하면 이런 관점은 우선 삼민주의의 민족주의에 저촉되는 것이기 때문이다. 즉 이 관점의 발전은 필연코 반동적인 민족주의로 변하기 때문이다. 이는 또한 중국의 항전건국 강령에도 저촉된다. 항전건국 강령에는 "본 독립 자유의 정신은 우리를 동정하는 세계의 나라의 민족과 연합하여 세계평화 및 정의를 위해 공동 분투하는 것이다." 라고 분명하게 규정했다.

2. "무슨 힘이 있어 조선을 돕겠는가?"라는 관점: 이런 관점은 중·한 두 민족의 머릿속에 아직 남아있다. 즉 중국 자신도 약소민족이고 자신도 외부의 도움을 받아야 할 상황인데 무슨 힘이 있어 조선을 돕겠는가? 이런 견해는 아주 틀렸다. 왜냐하면 도움이란 남은 힘이 있어서 돕는 것이 아니라 자신을 발전시키고 강화하기 위해 돕는 것이다. 자신이 부유하여 남은 힘을 남을 위해 소모하라는 뜻이 아니다. 소련이 에스파냐를 돕고 중국을 돕고 조선을 도운 일례를 보면 그 자신이 너무 강성하여 전 세계의 전부의 제국주의를 다 타도하고 그 남은 힘으로 도운 것인가? 아니다. 소련의 이런 도움은 자신

을 발전시키고 강화하기 위한 것이다. 즉 세계 약소민족의 승리와 피압박인 민의 해방은 자신을 강화하는 것과 같기 때문이다. 이는 소련의 국책의 하나 로서 국력의 여유와 낭비를 의미하지 않는다. 그러므로 조선인이 중국 전선 에 참가하고 중국 측에 대해 원조하는 것은 여력이 있어서 소모하는 것이 아 니다. 이는 중·한 두 민족이 다 같이 일본제국주의의 침략과 압박을 받는 상 황에서 일본제국주의는 중·한 두 민족의 불구대천의 공동의 적이며 이 공동 한 적을 물리치기 위해서는 연합항전이 필요하다는 말이다. 연합항전은 역 량에 대한 집중강화이고 절대 소모는 아니다. 그러므로 조선의용대가 중국 항전에 참가하고 중국 당국이 조선을 돕는 것은 물질적인 소모에서 표현되 는 것이 아니라 반일전선에 대한 강화, 확대에서 나타난다. 중·한 두민족의 합작은 중한 두 민족의 해방운동의 공동한 기본 정책이다.

3. 반드시 삼민주의로 조선혁명을 완성해야 한다는 관점: 이런 관점은 대 부분 소수의 중국 지식인의 머릿속에서 존재한다. 그들은 우선 조선민족의 존재를 멸시하고 조선을 중국의 한 성처럼 취급한다. 그러므로 흔히 자고자 대의 관점을 갖고 조선 문제에 대한 절실한 연구를 하지 않고 무의식간에 유 치하고 가소로운 오유적인 견해를 발표한다. 이런 견지에서 그들의 논리는 "조선은 중국의 한 성이며 중국은 삼민주의 국가이니 조선도 응당 삼민주의 의 한 성이여야 한다."라는 것이다. 그러나 이런 논리는 오유적인 것이다. 그 들은 조선 4천 년의 찬란한 역사와 문화에 대해 전혀 모르며 민족을 구성한 요소와 조선의 현실 사회에 대해서도 모르고 있다. 우리는 삼민주의가 반제 반봉건의 혁명주의라는 것을 알고 있다. 우리는 그것이 중국사회 개혁에 필 요해 산생한 것이며 중국 사회에 맞는 주의학설이라고 생각한다. 그러나 중 국 사회에 맞는 혁명주의가 조선에 적합한 것이 아닐 수도 있다. 바꿔서 말 하면 조선에 적합한 혁명주의가 중국에도 적합하다고 할 수 없다는 것이다.

모든 국가는 다 그 사회의 특수성이 있다. 이런 특수성은 세계적인 범주를 떠날 수 없다. 이는 각 나라의 특유한 현상으로서 혁명자라면 반드시 고려해야 할 현상이다. 조선혁명에 필요한 주의는 반드시 조선사회에 맞는 것이어야 할 뿐더러 세계 조류에 맞는 것이어야 한다. 조선사회에 필요한 주의는 외래 수입품이 아니며 모방한 것도 아니다. 문제는 적응여부에 달렸다. 즉 한 가지 주의가 전 민족의 이익을 대표하는가 하는 문제이다. 그러므로 이런 요구는 조선민족 자체가 스스로 해결해야 하는 것이며 제3자에 의해 해결되는 것이 아니다. 그 어떤 개인이나 나라도 조선혁명이 취할 주의에 대해 간섭할 권한이 없다. 조선민족을 착취하는 일본제국주의만이 조선혁명의 발전을 한사코 간섭하고 저애할 뿐이다. 혁명적인 민족은 나라와 나라 사이가 평등, 자주, 호조적이어야 하며 그 어떤 멸시나 도맡는 태도를 취해서는 안 된다. 오직 동정과 원조의 의무가 있는 것일 뿐 타민족의 내부에 대해 간섭할 직권은 없다. 그러므로 이런 민족 존재를 멸시하는 태도는 아주 오유적인 것이다. 삼민주의 혹은 기타주의를 취하는가 여부는 조선사회의 현실성에 의해 결정된다. 혁명은 농담도 아니고 피를 흘려 싸우는 것이다. 그러므로 우리는 각종 주의를 심각하게 연구하는 동시에 조선 문제를 정확히 연구하여 이것을 조선에 응용하는 것은 맞는 일이나 절대 수입품으로 간주하거나 기계적으로 운용해서는 안 된다. 이는 과거 약소민족의 혁명운동의 실패 과정에서서 얻은 귀중한 교훈이다.

4. '조선 낭인'에 대한 관점: 과거 일본제국주의의 이간작간 때문에 중·한 두 민족의 머릿속에는 서로 적지 않은 간극과 반감이 존재했다. 중국인 측에서는 조선인에 대해 흔히 '조선 낭인'의 무섭고 혐오스러운 자태를 떠올린다. 마찬가지로 조선인 측에서는 중국인에 대해 중국인의 비겁함과 더러움을 떠올린다. 이런 관점은 일부 하층 군중들이 갖고 있는 태도이다. 그러나

이런 관점이 맞는가? 정반대이다. 중국민족의 위대성은 신성한 항전 속에서 최대한으로 발양되었고 조선민족의 위대성은 30년 동안의 불요불굴의 피의 투쟁 속에서 최대한으로 발양되었다. 낭인 관점, 비겁하고 더럽다는 관념은 이미 혁명군중의 순결한 머릿속에서는 용납되지 않는다. 우리는 적들의 이간도발을 극복해야 한다. 적의 이간과 반선전에 눈이 멀면 그것은 곧 적을 돕는 일이다.

그렇다면 중·한 두 민족이 공동으로 갖춰야 할 인식은 어떤 것인가?

1) 장래의 조선은 이민족의 속국 형태가 아닐 것이며 독립자주의 진정한 민주공화국이다.

2) 조선인 측은 중국민족이야말로 조선민족의 가장 믿음직한 동맹군이라는 것을 확인해야 하며 중국 측은 피차의 독립자주의 입장에서 조선민족이야말로 중국의 가장 충실한 동맹군이라는 것을 확인해야 한다. 아울러 적들의 모든 이간중상의 모략을 짓부셔야 한다.

3) 이번의 중국 항전은 중국민족의 생사존망을 결정할 뿐더러 일본제국주의의 최후 운명을 결정하는 것이므로 중·한 두 민족은 반드시 두 민족의 연합전선을 통해 그 어떤 곤난도 극복하고 최후의 한 방울의 피까지 희생하여 최후의 승리를 달성할 준비를 해야 함을 확인해야 한다.

중한 연합전선은 행동의 통일 위에 구축돼야 한다.

중·한 연합전선의 시작은 바로 일본제국주의의 붕괴의 조짐이며 중·한 두민족의 독립해방의 시작이며 또한 중·한 두 민족의 투쟁 역량의 확대강화의 구체적인 표현이다. 그러나 우리는 이 실제적인 효과를 어떻게 해야 얻을 수 있는가? 나는 우선 중·한 양측에서 행동을 통일해야 한다고 생각한다. 분산적인 역량은 강유력한 적을 물리칠 수 없다. 그러므로 우리는 중·한 양 측의 행동통일이 급하다. 우리는 중국 측에서 중국의 그 어느 당파거나를 막론하고 삼민주의의 혁명정신으로 영수 장위원장의 영도아래 우리를 통일적으로 대해주기를 바란다. 한편 조선민족도 통일의 입장에서 중국 및 모든 우방을 대해야 한다. 특히 우리는 중국 항전에 참가했으므로 중국에서 오로지 삼민주의의 혁명정신을 실천하여 공동으로 적들 대처하는 과업을 수행함으로써 하루 빨리 조선민족의 자유·독립의 염원을 완성해야 한다. 이것 외에는 더 큰 염원이 없다. 그러므로 우리도 중국에 대한 행동면의 통일에 서둘러야 한다고 생각한다. 그러나 과거 조선동지들은 중국 항전에 참가했지만 너무 분산적이었다. 동북 방면은 비록 중·한연군(항일연군)이 형성돼 많은 조선인들이 집단적으로 항쟁에 참가했지만 관내에서는 아주 분산적이다. 지어 일부분의 인재들은 기술원의 자격으로 중국 기관에서 일하고 있다. 이는 우리의 과거의 약점이었다. 동시에 중국 측에서 조선인을 대하는 견해에도 상당한 차이가 있었다. 그러므로 도움의 체계도 통일되지 않았고 지어 지금도 이런 현상이 존재한다. 우리는 지금 관내 및 미주의 각 혁명단체(극소수를 제외)는 이미 김약산, 김구 두 선생의 영도 하에 하나로 뭉쳤다는 것을 알아야 한다. 그러므로 부분적인 원조는 서둘러서 최단 기간 내에 취소돼야 한다. 이런 부분적이고 국부적이고 분산적인 원조에 대해 우리는 물론 진심으로 고맙게 생각한다. 그러나 우리는 더욱 통일적이고 계통적인 원조를 희망한다. 분산적인 원조는 힘이 너무 약해서 흔히 별 도움이 되지 않는 동시에 혁명군중을 분산시킬 수 있다. 그러므로 연합전선은 반드시 행동의 통일 위에 건립돼야 한다. 조심스럽게 이하 몇 가지 견해를 말하고자 한다.

1) 경제면에서: 중국 당국이 금후 정부의 통일적인 계획 하에 일정한 경비를 떼어내어 국내 가장 유력한 역량이라고 인정되는 조선혁명단체에 지

급해 전문으로 조선 국내인민의 궐기 및 무장 폭동에 대한 조직, 발동사업에 쓰게 하며 아울러 중국항전 등 모든 항일 행동의 경비로 쓰도록 하기 바란다. (적 점령구역내의 조선민중을 조직하는 일도 당면의 주요 과업의 하나이다.)

2) 외교면에서: 금후 외교면의의 통일에 서둘러서 오늘은 이 사람, 내일은 저 사람 식의 이중적이고 통일되지 않은 외교를 하지 않기 바란다. 중·한 양측은 다 하나를 상대하기는 좋지만 둘을 상대하기는 어렵다. 이런 통일되지 않은 외교는 흔히 조선혁명 단체 내부에 분열이 생기게 한다. 조선말 속담에 "가장이 여럿이면 망하지 않는 집이 없다."는 말이 있다.

3) 군사면에서: 조선의용대가 국제종대의 선봉이라는 것을 확인하고 상당한 독립성 및 자주성을 부여하고 유지해주어야 한다. 조선동지들 측은 모든 힘을 다 해 조선의용대를 지지하고 확대할 것 이다.

총적으로 말하면 중·한 두 민족은 동방의 민족해방운동에서 가장 믿음직하고 가장 유력한 동맹군이다. 우리는 적들의 모든 이간모략을 물리치고 긴밀히 손잡고 동방의 파쇼 마귀 일본제국주의를 철저히 매장하고 중한 두 민족의 광명, 자유, 행복의 새 중국, 새 조선을 일떠세우고 창조하여 인류의 광명의 길에 들어서야 한다!

『朝鮮義勇隊通訊』, 第24期

한지성 편

조선 '지원병' 문제

조선 문제를 관심하는 사람들은 자연히 중·일 전쟁 후의 조선 문제에 대해 더욱 주의를 기울이게 된다. 그러나 조선인이 군대에 가는 문제에 대해서는 확실하게 아는 사람이 아주 적다. 지금 천 명이 채 되지 않는 조선병이 화북 각 전구에서 일군을 위해 작전하고 있다. 그렇다면 이런 조선인은 어떻게 핍박에 의해 참전하게 되었는가? 금후의 추세는 어떻게 될 것인가? 이 면에서 아직 완비된 연구 자료는 없다. 그렇지만 지금 있는 모든 자료를 약간 정리하여 여러분에게 참고로 제공하고자 한다.

일본침략자가 목전 조선에서 실시한 것은 일본과 동일한 징병제도가 아니다. 모병제도도 아니고 지원병제도이다. 일본침략자는 왜 중·일 전쟁이 시작되자 조선에서 지원병제도를 실시했는가? 이것을 알려면 일본의 조선 통치 역사에서 연구할 수밖에 없다.

일본침략자의 조선 통치의 첫 절차는 조선민족무장 해제였다. 조선 망국 전의 1907년에 일본은 조선의 통감 이토 히로부미 등을 파견해 조선을 멸망시키려고 매국적 이완용 등과 밀모했다. 신군제 건립을 구실로 원유의 군대를 일률로 해산하도록 강박하는 것으로 무장을 완전히 해제했다. 그 후 얼마 안 되어 또 한국정부의 육군부를 폐지하고 황실 호위대만 남겨 일본군 사령부에 소속시켜 관리하고 있다. 그리하여 한국 정부의 정식군대는 완전히 해산된 것이다.

두 번째 절차는 조선 민간 무장 해제였다. 조선 민간의 무기는 워낙 아주 풍부했다. 역사적으로 조선은 민군을 중시했다. 각 지방에는 다 자위 무장시설이 갖추어져 있었다. 일단 국가에 긴급 상황이 생기면 명령이 없어도 스스로 일떠나 나라를 보위해왔다. 이런 풍조는 먼 삼국시대부터 있었다. 가장 유명한 것은 이조 선조 때의 향신, 유림, 승려 등의 의병폭동이다. 1910년 조선이 일본침략자에 병탄된 시기에 전 조선의 의병이 사처에서 궐기하여 용감하게 반일복국 전투에 참가하여 8년이나 지속적으로 적에게 엄중한 타격을 가했다. 적들은 이런 사실에서 뼈저린 경험을 하였다. 그러므로 통치권을 틀어쥐자 한 면으로는 철저히 의병을 소멸하고 다른 한 면으로는 무기를 기한부로 상환하도록 민중을 강박하였다. 상환하지 않는 경우에는 무정하게 엄중 처벌을 가했다. 수렵자가 자위 무기가 필요할 때에는 여러 사람이 연명으로 보고하여 인가를 받아야 휴대할 수 있다.

일본 헌병, 보조 헌병 및 경찰 중에도 조선인이 있다. 그러나 일본침략자들은 이들에게도 무기를 발급하지 않는 원칙을 취하고 있다. 특별한 상황이 있으면 무기를 발급하지만 또 엄밀한 감시를 하고 있다.

조선인에 대한 일본침략자들의 정책은 "조선인은 한명의 병졸도, 총 한 자루, 칼 한 자루도 가질 수 없다."라는 것이다. 이렇게 해야만 제멋대로 도살하고 착취할 수 있기 때문이다. 이런 원칙 하에서 일본침략자들에 의해 이른바 '일시동인'하는 '황국 신민'이 된 조선민족은 지원병제를 실시한다고 말한 적이 없고 징병제도는 더욱 입 밖에 낸 적이 없다. 일본의 이 정책은 인도 및 프랑스, 안남에 대한 영국의 정책과는 완전히 다르다.

'지원병'제도 실시의 의의

일본 총독 미나미 지로는 금년 4월 23일에 조선 수도 경성에서 전 조선 13도의 도지사 회의를 소집하고 다음과 같이 말했다. "반도(조선)의 사명은 대륙으로 진출하는 제국의 병참기지로서의 임무를 완성하는 것이다. 이 목적에 도달하려면 반드시 인적 자원을 양성하는 동시에 광의적인 국방산업을 발전시켜야 한다." 이 말에서 지원병제도의 실시는 일본제국주의가 전반 침략전쟁에서 침략도구를 보충하는 일종의 특수 정책이라는 것을 분명하게 보아낼 수 있다. 일본침략자들은 조선에 지원병제도를 제출하지 않았다. 즉이 문제를 감히 제출하지 못한 것이다. 그러나 지금 지원병제도를 실시하고 있는 것이다. 이는 조선민족이 이미 완전히 일본인으로 동화됐다고 생각하는 까닭인가? 물론 아니다. 중국의 장기적인 항전을 대처하기 위해 이 기회를 타서 일본군대의 부족한 인력을 보충하는 것이다. 2천 300만 인구를 가진 식민지 조선을 침략전쟁의 밖에 제외시킬 리가 없다. 일본침략자의 여러면의 정책과 언론을 살펴보면 지원병제도는 잠시적이다. 징병제도를 실시할가능성이 크며 목전의 지원병제도는 징병제도를 실시하는 시탐적인 준비사업이라고 할 수 있다.

'지원병'제도 실시 상황

(1) 지원병 인수: 지원병제도가 1938년에 실시된 후 훈련을 거치고 파견돼 참전한 첫 패의 지원병은 400명이다. 두 번째는 1939년 지원병 훈련소졸업자들로서 도합 600명이다. 금년의 지원병 응모자는 8만여 명, 합격자 3만여 명, 그중 합격한 지원병은 3천 명이다. 이 수자로 보면 지원병이 전후도합 4천 명이 된다. 금년에 채용한 지원병 3천 명은 금년 내에 훈련을 실시

하고 명년에 파견돼 참전할 것이다. 신문이나 잡지로는 수천수만 명의 조선병이 참전했고 일군 작전부대의 3분의 1 혹은 절반이 조선인이라고 하고 있는데 이는 헛소문에 불과하다.

(2) 지원병 수속: 지원병은 지원하면 모든 사람이 다 되는 것이 아니고 엄격한 심사시험 및 훈련의 과정을 거친다. 지원병을 모집할 때마다 조선군사령부는 각 도의 각 군 경찰청서에 명령하여 지원자 모집 포고를 낸다. 응모자는 지원병 청원서 및 신분 보증서를 갖고 경찰서에 가서 등록한 후 일본어 시험을 보고 신체 및 사상에 대한 검사를 받는다. 제1차 시험 심사는 각 군 경찰서에서 진행하고 합격자는 용산 조선군사령부에 보고하며 사령부에서 제2차 심사선택을 진행한 후 지원병으로 채용한다. 각 군 심사에 가장 중요한 것이 바로 응모자의 사상 및 가정 사회 환경에 관한 것이다. 사상 면에서 조금이라도 반일 정서가 있거나 혹은 불온한 경향이 있으면 채용하지 않는다. 사회 및 가정 환경 면에서도 친척 혹은 친구 중에 반일 혁명자가 있다면 역시 채용하지 않는다. 이런 엄격한 심사를 거친 후 일단 채용되면 각 지에서 용산 지원병 훈련소에 보내져 6개월간의 초보적인 군사정신 훈련을 받는다. 이 동안의 지원병의 언행을 고찰하여 훈련에 합격한 자만이 지원병이 되어 전장에 파견된다.

(3) 파견된 후 참전 상황: 제1기 및 제2기 전기 훈련자(제2기 후기 훈련자는 여전히 훈련 중)들은 제20사단의 각 부대에 참가해 산서 중조산, 강현, 평륙, 탁주 일대에 파견됐다. 대부분 보병 상등병이거나 일등병이다. 파견된 사람들은 소대 혹은 분대로 구성됐다. 단독으로 집중된 것이 아니라 2명, 3명씩 분산돼 각 대대, 중대, 소대에 들어갔으며 지원병 사이에는 서로 횡적인 연락을 취하지 못하게 했다. 일본침략자는 시종 조선인이 서로 연락하고 서로 단결하는 것이 두려워서 철두철미한 분산정책을 실시했다. 현재 확보한 정보

에 의하면 첫 기로 작전에 참가한 지원병들 중 아주 많은 사망자가 발생했으며 이는 전체 지원병제도의 장래의 실시에도 영향을 미칠 것이다. 그러므로 최근에는 잠시 제1선에 직접 파견해 참전시키지 않고 후방 점령구 혹은 조선에 파견하여 질서, 치안 유지 및 선전 사업을 담당하게 하고 있다. 이는 물론 영구적으로 후방에 파견하는 것은 아니다. 이런 방법으로 지원병 참가를 반대하는 분위기를 진정시키는 한편 민심을 매수하고 지원병을 안심시키려는데 있다.

(4) 지원병의 성분 및 사회적인 지위: 이는 연구할 가치가 있는 문제이다. 특히 적정을 연구하고 적군 와해 공작을 함에 있어 특별히 연구해야 할 문제이다. 조선인 중에 왜 지원병에 지원하는 사람이 있는가? 정말 살기 힘들어서인가? 아니면 기만을 당해 '일본제국'을 위해 살려고 하는 것인가? 이 문제를 연구하려면 먼저 지원병의 성분 및 그들의 사회적인 계급에 대해 연구하지 않을 수 없다. 이 면에 대해 지금은 별로 완벽한 자료는 없다. 그러나 참고할 만 한 점은 있다. 첫째, 올해 전 조선 지원병 응모자 8만 명의 지식 정도를 살펴보면 중등학교 학력자가 192명뿐이다. 경상북도 지원병 응모자가 8,500명인데 중학교 학력자가 11명뿐이다. 금년 2월의 지원병 훈련소 소장 시오바라는 다음과 같이 보고했다. 중학생들 중에서 지원병 응모자가 너무 적었다. 이는 각 학교 당국에서 지원병 제도에 대한 철저한 선전이 부족한 탓이다. 금후에는 이를 특별히 선전할 뿐만 아니라 지원병 조건 합격자를 자세하게 조사하여 상부에 보고해야 한다. 성적이 좋은 자에 한해서는 상을 내리고 반대로 성적이 나쁜 자에 한해서는 처분을 내려야 한다. 이 보고에서 추측해보면 중학교 문화정도의 사람들은 지원병이 된 숫자가 아주 적다. 또 다른 면에서 관찰해보면 지금 조선의 중학생은 졸업하면 취직하기가 아주 좋다. 금년 춘기의 직업중학교 졸업생은 작년 말에 이미 다 취직했을 뿐

만 아니라 전쟁 전보다 대우가 한배 혹은 50% 정도 더 높다. 이는 전시 공상업의 발전으로 인해 대량의 기술인재 혹은 중학교 정도의 인재가 필요했기 때문이다. 이렇게 보면 지원병 응모자 절대 다수는 소학교 졸업 혹은 소학교 중도 퇴학자들이다. 이들이 속한 사회 계급으로 보면 한창 몰락하고 있는 조선농촌 전농, 소규모 소작농이거나, 도시의 노동자 견습공이거나 유랑청년이다. 그들은 중학교 공부를 할 경제 능력이 없는데다가 공상업을 경영할 자본도 없다. 전반 농촌 경제 파산자들과 도시 소시민 중에서 지원병이 나온 것이다. 이들의 심리상황을 살펴보면 현 상태에 대해 불만을 품고 있으나 현실 사회를 파악할 수는 없다. 불평과 모험심, 그리고 이리저리 동요하는 정서로 충만돼 있으며 이런 불평을 터뜨릴만한 곳을 갈구하고 있다.

(5) 지원병 응모 원인: 1) 지원병의 성분, 사회 환경 및 심리상황에 근거하면 이들은 농촌과 도시에서 경제적인 압박에 못 이겨 쫓겨나와 전시 경기(戰時景氣)를 추구하는 사람들로서 군대에 들어가면 돈을 벌수 있을 줄로 알고 있다. 2) 조선 민족의 특수 심리에서 기인됐다. 조선인은 모험정신이 풍부하고 호기심이 많으며 영웅지심이 많다. 역사적으로 보면 삼국시대로부터 지금에 이르기까지 무수히 일어난 의병운동은 기세 드높은 모험 폭동이었다. 물론 이는 당시의 사회 조건에 의해 조성된 것이다. 그러나 다른 한 면으로는 이런 역사적인 전통이 이미 일종의 민족적인 심리로 자리매김하고 있다. 3) 군대가 되면 벼슬을 할 수 있다는 환상 때문에 금년 초 경성에서 진행된 지원병 좌담회에서 많은 문제가 제기되었다. 그 중에는 우리의 이 문제와 관계되는 것이 있다. 우리가 중시해야 할 문제는 이들 지원병은 지원병이 되기만 하면 급을 출 수 있다고 생각한다는 것이다. 많은 사람들을 지휘해 작전하면 벼슬은 못하더라도 전선에서 귀국하면 보다 중요한 지방 경찰이거나 훈련소, 청년훈련소, 모범촌의 지도원이 되거나 지원병 모집 선전원으로 기

용될 것이라고 생각하고 있다. 4) 지원병은 적들의 기만선전에 넘어간 사람들이다. 지원병 응모 선전을 하는 적들의 중요한 이론 근거는 '내선일체론'이다. 적의 미나미 지로 총독은 일본 건국 기원 2600년 기념일에 조선동포들에게 고하는 글에서 "조선은 일본제국이 대륙을 진출하는 병참기지이다. 이 과업을 수행하기 위해서는 여하를 불문하고 철저한 내선일체를 실현해야 한다."라고 말했다. 내선일체의 내용에 대해 적의 미나미 지로 총독의 말에 의하면 "내선(일본과 조선)은 조상이 같고 근본이 같은 혈통관계를 갖고 있을 뿐더러 조선인의 용모도 대화민족과 완전히 같다. 그러므로 현재 대화민족에 귀속된 것은 응당한 일이다."라는 것이다. 또 조선총독부가 1939년 9월에 이른바 조선 국민정신 총동원 운동에 관해 발표했다. 이 글에서 그들은 조선국민 정신 총동원 운동의 특이성을 말할 때에 "반도인민을 황국신민이 되게 해야 한다."라고 했다. 그 뜻인즉 일본 통치자들은 조선민족을 전혀 인정하지 않으며 조선민족을 대화민족의 일부로 인정한다는 것이다. 이런 시도의 구체적인 표현은 조선을 조선이라고 부르지 않고 반도라고 부르는 것이다. 또 최근에 실시한 창씨개명 제도로 조선인의 조선 성을 일본인식으로 고치도록 강박하고 있다. 총적으로 일본침략자들의 '내선일체론'은 일본과 조선이 동일한 민족이라는 근거를 내세워 조선인이 대화민족에 의해 전례 없는 위기를 당하게 하고 있다. 이른바 "반도인"도 자기들과 서로를 구분하지 말고 일본의 운명에 따라 공동으로 의무를 이행해야 한다는 이유로 조선인을 전쟁에 참가시키고 있다.

(6) 지원병 모집에 관한 선전 및 준비작업: 1) 조선을 통치하는 일본침략자들의 정책은 모든 것은 '인력 보충', '내선일체를 실현'을 위한 것이다. 이 두 가지 목적을 실현하기 위한 모든 조직, 예하면 애국반, 근로보국대, 모범촌, 청년훈련소 등은 지원병운동의 구체적인 준비작업이다. 청년훈련소를

일례로 들면 작년에 전 조선에 110개를 설치했는데 금년에는 785개를 설립했다. 명년에는 모든 고급소학교(6년제 소학교) 소재지에 보편적으로 청년훈련소(도합 935개)를 하나씩 세우는 것을 통해 당지의 청년들에게 '내선일체'의 정신을 부여하고 초보적인 군사훈련을 시키려고 하고 있다. 2) 문화선전: 인간쓰레기인 귀족 또는 문화인들을 매수하여 도처에서 지원병운동을 선전하고 강연하게 하거나 참전군에서 선정한 지원병을 파견해 순회강연을 하게 하거나, 또는 건달들을 매수하여 자원적으로 지원병에 참가하게 하는 등으로 분위기를 조성한다. 또 변절문화인들, 예하면 박영조, 이광수 등을 이용해 지원병 영화 또는 시가 등을 만들어 선전을 확대하고 있다. 3) 장려한다: 지원병에 채용된 사람들은 다 각 신문, 잡지에 실어 선양하며 그들이 훈련을 받는 동안 경제적으로 특별우대를 해주며 졸업 할 때에는 사회 및 일본 당국의 특별우대를 해준다. 제1, 2기 지원병의 상황을 보면 졸업할 때에 그들을 데리고 일본 각 지를 참관시키고 육군 대신이 특별 연회를 차려 대접하게 하며 지원병을 일일히 접견할 뿐더러 그들에게 장려금을 지급한다. 출전할 때에는 조선총독, 조선군사령 및 사회 일류 인물들이 나와 환송한다. 전사했을 때에는 더욱 큰 규모로 장례식을 치른다. 작년에 산서 작전에서 전사한 이인석에 대해 일본침략자들은 특별히 표창을 하고 각 처에 이인석을 기념하는 충령탑을 세웠다. 미나미 지로 총독 이하의 각 문무 중요 인물들이 다 이인석의 장례식에 참가했다. 또 대량의 금전, 위로품을 모금해 유족에게 주었으며 그 열렬한 분위기는 그야말로 세상을 들썩하게 했다. 일본 내각 총리의 장례식보다 더 요란했다. 적들은 이런 방법으로 인심을 매수하고 지원병 응모자들의 호기심을 불러일으키려고 시도하고 있다.

(7) 사회 일반의 반응: 이면에 대해서도 구체적인 자료는 없다. 다만 응모자 인수로부터 살펴보기로 한다. 작년 응모자는 1만2천 명이었다. 금년에

는 8만 명이 늘어나 근 8배에 달한다. 그러나 응모자 성분으로 볼 때 일반적으로 지식이 있는 청년과 조금이라도 대응 방법이 있는 청년들은 다 응모하지 않았다. 현재 조선 사회의 중견 청년들은 다 지원병에 참가하지 않았다는 것을 보여주고 있다. 또 지원병 좌담회에서 나온 논조들을 살펴보기로 하자. 지원병운동에 대해 일반적인 사회 정서는 냉담한 태도이다. 표면적으로도 환영하지 않는 태도를 취하고 있다. 일반 혁명군중들은 이 운동을 적극적으로 반대하고 있다. 예를 들면, 1938년 평양, 개성에서는 3천여 명 혁명군중들이 지원병 반대 운동을 일으켜 적의 군경과 충돌이 일어났으며 많은 희생이 있었다.

금후의 추세:

중·일 전쟁의 장기성, 일본침략자의 인력부족 및 상술한 상황에 대한 관찰에 근거하면 적들은 대규모로 지원병 훈련소를 확충할 것이며 대량의 지원병을 채용할 것이다. 뿐만 아니라 강박과 위협의 수단으로 우수한 청년들을 받아들일 것이다. 이 사업을 완성하기 위해 자연적으로 각 지방의 청년훈련소 사업을 강화할 것이다. 정보에 의하면 적들은 조선에서 40만 명의 사병을 뽑아 대규모로 중국 전장에로 쫓아 보내려고 하고 있다. 의심할 바 없이 이는 일본침략자가 자멸의 길로 나가는 것이다.

일본침략자가 통제, 압박, 기만, 도살, 발악을 하고 있기는 하지만 역사는 일정한 원칙에 의해 발전하기 마련이다. 조선역사를 아는 사람이기만 하면 다 미래의 조선에 대해 알 수 있을 것이다. 사실은 우리에게 알려주고 있다. 적들의 무단적인 공포통제 정치 하에서도 200만 명 대중의 3·1대혁명과 광주학생운동 및 무수한 장렬한 투쟁이 일어났다. 지금 적들이 지원병제도를 실시하고 있고 가장 엄밀한 방법으로 단속하고 있지만 그것은 필연코 헛된 짓이 될 것이다. 지원병은 굶주림에 허덕이고 방황하는 사람들이고 현실에 불만을 가지고 있는 사람들이기 때문에 그들이 일단 누가 자신의 진정한 적인지를 알게 되면 단정코 혁명진영에 서게 될 것이기 때문이다. 특히 조선 혁명자들은 일본침략자들의 시도를 짓부셔버리고 이런 지원병들을 쟁취해야 한다. 지금 조선의용대는 이미 중국 항전에 참가했으며 적군을 와해하고 조선군중을 불러일으키고 지원병을 쟁취하는 사업을 하고 있다. 적들에 의해 쫓겨 온 조선인민들을 쟁취하여 적의 무장으로 인류의 악마 일본 강도를 소멸할 것이다.

『朝鮮義勇隊』, 第34期

조선의용대의 3년 동안의 총화

나는 이 3년 총화보고를 쓰고 있는 중에 적후에서 온 소식을 받았다. 적후 공작에 투입된 × 등 동지들이 체포되었다는 소식이다. ×동지는 어머니마저 야만적인 일본 헌병대에 잡혀 들어가 숨이 질 때까지 모진 매를 맞고 돌아가셨다고 한다! × 등 동지들은 세 번째 해의 중심사업을 진행하던 중 영광스럽게 희생된 첫 패의 동지들이다. 우리 전체 동지들은 이미 결정한 사업을 잘 집행하는 것으로 하늘로 가신 ×동지의 영혼을 위로해야 할 것이다.

조선의용대는 1938년 10월 10일에 창설되어 중화민족의 영용하고 장렬한 항일전쟁에 참가한지 꼬박 3년이 되었다.

이 국제적인 대오는 조선민족의 혁명대오이다. 참전 3년 동안 어떤 일을 하였는가? 중국 항전을 위해, 조선민족의 독립해방을 위해 어떤 일을 했는가?

적아 쌍방이 사활적인 투쟁을 벌이고 있는 이때 우리는 네 번째 해의 사업을 추진하기 위해 반드시 과거를 철저히 검토해야 한다. 이는 자신을 치켜세우려거나 과거를 비판하자는 것이 아니다. 과거의 경험과 교훈을 오늘의 사업에 적용해 목전의 사업을 더욱 유력하고 활발하게 전개하기 위한 것이다.

파쇼 추축국를 타도하는 것은 세계 민주 국가의 급선무이다. 그러므로 반파쇼, 반침략에 있어 나라와 민족, 나라 제도를 불문하고 긴밀히 단합하여야 한다. 가령 일본파쇼 침략 강도를 타도하는 것이 일본 침략자의 유린을 당하고 있는 중국, 조선, 안남 등 민족의 공동하고 가장 절박한 과업이라면 우리도 마찬가지로 나라와 민족을 불문하고 성실한 마음으로 연합하고 친밀한 협조를 하여 목전의 유일한 과업인 일본타도의 임무를 완성해야 한다.

지금 조선과 중국의 연합항일은 텅 빈 이론이 아니라 이미 현실문제로 되었다. 우리는 지금 실존하는 구체적이고 현실적인 조건을 근거로 중·한 두 민족의 연합항일문제를 한층 더 연구해야 한다.

이런 의미에서 본 대의 과거 사업 상황과 자아비판에 관한 보고서를 우리의 동지들과 선생들께 올려 연구에 제공하고자 한다.

3년 동안의 사업에 대해

3년 동안의 사업은 두개의 단계로 나눌 수 있다. 첫 단계는 창설시기로부터 작년 하반년까지이고, 두 번째 단계는 작년 하반년부터인데 더 확실하게 말하면 본대의 창립 2주년 기념 및 제1차 확대간부회의 이후부터이다.

첫 단계의 사업:

1. 사업의 목표 및 원칙

본 대의 임무는 다음과 같다. (1) 재중 조선혁명역량 및 조선동포들을 동원하여 중국 항전에 적극 참가하고 중국 항전을 적극 지지하는 것이다. (2) 조선혁명의 지역적인 특수과업을 완성하여 조선혁명운동을 추동하고 조국을 해방한다. (3) 일본군민을 쟁취하고 동방 약소민족을 발동하여 일본제국주의 군벌을 반대하는 투쟁을 한다.

우리의 원칙은 다음과 같다. 조선민족의 입장에 서서 전반 중화민족의 항전에 참가한다. 우리는 망국 민족으로서 목전 우리의 가장 중요하고 절박한 목표는 민족의 독립과 생존을 쟁취하는 것이다. 일본강도를 타도하여 민족의 독립 자유를 쟁취하기 위해 우리는 그 어떤 항일 역량이든지 다 긴밀한 연결을 취하는 동시에 협조한다. 그러나 우리는 지금 중국의 영토에서 항일하기 때문에 반드시 전반 중국 항일 작전의 영도를 받는다.

이런 사업 목표 및 원칙 하에서 첫 단계의 주요 사업은 대적선전 공작, 일반 군민에 대한 선위(宣慰)사업, 국제 선전 및 조선동포의 반일투쟁을 발동하는 공작 등 사업이었다.

갑, 적대사업:

(1) 진지에서의 대적 선전 공작: 적들과 대치하는 진지 혹은 적과 2, 3백 미터 혹은 5, 60미터밖에 안 되는 거리에서 적들에게 중국 항전이 필승하고 일본군벌은 필패한다는 도리를 선전하여 일본 군민의 전쟁 혐오, 반전 정서를 불러일으키는 공작이다. 중요한 전장에 대한 실례를 들자면, 1939년 2월 호북성 북부 수현 절하변에서 있은 대적 강연, 1939년 3, 4월 호남성 북부 석산 새공교 통성 등 습격시의 선전, 같은 해 2월 광서 남부 곤륜관 회전 당시의 대적선전이다. 또 1940년 남창 공격전 당시에는 봉신, 고우 및 금하반에서 대적선전을 하자 적들은 총을 버리고 아군에 투항하겠다고 표시했다. 같은 해 2월 호북 북부 장령 거북산 기슭에서 대적 설전이 있었다. 같은 해 4월 수현 묘아파에서의 반전가극공연 등 이 모든 공작을 통해 중국 항일전장에서의 대적 선전 공작이 전대미문의 기록을 세웠다. 아울러 이런 실제적인 사업을 통해 대적 사업에 대한 수천수만의 중국 군민의 관심과 주의를 불러일으켰다.

(2) 전투와 파괴공작에 참가했다. 전투에 참가하여 선전사업을 하거나 또는 직접 전투 파괴 공작에 참가한 경우는 1939년 정월 호북 북부 수현 여가점에서의 무장선전사업이다. 같은 해 3, 4월 사이에 상북에서 상봉을 3차, 석산을 3차, 질계항을 2차, 새공교를 2차 공격하고 홍산, 하가, 옥령가, 왕가, 만가반 등을 14차 습격하고 하동항, 대사평, 십리시, 북항 등지에서 10차의 매

복전을 하였다. 파괴공작 면에서 보면 적들의 통신시설과 교량을 5, 6차 파괴하였고 전후하여 적들의 탱크를 4, 50차 파괴하였다. 1939년부터 1940년 사이에 악북 회전에 3차 참가했고 1939년 12월에 강서 건주가 습격전, 중조산 제12차 반소탕전에 참가했다. 1940년 2월 만산전역 및 항주 시내의 놀라운 파괴공작에 참가했다. 같은 해 2월에는 예북 림현 및 급현 일대에서 적의 통신망 및 철도를 파괴했다. 일부 대원들은 중국의 결사대에 참가해 적들과 육박전을 했고 일부 대원들은 편의대에 참가했고 어떤 대원들은 전투부대를 인도해 적들과 혈전(항주 교외 전투)을 했다. 전선의 동지들은 적들의 탄알이 빗발치는 전장에서 가장 용감한 혁명 선전을 했다.

(3) 전단지를 찍었다. 일본문, 조선문 및 중문으로 된 소책자의 전단지, 표어 등을 찍었다. 2년 동안 소책자 5만여 책, 전단지 50여 만 장, 표어 40여 만 장, 적들의 투항통행증 만여 장을 찍었다. 이는 우리가 일본군벌의 가슴을 향해 던진 작탄이었다.

(4) 포로를 교육했다. 본대는 동지들을 ×××× 및 ×× 등 각 포로수용소와 포로훈련기관에 파견해 군정부 및 정치부를 협조해 포로를 훈련시켰다. 중국 정부 군정부에서 석방하여 본 대에 편입시킨 포로가 50여 명이며 각 전구에서 훈련시킨 포로는 ××과 ××× 두 곳에서만 해도 75명이나 된다. 그리고 122명의 포로를 심문했다.

(5) 적의 문건을 번역했다. 본 대에서 각 전구에 파견한 동지들은 장관부 및 정치부를 협조해 적의 방송을 기록하고 적의 문건을 번역함으로써 작전에 참고하도록 했다. 효과가 아주 좋아서 2년 동안 제1, 제5전구 두 곳에서만 해도 번역한 문자가 95만여 자에 달했다.

(6) 대적 선전 간부를 교육, 양성했다. 각 전구 장관부 및 정치부를 협조해 단기 일본어 훈련반을 꾸렸다. 진지에서 우수한 사병을 선발해 저급 단계 대

적 선전인원을 훈련시켰다. 동시에 수시로 일본어를 가르쳤다. 2년 동안 6만
여 명의 중하급 대적선전인원을 훈련시켰고 수업시간은 누계로 4천여 시간
에 달한다.

(7) 예술선전사업을 했다. 문자와 구두적인 선전 외에도 만화, 연, 인형 등
각종 방법으로 수시로 영활하게 대적선전공작을 했다.

2. 일반 군민에 대한 사업

본대의 기치에는 심각하고 풍부한 뜻과 특별한 자극성이 담겨져 있다. 그
러므로 우리는 중국 항일군민을 위안하고 고무하는 역할이 아주 크다. 우리
는 장사, 평강, 유양, 수현, 대홍산, 중조산, 림현, 강서, 석서, 계남 등 무릇 우
리가 참전했던 6개의 전구 13개 성의 전선, 적후방 및 대후방에서 가슴속에
가득 품었던 동정과 열정으로 민중에 접근하여 사병과 민중들과 함께 생활
하고 고락을 같이 했다. 그동안의 사업에서 눈물겨운 수많은 이야기들이 전
해지고 있다. 이런 이야기는 중·한 두 민족의 마음의 교류에서 아주 큰 역할
을 일으키고 있다.

3. 국제 선전

평화를 사랑하는 전 세계의 인사들의 항일전쟁에 대한 동정을 쟁취하기
위해 우리는 조선민족의 입장에 서서 광범한 국제 선전을 했다. 이 점이 가
장 유력하게 반영된 것은 다음과 같은 몇 가지이다. 재화(在華) 대만 혁명동
지들이 자발적으로 대만의용대를 조직해 중국 항전에 참가했고 일본 반전
형제들도 일본인민 반전동맹을 조직해 중국 항전에 참가했으며 동방 피압
박민족 및 피압박인민들도 중국 항전의 주변에 긴밀히 단합돼있다. 이는 중
국 항전이 필승한다는 표징이다. 우리의 참전은 미국 ,인도, 안남 및 소련 등
나라의 인사들의 관심과 주의를 불러일으켰다. 그들의 재중 특파기자들은
특별히 글을 써서 자기 나라들의 신문과 잡지에 발표했다. 미국, 남양의 인

사들은 지어 지원금을 모아 본 대를 원조하고 있다. 본 대에 대한 국제인사들의 동정은 중국 항전에 대한 동정이다. 우리를 더욱 흥분시킨 것은 중국 경내의 소수민족, 예하면 몽골족, 장족, 회족, 묘족 등도 편지를 보내와 우리를 고무격려하고 있다는 점이다.

4. 조선동포들을 발동하는 사업

중국의 항전은 망국한지 30년이 되는 조선민족에게서 커다란 흥분을 불러일으켰다. 조선 혁명자들이 조직한 조선의용대는 중국정부에 협력해 항전을 하고 있다. 이는 조선민족을 더욱 격동시켰을 뿐만 아니라 조선민족에게 독립의 자신감과 광명의 희망을 주었다. 우리는 조선문으로 된 잡지와 총서를 출간하는 한편 무선전 방송을 통해 매주 2차씩 조선국내 및 중국, 미주에 거주하는 동포들에게 강연을 하고 있다. 다른 한 면으로는 우리의 과업—항일투쟁을 충실하게 수행하고 자신의 대오를 확대 공고히 하고 중·한 관계를 긴밀히 하고 조선동포들을 격려함으로써 조선동포들이 민족혁명의 길에 나서게 하고 있다. 이에 대해 재미 조선 교포들이 가장 먼저 반응했다. 그들은 자원적으로 조선의용대 후원회를 조직하고 재미 한교들을 정신 및 물질 면에서 총동원하여 적극적인 원조를 하고 있다. 다음은 조선 국내의 인민들이다. 최근 국내에서 온 보고에 따르면 전 조선에는 조선의용대가 3천 명의 무장 대오를 가지고 있다고 선전되고 있다. 그들은 본 대가 아주 강대하기를 바라고 있다. 또 다음은 피 점령 지역의 조선동포들이다. 그들도 우리의 기치아래 조국의 해방을 위해 힘내고 싶어 하고 있다. 적들은 북평에서 조선의용대와 같은 대오를 조직하여 조선인민의 시각을 혼란스럽게 하고 중·한 관계를 이간시키고 있다. 상해에서 출판한 잡지는 전문으로 본 대와 조선군중의 단결을 이간시키는 것으로 혁명의 역량을 갈라놓고 있다. 전선에서는 간첩을 이용해 현상금을 내걸고 우리의 동지들을 잡으려고 하고 있다. 본 대에 대한 적들의 온갖 대책을 살펴보면 조선인민에 대한 본 대의 영향이 얼마나 큰지를 알 수 있다. 지금 조선인민은 본 대를 신앙하고 있으므로 우리는 그들을 발동하고 조직하고 그들을 견정하고 유력한 혁명군중이 되도록 교육해야 한다.

제1단계 사업의 경험과 교훈

그동안의 사업을 검토하고 세 번째 해의 사업에 대해 계획한 견지에서 보자면 본 대는 창설 2주년을 계기로 중경의 본대 본부에서 제1차 확대간부회의를 소집했다. 각 구대 각 독립분대에서 구대장, 분대장을 파견해 참가했다. 이번 회의는 본대 사업의 분수령이었다. 회의는 과거의 사업에 대해 엄격하게 비판하고 다음과 같이 일치하게 인정했다.

1. 2년간 중국 총 정치부 및 지도위원회의 지도하에 진행한 각 면의 사업은 아주 성공적이었다.

2. 대적선전공작은 군대와 민중이 정치적인 여러 면에서 완전히 협동하지 못했을 뿐더러 주관적인 면에서 온갖 한계 때문에 예기한 목적에 도달하지 못했다. 그리고 이 곤난은 우리의 능력으로 극복할 수 없는 것이었다.

3. 대적선전은 무장화가 되지 못했기 때문에 효과적인 진행이 어려웠다.

4. 조선동포를 발동하는 사업도 아직 많이 부족했다.

5. 사업 면에서 자각적인 자력갱생 정신이 부족했다.

그러므로 다음과 같이 결정했다.

(1) 해외 및 국내의 조선동포들을 발동하여 조선독립을 완성한다. 이는 중국 항전을 돕는 가장 정확하고 가장 유력한 방법이다. 그러므로 우리는 조선 군중이 있는 곳으로 가야하며 우리의 운동은 반드시 조선민족의 사회적

이고 경제적인 토대위에 축성돼야 한다.

(2) 조선민족을 해방하고 민족의 평화 행복을 쟁취하려면 반드시 민족의 무장을 예리한 무기로 삼아야 한다. 조선의용대는 재화(在華) 조선 군사정치 간부가 조직했으며 중국 항전에서 조선민족무장을 창설하는 과업을 짊어져야 한다.

(3) 조선동포를 발동해 무장 대오를 창설하려면 반드시 과거의 사업방식을 고쳐야 한다. 분산적이고 이동적인 과거의 정치선전 사업방식에 대해 역량을 집중해 전투행위로 근거지를 창설하고 전투의 승리로 조선동포가 혁명의 진영에 참가하도록 호소하는 것으로 바꿔야 한다.

(4) 각 전구 장관부 및 정치부의 공작은 일본어 간부 훈련에 치중해야 한다.

제2단계 사업에 대해

제2단계 사업은 군사위원회 정치부와 지도위원회의 지시 및 본대 제1차 확대간부회의의 결정에 근거해 진행했다.

1. 교육훈련사업

확대간부회의의 결정을 집행하고 새로운 사업을 전개하기 위해 우선 대원들을 특별 훈련해 새로운 사업을 준비했다. 그리하여 제1구대, 제2구대, 제3구대 각 동지들을 낙양에 집중시켜 3개월간 훈련을 했다. 순조롭게 예기한 교육목적에 도달했다.

2. 조선동포 발동 사업은 세 번째 해의 중심사업이었다. 조선동포들을 더욱 유력하게 발동하기 위해 각 전구에 분산된 역량을 집중시켜 적후로 이동시켜 집체적인 전투를 준비했다. 아울러 인원을 적후에 파견하여 조선 혁명자들과 긴밀한 연결을 취하고 훈련, 이동, 집중시켜서 세 번째 해의 중심사

업을 준비했다. 미주 쪽에서는 재미 한족(韓族)연합회를 설립해 통일적인 지도하에 재화(在華) 조선혁명운동을 원조하는 재미 조선동포들을 발동했다. 필리핀에서 본대 통신처를 설립해 남양에 거주하는 조선동포들을 교육, 조직, 발동했다. 그동안 더욱 기쁜 일은 국내 혁명동지들과의 연계를 효과적으로 취할 수 있은 것이다.

3. 전선 사업: 전선 사업은 장관부 및 정치부의 일본어훈련이 중심이었다. 그 다음은 서안, 낙양 등지의 유동선전대의 사업이었다. 일반 군민들에게 무한한 자극을 주었고 공연한 연극 수입은 도합 200여 원으로 이를 정치부 및 부녀위로회에 헌금했다.

3년 동안 사업에 대한 총화

전투적인 3년, 흥분의 3년은 이미 지나갔다. 3년의 경과를 회고하면 그야말로 감개무량하다. 아무런 기초도 없고 국제 지위도 없이 중국에 망명한 망국노의 혁명자들이 걸어온 길은 그야말로 평범하지 않다. 우리의 조직과 사업은 단순하지만 조선의 정치는 전반 세계 정치의 일환이기 때문에 끼친 영향은 예외일 수 없다.

3년 동안 우리는 중국 최고 통수인 장위원장과 본 대 지도위원회의 직접적인 영도 하에 항일투쟁을 힘써 진행해 왔을 뿐더러 중국 항전 혁명의 풍부한 경험을 학습하였다. 그러나 지금 생각해보면 중국 항전에 대해, 조선혁명에 대해 기여한바가 너무 적어서 아주 부끄럽다.

3년 동안 적지 않은 오랜 동지들이 희생되었다. 그들은 수십 년 동안 일본제국주의의 헌병, 경찰, 간첩과 싸웠고 감옥에서도 투쟁했고 고난의 환경과도 투쟁했다. 이들은 오늘날 중국의 항전 전장에 빛나는 발자국을 남겼다.

이는 우리가 영원히 가슴에 새겨야 할 비장한 기억이다. 동시에 3년 동안 근 3배의 생력군이 증가됐다. 그들은 전선과 적후에서 앞사람이 쓰러지면 뒷사람이 이어가면서 영용히 분투하고 있다. 지금 중국 항전은 가장 어려운 환경에 처했다. 우리의 앞길은 더욱 험난할 것이다. 그러나 지금 중화민족은 영명한 장위원장의 영도 하에 굳세게 항전하고 있다. 지금 중·소·영·미 및 전 세계 모든 반침략, 반파쇼 나라들이 하나로 뭉쳐 파쇼 폭도들과 점차적으로 전면적인 전투를 벌이고 있는 이때 우리는 조선민족의 앞날은 광명하다는 것을 믿는다. 지금 우리는 누적한 경험과 교훈에 근거해 자각적인 혁명결심으로 기정의 사업방향을 향해 매진하고 있다! 즉 조선민족의 무장을 건립하고 조선혁명을 발동해 조선독립을 실현하는 것으로 중국 항전을 원조해야 한다. 우리는 혁명의 간고성에 대해 잘 알고 있다. 황차 강대한 역량이 부족한 우리의 앞길은 필연코 온갖 곤난이 막아 나설 것이다. 그러나 우리는 이런 곤난이 우리를 단련시켜 더욱 분발하고 더 힘차게 나아가게 할 것이라는 점을 믿는다!

　　1941. 9. 29.

　　一九四一年 九月二九日

『朝鮮義勇隊』, 第40期

김정희 동지를 추모하여

김 동지는 1914년에 조선 평안북도 정주의 한 중농 가정에서 태어나 1933년에 경성중동학교를 졸업하고 바로 중국에 와 광동중산대학에서 공과공부를 하였다. 중국 항전이 시작되자 조선청년전위동맹에 참가했고 1938년 10월에 의용대에 가입했다.

나는 그와 1938년에 무한에서 알게 되었다. 우리 조선청년 전지복무단이 대무한보위에 참가했을 때였다. 그는 무더운 여름날 다 해져서 너덜너덜한 옷을 입고 열심히 일하고 있었다. 그는 틈만 있으면 철학, 역사를 공부하고 연구했다. 그는 운동을 좋아했는데 중산대학의 축구선수였다.

가난한 생활 속에서 간고한 사업을 하면서 그는 신체가 날로 허약해졌다. 작년 3월 계림에서 중경으로 오고 금년에 또 중경에서 노하구, 낙양으로 가서도 병환의 상태에서 여전히 사업했다. 그는 동지들을 단합시키 위해 한시각도 자신이 싸우고 있는 일터를 떠난 적이 없다. 쌓이고 쌓인 피로가 병이 되어 9월 3일 서안 적십자 병원에서 세상을 떠났다. 나이는 겨우 26세, 집에는 어머니와 세 동생이 있다.

우리가 힘든 임무에 직면해 보다 많은 간부가 필요한 이때에 그는 너무 일찍 떠났고 너무나도 어울리지 않는 곳에서 떠났다.

그러나 슬퍼하기만 한다면 그것은 헛된 일이다! 우리는 그가 우리의 사업을 도모하기 위해, 우리 내부의 단결을 도모하기 위해 떠났다는 것을 기억해

야 한다. 우리는 오늘 정희동지의 전투정신을 본보기로 우리의 사업을 완성
하는 동시에 수많은 간부들을 양성하는 것으로 그가 못 다한 일을 완성해야
한다.

『朝鮮義勇隊』, 第34期

대적공작 연구 개요

Ⅰ. 과거의 대적 공작 경험들

갑. 우리의 성적

1. 항전 3년 반 동안 일반 군민들이 대적공작의 중요성을 알게 했다. 동시에 수만 명의 대적공작인원을 훈련시켜 금후 사업의 토대를 닦았다.

2. 3년 반 동안의 대적공작을 통해 적군에 아주 엄중한 타격을 가했다. 예하면, 화북(華北), 악북(鄂北), 악동(鄂東), 상북(湘北), 공북(贛北) 등지의 적군은 이미 국부적으로 염전, 반전 거동이 나타나고 있다.

악북 수조 일대: 금년 4월에 아군이 적진에서 적들을 향해 노래를 부르자 적들이 박수를 치며 환호했고 우리더러 자신들의 진지로 넘어와서 이야기를 나누자고 했다.

공북 고우: 금년 2월 초에 적아 쌍방이 200미터를 사이 둔 곳에서 우리는 적측을 향해 선전을 했고 적들더러 전호에서 나와 이야기를 나누자고 했다. 적들 중에서 20여 명이 나왔다. 어떤 때에는 적군도 자발적으로 우리와 이야기를 나누자고 했다.

악동 방면: 일본 반전동맹의 동지가 적진에 대고 선전을 할 때에 적들은 받아들인다고 표시했고 통조림을 우리 측에 뿌려 주었다

3. 우리가 선전하러 다니는 곳마다 적들은 빈번하게 군대를 움직여 우리와의 연결을 방지했다.

4. 우리 측의 선전이 심도 있게 진행되자 적국 내에서도 충동을 느끼고 9월 26일 오사까 매일뉴스보는 이런 기사를 내보냈다. "중경 정부는 선전을 유일한 무기로 삼아 방송을 이용해 포로좌담회를 하였는데 우리 당국은 이에 대해 모르는 태도를 취하고 있는가?……"

5. 화북의 보도에 의하면 적들은 한개 중대(19명)가 전쟁을 반대하여 기의해 넘어왔다.

이런 성적이 다 대적선전의 효과라고는 말하기 어렵지만 적어도 대적공작의 영향이 적지 않았다는 것을 알 수 있다.

을. 결점

1. 일반적으로 말하면 대부분의 사람들은 대적공작의 중요성에 대해 인식이 부족하다. 어떤 이들은 '속효관념'에 매워 정확하고 구체적인 방법이 부족하다.

2. 대적공작의 기구는 상부에서 최전선에 이르기까지, 적후방의 전투단위로 부터 민간에 이르기까지 다 구성돼 있는데 기구의 체계, 구성원 및 각 직급에 대한 배분이 제대로 이뤄지지 않고 있다.

3. 대적공작을 실시함에 있어 전반적인 통일적인 계획성이 부족하다.

4. 선전자료 공급에 있어 보편성과 적당성이 부족하다.

5. 선전내용에 있어 구체성, 시간성이 부족하며 아울러 내용이 대부분 주관적이고 객관성이 홀시돼 있다. 즉 피선전자의 입장이다.

6. 선전인원이 부족하고 각 전선 전투 부대 및 적후에 보편적으로 배치되지 않고 있다.

7. 선전과 전투가 잘 맞물리지 않고 있다.

8. 진지 및 적후의 군민들이 충분히 동원되지 않았다.

Ⅱ. 현 단계 대적공작의 중심과업에 대한 미숙한 견해

현 단계는 항전 제2기의 말기이다. 즉 우리가 총 반공을 준비하는 단계이다. 그러므로 대적공작의 중심과업, 대상 및 내용에 있어서는 이 전략적인 임무를 달성하는데 두어야 한다.

1. 일본 국내 인민의 혁명운동을 촉진해야 한다. 침략전쟁이 연장되고 남진이 모험으로 되고 일본 통치자들이 위기에 빠지고 적국 내부의 광범한 인민의 반전운동이 온양되고 있는 이때에 우리는 가배의 노력을 들여 중국 항전의 승리를 선전해야 한다.

2. 전선의 적병의 염전, 반전 정서를 반전의 행동으로 변화되게 하고 소극적인 반항이 적극적인 행동으로 변하게 하며 단독적인 행동이 집체적인 투쟁으로 변하게 해야 한다.

3. '괴뢰만주국' 및 왕정위의 괴뢰조직을 와해하여 피 점령구역의 광범한 민중을 쟁취해야 한다. 적들은 계속 침략전쟁을 하기 위해서는 반드시 동북 및 기타 피 점령구에서 부족한 인력, 물력을 보충할 수밖에 없다. 동북에서 보면 적들은 금년부터 10개의 징병구를 획분하고 200만에서 300만 명을 징용하려고 하고 있다. 산업 '5개년 계획'에는 올해에 생철 2,200만 톤 석탄 3,500만 톤, 석유 200만 톤을 생산한다고 명시했다. 그러므로 우리는 지금 피 점령구역내의 민중 혁명운동을 극력 발동하여 괴뢰조직을 와해시키고 광범한 동포들을 쟁취해야 한다.

4. 일본제국주의 식민지의 민족해방운동에 협조하고 극력 원조해야 한다. 이는 비록 대적공작은 아니지만 우리는 대치단계 말기의 과업을 수행하기 위해 반드시 이 사업과 대적공작을 함께 진행해야 한다.

III. 현 단계 대적공작 원칙

1. 중국 항전의 승리를 쟁취하고 삼민주의 새 중국을 창립하기 위해 선전의 태도, 내용 등 모든 면에서 이러한 혁명적인 입장에 근거해야 한다. 절대 협애한 애국주의에 빠져 "왜노를 전부 죽여야 한다."는 식의 관념으로 선전해서는 안 된다.

2. 반드시 피선전자가 접수할 수 있는 도를 정확하게 파악해야 한다. 이는 대적공작에서 잊지 말아야 할 원칙이다. 과거의 선전에서는 흔히 주관적인 희망사항으로부터 출발하고 피선전자의 객관적인 상황에 대해 홀시해왔다.

IV. 대적공작의 구체적인 방법

1. 공작대상. 목전 공작의 대상은 전반적인 것이어야 한다.

(1) 적의 군민.

(2) '괴뢰만주국' 및 왕정위 괴뢰조직.

(3) 적 통치하의 광범한 군중.

(4) 적에게 이용되고 있는 조선인.

(5) 적에게 이용되고 있는 대만인.

2. 공작 방법 및 기술

공작의 대상 및 공작의 중심 과업에 근거해 부동한 방법 및 기술을 사용해야 한다.

(1) 일본 국내, 조선 및 대만에 대해

ㄱ. 신문, 잡지 등 비밀간행물 출간을 이용한다.

ㄴ. 방송을 이용한다.

ㄷ. 일본, 조선 및 대만의 혁명단체와 긴밀한 연락을 취한다.

(2) 진지(陣地)

ㄱ. 문학적인 방법──예하면 전단지, 표어, 소책자, 나무패쪽, 편지 쓰기 등 방법을 사용한다.

ㄴ. 구두적인 방법──예하면 소리쳐 말하고 강연하고 변론하고 노래를 부르고 연극을 하고 나팔을 울리는 등이다.

ㄷ. 예술적인 방법──예하면 연, 만화, 인형 등을 이용한다.

ㄹ. 강유력한 무선전을 이용한다.

(3) 적 점령구

ㄱ. 문자적인 방법──진지에서 공작 할 때에는 문자를 사용하는 방법 외에도 비밀적인 정기간행물을 출간해 사용할 수도 있다.

ㄴ. 담화하는 방법──적후에서는 수시로 적당한 기회를 파악하고 적들의 약점과 모순을 폭로하며 적후 민중에게도 선전한다.

ㄷ. 민중적인 대적공작을 강화한다.

ㄹ. 정규군 및 유격대와 밀접히 협동한다.

ㅁ. 선전과 조직 공작을 연결시킨다. (기술면에서 특무식 방법을 취할 수도 있다.)

이 공작에서 주의해야 할 사항:

(1) 선전 자료는 반드시 통일적이고 계획적이고 신속하고 끊임없이 공급돼야 한다.

(2) 내용은 구체적일뿐만 아니라 정확한 사실을 취해야 한다.

(3) 문자는 정확해야 하고 오탈자가 있어서는 안 되며 선전물은 반드시 예술적으로 되어야 한다.

(4) 내용면에서는 적과 민족의 자존심에 손해를 끼치는 구절이 있어서는 안 된다.

(5) 선전은 전투 임무에 협조해야 하며 동시에 전투와도 협동돼야 한다.

(6) 선전원 무장화를 한다.

(7) 구두선전을 할 때에는 일본어를 정통한 자가 담당해야 한다.

(8) 정확하고 세밀한 적정 조사가 있어야 한다.

3. 공작기구

(기구체계, 인원성분 및 과업분배)

기구에 대해 말하자면 우리는 참고의견을 제출할 따름이며 각자가 부동한 구체적인 환경에서 적당히 개변시킬 수 있다.

(1) 상층기구

① 기구——총 정치부에 설치하고 현유의 문화사업위원회의 제3조를 확충한다.

② 성분——반드시 고급부대 측의 참모장, 정치부, 선전부 및 기타 적정연구를 거쳐 대적공작을 하는 단체가 망라돼야 한다.

③ 과업——적정연구, 대적방송관리, 정기대적간행물출판, 선전물인쇄이다. 대적공작에 대한 책동을 계획하고 고급적인 대적공작인원을 훈련시키는 등이다.

(2) 각 전구

① 기구——대적공작위원회를 설립하여 전구정치부에 소속시킨다.

② 성원——참모장, 정치부, 지방정부, 민중단체, 지방 유력자 및 기타 대적공작 관계자가 망라된다.

③ 공작——대적공작을 계획하고 대적선전물을 인쇄발행하며 중급 대적공작간부를 훈련시킨다.

(3) 군부

① 기구——대적공작위원회를 신설해 군부 정치부에 소속시킨다.

② 성원——군 참모처, 정치부, 지방정부, 지방유력자, 민중구국단체(民衆

救國團體)가 망라된다.

③ 훈련──하급간부를 훈련시킨다.

(4) 단부

① 기구──대적 공작대를 성립하고 인수는 약 1중대 수로 한다.

② 공작──각 연부를 배당하여 공작을 순회한다.

(5) 연부

① 기구──대적 공작반을 성립한다.

② 공작──전투에 호응하여 대적 공작을 진행한다.

(6) 함락구역 지방정부와 유격대

① 각 사업단위의 대적 공작반을 성립한다.

② 공작──언제 어디서나 대적 공작을 한다.

4. 공작인원

(1) 문화위원회에서 고급 대적공작 간부를 양성한다.

(2) 각 전구 대적공작위원회가 간 군, 사단의 우수한 인원을 훈련·선발한다.

(3) 일본어를 잘하는 사람을 동원한다.

(4) 예술인재를 동원한다.

5. 포로정책

(1) 포로는 군부에서 관리하며 정치부 대적공작부에서 훈련시킨다.

(2) 포로들 중에서 전투원과 비전투원을 분별 있게 처리한다.

(3) 포로에 대한 교육관리 정책면에서 설득감화방법을 취해야 한다.

(4) 포로들을 활용하며 포로의 각성 정도 및 능력에 따라 각종 공작을 배치한다.

(5) 조선포로들은 조선 대적공작 단체에 편입시켜 관리하고 교육하여 활용하게 하며 일본포로와 대만포로는 각각 일본, 대만의 대적공작단체에서

관리, 교육하게 한다.

(6) 적당한 기회를 봐서 포로들을 석방해 원 부대거나 적후로 돌려보낼 수 있다.

(끝)

『朝鮮義勇隊』, 第39期

포로 마키모토군 방문기

2월 21일 아침, 악양 부근의 산골짜기에 있는 외딴 집에 우리의 60여 세 되는 할머니가 잡아온 적병 한명이 있었다. 그는 올해에 28세인 활발하고 자애로운 농촌 청년이었다. 이름은 마키모토 다카오이고 후쿠이 현 사카이 군 오오이시 촌에서 사는 보통 사람이었다. 집에는 59세나는 어머니가 있고 아무도 농사를 짓지 않는 논밭 한 뙈기와 한전 두 뙈기가 있었다. 그는 10살에 아버지와 사별하고 어머니 슬하에서 자랐다. 그는 친척도 형제도 없는 외독자였다. 17세 되던 해에 그 현의 사립 3년제 농업학교를 졸업하고 중국으로 오기 전까지 어머니를 도와 밭을 가꾸었다. 작년 11월에 보충병으로 징발되어 '중국으로 왔다.'

2월 20일 저녁 50여 명의 사병과 함께 악양을 떠났는데 어디인지 알 수 없었다. 분대장을 따라서 갔다. 산길을 따라 걸었는데 산을 5, 6개나 넘었다. 산이 깊고 앞이 캄캄하여 갑자기 대오에서 떨어졌다. 방향도 모르고 길도 몰랐는데 소리도 낼 수 없어서 혼자 길을 찾아 헤맸다. 목숨 같은 총칼마저 산골짜기에 잃어버렸다. 그러나 길은 찾지 못한 채 날이 밝았다. 아침의 찬바람 속에서 추위를 견디다 못해 마침 산비탈에 외딴 집이 있는 것을 보고 산을 내려 집안으로 들어갔다. 그는 손짓으로 밥을 달라고 하고 물도 달라고 하면서 불을 쪼였다. 그는 그때 아무런 생각도 없었고 굶주린 배만 달래고 몸이 녹으면 바로 도망갈 생각을 했다. 그때 집에는 60여 세 되는 할머니밖에 없었다. 친절하게 그에게 밥을 주었다. 금방 밥을 먹었는데 갑자기 중국 장정 대여섯 명이 나타나서 그를 잡았다. 이 치벽한 산골에서 이 육순에 나는 할머니도 민족의 해방을 위해 분투하고 있은 것이다.

그는 작년 11월 1일에 후쿠이 현에서 제6차 징병에 뽑혀 사카이 군의 둔영(둔영은 유동훈련소임.)에 편입되었다. 적군은 지금 보충병을 징발하기 위해 외독자고 뭐고 가리지 않았고 가정 경제 상황 등은 더욱 묻지도 않았다. 신체가 좋고 큰 벼슬아치가 아니고 재벌의 자제가 아니기만 하면 다 보충병에 편입시켰다. 둔영에서의 훈련은 워낙 1개월에야 끝나는데 이번 훈련은 반달도 채 걸리지 않았다. 바로 전선 작전에 파견되었다. 11월 15일에 고향을 떠날 때에 제 ××사단에 편입되어 쓰루가에서 배를 타고 상해로 떠났다.

어머니와 이별할 때였다. 어느 어머니인들 자식을 사랑하는 마음이 없으랴. 전쟁에 참전한 한 친구가 편지에 써왔듯이 "자애로운 어머니의 사랑은 산처럼 높고 강처럼 깊다." 이는 어머니 이별할 때의 생각이었다. 어머니는 언제나 돌아올지 모를 아들을 바라보며 꼭 몸을 잘 챙기라고 하셨다. 이때 그는 마음이 갈기갈기 찢어지는 것 같았다. 그러나 조금도 그런 감정을 나타낼 수 없는 환경이었으니 어찌하랴. 기자가 물었다. 참전하고 싶지 않았다면서 왜 도망치지 않았는가? 그는 이렇게 말했다. 도망쳐도 괜찮다면 지금까지 그 얼마나 많은 사람들이 도망쳤는지 알 수 없을 것이다.

11월 말에 상해에 도착해 계속 배를 타고 남경으로 갔고 다시 무창으로 갔다. 무창에서부터 도보로 하루에 50여 리씩 행군했다. 그렇게 6일 동안 걸었고 12월 말에야 악양에 도착했다. 악양에서 체포될 때까지 훈련만 받고 작전에는 참가하지 못했다.

그는 둔영에 들어간 후 매일 5시에 기상해 밤 9시에 취침했으며 매일 10시간의 기본 군사 훈련을 했다. 예를 들면, 차렷, 쉬엇 등 동작을 배웠다. 그들은 다 한 번도 군사훈련을 받은 적이 없었다. 그 외에 '정신훈련'은 없었고 '정치토론회'도 없었다. 매일 권련 한 갑, 술을 발급했다. 행군할 때에는 매일 오전에 일어나 밥을 지어 하루에 두 끼니 먹었다. 점심은 찬 것으로 먹고 저녁에는 물이 있는 곳에 도착해 저녁밥을 지어 먹었다. 행군할 때에 가장 힘들었던 것은 사람 하나 얼씬 거리지 않는 길을 따라 가는 것이었다. 좋은 먹거리가 없고 땔나무와 채소도 없었다. 다행이 많은 곳에는 밭에 채소가 많이 자라있었다. 그리고 또 문짝과 볏짚, 걸상이 있었다. 그들이 행군할 때에 휴대한 식량은 두되였다. 우리가 퇴각할 때에 채소를 다 뽑아버리고 집을 모두 태워버릴 수만 있다면 적들은 행군하기도 어려울 것이다.

이들 신병은 노병들과 완전히 떨어져 있었을 뿐더러 신병들끼리도 떨어져 있었다. 악양에 도착한 후의 생활은 매일 오전 8시에 기상해 점호하고 밥을 먹었다. 전에는 적군 내에서 엄격하게 집행했던 예식이 있었다. 즉 아침에 세수하고 천황이 있는 쪽을 향해 삼배를 했다. 밥을 먹을 때마다 "천황님의 은덕에 감사합니다."라고 했다. 그런데 지금은 이런 것도 하지 않고 식사 후에는 각자 휴식을 취하고 곧 근무하거나 훈련을 했다. 11시에 훈련을 마치고 반시간 휴식하고 12시에 오찬을 먹었다. 식후 1시간 휴식하고 또 근무하거나 훈련을 했다. 4시에 목욕하고 저녁 식사 후에는 한담을 하군 했다. 화제는 대부분 여자에 관한 것이었다. 어떤 사람은 집에 편지를 썼다. 대부분 집에서 오는 답장을 받고 싶어 했다. 그리하여 다들 고민했다. 편지를 써도 군사 소식은 엄금했다. 이러다보니 적들은 지금까지 후방의 훈련소에서 받아들인 신병들이 반달도 안돼서 전선에 직접 나가 보충훈련을 받는 상황이었다. 매주 일요일마다 오전에는 여러 명을 점호하여 휴가를 주었다. 그러나 외출은 불가했다. 때문에 대부분 잠을 잤고 운동도 별로 하지 않았다.

매달마다 한번씩 '연예회'가 있었는데 모두 사병들로 조직됐다. 술을 마시고 유행가를 부르거나 춤을 추었다. 그들은 북을 치고 징을 울리며 놀았다. 이런 모임에는 대대장은 물론 중대장도 참가하는 일이 드물었다. 한 부대거나 한 사람의 진정한 정신 상태는 이처럼 보다 자유로운 장소에서 쉽게 표현된다. 침략자의 군대 내에서는 혁명을 위해 노래 부르는 구국가 같은 노래는 있을 수 없다. 열렬한 강연도 있을 리 없다. 그들의 연예회에서 표현된 것처럼 낭만과 퇴폐만 있을 뿐이다.

그들은 군대 내에서 군사, 정치, 전쟁 등에 관한 보고도 없었으므로 그는 고향을 떠나 이때까지 자기 국내의 상황과 전반적인 전쟁 상황에 대해 아는 것이 전혀 없었다. 군부에서는 사병더러 상부의 명령을 따르기만 하라고 했고 토를 달지 못하게 했다. 다들 속으로는 전쟁을 혐오하고 고통스러워 했지만 서로 입 밖에 내지는 못했다. 그는 가장 고민스러운 일이 '맹목적인 행동'이라는 것이었다.

대대장, 중대장은 평소에 집안에서 별로 나오지 않았고 대체 뭘 하는지 알 수 없었다. 그의 분대장은 노병이었는데 서창의 전쟁에도 참가했다고 한다. 그는 신병의 유일한 지도자였다. 신병들과 함께 생활하면서 늘 참전하는 동안의 고통스러운 경험에 대해 말하곤 했다. 가장 고통스러운 경험은 야간 행군을 하면서 수일간 밥을 먹지 못하고 전투를 했다는 것이다. 이는 중국의 초토화 항전 및 유격대가 적에게 안긴 최대의 고통이었다.

그들은 악양에서 양력설을 쇠었다. 그날은 아침부터 휴가를 주었지만 군대가 보초를 서는 범위 내에서 한발작도 나가지 못하게 했다. 출전해서 처음 떡과 과자를 먹었다. 그는 중국에 떡이 있느냐고 물었다. 그는 아주 먹고 싶다고 했다. 그리하여 나는 그에게 떡을 주워 먹게 했다.

그가 사는 마을에는 인구가 약 3천 명이 있었는데 작년 11월까지 참전에 보충된 인구가 백여 명이나 됐다. 집집마다 국방헌금을 바쳐야 했는데 그의 집도 적지 않게 바쳤다고 했다. 인건비는 과거에는 1원 20전이었는데 지금은 67전으로 떨어졌다고 했다. 물가는 엄청나게 올라서 평균 30% 이상 올랐다. 철, 면화가 가장 많이 올랐다. 농촌의 농민들은 고통에 허덕이고 있지만 일반 언론계는 정치, 경제면의 소식을 마음대로 싣지 못하게 했다. 전쟁은 근 2년이나 계속됐고 언제 끝날지 아무도 알 수 없었다. 전쟁에 대해서는 다들 회의적인 태도를 취했다. 그의 고민은 지금 일본 군민이 다 가지고 있는 것이었다. 그는 전쟁이 일찍 끝나서 어서 집에 가서 어머니를 만나고 싶다고 했다.

나는 그에게 이렇게 말했다. 이번 전쟁은 중화민족과 조선민족을 해방하는 혁명전쟁일 뿐만 아니라 일본 인민을 해방하고 일본 인민의 새 일본을 창립하는 전쟁이다. 일본이 중국을 침략한 것은 소수의 재벌 군벌들의 이기적인 전쟁이며 일본 인민의 생명 재산을 희생시키는 망국의 전쟁이다. 지금 적지 않은 일본 친구들이 우리의 항전에 참가하고 있고 우리와 함께 노력하고 있다. 나는 그도 우리의 항전의 의미를 깨닫기 바란다고 했다. 함께 신동아 질서를 건립하기 위해 힘써보자…등을 말했다. 그는 "맞다.", "군벌들의 전쟁이다."라고 하면서 손을 내밀어 나의 손을 잡고 자기 속심의 말을 했다.

3월 2일 장사에서

『朝鮮義勇隊通訊』, 第7期

김규광 편

왜 전 민족적인 통일전선을 건립해야 하는가?

1. 우리의 주장

우리는 과거 우리의 민족해방투쟁의 보귀한 경험과 목전 국제 및 국내의 정치형세에 근거하여 다음과 같이 굳게 주장한다. 현 단계 조선혁명의 유일한 임무는 전 민족적인 통일전선을 결성하여 일본제국주의를 타도하고 진정한 민주독립국가를 창립하는 것이다.

2. 민족해방투쟁의 역사적인 경험

과거 30년 동안 조선민족은 횡포한 일본제국주의 통치하에 참혹한 노예생활을 해왔다. 전체 민족은 정치적 자유와 경제적 생존권을 잃었을 뿐만 아니라 4천여 년의 유구한 역사를 가지고 있는 문화와 민족의식이 극도의 억압을 당해왔다. 이런 민족의 피압박사실은 조선민족과 일본제국주의는 절대로 병존할 수 없는 역사적 및 현실적 근거가 있음을 보여주었다.

우리의 민족해방투쟁은 망국에서 현재에 이르기까지 일본제국주의의 폭압과 도살이 그 얼마나 흉악했든지를 막론하고 계속 끊임없이 진전되고 확대돼왔다. 망국 당시 전국의 의병 봉기로부터 말하면 만주 조선독립군의 끊임없는 유격전쟁, 1919년 '3·1'운동의 전 민족적인 대 궐기, 암살파괴운동의 전면적인 전개, 사회운동의 급격하고 보편적인 발전, '6·10'운동의 대중시위, 전국 노동자, 농민, 청년학생들의 반일결사(노동총동맹, 농민총동맹, 청년총동맹 등) 및 그들의 파업, 납세거부운동(抗租), 노예교육 반대 등 역차의 투쟁과 폭동, 만주의 반일 대 폭동, 특히 최근에 날로 확대되고 강화되고 있는 동북 인민혁명군속의 조선인대오의 항일유격전쟁… 등을 들 수 있다. 이 모든 끊임없는 혁명투쟁은 일본제국주의 통치에 강유력한 타격을 주었을 뿐만 아니라 조선민족의 독립자존의 정신과 능력을 충분히 발휘시켰으며 우리의 해방의 앞날을 명확하게 가르쳐주고 개척했다.

그러나 이 모든 혁명투쟁은 당시에 아직 성숙되지 않은 주관 및 개관적인 조건하에서 일시적인 실패 또는 부분적인 실패를 하곤 했다. 첫째, 주관적인 면에서 보면 과거의 우리의 해방운동은 거의 전부가 정확하게 당시의 국제정세와 국내 각 사회 계급의 현실적인 요구를 파악한 권위적인 혁명 지도이론을 수립하지 못했다. 그러므로 견강한 혁명적 전위부대를 건립하지 못했고 충분히 대중을 교육하고 대중을 조직하지 못했다. 혁명역량도 통일적이고 집중적으로 확대되지 못했다. 둘째, 객관적인 면에서 보면 우리의 원수 일본 제국주의의 침략 기구는 과거 수십 년 동안 전례 없이 확대되고 강화되었다. 이와는 반대로 대전후 폭발한 동방 피압박 민족 해방운동, 특히는 중국 국민혁명운동이 일시적인 좌절을 겪었고 각 나라 무산계급 혁명 운동도 일시적인 진압을 당했다. 이런 객관적인 정세 하에서 우리의 해방운동도 아주 중대한 억압과 영향을 받았다.

그러나 이런 혁명의 침체상태는 절대 조선민족혁명의 전면적인 실패와 일본제국주의의 영원한 승리를 의미하지는 않는다. 이런 실패는 단지 표면적이고 일시적인 것이며 본질적으로는 영구한 것이 아니다. 우리의 해방투쟁은 이런 간고한 투쟁의 경험을 하는 가운데서 끊임없이 새로운 전투이론과 새로운 실천 역량을 준비하고 발전시켜야 한다. 이것이 목전 우리의 운동 전선이 각 방면에서 생장 발전하고 있는 전 민족적인 통일전선의 운동이다.

바꾸어 말하면 현재 우리가 적극 주장하고 추진하는 민족통일전선운동은 절대 추상적이고 헛된 것이 아니다. 과거의 모든 혁명적 투쟁의 경험에서 생장하고 발전한 진일보의 전투이론과 전투적인 행동이다.

3. 민족전선의 사회적 의식

우선 현 단계 조선혁명의 성질은 민족통일전선운동의 사회적 및 역사적인 의의를 결정한다.

현 단계 조선혁명은 그의 반봉건적이고 식민지적인 사회 성질에 근거한 가장 광범한 민주주의인 전 민족의 해방운동으로 규정되는 것이다. 자세히 말하면 현 단계 조선혁명은 조선이 일본 식민지로 되고 전 민족이 이민족의 극도의 압박을 받는 이 역사 사실 때문에, 또 조선사회의 반봉건 성질 때문에 반드시 사회혁명이 아닌 민주주의적인 민족해방운동으로 돼야 한다. 그러므로 현재의 조선혁명은 절대 어느 한 단계 혹은 어느 한 정당이 단독으로 지닌 과업이 아니다. 실제상 전체 민족이 다 같이 원하는 해방의 요구이며 다 같이 반일의 과업을 지니고 있다. 물론 우리는 조선 노농 노고대중이 가장 믿음직한 혁명의 역량이라는 것을 확인하였고 동시에 우리는 광범한 중소자산계급, 민족상공업가 또는 지주 등도 반일적인 혁명성을 상당히 많이 갖고 있고 전 민족적인 해방 투쟁의 상당한 주요 세력이라는 것을 인정하지 않을 수 없다. 그럴 뿐만 아니라 조선 사회 각 계급, 각 정당, 정파는 일본제국주의의 폭압통치하에 필연적으로 그들 내부의 모순을 배제하고 민족 전선의 기치아래 통일되어 공동으로 일본제국주의 통치를 뒤엎을 것이다.

4. 민족전선의 국제적인 의의

두 번째는 최근 수년 동안 끊임없이 변화하고 발전하는 국제 정세가 객관적으로는 우리의 통일전선을 추진하는 동시에 국제적 연합전선의 중요 의의를 제시하고 있다.

목전 세계의 정치 형세를 보면 뚜렷하게 두개 진영으로 나뉘어 있다. 즉 하나는 침략주의의 파쇼 전선이고 다른 하나는 민주주의적인 평화 전선이다. 전자는 일본, 독일, 이탈리아를 중심으로 하는 국제적인 침략 집단이고 후자는 프랑스, 소련을 중심으로 하는 반침략 평화 전선이다. 이런 국제 정세는 필연코 세계 피압박민족 및 국가들이 반침략 전선에 참가하게 한다. 이런 국세는 이탈리아와 에티오피아의 전쟁과 에스파냐 내전, 특히는 목전 중·일 전쟁에서 아주 뚜렷하게 표현되었다. 바꾸어 말하면 전 세계 각 식민지 및 반식민지 민족의 해방투쟁은 국제 반침략 전선과 아주 긴밀히 연결돼 있다.

특히 동아시아에서 우리의 적 일본제국주의는 '9·18'사변이래 미친 듯이 중국의 영토를 침략했다. 동시에 중국에서의 열강의 세력을 몰아냈기 때문에 열강의 대립 면에 서게 되었다. 그리하여 일본은 국제적으로 영국, 미국, 프랑스, 소련과 첨예한 대립을 이뤘다. 동시에 중국 4억 5천만 민족의 항일투쟁은 전례 없이 확대되고 긴장되었다. 특히 주목할 점은 중국 국공 양당이 민족을 멸망의 운명에서 구하기 위해 모든 지난날의 원한을 버리고 단체를 결성해 전 민족의 통일전선을 구축하였으며 통일의 기치아래 전 민족적인 항일총동원을 했다는 점이다. 이 전쟁의 발발에 따라 발전한 소련 원동정책—원동군비강화, 소몽협정, 중소불침범 공약 등은 더욱 일본제국주의의 파멸을 다그치게 될 것이다.

일본제국주의의 이런 미친 듯한 대륙침략은 중국 민족의 대동단결을 촉진했을 뿐더러 조선 및 대만 민족의 일치한 단결과 수천만 일본 인민 대중의 반파쇼 인민전선의 결성을 촉진했다. 일본제국주의는 한 면으로는 중국을 침략하고 소련을 공격하기 위해, 다른 한 면으로는 영미의 간섭을 대처하기 위해 적극적으로 방대한 군사역량을 준비할 수밖에 없다. 동시에 이런 준비를 위해 일본인민대중 및 조선, 대만 민족의 피땀을 더욱 많이 짜내고 또 그들의 자유를 더욱 많이 박탈할 수밖에 없다. 이런 결과는 필연적으로 일본인민 및 조선, 대만 민족의 반항운동을 격화시키고 가속화하게 된다.

위에 서술한바와 같이 목전 일본 제국주의 세력의 미친 듯한 팽창은 조선 민족의 해방운동을 절대로 불가능하게 만들 수 없을 뿐만 아니라 이와 반대로 우리의 운동의 더욱 큰 확대와 발전을 가속화할 것이다. 사실상 일본제국주의의 침략 기염이 높아질수록 그 국제 지위는 더욱 고립되고 악화되고 있으며 그에 대한 반항세력은 더욱 더 앙양되게 될 것이다.

이런 국제적인 정세 하에 우리의 민족해방운동은 내부적인 모순이 더욱 완화되었고 일치단결의 각오가 보편적으로 형성되고 한발 더 나아가 우리는 동일한 목표를 향해 손잡고 나아갈 수 있는 전례 없이 광범한 동맹세력을 획득하게 되었다. 즉 중국 4억 5천만 민족의 항일세력, 대만의 민족전선 및 프랑스, 소련을 중심으로 하는 국제 평화전선, 영미 등 나라의 반일세력, 지어 적국내의 반침략 혁명대중은 다 우리의 민족통일전선의 동맹군 또는 우군이라고 볼 수 있다.

5. 민족전선의 현실적 투쟁의식

세 번째는 최근 국내 및 국외에서 급격히 발전하고 있는 우리의 해방투쟁은 사실상 민족통일전선의 실천적이고 혁명적인 의의를 증명하고 있다.

최근 수년 동안, 특히는 '9·18'사변이후 한 면으로는 일본제국주의가 중국침략전쟁을 위해 경제 및 정치면에서 더욱 압박에 박차를 가하고 있고 다른 한 면으로는 중국 민족의 항일투쟁 및 소련의 혁명세력이 날로 발전하고 조선 국내외 혁명운동이 더욱 높은 단계로 추진되고 있는 동시에 보다 합리한 발전을 하고 있다.

일본제국주의자들은 대외 침략전쟁을 실시하기 위해, 특히는 전쟁의 후방 근거지인 조선에 대한 통치를 강화하기 위해 전례 없이 가혹한 법률을 실시해 조선민족의 모든 정치적 및 사회적인 활동을 엄중하게 진압하고 있다. 일본제국주의자들은 수십만 명의 대중을 조직한 노동자 총동맹, 농민 총동맹 및 청년 총동맹을 강박적으로 해산시켰다. 3만여 명의 전위부대를 가지고 있는 신간회의 활동을 진압함으로써 모든 집회, 언론, 출판, 결사 등 자유를 완전히 박탈하였다. 그러나 우리의 투쟁은 절대 이로 인해 멈추지 않았다. 반대로 적들의 억압이 심할수록 혁명투쟁은 더욱 심각하게 발전했다. 즉 이런 극단적인 폭압의 국면에서 모든 민족의 반역자, 자치운동파, 청산파 등은 적들의 주구가 되어 임무를 집행하지 않을 수 없게 됐다. 반대로 모든 반일혁명대중은 그 어느 사회 계급 또는 당파에 속했거나를 막론하고 민족통일전선의 기치아래에 집중될 수밖에 없다. 전국 노동자, 농민 및 학생 대중 속에서 혁명적 비밀결사 조직이 재빨리 발전하고 있다. 각종 종교 및 문화기관에서도 반일 정치조직 숫자가 급격히 불어나고 있다. 이렇게 전국에서는 도처에서 끊임없이 기능공파업, 조세납부거부운동(抗租), 동맹휴학 등 혁명투쟁이 일어나고 있다. 그들은 반일투쟁의 실천 속에서 사회운동 진영과 민족운동 진영의 대립 국면을 통일할 수밖에 없었고 전 민족적인 통일전선의 정치노선에서 매진하고 있다.

특히 해외에서는 중·일 전쟁의 확대와 일·소 대립의 첨예화 국면 때문에 중국과 소련 각지에서 활동하고 있는 조선혁명단체 및 개인들의 투쟁이 전례 없이 활발해지기 시작했다. 소련의 수십만 조선민족은 소련 정부 및 공산당의 지도하에 견강한 전투 대오를 결성했다. 만주의 수만 동포들은 동북인민혁명군에 직접 참가하여 항일연군의 깃발아래 영용한 유격전쟁을 하고 있다. 중국 관내의 각 혁명단체 및 개인들은 직접 혹은 간접적으로 중국의 항일전선에 참가하고 있다. 이런 실천적인 투쟁가운데서 오로지 적을 공격하는 혈전이 있을 뿐이고 각 당 각 파별 동지들의 합작이 있을 뿐이다.

6. 결론

이상의 설명에서 우리가 굳게 주장한 전 민족적인 통일전선이 현 단계 조선혁명의 유일한 실천 과업임은 틀림이 없다. 우리는 이 위대한 역사적 사명을 수행하기 위해 우선 사회적인 입장과 주의의 신앙이 각기 부동한 해외의 3개의 혁명단체(조선민족혁명당, 조선혁명자 연맹 및 조선민족해방운동자 연맹)를 연합해 조선민족전선연맹을 조직했다.

조선민족전선연맹은 물론 전 민족적인 완전한 통일전선구조는 아니다. 다시 말해 이 조직은 실제상 전 민족의 뜻을 대표하는 통일전선단체는 아니기 때문이다. 왜 이런가? 이 연맹은 3개의 혁명단체의 연합에 불과하고 전 민족적인 각 사회 계급, 각 정당, 정파, 각 종교 및 민중 단체의 대표들이 조직한 것이 아니기 때문이다. 그러나 이 연맹은 주의가 부동한 정치단체가 결합된 의미에서, 특히는 민족적인 통일전선을 정확하게 주장한다는 의미에서 적어도 전 민족적인 통일전선의 출발점이고 하나의 추형 형태라고 볼 수 있다. 우리는 물론 연맹을 전 조선민족적인 통일전선의 총 지도기구로 군림시키려는 뜻은 없다. 그러나 우리는 이 연맹만이 전 민족적인 통일전선의 주요

지렛대적인 임무를 추진할 수 있다는 점을 굳게 믿는다.

조선민족전선연맹의 당면한 임무는 한 면으로는 전 민족을 완전히 대표하는 의미의 민족전선 총 지도기구를 적극적으로 촉성하는 한편 다른 한 면으로는 중국 항일전쟁 과정에서 중한민족의 연합전선을 적극 촉성하는 동시에 기타 모든 반일세력과 밀접한 연결을 취하는 것이다. 이렇게 해야만 우리의 전투역량을 증강하고 우리의 최후의 승리를 확보할 수 있다.

끝으로 조선민족전선연맹이 이미 창립선언 및 민족통일전선에 관한 기본 강령과 투쟁 강령을 발표했다. 우리는 이 강령 및 선언에 근거하여 끝까지 분투하며 최후의 승리를 취득할 때까지 싸워야 한다.

『朝鮮民族戰線』, 創刊號

조선민족의 반일혁명 총 역량 문제

1

중국의 항일전쟁이 맹렬하게 진행되고 있는 이때에 일본 제국주의의 약탈과 압박을 함께 받고 있는 중·한 두 민족이 항일전투 연맹을 건립하는 것은 아주 중요하고 필요한 일이다. 때문에 항전이 진행된 이래 많은 중한 인사들이 이 문제에 깊은 주의를 돌리고 있다. 동시에 이 피압박민족의 연합전선이 일찍 실현되기를 뜨겁게 기대하고 있다.

그러나 우리는 반드시 알아야 할 점이 있다. 이른바 연합전선이란 절대로 그 어떤 텅 빈 정치호소로 이뤄지는 것이 아니다. 실천해야 하고 투쟁해야 할 전투연맹이다. 실천과 투쟁이 없는 연합전선이란 존재하지 않으며 존재하지도 말아야 한다. 반대로 실천과 투쟁 속에서만 연합전선을 공고히 하고 확대할 수 있다. 때문에 우리가 두 민족의 연합전선을 건립할 때에는 우선 상대방의 전투역량에 대해 정확하게 판단하는 것이 아주 필요하다.

조선민족의 혁명역량은 대체 얼마나 되는가? 이는 워낙 연구 및 토론할 가치가 아주 큰 문제이다. 조선민족은 망국한 30년 동안 일본제국주의의 무제한적인 압박과 착취를 받아 물질생활이든 정신생활이든 다 극도의 유린과 파산을 당했다. 이런 민족에게 아직도 일본에 저항할 만한 힘이 얼마나 남아 있는가? 이 문제에 대해 각 나라 사람들은 각자 자기 견해를 가지고 있다. 그러나 나는 이 문제에 대해 너무 많이 평가해도 안 되고 너무 적게 평가해도 안 된다고 생각한다. 우리는 정확한 평가를 하는 것이 필요하다.

그러나 우리는 이른바 혁명 역량이라는 것은 수자로 표현할 만한 것이 아니라는 것을 잘 알고 있다. 물질적인 요소도 있지만 정신적인 요소도 있다. 표면적인 역량도 있겠지만 잠재적인 역량도 있다. 이는 정지된 것, 고정된 것이 아니고 생동하게 발전하는 것이다. 이는 단순히 고립적인 것이 아니고 복잡한 관계를 갖고 있는 것이다. 우리는 이런 일종의 역량에 대해 평가하기가 쉽지 않다는 것을 잘 알고 있다. 그러나 완전히 불가능한 것은 아니다. 우리는 다음과 같은 두 가지 면에서 조선민족의 반일 역량을 관찰해보기로 하자. 즉 첫째는 역사적인 반일투쟁 면에서 관찰하는 것이고 둘째는 현실적인 생활면에서 관찰하는 것이다.

2

우선 우리가 역사적인 안광으로 조선민족의 반일투쟁에 대해 고찰하게 되면 이 투쟁이 망국해서부터 현재 30년 동안 한시각도 정지된 적이 없을 뿐만 아니라 오히려 더욱 지속적으로 증대되고 발전돼 왔다는 것을 알게 된다. 조선혁명운동의 실제 상황에 대해 잘 알지 못하는 많은 사람들은 일본통치의 역량은 끊임없이 강화되고 조선민족의 생활은 날로 더 파산에 이르고 있다는 것만 보고 조선민족의 반일역량이 끊임없이 쇠약해지고 있다고 생각한다. 그러나 이는 표면적인 천박한 견해에 불과하다. 실제적인 상황은 이와 정반대이다. 일본통치역량의 강화와 민족생활의 파산 때문에 조선민족은 생존을 위해 분투하는 역량이 더 강화될 수밖에 없다. 이 문제에 대해 우리는 아래와 같은 세 개 면에서 그 역사적인 발전 경향에 대해 관찰하기로 한다.

첫째, 군사투쟁 면이다. 조선민족의 반일무장투쟁은 과거 30년 동안 멈춘

적이 없으며 오히려 더욱 발전하고 확대해왔다. 망국전후 국내에서 발동한 의병투쟁은 8년이나 지속돼오다가 무기가 우수하지 못하고 급양물자가 딸리게 되자 결국 패퇴하고 말았다. 그러나 만주 국경에서 다시 조선혁명군사 근거지를 구축하고 계속 끊임없이 적과 작전했으며 지금까지도 멈추지 않았다. 특히 '9·18'사변이후 중국 의용군의 호응과 합작을 얻게 되어 조선혁명군사투쟁의 역량은 급격하게 강대해졌다. 지금 동북항일연군속의 조선인 대오 및 기타 무장부대는 이미 수만 명에 이른다. 이밖에 소련 원동 홍군들 속에도 두개의 조선인사단이 있다. 또 중국 관내 및 소련에는 끊임없이 양성해낸 다수의 군사간부인재들이 있다. 이런 것이 다 조선혁명운동의 기본적인 군사역량이다. 이런 역량은 금후 중국항전이 진전되고 소·일 대립이 날로 첨예해짐에 따라 중소 양국의 적극적인 원조를 받아 강유력한 조선혁명군을 건립하게 될 것이다.

둘째, 정치투쟁 면이다. 조선민족의 반일정치투쟁 역시 군사투쟁과 마찬가지로 형식이거나 내용면에서 다 끊임없는 진보와 발전을 해왔다. 잘 알다시피 1919년 '3·1'대혁명은 조선독립운동의 비약적인 발전의 시기였다. '3·1' 이전에는 많은 애국지사들이 해외로 망명했고 어떤 이들은 열강이 정의를 주장해주기를 바랐고 어떤 이들은 국인들이 일어나 반항하기를 호소했고 또 어떤 이들은 적괴를 암살하는 것으로 사람들의 마음을 후련하게 했다. 그러나 그들의 정치의견은 서로 아주 달랐다. 혹자는 군사구국을 주장하고 혹자는 외교구국을 주장하고 또 혹자는 민족의 자력갱생을 주장했다. 이렇게 소수의 지사들을 중심으로 한 초기의 운동은 물론 통일적인 지도이론과 통일적인 혁명집단을 확립할 수 없었다.

그러나 '3·1'대혁명 운동 이후 조선혁명운동형태가 세 개의 중요한 발전을 이루었다. 첫째는 지사 중심의 운동이 대중 속에서 발전했다. 특히는 신흥 사회주의운동의 발생 및 발전으로 인해 노농대중 및 청년학생의 반제반봉건 투쟁이 날로 확대되어 운동의 토대가 광범한 대중투쟁 속에서 다져졌다. 둘째는 혁명운동의 이론 투쟁을 적극적으로 전개하여 여지껏 막연하게만 느껴졌던 충군애국주의 및 정확하지 않은 정치견해를 철저히 청산한 동시에 현대적인 민주주의 및 사회주의 사상을 받아들여 정확한 혁명이론을 확립하기 시작했다. 셋째, 사회운동이거나 민족운동이거나를 막론하고 분산적이고 자연 발생적이고 종파주의적인 혁명단체들이 끊임없이 도태되거나 취소되었고 현대적인 혁명정당을 건립하기 시작했다.

'3·1' 이후 조선혁명운동의 주요 특징은 바로 사회주의 운동과 민족주의 운동의 대립적인 발전이다. 그러나 조선 산업근로자의 급속한 증가와 국제 사회주의운동의 비약적인 발전으로 인해 전자의 발전이 후자보다 더욱 신속하고 보편적이다. 1924년에 경성에서 전국 민중운동대회를 소집했을 때에 전국 사회운동단체 총수는 이미 천개를 넘었다. 그 후 조선공산당의 지도하에 창립된 전국 노농총동맹, 전국농민총동맹, 전국 청년총동맹 등은 소속 인원 총수가 20여 만 명에 이르렀다. 이런 단체들은 '9·18'사변이후 해산되기는 했지만 그들이 조직한 활동은 여전히 존재했다. 전국 도처에서 끊임없이 발생한 파업, 조세거부운동(抗租), 동맹휴학 등 투쟁은 사회주의가 지도하고 발동한 것이라고 말할 수 있다. 이 운동은 조선혁명운동에서 주요한 지위를 차지하는 것은 더 말할 것도 없다.

민족주의 운동이 국내에 주는 영향을 말하자면 사회주의 운동처럼 적극적인 행동으로 표현되지는 않고 있지만 유지하고 있는 잠재적인 반일혁명 역량은 아주 크다. 조선 민족주의 운동의 대부분은 종교계의 활동으로 표현되고 있다. 이는 관심해야 할만한 점이다. 예를 들면 '3·1'대혁명은 완전히 종교 중심으로 지도 발동된 것이라고 할 수 있다. 당시의 민족대표 33명 중에서 종교 신자가 절대 다수를 차지했을 뿐더러 시위폭동에 참가한 대중 속에는 대다수가 종교 신도들이었다. 지금까지도 반일성을 아주 많이 유지하고 있는 종교는 천도교, 기독교, 불교 및 유교 등이다. 이런 종교들은 다 수십만 명의 교도들을 가지고 있으며 또 청년회, 학교 및 교회 등 사회사업기관을 가지고 있고 광범한 청년학생들을 받아들이고 있다. 이런 종교 신자들은 평소 생활에서는 자연히 자주 소극적이고 비 혁명적이지만 반일혁명의 고조가 도래할 때에는 동원하여 투쟁에 참가하게 하는 것이 가능할 뿐더러 위대한 역량을 발생할 수 있다.

민족주의 운동의 대중 기초가 종교 쪽에 있을 수밖에 없는 것은 그 원인이 있다. 조선에서의 모든 집회, 결사 등 자유가 전부 박탈되고 민족운동단체가 더는 공개적으로 존재할 수 없게 되었기 때문이다. 그러므로 많은 유지 인사들이 종교단체에 참가해 종교적 엄호를 받으면서 민족갱생을 추진하는 사업을 했다. 고 안창호선생이 영도한 흥사단 및 청년수양동맹도 기독교의 엄호 하에 활동했다.

민족주의 운동은 해외에서 아주 견고한 기초를 갖고 있다. '9·18'사변 이후 만주의 정의부, 통의부, 참의부 등은 다 민족운동의 대본영이었다. 미주의 국민회, 동지회 등은 다 상당한 역사적 민족주의 집단이다. 최근 수년전에 5개의 단체가 창설한 조선민족혁명당과 한국국민당은 중국에서 활동한 민족혁명단체이다. 이런 단체들은 민족운동의 전위임이 틀림없다.

여기에서 특별히 지적해야 할 것은 1926년—1927년 중국의 국공합작시기에 조선에서도 민족운동과 사회운동의 협동전선단체 '신간회'가 창설됐다. 회원은 도합 3만여 명이었고 전국 도처에 150여 개 지부를 갖고 있었다. 1929년에 광주학생사건을 계기로 폭발한 전국 학생 반일 대 시위운동은 완전히 신간회가 영도한 것이라고 할 수 있다. 이 단체는 여러 원인 때문에

1931년에 해산하기에 이르렀다. 그러나 이 3만여 명의 반일적극분자들은 온갖 형식의 사회조직에서 여전히 반일운동을 추진해왔다. 특히 그 후에 산생한 비밀단체 반제국주의 동맹이 신간회의 과업을 대신했다.

끝으로 말할 것은 1936년 중국의 전 민족적인 통일전선운동이 시작된 후 특히는 중·일 전쟁이 폭발한 이후 조선민족의 반일정치투쟁도 새로운 단계에 들어섰다. 이 단계의 주요 임무는 한 면으로는 전 민족적인 반일통일전선을 건립하는 한편 중·한 두 민족의 항일연합전선을 건립하는 것이었다. 이 역사적인 임무를 수행하기 위해 해외에서는 조선민족전선연맹이 설립됐다. 우리는 이번 중·일 전쟁에서 전체 민족의 반일 대혁명투쟁을 발동하기만 하면 민족의 해방을 쟁취할 수 있다는 것을 굳게 믿는다.

셋째, 대중투쟁 면이다. 조선민족의 역차의 대중 반일투쟁은 그 어느 식민지 민족의 반항운동보다 더욱 격렬하고 더욱 광범했다. 동시에 이런 투쟁은 질과 양 면에서 계속적인 발전을 거듭했다. 망국후의 수 년 동안 전국적으로 의병의 무장투쟁만이 있고 일반 민중의 반일시위 및 폭동은 아직 폭발하지 않았었다. 그러나 1919년 3월 1일에 전례 없이 기세 드높은 전 민족적인 대 시위와 대 폭동이 일어났다. 이 운동을 일으킨 민족대표 33명의 원 계획은 평화시위의 방식으로 몇몇 중심 도시의 청년학생들을 동원해 반일시위를 거행하고 "조선독립만세!" 구호를 부르기로 했다. 그러나 이 운동은 발동된 그 날부터 즉시 전 민족적인 대시위로 발전되어 이른바 평화의 방식이 대중적인 적수공권의 폭동으로 변했다. 이런 시위와 폭동은 전국 도처에서 일어났으며 농촌마을에서도 맹렬하게 일어났고 8개월간이나 지속됐다. 전국에서 이 운동에 동원된 민중은 200만 명이나 되었고 희생자는 4만여 명이나 되었다. 특히 지적해야 할 것은 평소에는 친일파, 주구로 보이던 관리들, 경찰 및 헌병 보조원들까지도 적의 복장을 벗어버리고 시위에 참가했다는 점이다.

1929년에 발동된 '6·10'전국 학생반일 총동맹 휴학 역시 대규모적인 민중반일시위였다. 그러나 군경의 무장 탄압을 받아 전국적인 규모의 운동으로 발전하지 못했다. 그러나 이 운동은 조선공산당의 영도와 기획 하에 발동됐다는 점이 그 특징이다. 이밖에도 근로자 및 농민의 파업, 조세납부거부운동과 폭동이 헤아릴 수 없이 많이 발생했다. 이 글에서 일일이 열거하고 설명해야 하지만 편폭상 관계로 생략할 수밖에 없다. 다른 기회로 미루기로 한다.

총적으로 말하면 이상의 대중투쟁 가운데서 우리는 조선민족은 일본인에 의해 동화되지 않았을 뿐더러 반대로 일본에 대한 적개심이 날로 더 강해가고 있다는 것을 보아낼 수 있다. 동시에 조선민족은 위대한 반일동원역량이 있으며 꺾을 수 없는 민족의식이 있으며 위대한 민족적인 단합력과 전투정신을 갖고 있다는 것을 알 수 있다.

3

조선민족의 반일혁명역량은 그들의 역사적인 투쟁 측면에서 관찰해야 할뿐더러 그들의 현실적인 생활면에서도 관찰해야 한다.

조선민족이 상술한 위대한 반일전투역량을 발휘할 수 있는 것은 주로 그들의 현실 생활이 그들을 이렇게 하도록 추동하고 있고 핍박하고 있기 때문이다. 다시 말하면 그들의 현실적인 생활이 그들의 반일투쟁에 결정적인 역할을 한다.

주지하다시피 조선은 워낙 봉건적인 농업 국가였다. 나라가 망한 후 일본 제국주의 침략 자본의 맹렬한 침습을 당해 강제적으로 자본주의 과정을 경과하게 되었다. 이렇게 되어 반봉건적인 사회형태가 형성되었다. 이런 나라에는 날로 더 늘어나는 현대 근로자 계급이 있고 날로 몰락하는 중소 자산계급이 있으며 또 무한정 착취를 당하는 광범한 농민대중이 있다. 이런 계급은 일본자본의 압박과 착취 하에 강렬한 반일 혁명성을 유지하고 있다. 이밖에 또 이른바 민족자산계급 및 '민족지주'가 있는데 이들 역시 마찬가지로 일본자본의 압박을 받고 있어 발전 가능한 앞날이 없고 오히려 몰락의 길에 들어서고 있다. 최근 통계에 의하면 전국의 자본의 88%, 전국 경작지 면적의 60% 및 기타 주요 산업 기관이 다 일본인의 공사(公私)소유로 넘어갔다. 이로부터 조선민족 자본가 및 지주의 비참한 운명을 알 수 있다. 그들은 생존을 위해 반일의 길로 나가지 않으면 안 된다.

이제 우리는 조선민족 각 사회 계급의 현실적인 생활관계로부터 분석하고 연구하여 그들의 발동 가능한 반일혁명 역량에 대해 평가하기로 하자.

첫째, 이런 사회 계급들 중 반일정서가 가장 높고 전투력이 가장 강한 계급은 곧 근로자계급이다. 일본제국주의의 조선공업화 운동가운에서 조선공업이 날로 발달하고 있다. 그러나 이런 공장은 다 일본인의 공사자본에 의해 운영되고 있다. 이런 정세 하에서 노동계급이 급격히 불어났다. 적측의 통계에 의하면 전국 근로자 총수는 이미 200만 명을 넘었다. 그들의 대다수는 다 파산 농민이다. 그들은 시골에서 일본의 지주 및 고리대 업자들의 끝없는 착취를 받아 파산됐다. 도시로 와서 공장에 들어가 일하고 있지만 일본인들의 절대적인 압박착취를 당하고 있다. 그들의 매일 평균 임금은 40전 내지 50전이고 근무시간은 10시간 내지 12시간이다. 그래도 파업, 시위의 권리가 없고 집회, 결사의 자유도 없다. 그자들은 채찍을 들고 근로자들을 감독하고 마음대로 구타하거나 형벌을 가하기도 한다.

그들은 우마처럼 복종하고 쫓겨 다니면서도 반항을 하지 못한다. 그러나 그들은 절대 일본인들의 노예가 아니며 4천여 년의 유구한 역사를 가지고 있는 문화민족이다. 그들은 반항할 기회와 방법만 있다면 즉시 일어나 반항할 것이다. 과거 역차의 반일투쟁에 그들은 다 일떠나 참가했다. 특히 사회주의운동의 발전과 더불어 근로자의 파업 및 태공 등 운동이 각 곳에서 끊임없이 폭발했고 이런 투쟁은 보다 더 조직적으로, 계획적으로 진행되고 있다.

'9·18'사변이후 일본제국주의자들은 중국에 대한 침략전쟁을 준비하기 위해 더욱 잔혹하게 조선의 노동계급의 마지막 피 한 방울마저 짜내고 있다. 그들은 우선 전국 노동총동맹을 강제 해산시키고 모든 파업 및 태공 등 행위를 절대적으로 금지시키는 것으로 그들의 이른바 국방공업의 효율을 가속화했다. 이런 압박조건에서 그들은 전 민족적인 적개심의 정서를 더욱 불러일으켰다. 우리는 목전 위대한 중국민족해방전쟁에서 조선 200만 노동자 대파업이 꼭 가장 유력한 반일혁명투쟁으로 발전되어 그의 조선혁명 기본대오에 부여된 과업을 반드시 수행하리라는 것을 굳게 믿는다.

둘째, 광범한 농민대중 역시 강대한 반일혁명역량을 유지하고 있다. 조선은 워낙 농업이 입국지본인 나라여서 농민이 전체 인구의 80%를 차지했다. 조선의 변태적인 자본주의화 과정에 농촌파산이 급격히 진행됐다. 일본제국주의의 계속적인 약탈과 수매 정책 하에 전국 토지의 3분의 2가 일본인 소유로 넘어갔다. 그들은 농민대중을 보다 더 많이 착취하기 위해 농업 면에서 여전히 봉건적인 초경제적인 착취방법을 실시했다. 예하면 조세, 고리대, 부역 및 기타 가렴잡세 등 어느 하나 봉건적인 착취방식을 취하지 않은 것이 없다. 조선농민은 일본인의 가렴주구 때문에 기아 속에서 허덕이면서 한 면으로는 나라가 망하기 전의 안거락업했던 생활을 추억하고 한 면으로는 일본강도의 무리한 약탈에 대해 끝없이 분노하고 있다. 그들은 그들의 생존을 쟁취하려면 반일독립의 길로 나가는 수밖에 없다는 것을 일찍 알고 있다! 그러므로 조선농민은 과거의 온갖 반일운동에 다 열정적으로 참가했다.

특히는 '3·1'대혁명 중에서 전국 농민들이 다 동원되어 적극적으로 반일시위와 폭동에 참가했다. 그 후 농촌 파산이 날로 심화되자 각지에서 농민대중의 조세거부운동, 헌납거부운동 등 투쟁이 끊임없이 일어났다. 적들의 통계에 의하면 전국적으로 농민조세거부투쟁이 해마다 평균 300여 차 일어난다고 한다. 이것이 바로 조선농민의 참혹한 생활과 백열화된 투쟁의 표현이다.

'9·18'사변이후 일본 파쇼강도들은 한손에는 '만주천국 건설' 패쪽을 들고 농민들을 기만, 유혹하고 다른 한 손에는 총칼을 들고 농민들을 위협하고 쫓음으로써 그들을 만주 황야에 가서 황지를 개척하게 하는 한편 중국침략의 후비대로 되게 했다. 한편으로는 일본의 '과잉'인구를 조선으로 이민시켜 '까치둥지에 비둘기가 살듯'이 남의 것을 빼앗는 짓을 일삼는다. 일본강도의 이런 정책은 과거 수십 년간 아주 큰 효과를 거뒀다고 볼 수 있다. 지금 조선의 일본이주민은 이미 60만 명에 달하고 만주의 조선 교포들은 이미 백만 명을 넘었다. 그러나 다른 한 면으로는 조선농민을 만주로 이민시킴으로써 만주의 조선독립 군대의 대중적인 기초가 더욱 든든하게 다져진 결과를 낳았다. 뿐만 아니라 그들의 반일정서가 더욱 강해지게 했다.

워낙 조선농민들은 영광스러운 역사적 혁명 전통을 가지고 있다. 1893년에 발동된 이른바 동학당 폭동이 바로 농민대중이 이조 전제 압박에 반항한 대혁명운동이었다. 나라가 망한 당시의 전국 의병운동 역시 농민대중의 무장 항일투쟁이었다. 우에서 서술한바와 같이 '3·1'대혁명의 기본 대오 역시 농민들로 구성됐다. 그들의 집요한 민족의식과 완강한 반일감정은 매차의 반일투쟁에서 가장 강대한 혁명 역량을 발휘했다. 그들과 노동계급은 전 민족적인 반일통일전선 운동의 가장 기본적인 전투 대오임이 분명하다.

셋째, 조선의 중소자산계급, 즉 소규모의 상공업자들, 소지주 및 기타 소시민 등도 일본 자본의 압박착취로 말미암아 날로 몰락의 길을 걷고 있다.

그들은 구라파대전 시기의 보편적인 호황기에 일확천금의 웅심도 품어보았었고 일본 자본의 대량적인 유동 속에서 더 발전의 토대를 다지려고 시도하기도 했다. 그러나 이런 속마음은 마침내 헛꿈이 되었다. 일본경제의 주기적인 공황 속에서 특히는 1929년 이후의 만성 공황기에 일본자본이 식민지 민족에 대한 전례 없는 침탈을 시작하자 많은 소규모의 산업 및 상업기관이 분분이 문을 닫게 되었다. 오늘의 이른바 중소 자산가들은 내일에는 무산자로 변할 수도 있다. 그들은 자본 집중의 법칙 하에 도살장에 끌려간 어린 양처럼 항쟁할 힘마저 잃고 희생품이 되고 만다.

그러나 우리는 반드시 이 사회 계층 중에 많은 총명한 지식인이 망라돼 있다는 점을 알아야 한다. 예하면 교수, 신문기자, 작가, 의사, 목사, 청년 학생 등이다. 이들은 조선민족문화의 일종의 역량을 형성했을 뿐더러 과거나 지금이거나를 막론하고 조선민족해방운동에서 아주 중대한 역할을 했다. 그들이 목전의 중일전쟁에서 이것이 조선민족이 해방을 쟁취하는 유일한 기회임을 똑똑히 인식하고 중국의 편이 되어 공동으로 일본제국주의를 타도할 것이라는 점은 의심할 바 없다.

넷째, 끝으로 말할 것은 민족자산계급 및 '민족지주'이다. 그들의 역량은 아주 미약하다. 그들은 아직도 일본 자본의 그늘 밑에서 새로운 길을 열려는 꿈에 젖어있기는 하지만 동시에 일본 자본을 물리치고 조선을 독점하려는 웅심을 다 버리지는 않았다. 과거 구라파대전시기의 호황기에 그들은 영광스러운 발전을 이룩했고 일본 자본에 대항하기도 했었다. 1919년 '3·1'대혁명은 조선민족의 자산계급이 영도한 반일운동임이 틀림없다. 이른바 민족대표 33인은 사실 그들의 대표자들이다. 그러나 이 운동이 실패한 후 그들은 더는 일어나지 못했다. 일본자본의 중압 속에서 그들은 계속 파산하고 몰락하는 길에 들어서지 않으면 안 되었다. 그러나 이는 그들이 반일독립 정신을 완전히 잃었다는 말은 아니다. 반대로 그들은 이런 파산과 몰락과정에 민족 독립 외에는 다른 두 번째 길이 없다는 것을 더욱 철저히 인식하였다. 여기서 우리는 목전 전 민족의 반일통일전선 운동 중에 그들은 꼭 참가할 것이고 그들의 역사적 사명을 짊어질 것을 믿어 의심치 않는다.

4

조선민족은 대체 반일역량이 얼마나 강한가, 라는 문제는 해답이 쉽지 않은 문제이다. 나는 상술한 해석을 했는데 이것이 다 맞다고 할 수는 없다. 그러나 대체적으로는 조선민족이 과거 발동한, 그리고 금후에 발동 가능한 반일역량에 대해 상당한 분석과 평가를 했다고 본다. 내가 이 문제를 제출하는 것은 중국 인사들이 이 문제에 대해 관심을 가지고 연구하고 조선민족문제를 한층 더 정확하게 인식하며 목전 중한 두 민족의 항일연합전선이 결성되는 과정에 인식면의 도움이 되기를 바라는 마음에서이다.

이 문제에 대한 평가에 있어서는 중한 인사가 보는 견해가 서로 다르기 마련이다. 조선인끼리도 견해가 완전히 일치하지 않을 수도 있다. 어떤 사람은 노농대중의 혁명성에 대해 지나치게 높은 평가를 하면서 민족자산계급의 혁명성에 대해 아주 낮은 평가를 한다. 또 어떤 사람은 이와는 정반대이다. 나는 민족통일전선의 입장에 서서 극좌 또는 극우적인 평가가 다 정확하지 않다고 본다. 나는 시종 "일본제국주의를 타도하고 진정한 민주공화국을 창립"하는 이 목표 하에 친일파, 한간(韓奸)을 제외한 전체 민족이 그 어느 계급이나 그 어느 당파에 속하는 사람이든지 다 일어나 반일혁명투쟁에 참가해야 한다는 이것만은 의심할 나위가 없다고 믿고 있다.

『朝鮮民族戰線』, 第5-6期

'1·28' 기념 의의

'1·28' 항전 7주년 기념일이 왔다! 이는 중국 민족이 일본제국주의의 강도적인 침략에 대해 대규모의 혈전 항전을 시작한 날이다. 우리는 이 날을 맞이할 때마다 열렬한 기념행사를 거행하곤 한다. 그러나 올해에는 중국의 항전이 이미 승리의 새 시기에 들어섰고 일본제국주의가 이미 붕괴, 동요의 국면에 들어섰으므로 우리의 이번 기념은 특별히 중대한 의의가 있다.

'1·28' 상해전쟁은 원래 일본제국주의 강도행위가 저지른 하나의 참극이었다! '9·18' 당시 일본 파쇼군벌들은 가장 비열한 강도수단으로 틈을 타서 동북을 강점했고 이어 화북을 침입했다. 한발 더 나아가 중국 정부를 강박해 무릎을 꿇게 하는 한편 해군, 육군, 공군을 상해 부근에 움직여놓고 남경을 위협하면서 국민정부에 향해 온갖 무리한 요구를 제출했다. 이런 흉포하기 그지없는 강도행위는 필연적으로 전 중국 민족의 맹렬한 항일구국운동을 불러일으킬 수밖에 없었다. 동시에 중국 정부를 핍박해 참을 수 없는 경지에 이르게 했다. 이런 정세 하에 당시 상해를 경위하던 19로 군은 적들의 진공에 대해 즉시 무력적인 반격을 가했다! 이렇게 3개월간의 상해 전쟁이 폭발했다.

'1·28' 상해전쟁의 결과는 당시 중국의 준비가 부족하고 국내 형세도 불리해서 이 전쟁은 '지방사건'으로 처리될 수밖에 없었고 이른바 송호 협정을 체결할 수밖에 없었다. 그러나 이는 군사상의 실패에 불과하고 정치면에서는 여전히 중국이 승리한 셈이다. 왜 그런가? 당시 19로 군 및 이 전쟁에 참가한 각 군장 장병들의 영용한 항전, 특히는 갑북대전의 영광스러운 승리는 일본 강도들에게 치명적인 타격을 주었고 중화민족의 독립자존의 정신과 능력을 충분히 보여주었을 뿐더러 세계에서의 중화민족의 정치적 지위를 높여주었으며 더 나아가 중국 내지 전 동아시아 피압박민족 해방운동의 빛나는 앞날을 개척했다.

'1·28'항전은 조선민족해방운동에 자연적으로 아주 큰 추동 및 충격적인 영향을 주었다. 조선민족은 중국민족이야말로 유일하게 믿음직한 우군이라고 생각하고 있다. '1·28' 전쟁이 폭발한 이후 전 조선 혁명대중은 다 일떠나 호응했다. 그들은 암살, 파괴, 폭동의 방식으로 중국의 항전을 원조했다. 우리의 영용하기 그지없는 윤봉길 열사가 상해 홍구 공원에서 시라카와 및 기타 적군의 장관들에게 포탄을 투척하여 사상한 사건이 바로 주요한 일례로 된다. 특히 동북의 조선동포들은 '1·28' 전쟁의 자극적인 영향을 받고 조선의용군을 조직하여 중국의 의용군 형제들과 함께 손잡고 영용하게 항일반일투쟁을 진행했다. □□□□□□□□□ 및 개인들은 바로 이때에 세계를 향해 자신의 독립자존의 정당한 권리를 쟁취하고 확보할 자격이 있음을 선포함으로써 중국에 대한 세계인의 견해를 바꿔놓았다.

위대한 '1·28'의 역사적인 의의는 상술한 점 외에도 다른 면에서 또 진정한 가치가 있다. 즉 중국민족은 '1·28'항전의 시련을 겪었기 때문에 더욱 철저하게 자신의 피와 육체로 조국을 보위하지 않으면 안 된다는 도리를 깨닫게 되었고 동시에 이것만이 최후의 승리를 쟁취할 수 있다는 점을 확신하게 되었다. '1·28' 이후 중국 민족 자신의 희생적인 분투가 있었기에, 또 중국민족의 자력갱생의 심각한 각오와 침통한 노력이 있었기에 오늘날 전면적인 항일전쟁이 발동될 수 있었고 전 중국 민족적인 위대한 단결이 형성될 수 있었다. 1월 28일에 혁명 간부들이 전례 없이 많이 체포되고 희생되었다.

이밖에 동북은 200만 이상의 조선민족이 거주하는 곳이다. 이 지대는 조선혁명운동의 주요 근거지임은 누구나 다 아는 사실이다.

'9·18'사변 이후 강도 일본 군벌은 대규모로 동북의 조선혁명대중을 도살한 동시에 그들의 조직을 철저하게 파괴하였다. 그러나 이런 흉포한 탄압을 받으면서도 조선혁명군중은 계속 노력하여 과거보다 더 엄밀한 진영을 건립했다. '1·28'항전 이후 그들은 즉시 수천수만의 무장 대오를 편성해 중국의 의용군과 함께 어깨 겯고 싸우며 적들과 혈전을 벌이고 있다. 이렇게 반□□□□에 들어섰다. □□□□선생, □□□가 끝났습니다.

『朝鮮義勇隊通訊』, 第2號

'3·1'운동 소사

지금 해외에 망명한 우리 조선 혁명자들이 중국의 항전에 직접 참가하여 적들과 혈전을 벌이고 있는 이때에 '3·1'운동 20주년 기념일을 맞이하게 되었다. 이 대유혈적인 혁명을 기념하면서 우리의 혁명 정신은 더욱 분발되고 항전의 정서는 더욱 높아졌다. 이 기념을 통해 우리는 다시 '3·1'운동의 투쟁경과를 회고하게 되는데 이는 당연히 필요한 일이다. 그러나 지금 이 자리에서 운동의 경과를 자세히 서술한다는 것은 불가능한 일이다. 그러므로 '3·1'운동 소사를 쓰게 되었다. 그러나 역사라고 하기에는 부족하며 일단 간단한 회고를 하고자 한다.

나는 우선 '3·1'운동의 기본 원인과 직접적인 동기에 대해 말하고 나서 이 운동의 실제투쟁경과를 말하려고 한다.

'3·1'운동의 가장 기본적인 원인은 다음과 같은 두 가지에서 살펴볼 수 있다.

첫째, 나라가 망한 후 10년 동안 조선에 대한 일본의 정치도살, 경제약탈, 문화봉쇄 등등의 야만적인 정책으로 인하여 조선인민은 나라가 망하고 또 민족도 망하는 경지에 이르게 되었다. 그리하여 이미 무장을 해제당한 조선 민족은 저마다 가슴에 분노와 원한이 쌓였다. 그들은 가슴에 뼈저린 민족적인 원한을 품고 입으로는 "이 나라가 언제 망할 것인가, 나도 죽을 준비가 돼 있다."라는 저주를 퍼부었다. 이것이 바로 '3·1'운동 이전의 조선 민간의 보통 상황이었다.

둘째, 조선혁명운동은 의병의 무장 투쟁를 경과한 후 많은 애국지사들이 해외로 망명하여 여러 나라에서 새로운 민주주의 사조를 받아들이고 혁명진영을 다시 정돈했다. 예하면, 중국, 소련, 미주 각지에서 각 우방의 사랑과 지지를 획득하고 각종 혁명단체를 창립했다. 서로 연락을 취하였는데 특히 종교단체 및 유학생 관계를 통해 국내의 지도자들과도 밀접한 연결을 취했다.

다음은 '3·1'운동의 직접적인 동기에 대해 다음과 같은 두 가지 면에서 살펴보기로 한다.

첫째, 구라파대전이 끝난 후 즉 1919년에 파리에서 세계평화대회가 개최되었다. 당시 미국 대통령이었던 윌슨이 대회에 "정의, 인도의 민족 자결안에 토대하여"라는 것을 제출하여 참전 각국의 식민지 민족에 자립 독립의 기회를 부여하였다. 그리하여 전 세계 약소민족의 해방운동이 물결처럼 거세차게 일어났다. 이는 조선민족을 심각하게 자극하고 추동하였다.

둘째, 조신민족의 국부 광무황제가 바로 이때에 적들의 독침에 의해 훙서했다! 비보가 전해지자 전국 인민들은 엄청난 비통에 빠졌다! 광무황제는 나라가 망하기 전부터 일본에 반항하다가 결국 핍박에 못 이겨 양위했다. 나라가 망한 후 깊은 궁에 유금 되었으나 시종 일본에 반항하고 혁명지사들을 보호했다. 그리하여 적들은 그에 대해 안심할 수 없어서 독해한 것이다. 이는 전국 인민이 다 아는 사실이다. 그들은 비보를 접하자 더욱 망국의 아픔을 느꼈고 반일복수의 혁명정서가 날로 높아져 폭발할 정도에 이르렀다!

이상의 '3·1'운동의 기본 원인과 직접적인 동기는 아주 자연스럽고 교묘하게 어울려 1919년의 '3·1'대혁명운동을 일으켰다.

'3·1'운동의 발동을 담당한 단체는 독립총본부이다. 이 단체에는 조선 국내 각계 애국지사 및 지도자들이 망라돼 있고 또 해외 각 혁명단체를 연락해 1918년 10월, 조선 경성에서 비밀리에 조직 창립됐다. 당시 주동적이었던 사람들은 최남선, 현상우, 송진우, 최린 등이었다. 그들은 비밀리에 천도교 수령 손병희, 권동진, 오세창, 예수교 수령 이승훈, 박희도, 함대영, 불교 수령 한용운, 백용성 등과 협상해 그들을 총본부에 가입하게 하고 손병희를 영수로 추대하고 대규모의 반일혁명운동을 준비하고 발동했다. 당시 유일 (留日)학생단 및 본국의 각지 학생단도 총본부의 지도를 받았고 천도교, 기독교, 불교 등 종교 신도들도 총주부의 지도를 받았다. 이듬해 즉 1919년 1월 22일 광무황제가 적들의 독해를 받아 갑자기 붕어하자 전국의 반일정서는 삽시에 끓어 번져 일촉즉발의 기세를 이뤘다. 동시에 미국 대통령이 '민족자결'에 관한 주장을 발표했다. 이 국제적인 정치조류는 한창 들끓고 있는 조선민족의 혁명노도를 더욱 맹렬하게 자극했다. 그리하여 독립단 총본부는 3월 1일을 가장 적당한 거사일로 결정했다. 3월 25일이 광무황제 장례식 날이기 때문에 이 시기는 전국 민중이 불원천리하고 경성으로 와 국부 장례에 참가하려고 하는 시기였다. 아울러 전국의 반일정서가 가장 긴장되고 고조되던 시기였다. 그리하여 전국 단원들에게 3월 1일 오후 2시에 각지에서 반일 대 시위를 거행하기로 밀령을 내렸다. 당시 규정한 구호는 하나 "조선독립만세!"였다. 이밖에 '독립선언서' 및 '독립신문', 조선국기 등은 일찍 다 준비했다! 다들 초조하게 3월 1일이 오기를 기다렸다!

3월 1일! 피압박 조선이 반항을 울부짖은 날, 신성한 단군의 자손들이 침략자들을 향해 정의의 선전포고를 한 이 날이 드디어 왔다! 이는 "하늘이 맑고 부드럽고 따뜻한 바람이 부는" 봄날이었다! 경성 파고다 화원에는 재생을 기다리는 봄의 기운이 넘쳤다! 이 화원이 바로 '3·1'대혁명운동의 뜨거운 장소였다.

오후 두 시, 각 학교의 학생들이 열을 지어 조수마냥 화원 문 어구로 몰려

왔다. 팔각정을 중심으로 정열하고 엄숙하게 줄을 지었다. 조용하고 농염한 화원이 삽시에 수많은 사람들이 붐비는 인해로 변했다! 긴장하고 엄숙한 공기 속에서 팔각정에 선 한 청년 영수의 입에서 또박또박 독립선언서를 낭독하는 단호한 소리가 울려 나왔다! 선언서를 다 읽은 순간 사람들은 이구동성으로 "조선독립만세!"를 외치며 천만 개의 힘 있는 주먹을 쳐들었다. 천만 개의 현란한 국기가 나 붓기고 군중들이 열을 지어 홍수처럼 화원 문 어구로 밀려 나왔다. 이때 적들은 대체 무슨 일이 생겼는지 알지 못했다. 때문에 대오가 거리로 나왔을 때에도 헌병 경찰들은 간섭만 할 뿐 탄압할 생각은 미처 하지 못했다. 그리하여 대오는 이미 시민 수십만 명으로 불어나 혁명의 노도를 이루었고 경성의 모든 거리 골목에는 반일의 조수로 차넘쳤다! "조선독립 만세!"의 목소리가 하늘 공중에 울려 퍼졌다! 그러자 적들의 헌병들은 탄압을 했다. 적수공권의 군중은 도처에서 저들과 유혈투쟁을 했고 도처에서 폭동을 일으켰다. 이렇게 '3·1'대혁명의 서막이 열렸다!

우리의 민족대표 손병희 등 33명은 이날 태화관에서 집회하여 독립선언을 선포하고 독립을 경축했으며 동시에 적 총독부에 이 날의 거사를 한 취지에 대해 통고했다. 적들은 즉시 헌병 경찰을 파견해 자동차에 대표들을 싣고 갔다. 우리의 대표 33인은 군중들 먼저 적의 감옥에 투옥되었다!

같은 날 같은 시간에 전국 각 주요 도시 및 읍내에서도 이처럼 뜨거운 반일시위와 운동이 발동되었다. 그들은 적수공원으로 적들의 총칼과 박투했고 무수한 사상자와 피체자가 발생했다.!

그때로부터 삼천리강산의 모든 구석구석에서 계속 반일혁명 운동이 일어났다. 흰옷을 입고 조선말을 하는 모든 사람들은 이 신성한 혁명전투에 참가하지 않은 사람이 없었다! 이런 전투는 줄곧 8개월간 지속되었다! 다음과 같은 통계를 보면 우리는 이 운동이 그 얼마나 열렬하고 비장했는지, 또 그 얼마나 넓은 지역에서 심도 있게 진행됐는지에 대해 알 수 있다!

1919년 3월 1일부터 같은 해 5월 말까지의 3개월간 각지에서 진행된 반일시위 폭발 상황:

조사통계표

1. 시위부군수	211
2. 시위차수	1,542
3. 시위참가인수	2,023,098
4. 사망인수	7,509
5. 부상자	15,961
6. 피체 투옥된 수	46,948
7. 불탄 교회당수	47
8. 불 탄 학교 수	2
9. 불 탄 민가 수	15

이는 단 3개월간의 통계숫자에 불과하다. 3개월이 지난 후에도 5개월간의 시위폭동이 있었다. 전후 8개월의 시위폭동 상황을 통계한다면 그 수자는 그야말로 놀라울 것이다.

독립단 본부는 '3·1' 거사 이전에 이미 파리 세계평화회의에 대표를 파견해 조선독립 문제를 토론할 것을 요구했다. 동시에 다수의 간부를 해외 각지에 파견해 각지의 각 혁명단체들과 독립운동 진행에 관해 공동으로 상의했다. '3·1'운동이 폭발한 후 독립단 본부의 다수 간부들은 선후로 다 피체되고 국내에서 더는 활동할 수 없게 됐다. 그리하여 해외의 독립운동 영수, 예하면 이승만, 안창호 이동녕, 이시영, 이동휘 등이 상해에 모여 한국 임시정부를 세우고 계속 독립단 본부의 사업을 했다. 특히 만주의 각 혁명자치단체 및 무장대오, 미주 각지의 혁명단체들은 한국 임시정부의 지도를 받기로 했다. 전 해외 운동에 통일단결의 국면이 형성됐다.

'3·1'운동은 8개월의 적수공권의 혈전 끝에 끝내 실패했다! 그러나 이는 표면적인 실패이고 장래의 최후 성공을 예기하는 실패였다. 이 운동이 실패한 원인은 물론 아주 많다. 어떤 사람들은 강유력한 현대적인 혁명정당의 조직이 없었기 때문이라고 하고 혹자는 엄밀한 대중조직이 없었기 때문이라고 하고 지어 당시의 지도자들이 혁명적인 견결성이 부족했기 때문이라고 했다. 그러나 나는 가장 주요한 실패원인은 여전히 국제 및 국내의 적의 역량이 너무 강하고 국제적으로 우리나라를 실력으로 도와주는 역량이 없었기 때문이라고 생각한다. 조선민족이 아무리 필사적으로 적과 싸우려는 결심과 행동이 있다한들 적수공권뿐이면 피만 흘리게 된다! 당시 그 어느 나라가 무기를 주면서 우리를 도와주려고 했던가? □□□□ 우리의 주관적인 혁명조건은 아주 성숙됐었다. 그러나 국제적인 객관 환경이 우리의 독립운동의 성공에 불리했다. 이것이 '3·1'운동의 대체적인 경과와 상황이다.

지금은 중국 4만만5천만 민족이 우리의 적들과 결사적으로 항전하고 있는 때이다. 소련 또는 전 세계 민주국가들이 파쇼 일본과 첨예하게 대립하고 있다. 일본 자신도 점점 더 나쁜 상황에 몰리고 있다. '3·1'운동이 만일 이때에 발생했더라면 반드시 성공했을 것이다. 그렇다. 지금 우리는 더욱 기세드높고 보다 규모가 큰 제2차 '3·1'운동을 발동해야 할 것이다!

『朝鮮義勇隊通訊』, 第5期

도산(島山) 선생을 추모하여

　우리의 민족해방운동의 위대한 영수이신 안도산(창호) 선생이 3월 10일에 적의 감옥에서 세상과 작별하셨다. 비보가 전해져왔을 때 전 조선민족 치고 선생의 참혹한 조우에 대해 슬퍼하지 않은 사람이 어디 있겠는가? 특히 더 비통한 사람들은 해외에 다년간 망명하여 선생과 함께 혁명 사업을 공동 도모했던 노동지들, 그리고 선생의 지도하에 혁명투쟁에 적극 참가한 무수한 청년들이다.

　도산선생은 향년 61세의 노 혁명자이시다. 선생은 나라가 망하기 전후 30여 년 동안 조선민족의 자유 독립을 위해 끝까지 분투하셨다. 특히 나라가 망한 후 해외에 망명해 만주, 상해 및 미주 각지에서 혁명동지들을 적극적으로 규합하여 흥사단을 조직하고 혁명 사업을 도모했다. 1919년 '3·1'대혁명운동 당시에는 한국 임시정부에 참가하고 국민대표대회를 소집하여 혁명운동의 통일을 도모했고 그 후에는 한국독립당을 조직해 독립운동의 통일적인 지도력 구성을 도모했다. '1·28'전쟁 후 윤봉길 열사가 폭탄으로 시라카와 등을 살상한 사건이 발생했을 당시에 선생은 공교롭게도 상해에서 왜적에게 체포되어 경성 감옥에서 5, 6년 동안 참혹한 철창생활을 했다. 그러다가 병으로 보석되었다. 이번에는 중·일 전쟁이 발생하자 또 적 총독부에 체포돼 투옥됐다. 연세가 많고 병환이 있으신지라 적들의 횡포한 독형을 견디지 못해 끝내 우리 곁을 떠나셨다. 우리는 기억해야 할 것이다. 선생은 시종 민족의 자유와 독립을 위해 분투, 노력하시다가 희생되셨다!

선생은 혁명투쟁 속에서 일관적으로 전 민족적인 역량을 집중해 "착실하게 일하고 간고하게 일하는" 정신으로 앞을 향해 매진할 것을 주장하셨다! 왜적이 중국을 대거 진공하고 전 조선민족의 반일반전 운동이 세차게 일어나는 오늘 특히는 전 민족적인 반일통일전선운동이 한창 고조를 이루고 있는 이때에 선생의 육체는 비록 적들에게 빼앗겼지만 선생의 혁명정신은 영원히 우리 모든 혁명자의 마음속에 살아있을 것이고 전반 혁명운동을 영도하고 있을 것이다. 그러므로 우리는 도산선생을 추모함에 있어 반드시 전 민족 역량을 집중할 데 대한 선생의 유지로부터 출발해 전 민족적인 통일전선을 하루 빨리 건립하여 일본제국주의를 타도해야 할 것이다!

『朝鮮民族戰線』, 創刊號

안경근 편

'괴뢰만주국' 경제의 발전 진상과 앞날의 전망

1. 머리말

'괴뢰만주국'은 전 세계의 의혹의 주목을 받으면서 세계 정치의 새로운 초점으로 되었다. 모든 사람들이 다 이것이 세계대전을 재차 일으킬 가능성이 있다고 생각했다. 그러나 실제상 이미 안전하게 4주년을 넘겼다. 모국을 이탈해 한 나라로 됐을 당시에 국제 연맹과 구라파 각 나라들에서는 리턴의 보고서에 근거해 그 존재를 인정하려고 하지 않았다. 뿐만 아니라 '괴뢰만주국'의 앞날에 대해 대부분 비관적인 심리를 갖고 있었다. 주요한 이유는 다음과 같다. 첫째, 목전 일본의 경제력으로는 동북건설에 필요한 군사건설 자재를 자급할 능력이 없다. 둘째는 동북의 주민은 다 농후한 반일정서를 가지고 있다. 기타의 이유는 일본의 독향주의에 대해 질투와 불만, 불평을 느끼고 있었기 때문이다.

중국 내지의 신문잡지에서 우리는 늘 '괴뢰만주국'에 대한 기재를 볼 수 있다. 그러나 실제상 일반적인 논조는 다 지나치게 주관적이며 객관적인 사실에 대해 아주 신비한 태도를 취하고 논하기를 꺼리는 상황이다. 어느 한 측면에서 생각하면 이렇게 할 필요성도 있겠다고 생각한다. 그러나 지금의 결과에 대해 더욱 냉정하게 비평하여 미몽에 빠진 국민들을 일깨우는 편이 낫다고 생각한다. 나는 국민들이 다음과 같은 사실을 잊지 말기 바란다. 동북은 중국의 동북이고 일본의 동북이 아니다. 동북의 동북도 아니다! 남을 알고 자기를 아는 것은 백전백승의 보편적인 전술이라는 점을 더욱 잘 알아야 할 것이다!

기형적인 형태를 형성한 '괴뢰만주국'은 사실상 그 존재 문제로 인해 다른 문제들이 일어나지 않고 오히려 안정적으로 진행되고 있는 상태이다. 동북의 주민들은 일로전쟁 이후 중국 본토에서 이주한 자들이 전 인구의 약 반수이상을 차지하고 있다. '9·18'사변 이전에 동북에 대한 중국 내지의 멸시로 인해, 그리고 일반 민중이 장씨에 대해 신뢰의 신념을 잃은 등 여러 관계로 인해 일반 주민들은 당국에 대해 사랑하는 마음이 아주 적다. 때문에 일반 주민들은 정치적인 문제에 대해 실제상 알려고도 하지 않는 경향이 있다!

일본의 경제 현황으로 말하면 최근 자본주의가 속도를 내어 최고봉으로 발전하다보니 동북 건설에 필요한 경제적인 자료 공급에 대해 별로 큰 곤난을 느끼지 않고 있다. 다른 면에서 보면 공업에 필요한 원료 문제가 상당한 결과를 얻고 있다. 과잉인구 처리, 상품 판매 시장 획득 등 면에서 보면 일본 자본주의가 경기회복, 실력 증진의 절호의 기회를 맞이하고 있다. 일본이 지금 한창 일본의 영원한 경제번영의 미몽을 찬양하고 있는 점도 이해할 만한 일이다.

그러나 동북의 경제 진상에 대해 실질적인 시찰을 해보면 우리는 심각한 농업 공황의 불경기를 발견할 수 있다. 동북에서 농업이 전체 경제의 중심이라는 것은 누구나 다 아는 사실이다. 그렇다면 농업공황은 전 동북 경제가 처지는 실황을 말해주고 있다. 과거에는 여러 조건을 볼 때 건설 사업이 상당한 성적을 거두었고 경제적인 계획도 잘 진행되었다. 그러나 그것은 일시적이고 표면적이고 부분적일 따름이다. 아무튼 농업국가로서의 농업공황은 전반적인 경제의 파멸을 예고하는 것이다.

동북의 경제는 일시적인 활약과 근본적인 파멸이 서로 조응하는 국면에서 방황하고 있다. 그러므로 진정한 동북경제의 발전은 즉시 실현하기 어렵다. 이 두 개 극단의 현황이 아무런 변통도 없이 계속된다면 일본의 경제위기는 피면하기 어렵다. 그것은 일만 경제 관계에서 볼 때 연대적인 성질의 관계이기 때문이다!

2. '괴뢰만주국'을 형성한 이후의 경제건설 사업에 대해

이른바 정치적인 건설 사업은 건국 첫해에 이미 확립되었다. 경제적인 건설 사업은 이미 확립된 정치기구에 의해 이미 실시되었다. 개발 사업은 현재 1932년 3월에 선포한 「경제건설강요」에 근거해 그 개요를 다음과 같이 열거한다.

1) 국민 전체의 이익에 근거해 왕도정치의 확립을 목표로 한다. 이원(利源)에 대한 개발과 실업에 대한 진흥 등 이익에 대해서는 어느 한 계급의 농단을 금지한다.

2) 중요한 경제 부문에 대해서는 국가 통제를 실행하며 합리화한 방책을 강구한다.

3) 이원에 대한 개발 및 실업에 대한 진흥사업은 문호 개방, 기회 균등 등 준칙에 따라 전 세계적으로 자본 및 기술을 구한다.

4) 중요 경제에 대한 융합, 합리화를 위해 일만(日滿) 중개인의 형식을 목표로 한다.

그들은 이런 근본적인 경제방침에 토대해 공업 개발, 교통 기관 정비, 통화 통일 정책, 기업 통제, 경제 건설 및 개조 면에 완전히 주력하고 있다. 우리는 현재 그들이 대체 어느 정도에 이를 수 있는지에 대해 검토하며 이 건설 사업의 진행에 따라 발전의 특색에 대해 검토하는 견지에서 각 부문을 나누어 토론해보기로 하자.

(a) 공업발전의 특징

동북의 근대 공업은 '9·18'이후에 발단된 것이 아니다. 이는 제정 러시아 시대에 동북을 침략하고 나서 다소 큰 규모의 공업이 존재했다. 그러므로 할빈 쪽은 제분공장 및 기타 작은 공장이 발전해왔다. 그러나 러일전쟁시기에 러시아의 전패와 더불어 그 공업도 완전히 쇠퇴했다. 일본은 전승국의 자격으로 그것을 대체하는 수단으로 원래의 공업을 다시 발전시켰다. 1905년, 1906년 2년 사이에 남만주 철도를 설치했다. 기타의 무순, 연대, 본계호의 석탄과 안산, 본계호의 철강개발도 계속 진행했다. 기타 기름공업은 일본의 콩깻묵 수요의 증가와 더불어 점차 기계화를 실현했다.

위에서 서술한 바와 같이 동북의 공장공업은 전체가 극도의 빈약한 상태에 빠져있다. 그러므로 만철이 수요하는 소수의 공업 외에는 발달한 것이 별로 없다. 그 이유는 다음과 같다. 당시의 동북 주민의 교육정도가 너무 낮고 공장 노동에 대한 훈련도 아주 부족했다. 그러므로 일본의 자본이 공장을 설치해도 생산비용이 비싸서 이윤을 많이 얻을 수 없었다. 기타의 이유로는 장씨가 일본 자본이 공업을 개발하는 것을 별로 환영하지 않았기 때문이다.

그러나 '9·18'사변 이후에는 상술한 여러 원인이 아무 문제가 아니었다. 일본의 금융세력의 적극적인 진출로 인해 동북의 공장, 공업의 발전은 그야말로 자유자재로 발전했다. 우리는 이 면의 공업의 발전, 신흥공업에 대해 총괄하여 다음과 같이 열거한다. 참고하기 바란다.

만주화학은 일만마매다고내수변(日滿馬買多姑耐秀弁), 봉천병공장, 일만도료, 오노다시멘트안산공장, 대동양회압록강고무공업소, 대동알콜, 동만주인견빨프업, 만주공업소, 대동화학공업소, 만주항공, 안동제빙, 대동공업사진,

만주아연광, 소화제철소, 만몽제빙, 만주전신전화, 만주조주, 남만기계제빙, 우야조주만해염색공장, 일만백철, 봉성공업소, 대련주조소, 만주제약, 동화자동차공업, 만주석유, 만주탄광, 북만제당, 만주양회, 남만다라매다(多羅買多)공업, 일만아마방직, 만주채금, 일만제분, 대만주맥주, 만주대두공업, 만주공장, 일만피혁, 안산동재, 할빈양회, 만주맥주, 대동식산, 만주전업(이상은 일본경제 연보에 근거함.)의 이상 자본액의 합계는 다음과 같다. 공칭자본은 3만만 2천1백12만, 불입자금은 1만만 7천3백25만 원이다.

우에 서술한 공업종류에서 우리는 대부분은 다 군수공업과 광공업이고 방직공업은 극소수에 불과하다는 것을 볼 수 있다. 왜 군수공업이 이처럼 우월한 지위를 가지게 되었는가? 그 이유에 대해서는 구구히 설명하지 않아도 알 것이다. 그러나 방직공업이 이처럼 쇠약한 원인에 대해 우리는 주의를 돌릴 필요가 있다. 우리가 선진적인 각국의 경제발전의 과정에 비추어 보면 공장의 공업은 면사포산업이 가장 앞장에 서있다. 그런데 동북에서는 그렇지 않다. '9·18'사변 이전에는 비록 당국, 일본, 소베트러시아(蘇俄)의 여러 면의 자본의 진출이 있었으나 그들의 목적과 시도는 산업이 아닌 봉건적인 고리자본으로서 농민들을 착취하는 것이 유일한 목적이었다. 그러므로 그들에게 반드시 필요한 공업 외에는 기타 공업의 발전은 보이지 않는다. 이렇기 때문에 그들의 이해에 관계되는 입장으로 보면 동북을 판매시장으로 하는 것이 더 낫다. 이런 관계에서 볼 때 동북에서의 일본은 군수공업 및 광공업에 진력하고 방직공업을 경시하는 것이 그들이 원하는 일이다. 더 확실하게 말한다면 일본은 조공업 시기를 경과하여 정공업 시기에 들어섰기 때문에 자신들의 정공업국의 지위를 유지하려면 동북은 영원히 조공업의 지위에 있게 할 필요가 있다. 조공업품을 동북에서 일본에 수송해 일본에서 손질하여 세공업품이 되면 다시 동북으로 수송하여 판매하는 것이다. 이렇게 해야만 만일(滿日)경제대립 경쟁이 무형중에 소멸되고 이른바 일만 경제의 자급자족의 미명(?)을 유지할 수 있다.

(b) 교통 기관의 설립

교통 기관의 완비는 건설기에 있어 그 어느 사업보다 더 중요하다. 만일 「만주경제건설요강」의 계획대로라면 그들은 2만 5천 킬로미터의 철도를 건설하는 것이 목적이다. 그리고 금년부터 10년 사이에 4천 킬로미터의 새 노선을 부설해야 한다. 그러므로 작년에 설치한 노선이 이미 1144킬로미터가 된다. 한창 시공 중이고 아직 완공되지 않은 것이 약 1696킬로미터 가량 된다. 이미 부설한 것과 채 부설하지 못한 노선을 합치면 2480킬로미터이다. 들리는 소식에 의하면 이 철도건설에 드는 비용은 약 2만만 내지 3만만 원이라고 한다.

도로는 주요 도시 사이, 주요 도시와 현성 사이의 연락에 필요한 것부터 건설하거나 수리해야 한다. 기타 미개발지에 대한 개척 및 국방에 필요한 도로도 이에 속한다. 그들은 10년 사이에 6만 킬로미터의 도로를 건설할 예정이다. 들리는데 의하면 작년 3월 말에 이미 2천5백여 킬로미터를 개발했다고 한다. 자동차 길은 작년 3월 15일에 이미 2천4백 킬로미터를 완성했다.

항만은 작년에 이미 도문, 신경선, 라법, 할빈, 북안선 각 노선을 완성했다. 동시에 도문—북녕—가목사의 공업도 이미 준공됐다. 이 공업비는 2천2백69만 원이다. 다음은 항공도로 건설 면에서 보자. 만주항공과 일본항공 회사는 합작하여 동북에 14갈래의 정기항공노선을 열었다. 그 투자액이 약 385만 원에 달한다고 한다. 이상의 철도, 도로, 자동차도로, 항만, 항공노선의 건설비용을 합치면 명년까지 2만만3천만 원 가량 될 것이라고 한다. 이는 얼마나 큰 사업인가? 그러나 이런 사업은 지금의 경제적 이익을 목적으로 한 것이 아니다. 그들은 군사를 예비하는 효과를 목적으로 하고 있다. 바꾸어 말하면 그들은 일반적인 이익을 전제로 하는 것이 아니라 계급적인 이익에 편중하여 이를 시도하고 있다는 것이다. 농업을 토대로 하는 동북 민중에게 있어 이를 목적으로 경영하는 가공업, 상업으로 어떤 이익을 얻을 수 있겠는가? 반봉건적인 동북 토착 농상업자들은 제멋대로 횡행하며 급속도로 팽창하는 대자본들의 세력의 타격을 받을 뿐이다.

(c) 기업의 통제

「만주경제건설요강」은 기업에 대해 아주 엄밀한 규정이 있다. 국방 혹은 공공, 공적인 성질이 될수 있는 일반 산업의 근본적인 기초산업은 다 국영 또는 공영이다. 사업의 성질이 부동함에 따라 허가 및 인가하는 형식이 부동하다. 이밖에 민간에서 자유로 허가할 수 있는 것도 있다. 지금 상술한 각종 기업은 그 성질에 근거해 다음과 같은 세 가지로 나눌 수 있다.

(1) 국영 혹은 공영의 회사:

아편, 코카인 등에 대한 가공업, 광구채금사업, 철, 석유, 경금속원광, 경금속정련사업, 제철제강사업, 유모혈암공업, 전기사업, 화약제조사업, 기타 군수사업, 도량형기제조업.

(2) 허가범위에 속하는 회사:

양털면화 가공업, 국유광구 이외의 채금업, 석탄채굴 및 기타 광업, 석유정제사업, 가스사업, 자동차공업, 유산암모늄공업, 알콜공업, 조달공업, 연초제조업.

(3) 자유롭게 할 수 있는 기업:

농축가공업, 제재업, 빨프 및 제지업, 제장공업, 제분업, 양조공업, 식료품제조공업, 유지공업, 시멘트공업, 방직업 염색공업, 모피공업, 일반제약공업,

기계공업, 요업(경제거래에 근거하여)이다. 그들은 이렇게 분류하여 통제를 실시한다. 그러나 실제상 이른바 자유기업의 범위는 극히 협소할뿐더러 당국의 각박한 간섭이 실시돼 사실상 진정한 자유기업의 실 혜택을 받지 못한다. 이런 각박한 정책은 동북산업의 발달에 치명상을 입힐 수밖에 없다. 원래의 이른바 경제통제는 자본주의 고도화의 과정에 생산소비의 균형을 일정한 정도까지 지지해주는 일종의 정책이다. 이런 정책을 한창 개척시기, 맹아시기에 있는 동북에 사용한다면 그 산업의 발전의 어린싹은 뿌리에 잎사귀까지 깨끗하게 뽑힐 수밖에 없다.

(d) 통화의 통일과정

동북의 화폐는 장씨 정권 20년 동안 조성된 극도의 혼란한 상태였다. 특히는 불환지폐의 남발이 민중에게 막대한 고통을 주었다. 기관은행의 각 성의 관은호(官銀號) 및 장씨가 경영하던 변업은행(邊業銀行)은 구군벌이 지폐를 남발하던 은행이다. 결과는 통화폭락의 혼란한 현상을 불러오고 말았다. 들리는 말에 의하면 봉표의 시가는 70분의 1까지 떨어졌었다고 한다. 이는 세계적으로도 보기 드문 기괴한 현상이다. 이밖에 각 현 혹은 각종 단체들에서 발행하는 지첩(紙帖)은 완전히 아무 가치도 없는 종이장으로 변해 버렸다.

이 혼란한 화폐제도를 정리하고 통화를 통일, 안정시키는 것이 최대의 사명으로 되었다. 그리하여 3천만 원의 자금으로 이미 '만주중앙은행'을 세웠다. 듣는바에 의하면 애초에 금본위를 취하느냐 아니면 은본위를 취하느냐 하는 문제가 의론의 초점이었다고 한다. 1932년 6월에 도은(圖銀)을 토대로 할 데 대한 화폐법을 결정했다. 그 후 또 동삼성 관보호, 길림영형관은호, 흑룡강성관은호 및 변업은행 등 4대 은행을 합병하고 이 4대 은행의 산업, 채무를 정밀하게 조사하고나서 3천3백만 원의 결손액을 보상했다. 또 15종의 화폐액 1만만4,220만 원을 전부 수금하였고 건가(建價)도 이른바 '국폐'로 개정했다.

이렇게 혼란한 동북의 화폐제도는 이른바 '중앙은행'의 노력으로 정돈되었다. 그러나 동북에서는 지금 이른바 '국폐', 지폐, 금표 이 3종의 화폐가 통용되고 있다. 그중 이른바 '국폐'의 일종은 화폐법에 근거해 결정한 '순은 23.91그람을 가격단위로 하여 이를 원이라고 할 것'을 기준으로 했다. '괴뢰중앙은행'은 지폐발행액에 대해 현은(現銀) 70%를 준비하는 것을 원칙으로 했다.

이른바 현금은 1905년의 칙령에 의해 정금은행 대련지점에서 구일본 1원(순은 37.44그람)을 본위로 하여 발행한 일종의 지폐이다. 현재의 유통액은 약 300여 만 원이라고 한다.

이른바 금표는 지금은(地金銀)을 발행준비(發行準備)로 하여 발행한 일종의 지폐이다. 1916년 이후에 일본인의 세력이 확대됨에 따라 동북 각지에서 통용되었다.

이런 여러 종류의 통화가 이른바 '국가'에서 이렇게 유통되는 것은 세계에서 보기 드문 기괴한 일이다. 우리가 세계 각 나라의 화폐제도를 살펴보면 금과 은 양자 중에서 어느 한 가지를 본위로 선택해 이미 통일한 나라라 해도 통화의 요동에 의해 경제가 춰 서지 못하고 풍파가 일어날 위험은 있는 것이다. 황차 금과 은 양계(兩系)의 통화가 종횡으로 교차된 경제계의 동북은 세계 통화요동의 이중적인 타격을 받게 될 것이 불 보듯 뻔 한 일이다. 예를 들면 최근에 미국이 은가를 높이는 정책에 의해 '괴뢰만주구 국폐'의 가격도 올라가고 있다. 만주건설에 근거한 일본 측의 통화팽창은 만주 농촌 및 토착 공업이 불황인 만주통화의 상대적인 수축 등으로 인해 상술한 복잡성을 충분히 증실했다. 현재 우리가 조선은행권과 '괴뢰만주국' 국폐발행액을 비교해 보면 1932년의 조선 은행권은 6,756만 2,000원에 불과했으나 1934년에는 1만만4,310만 1,000원으로 늘어났다. '괴뢰만주구' 국폐는 1932년에 1만만 4,209만 원이었으나 1934년에는 9,931만 4,000원으로 격감했다.

이런 발행 주권은 양자의 손에 장악돼있다. 그러므로 양계의 통화의 균형적인 조정은 불가능한 사실이다. 그러므로 경제의 흔들림의 파문 역시 그렇게 단순한 문제가 아니다.

3. 동북의 농업공황

동북 농업은 그 어느 나라보다도 더 짙은 봉건적인 색채를 띠고 있다. 즉 봉건적인 토지소유관계에 토대하여 가족을 단위로 하는 영세농과 봉건적인 지주들의 아주 민감한 수탈형태가 있다. 그러나 동북 대종의 농산물 대두 등은 직접 세계적인 상품이 되어 세계 시장에서 수출입할 수 있다. 그러므로 세계 자본주의 흔들림에 아주 큰 영향을 받는다.

세계의 경제공황은 1929년부터 시작되었다. 그러나 은본위국인 중국 및 '동북'은 1931년 한해에 맹렬한 습격을 받았다.

그리하여 동북 농업은 전체적으로 전 경제 기구를 충분히 진동시키는 비상시기의 공황상태에 빠졌다. 이런 공황에 응부하기 위해 '괴뢰만주국'은 두 번째 해에 춘경대부금, 특산공동판매회, 세제확립 등 여러 가지 구제책을 실시하기도 했다. 그러나 그 효과를 보면 국부적으로 다소의 효과를 보기나 보았는지, 알 수 없는 일이다. 그러나 전체적으로 말하면 그 어떤 개선이나 완화의 효과를 보지 못했다. 농산품의 물가가 땅에 떨어지자 농촌구매력이 낮아지고 농민들의 수입이 줄어드는 등 여전히 공황은 계속되고 있다.

1931년에 영국이 금본위를 포기하고 일본이 금원(金圓)을 이탈한 후 점차 저락되던 은환시세가 올라가기 시작했다. 세계 무역에 대한 봉쇄주의로 인해 만변의 농산물 수출이 대량으로 감소되었다. 농산물 중에서 특히 대두 한 가지만 해도 세계 총생산량의 3분의 2를 차지했었다 그 생산량의 80%가 외지로 수출됐었다. 과거에는 대량으로 일본, 중국, 독일 등지로 수출됐었다. 대두는 지금 일본에서는 농업공황 및 유안(硫安)진출로 인해 콩깻묵의 수요량이 전보다 감소했기 때문이다. 중국 시장 쪽을 보면 '괴뢰만주국'을 건설해서부터 아주 높은 세율을 받았다. 그러므로 중국 내지의 수출도 적지 않게 감소했다. 특히 대두와 두유의 수출 감소는 더욱 뚜렷하다. 독일시장에서 과거에는 동북 대두 수출량이 반수 이상을 차지했었다. 그러나 히틀러가 지주계급을 원조하기 위해 과일잼의 가격을 높이고 소비 증진을 목적으로 한 탓에 과일잼 원료인 대두 수입을 완전히 금지시켰기 때문이다. 그러므로 농산물의 판로는 대량 감소했다. 대두의 가격이 폭락함에 따라 기타 농산물의 가격도 대대적으로 떨어졌다.

특산물수출액(괴뢰만주국 재정부의 조사에 근거함.)
주요 곡물가격 하락표

	大豆		豆油		豆粕	
1929年	46012274		1964750		22390143	
1930年	33536831		2267286		25102384	
1931年	46897111		3099531		31375133	
1932年	41290526		2077583		23518462	
1933年	39111549		1341266		17788439	
1934年上半年	数量(担)	20197931	数量(担)	944564	数量(担)	14567711
	价格(园)	69380462	价格(园)	8337734	价格(园)	37001515
1933年上半期	数量(担)	21412856	数量(担)	806412	数量(担)	11636850
	价格(园)	95064708	价格(园)	11113451	价格(园)	39313054

	每石价格			指数		
	大豆	高粱	栗	大豆	高粱	栗
1925年	3611	2084	1584	189	238	272
1929年	1245	795	1155	146	187	196
1930年	917	582	714	108	137	121
1932年	897	431	700	94	101	119
1933年	495	249	954	58	59	60

이런 현상은 세계와 비할 바가 안 되는 동북 농촌에 최대의 치명상을 입혔다. 동북농촌은 자급자족의 경제사회이기 때문이다. 그러므로 그의 수입과 구매력이 낮은 것은 더 말할 것도 없고 이런 상황은 우리도 상상할 만하다. 그러나 우리는 내용을 더 명료하게 하기 위해 만주당국이 조사한 통계수치를 대략적으로 살펴보기로 하자. 보통 농가 한 가정 당 (평균 약 6명) 1년의 화폐수입은 약 72원이다. 다시 말하면 1개월에 개인당 수입은 1원이다. 그들의 수입은 완전히 대두 판매에 의거한다. 이 화폐 수입 72원에서 그 절반은 세금과 소금 값에 쓴다. 남은 절반은 천과 기타 일반 상품을 구매하는데 지출한다. 이런 참담한 생활 상태는 거의 다 특산물 판매에 의거하여 생기는 것이다. 지금까지 특산물의 폭락에 의해 그들의 화폐수입은 절반에서 3분의 1까지 줄어들었다. 다른 한 면에서 보면 세금과 소금 값은 여전히 변하지 않았다. 그러면 이런 비용을 제하고 나면 그들은 돈 한 푼의 여유도 없다. 이밖에 또 북만의 홍수와 마적의 침입까지 더하여 농촌의 생활상황은 더욱 상상할 수 없다.

이런 농업공황은 농민을 대상으로 하는 동북 사람들의 도시 경제에도 전가되었다. 동북 각 도시의 특산물 상인(特産商) 및 농산물 가공업자들도 연달아 파산하는 원인이 바로 여기에 있다. 길림, 할빈 등지에서 농업공황의 영향을 받아 문을 닫는 가게 수자가 할빈에서만 해도 수천 호에 달했다. 그 자본은 약 1천만 원에 달한다. 이 일례에서 동북의 농업공황이 어느만큼 엄중한 정도에 이르렀는지를 알 수 있다. 아울러 농업이 동북의 전 경제 구조에서 얼마나 중요한지에 대해서도 알 수 있다.

4. 동북경제의 명암 양면

동북 번영의 재 도래는 건설사업과 공공업의 개발이 전제조건이라고 할 수 있다. 그러나 동북사람은 줄곧 농업에만 종사해왔다. 상술한 건설, 개발에 대해 자본과 기술적인 실력이 없다. 그러므로 그들의 소득에 대해 논하자면 너무나도 억지스럽다. 다만 실업노동자들을 일부 구제하여 노동 임금과 마차 임금을 높였을 따름이다. 그러므로 공업의 발전, 철도의 개통, 여러 제도의 개혁의 좋은 경기는 동북 민중과는 전혀 상관이 없는 셈이다. 오히려 일본인의 자본의 진출로 인해 농촌을 대상으로 한 동북인의 상업계가 점점 더 위축되는 불행이 뒤따르고 있다.

그러나 일본의 입장에서 보자면 그들은 확실히 아주 큰 경제적인 발전기회를 얻은 셈이다. '9·18'사변 이후 동북에 대한 일본의 투자는 1933년까지 3만만 3천만 원의 거액에 달했다! 이렇게 동북의 각종 기업에 대한 일본의 자본은 이 지역의 경제세력을 완전히 자기들의 손아귀에 틀어잡았다. 아울러 외래의 자본은 자신의 세력권 밖으로 제거해버렸다.

동북의 경제발전에 따라 일본 자본의 침입은 동시에 일본상품의 만주에로의 침입을 초래했다. 일본의 대 동북 수출액은 '9·18'사변 이전에 5천만 원에 불과했던 것이 작년까지만 해도 3만만 원이 넘게 증가했다. 이와 반대로 출중한 지위에 있던 동북은 입초국으로 변신했다. 그러므로 1934년에는

1만만4,500만 원으로 입초하기도 했다. 일반 주민에 대한 농업공황의 영향이 직물 및 기타 일용품에도 미쳤기 때문에 별로 큰 수입은 없었지만 강철류, 기계류, 차량류, 목재류 등 면에서는 놀라운 수입을 달성했다. 이상 여러 가지 점에서 볼 때 일본이 동북 경제에서 얼마나 활약적이었는지, 동북인민의 경제는 그 얼마나 위축됐는지에 대해 알 수 있다.

5. 동북경제의 미래

동북은 농업이 경제의 기둥이라는 것은 누구나 다 아는 사실이다. 주민의 10분의 8, 9는 다 농민이다. 각 도시도 농촌을 대상으로 발전하고 있다. 그러므로 동북경제의 발전이 어떠한가 하는 것은 농업발전이 어떠한가에 의해 결정된다. 그러나 누구나 다 알다시피 세계의 각 농업국은 농업품의 과잉 혹은 농산물가의 폭락으로 인해 다 파산에 직면했다. 농업 발전의 여하에 대해서는 잠시 그만 논하자. 일단 농산물과잉을 어떻게 처치하는가 하는 것만 해도 문제가 된다. 브라질(伯剌西爾)에서는 호피(瑚枇)를 소각했고 미국에서는 면화를 비료로 사용했고 북만에서는 곡물창고가 있는 지대에서 대두를 연료로 사용했다. 이밖에 어떤 사람들은 개간한 경작지에 대한 경작을 중지하고 일부러 경비를 내어 경작지를 초원, 삼림으로 만들고 있다. 이런 점들을 보면 동북 농업의 발전 역시 기대하기 어려운 일이다.

그러므로 동북의 농업 발전 문제는 농업품 판매시장을 찾는 문제이다. 용도의 발견, 농작 변경 등이 우선 해결돼야 할 문제이다. 그러나 농업품 판매시장을 논하려면 동북뿐이 아니라 전 세계 역시 다 마찬가지의 환경이다. 그렇다면 어느 나라가 동북의 농산품을 흡수할 수 있는가? 다음은 용도 발견 문제인데 역시 과학적인 기술과 자금의 원조가 필요하므로 이 또한 불가능한 일이다. 맨 마지막의 문제는 농작 변경 문제이다. 이 문제에 대해 동북도 현재 고민 중에 있다. 예하면 남부 지방에서는 면화로 대두, 수수를 대체하려 하고 북부지방에서는 대두로 소밀을 바꾸려고 하는데 다 이런 문제에 속한다. 그러나 동북 기후는 대두와 수수의 종식에 가장 이롭다. 다른 농작물에는 적합하지 않다. 그럴 뿐 아니라 바꿨다는 농작 변경 종류인 면화, 소밀, 사탕무우도 판로가 있겠는지는 누구도 담보할 수 없다. 만일 역사적인 농작물의 종류를 변경하려면 정치 또는 경제면에서도 아주 중대한 문제이다.

이상의 여러 문제를 해결하기 전에는 동북의 농업 발전이 실현되기 어려울 것으로 보인다. 농업 이외의 광업, 공업, 임업 등 각종 산업은 발전 희망이 아주 크다. 그러므로 농촌의 파산은 이에 기대여 일부 완화의 가능성이 있다. 그러나 이 모든 것은 일본 한 나라가 안고 있다. 이밖에 기업 통계에 대한 금지, 제한, 간섭 등으로 인해 동북의 민중은 더는 발전의 기회가 없을 것으로 보인다. 그러므로 이런 농업공황의 심각화, 민간 산업의 부진은 동북 경제발전의 길에서 가장 암담한 현상이다. 이런 현상이 계속 존재하는 한 건설경기가 한 순배 지난 후면 일본인의 경제도 일정하게 영향을 받게 될 것이다.

『獨立公論』, 第1期

박효삼 편

제1구대가 전방에서

10월 23일 우리는 위험이 박두한 동방의 시카코—한구를 떠나 새 과업을 수행하기 위해 새로운 여정에 올랐다. 적기의 폭격도 헤아릴 새 없이 장도의 피곤도 무릅쓰고 우리는 목적지—9전구 정치부에 도착했다. 악양에서 백가요에 도착했을 때에 마침 '9전구 정치부'의 장비서장과 여러 동인들을 만났다. 그들은 진심으로 우리를 환영했다. 우리도 몹시 흥분했다. 중·한 민족은 진짜로 손에 손을 잡고 동일한 전장을 향해 나가고 있다.

산에서 진행된 전투는 아주 격렬했다. 국세가 갑자기 긴장해지고 아군은 진지에서 전이했다. 구체 지역이 아직 결정되지 않았기 때문에 우리는 그들을 따라 이동했다. 11월 12일에 지정된 지점(황화시)에 도착했다. 또 명령을 받고 양산에 집중했다.

충산은 아무런 방비도 없는 소도시였다. 적들은 이 점을 이용해 더욱 거리낌 없이 미친 듯한 폭격을 가했다. 번화했던 거리가 오늘은 폐허로 변했다. 가게를 운영하던 주민들이 다 떠나가서 우리가 하려고 했던 공작은 부분적으로 힘들어졌다. 그러나 동지들은 고생도 마다하지 않고 이런 곤난을 끝내 극복했다. 우리는 경비예산과 대적선전 계획 대강을 짜서 '9전구 정치부' 장비서장에게 보내 비준을 받았다. 금후의 선전공작을 설계하는 한편 선전 자료를 만들었는데 며칠이 되지 않아 다 완성했다. 11월 28일에 명령을 받고 평강현 소속인 매선진에 가서 대적선전공작을 했다. 이튿날 배를 타고 북상하여 12월 3일에 장사에 도착했다. 당시 전방의 상황에 대해서는 묻지 않았고 각 부대 상황도 알지 못하는 상황에서 경비문제 관계로 명령을 받고 잠시 그곳에 머물러 출발명령이 떨어지기를 기다렸다.

장사는 큰 불길에 휩싸여 물질손실이 대단했지만 여전히 호남성 정치, 군사, 문화의 중심지로 손색이 없었다. 각계 당국이 서둘러 뒷일을 마무리하고 구제하고 정리했다. 시내는 점차 또다시 번영한 모습을 회복했다. 시골에 피난했던 시민들도 육속 돌아왔다. 무너진 집들이 다시 일어서고 새로운 장사를 상징하는 건설이 하루가 다르게 진행됐다.

별이 하나둘 사라지고 구름이 개인 이른 아침, 새벽바람이 한기를 몰고와 우리 모든 사람의 몸으로 스며들었다. 우리의 동지들은 얼굴에 득의양양한 웃음을 피우며 좁은 오솔길을 더듬어 앞으로 전진했다. 그랬다. 오늘—12월 9일은 이재민들에게 구제금을 발급하는 날이다. 가슴속에 기쁨, 희열, 긍지, 자랑이 넘치는 마음으로 더욱 발걸음을 다그쳐 앞을 향해 나갔다. 구제민들이 많이 기다렸을 것이다! 그들은 그 얼마나 큰 인내로 이 날을 기다려왔을까? 아직도 별빛이 반짝이지만 동지들은 뜨거운 책임감 때문에 앞을 향해 달렸다.

큰길에서 트럭에 뛰어올랐다. 경적을 울리고 흰 김을 내 뿜으며 나는 듯이 앞을 향해 달렸다. 차가 지나치는 곳마다 과거의 가게들과 회사들, 고층건물, 평민주택들이 지금은 무너진 담과 끊어진 벽, 부서진 기와조각, 잿더미가 되어 널려있다. 장사 동포들이여! 이런 중대한 손실은 누가 한 짓인가를 기억하라! 불공대천의 원수 일본침략자들에 대한 원한을 반드시 일떠나 복수해야 한다. 그러지 않는다면 어찌 황제의 자손이라고 할 수 있을 것인가? 또 어찌 중화민족의 역대의 영웅 조상들을 대할 수 있을 것인가?

목적지에 도착한 후 잠시 휴식하고 나서 홍심(洪深)과장이 오늘 구제금을 발급하는 원인을 보고하고 이 사업을 포치했다. 모든 사람이 책임져야 할 과업을 정해주고 나서 모든 인원을 몇 개의 소조로 편성해 지정한 지점에 가서 직책을 수행할 것을 당부했다. 우리 24명은 네 개 소조로 나뉘었다. 9시 경에 교육평(敎育坪)은 이미 인산인해를 이루고 사람들이 물샐틈없이 모여 있었다. 우리는 질서를 잘 유지하여 구제금을 잘 발급하기 위해 이재민들을 줄을 세우고 앉게 했다. 그들을 대신해 수령증을 적어주었다. 이 기회에 우리는 동포들에게 구두로 선전을 했다. 장사에 큰불이 나게 된 진정한 괴수는 일본강도들이라는 것을 말하고 중국 항전의 의의를 간단하게 설명했다. 그리고 이재민에 대한 중국 민족의 영수 장위원장의 친절한 배려에 대해 설명했다. 그들은 듣고 나서 모두 깊은 인상을 받은 표정을 지었다. 그들은 조금만 돌봐주면 질서를 잘 지키고 조용히 앉아서 기다리고 있었다. 그 점이 우리를 가장 기쁘게 했다.

　얼마 후 경리원이 왔다. 줄을 선 사람들에게 순차적으로 일인당 5원을 발급했다. 한밤중이 되자 교육평의 공터는 사람 하나 없이 고요해졌다. 우리는 피곤했다. 그러나 우리 동지들의 얼굴에는 올 때보다 더 환한 웃음이 어렸다. 우렁차게 노래를 부르면서 귀로에 올랐다.

『朝鮮義勇隊通訊』, 第六號

제1구대가 전방에서(속편)

큰 불이 난 후 장사의 신문간행물은 모두 후방으로 전이했다. 그러다보
니 장사의 정신식량, 특히는 전시(戰時) 신문소식이 특별히 부족했다. 동지들
은 이 큰 결핍을 보충하기 위해 매일 벽보를 출판했다. 귀로 각종 새로운 소
식을 듣고 수집했다. 매일 동이 트면 행동조 동지들이 중앙사에 가서 원고를
가져왔다. 기타 논단은 편집부에서 전날 밤에 구성하고 당일 벽보조 동지들
이 분담해서 집필해 거리 골목에 가득 붙였다. 장사에서는 이것이 하나밖에
없는 벽보여서 자연 시민들의 뜨거운 환영을 받았다.

열흘이 채 되지 않아 당국이 적당한 조치를 취한데서 난리를 겪은 후의
장사는 처량했던 처지에서 점차 벗어나 날로 흥성하기 시작했다. 민중들은
분분히 도시로 돌아왔고 가게들도 무너진 집을 다시 일으켜 새집을 지어서
영업했다. 각 신문사들도 선후로 출판을 시작했다. 그리하여 우리의 벽보도
내용을 바꾸었다. 예하면 단평을 발표하여 군중들에게 알리는 외에 시사적
의미가 풍부한 만화 등을 발표하여 군중들의 찬양을 받았다.

우리는 장사의 거리에 민중의 항전 의식을 더욱 굳세게 하고 민중의 대적
적개심을 더욱 강화하는 지질 표어를 가득 붙였다. 그 외에 벽제표어도 우리
의 유력한 선전도구로 되었다. 특히는 도시와 농촌의 높은 벽에 만들어놓았
기 때문에 길에 나서면 조선의용대의 표어가 눈에 확 띠였다. 사람들이 가장
놀라는 표어는 사방 한자가 되는 흰 테두리 안에 붉은 색칠을 넣어 쓴 천심

각의 높은 벽의 거대한 구호이다. 전방의 장병들은 용감하게 적을 무찌르고 후방의 민중은 생산에 노력하자. 이 글자는 10리 밖에서도 볼 수 있으니 그야말로 본 대가 장사에 남긴 영원한 기념이다.

상술한 벽보 작업과 표어 작업을 한 외에도 거리에서 신문을 살포하는 작업 역시 우리의 가장 유력한 선전도구의 하나이다. 우리는 시골의 민중도 선전의 혜택을 받게 하기 위해 거리마다 신문조를 배치하고 거리간행물을 출판했다. 거리간행물은 민중과 직접 만날 수 있을 뿐더러 민중의 마음을 움직일 수 있다. 선전 자료에는 각지 유격대의 활동 상황과 각지 민중이 전시 사업에 열정적으로 참가한 상황이 적혀있고 또 적들의 잔혹한 야수성을 폭로하고 만화와 설명을 곁들인 재미있는 항전이야기를 많이 넣었다. 이런 신문을 거리마다 다니면서 나눠주면 민중들은 그날로 그것을 농촌으로 가지고 가곤 했다. 그리하여 선전 전파력을 한층 더 넓혔다. 이것이 바로 장사에 널리 알려진 「우리의 살길」이란 제목의 거리신문이다.

조선의용대는 중국 항전의 특수한 대오이다. 특히 우리가 장사에서 많은 선전공작을 하고 깜짝 놀랄만한 표어를 붙이고 경각성을 불러일으키는 벽보를 꾸린데서 이미 본 대에 대한 장사의 인사들의 큰 관심을 불러일으켰다. 그들은 본 대의 모든 상황과 조선혁명의 개황에 대해 자세히 알 수 있기를 갈망했다. 우리는 각계의 절박한 요구에 만족을 주기 위해 출판조를 구성했다.

출판조가 창설된 후 우리는 즉시 비정기적인 간행물인 『혁명의 조선』을 꾸리기로 결정했다. 이 사업을 책임진 동지들은 바쁜 와중에도 시간을 내어 낮에 밤을 이어 작업했다. 경비가 극도로 부족하고 자료가 극도로 부족한 상황에서도 우리는 여전히 신속하게 출판했다. 편폭과 내용 면에서는 좀 차하기는 하지만 이는 여러 동지들이 힘을 합쳐 노력한 결과이다.

이상의 표어, 벽보, 거리신문 등은 행동조에서 붙이거나 살포했다. 눈이 오나 비가 오나, 땅이 아무리 질어서 걷기 힘들어도 행동조의 동지들은 매일 3, 40리를 오가며 천여 개의 거리신문을 살포했다. 벽보, 표어는 바람이 부나 비가 오나 매일 제때에 거리에 붙였다. 우리가 이처럼 끊임없이 제때에 작업하는 원인은 우리의 친애하는 독자들이 언제나 예정된 지점에서 우리를 기다리고 있기 때문이다. 어느 날 행동조의 한 동지가 벽보를 붙일 때였다. 날씨가 너무 추웠고 바람이 미친 듯이 불어댔다. 열 손가락이 굳어서 종이장을 붙일 수가 없었다. 이때 한 독자가 즉시 달려와 그를 도와 벽보를 붙여주었다. 그는 그 동지에게 "동지들, 정말 수고가 많습니다. 당신들의 이런 용감한 봉사정신에 우리는 진짜로 탄복합니다!"라고 말했다. 이 말을 통해 우리는 의용대에 대한 백성 동포들의 인식과 사랑을 알 수 있었다. (미완)

『朝鮮義勇隊通訊』, 第七號

제1구대가 전방에서(속편)

　'제9전구 정치부' 장관이 기술인재를 고무격려하고 공작하는 동지들의 심신을 단련시키기 위해 각종 경기를 펼쳤다. 이 경기는 우리의 동지들이 솜씨를 보일 수 있는 큰 기회였다.

　우선 논문 경기가 12월 21일 문예중학교에서 진행됐다. 본 대가 임시로 한명을 파견해 「전장에서의 정치공작 인원의 책임」이라는 시험 제목에 대한 논문경기에 참가했다. 결과 본 대의 동지가 2등에 뽑혀 사람들을 놀래웠다.

　회화 경기는 21일 휴일에 명헌여자중학교에서 진행됐다. 나는 본 대에서 한명을 파견해 참가시켰다. 염료화구에 대한 조감이 부족해 수묵과 백분으로만 묘사했는데 붓질에 힘이 있고 기술이 뛰어나서 1등을 획득하고 기타 서예는 본 대가 서체의 절묘함에 힘입어 5등을 획득했다.

　가랑비가 내리는 이른 아침 우리가 쪼크리고 앉아 밥을 먹고 있는데 갑자기 대장이 선포했다. "아침에 정치부의 통보를 받았는데 내용은 본부가 기관학교화를 실행하고 일에 대한 취미를 유발하기 위해 전체 인원의 체력경기를 할 것이다"라는 것이었다. 동지들은 이 소식을 듣자 벌써 주먹을 쥐고 손을 비비며 한바탕 해보려는 기세였다.

　12월 23일, 본 대의 건아들이 야외 달리기 경기에 참가했다. 그들은 아침에 동쪽 하늘이 희붐히 밝자 이불속에서 뛰쳐나왔다. 그날 대부에서는 특별히 돼지고기 비빔밥을 준비했다. 다들 반쯤 배를 불리고 행장을 지니고 악녹

산을 향해 전진했다. 시간은 이미 9시 가량 됐다. 동쪽 하늘에 붉은 해가 높게 떠올랐다. 싱싱한 기운이 산꼭대기로부터 전해져왔다. 수림 속에서는 새들이 청아한 목소리로 노래를 불렀다. 길에 선 건아들은 마음이 붕 뜨고 힘이 솟구쳤다. 잠시 뒤 장관이 호르라기를 부르자 다들 진정했다. 경기 시작이 10분 밖에 남지 않았다. 참가한 인원수는 도합 60여 명이었다. 남녀가 두 개 조로 나뉘었다. 남자조가 달릴 거리는 10화리(華里)이고 녀자조가 달릴 거리는 5화리였다. 다들 준비하고 있는데 호르라기 소리가 울렸다. 수십 명의 건아들이 죽일 내기로 달렸다. 그 기세는 수많은 말들이 달리는 것 같고 거센 홍수가 사품 치는 듯 했다. 그 속도는 바람이 쏜살같이 불고 번개가 순식간에 번쩍이는 듯, 질풍폭우가 쏟아지는 듯 했다. 서로 비기며 앞서거니 뒤서거니 달렸다. 너도나도 앞장에서 달리려고 애쓰며 한 사람이라도 떨어질가봐 기를 썼다. 그러나 체력이 각자 부동하니 도착할 때에는 선후가 있기 마련이다. 최후 결과는 1등, 2등이 다 본 대 선수였다. 본 대가 가장 큰 영예를 따냈다.

24일 아침, 우리는 악녹산 기슭에서 오늘의 등산경기를 맞이했다. 뜻밖에도 아직 발도 떼지 않았는데 갑자기 "윙 윙", "윙……윙" 거대한 소리가 고요한 공기를 뒤집었다. 이는 동포들에게 적기가 날아든다는 신호였다. 동포들은 재빨리 산골짜기로 피했다. 과연 얼마 지나지 않아 적기가 도시의 공중에 나타났다. 그러나 이제는 옛날의 장사가 아니다. 적기는 제멋대로 할 목표—평민주택을 찾지 못했다. 적기는 별수 없이 "스쳐 지날"뿐 흉악한 개 짖음 소리를 내고는 사라졌다. 동지들은 다시 모여 순서대로 열을 지었다. 등산 신호를 기다리다가 호르라기 소리가 짧게 울리는 순간 수많은 화살이 일제히 날려가듯 앞 다투어 산을 올랐다. 사람마다 노루나 토끼, 원숭이처럼 날래게 달렸다. 나래나 돋친 듯 솟아오르면서 삽시간에 고봉에 올랐다. 결과 우리 대는 또 1등을 따냈다. 그야말로 군교의 장거리달리기 명장으로 손색이 없었다.

12월 25일은 중화민족 부흥절 2주년 기념일이다. '제9전구 정치부'는 특별히 장사주재 각 단체들과 공동으로 성대한 기념회를 거행했다. 본 대의 동지 전체가 참가했다. 흰 천에 붉은색 글씨로 적은 표어를 만들었다. "민족 부흥절 기념, 영수 옹호, 항전 끝까지 진행", "중·한 두 민족은 연합하여 일본제국주의를 타도하자." 이 표어를 예당의 양측에 높이 걸어 각 측의 관심과 찬양을 받았다. 오후 한시에 확대유예회를 거행했다. 우리는 이 기회에 미리 찍어놓은 "조선의용대 창설 경과와 당면한 과업"이라는 전단지를 살포했다. 유예회에서 본 대가 표연한 연극 "의용대"는 관중들의 박수를 크게 받았다. 특히 한국어로 부른 노래와 탭댄스는 아주 뜨거운 박수를 받았다.

26일 오후는 제9전구 정치부가 경기 결과에 상을 발급하는 날이었다. 결과 우리 대가 상을 가장 많이 탔다. 그야말로 큰 수확을 거두고 돌아왔다.

두 달은 비록 짧은 시간이었지만 동지들이 불굴의 정신을 발양했기 때문에 사업이 초보적인 성과를 거두었다. 그러나 우리는 절대 이에 만족하지 않는다. 우리의 주요한 사업—대적선전은 아직도 신속히 진행되지 못했으므로 우리는 매우 부끄럽게 생각한다. 당국 및 중국 각계 인사들이 우리에게 가르침과 도움을 준데 대해 우리는 오직 사업에 더욱 노력하는 것으로 보답해야 할 뿐이다.

『朝鮮義勇隊通訊』, 第八號

조선혁명군을 창설하기 위한 투쟁

위대한 중국 항전이 시작된 후 관내의 조선 혁명자들은 항전의 승리를 위해, 항전 도경을 통해 조선혁명의 성공을 이루기 위해 조선의용대를 조직했으며 직접 항전 전선에 참가하여 일본파쇼군벌과 피어린 박투를 했다. 그 시간이 약 2년이 걸렸다. 우리 전체 동지들은 광범한 남북전장에 분포되어 영용한 중국 전우들을 협력해 가장 큰 희생과 노력으로 대적선전공작을 했다. 우리는 이 2년 동안 닦은 사업 토대에 근거하고 장래의 발전 및 새로운 단계를 향해 발전하고 있는 목전의 항전 정세에 근거해 금후 사업의 방향을 전망함으로써 새로운 투쟁과업을 맞이할 준비를 해야 한다.

과거 2년 동안 본 대의 전체 동지들은 대적선전공작을 수행하는 동안 이미 약간의 성과를 거두었다. 아울러 모든 동지들이 다 적극적으로 단련하고 소중한 경험을 쌓았다. 우리는 이런 경험과 목전의 적아 쌍방의 정세에 근거해 우리의 근본적인 목표 즉 피압박 적군 사병과 민중을 쟁취하고 와해하는 과업을 어떻게 새로운 방향에서 발전시키고, 각 전장에서 단순하게 구호나 외치고 전단지만 살포하던 선전공작을 어떻게 보다 적극적이고 보다 전투적인 방향으로 전변시키겠는가, 라는 문제를 잘 고려해야 한다. 즉 다시 말해 우리는 조선혁명의 무장역량을 건립하여 중국 무장부대와 함께 동일한 전선에서 과감한 정신으로 적의 후방을 드나들며 직접 적의 내부를 짓부셔야만 우리의 새로운 발전목표를 철저히 완성할 수 있다.

적들은 전쟁이 연장되자 내부 모순이 날로 첨예해지고 피압박 일본사병 및 민중의 혁명의 위기가 코앞에 박두했다. 동시에 적은 국내의 병원이 고갈되어 주요 보충 목표를 이미 조선과 동북에 두고 있다. 목전 적들은 조선에서 강제로 지원병을 모집함으로써 그들이 중국 각 전선(주로 화북)에서 후방 병역을 담당하게 하고 있다. 그리고 핍박에 못 이겨 피 점령지 각지로 간 조선민중은 그 수자가 수십만이 넘는다.

이런 정세 하에서 우리가 조선혁명 무장대오의 깃발을 내걸고 과감하게 적의 후방을 넘나들며 수시로 적에게 접근하고 기동적이고 적극적인 선전을 할 수 있다면 대적선전의 효율을 강화할 수 있는 것은 물론이거니와 특히는 조선민중을 쟁취하고 혁명의 역량을 증강하는 면에서 더욱 중대한 의의가 있을 것이다. 그러므로 우리는 관내의 조선혁명운동의 새 발전을 도모하려면 마땅히 본 대를 무장혁명군으로 확대해야 한다는 점을 과거 2년 동안의 대적선전공작의 기초와 경험에 근거해 강조하여 말하고 싶다.

우리가 상술한 과업 및 토대에 근거해 새 발전을 추구하는 것은 우리 자신을 무장하여 무장한 혁명군으로 만드는 것에만 국한된 일이 아니며 목전의 새 정세의 수요에 맞는 일이다.

지금 적들은 중국침략전쟁을 끊임없이 하고 있다! 혁명 열사들을 위해 복수하고자 하는 분노가 '6·10'운동 이후의 무수한 반일혁명투쟁에서 불타올랐다. 공장, 농장, 학교, 거리에서 끊임없이 뜨거운 피를 뿌리며 혁명의 혈화가 피어나고 있다. 이렇게 보편적이고 지구적인 유혈투쟁가운데서 조선민족은 완강하고 영용한 정신과 의력을 발휘해 자유행복의 길을 개척하고 있다.

'6·10'운동은 조선민족 혁명정신의 위대한 표현으로서 대내외를 막론하고 아주 큰 영향을 발생했다. 여러 면에서 엄격히 검토하면 작은 결점들이 있기는 하나 대체적으로 말하면 조선혁명사상 중대한 의의를 가지고 있다.

우리는 이 위대한 혁명 기념일을 맞이한 오늘 15년 전의 '6·10'시대의 영용하고 장렬한 투쟁을 돌이켜보면 실로 흥분을 금할 수 없다. '6·10'운동이 우리에게 남긴 분투정신은 더욱 비할 바 없이 소중한 것임을 느끼게 된다.

그러나 우리가 겪은 압박과 고통은 더욱 심각해졌다. '6·10'운동의 우리의 대상은 일본제국주의였다. 오늘날 우리의 적은 여전히 일본제국주의이다. 그러나 객관적인 정세는 아주 큰 변화가 생겼다. 이 변화는 중국 민족이 전국 인민의 단합된 힘으로 일본침략자와의 무장투쟁을 견지하고 민족의 피어린 투쟁으로 민족의 해방을 쟁취하고 있는 것뿐이 아니다. 금년의 '6·10'은 바로 제국주의 제2차 대전이 치열하게 진행되는 때이다. 이 기회는 세계 경제가 군사적인 역량을 지지할 수 없게 했다. 뿐더러 구라파전의 확대와 복잡한 국제 정세를 대처하기 위해 전쟁의 형구에서 급속도로 벗어나려는 최후 발악의 수단으로 왕정위 역적 괴뢰가 악북, 악중에서의 새로운 군사모험을 다그치고 있고 각종 음험하고 유인적인 수단으로 정치진공을 하고 있다.

적들은 온갖 정치 진공을 통해 우리의 항전을 파괴하려고 하고 있다. 그러므로 적들의 이런 음모를 짓부시기 위한 유일한 수단은 바로 모든 역량을 집중해 항전 정부를 공고히 하고 최대의 위력을 발휘하게 하는 동시에 모든 항전의 민족연합전선을 한층 더 공고히 하고 옹호하고 그 역량을 충실히 하여 사업을 발전시키는 것이다.

조선민족이 무장혁명군을 건립하고 실현하는 것은 중한 두 민족의 연합전선의 진일보의 발전을 위한 표현이다. 동시에 적들의 정치음모에 대한 맹렬한 반공이다. 만일 중국항전 진영에서 피압박 조선민족이 무장한 단위로 작전에 참가하게 되면 이는 적에게 치명적인 상처를 줄뿐더러 전 조선민족 혁명의 발전을 추동하고 모든 피압박민족의 동감과 호응을 더욱 많이 획득하게 할 것이다.

우리는 중국항전의 도경을 통해 조선혁명의 토대를 닦기 위해 조선의용대의 무장 건립을 요구하게 되었다. 중국 항전의 승리는 중국 항전 건국의 성공이며 또한 동아시아의 진정한 영구적인 평화의 기초를 다지는 것이다. 지금 중국은 이런 총 목표를 내걸고 항전 역량이 공고히 되고 발전됨에 따라 위대한 건국 미래를 향해 매진하고 있다. 그러므로 조선민족은 적극적으로 중국항전의 승리를 지지하는 한편 조선혁명의 최후 성공의 결정적인 역량을 건립하기 위해 분투해야 한다. 그러므로 목전 조선혁명의 최후 성공의 역량에 대한 준비는 혁명군을 건립하는 것이다.

관내에 혁명군을 건립하는 문제에 관해서는 상술한 근거와 목전의 형세, 우리가 구비한 주관 및 객관적인 여러 조건을 따져보면 우리는 아주 만족스러울뿐더러 이 과업을 필연코 승리적으로 완성할 것이라고 자신하고 있다.

1. 군사간부: 관내에서 혁명 사업에 종사하는 자 대다수는 군사와 정치를 겸한 자로서 그중 조금 연로한 혁명지사들은 대부분 조선이 일본제국주의에 의해 병탄된 후 폭발한 의병운동 때부터 투쟁에 참가했다. 그 후 국경, 동삼성, 소련변경 등 기타 각지에서 독립군을 조직하여 일본 파쇼군벌과 생사박투를 했던 백전 노장들이다. 특히 지금 항전 진영에서 영용하게 활동하고 있는 조선의용대의 혁명청년들은 중국 북벌혁명부터 지금까지 수많은 전투를 거쳤고 군사교육을 받은 우수한 간부들이다. 기타 각 부대에서 근무하고 있는 조선혁명동지들은 지금 각 전장에서 중임을 떠메고 있다. 이상의 간부들이 조선혁명군을 창설하는 결정적인 요소는 아니지만 항전의 길에서 군사토대를 닦은 중견들이다.

2. 피 점령지구의 조선민중: 중일전쟁이 폭발한 후 조선민중은 일본제국주의의 더욱 심한 착취와 압박 속에서 중국 각지로 끊임없이 들어왔다. 특히

일본제국주의가 지금의 군사질곡에서 벗어나지 못하고 있기 때문에 정치적인 진공을 실행하기 위한 이민정책을 실시하다보니 핍박에 못 이겨 중국 각지로 온 사람들이 이미 수십만에 달한다. 이후에도 늘어날 뿐 줄어들지는 않을 것이다. 이렇게 일본제국주의가 무한정으로 구축정책을 실시하다보니 우리에게는 더욱 많은 조선혁명후비군을 끊임없이 쟁취할 수 있는 가능성이 생겼다.

3. 적군중의 조선사병: 일본제국주의자들이 조선을 병탄해서 지금까지 이미 31년이 지났다. 그동안 온갖 방법으로 조선민족을 위협, 유혹하였지만 시종 조선민족의 정신을 소멸하지는 못했다. 도리어 일본제국주의자들에게 반항하는 혁명적인 기세가 날로 팽배하고 있다. 그러므로 일본제국주의는 시종 조선민중을 무장시키는 것을 두려워했다. 지금 중일전쟁이 장기적인 대치국면에 들어서고 적국의 내부 모순이 날로 첨예지고 있는 이때에 중국의 항전은 날로 유리한 쪽으로 발전하고 일본파쇼군벌은 날로 더 미쳐 발광하고 있다. 그러나 그 결과는 만회할 수 없는 제국주의 전쟁으로 인해 자멸의 경지에 빠져들고 마는 것이다. 그리하여 우리는 일본파쇼군벌이 지금 조선에서 강제로 지원병모집을 하고 있고 이것이 중대한 의의를 가지고 있음을 보게 되었다. 작년부터 올해 사이에 지원병에 대한 강제징병이 3차나 있었다. 번마다 천 명씩, 3기에 도합 3천 명을 모집했다. 그중 대부분은 이미 화북 각 전장의 작전에 보충됐다. 아울러 목전에는 조선 각지의 여러 곳에 이른바 '청년훈련소'를 설치하고 계속 강제모집을 하고 있다. 그러므로 일본제국주의자들은 전력을 다 하여 꿈을 달성하려고 하는 것이다. 그러나 사실상 적의 수장의 연설에서 알 수 있다시피 이른바 '지원병' 모집에 의한 결과는 만족스럽지 않다. 조선민족은 역시 조선민족이며 압박을 심하게 당할수록 적의 본질을 더욱 똑똑히 보게 된 것이다. 이런 상황에서 우리가 무장 부

대를 건립하게 된다면 그들은 홍수마냥 기의하여 넘어올 것이다. 우리는 오히려 일본제국주의가 조선민족을 다 무장시키기를 바란다. 이는 우리에게 무장한 혁명군을 건립해주고 우리를 위해 훈련시키는 꼴이 될 것임이 틀림없기 때문이다.

우리는 지금 항전의 승리를 위해 보다 큰 기여를 하고 있으며 아울러 최대의 노력으로 조선혁명군의 최후 성공을 쟁취하기 위해 앞으로 매진하고 있다. 중국 당국 및 혁명 선배 동지들은 이런 기여가 위대한 효과를 거둘 수 있도록 추진해왔다. 과거 그들은 조선혁명을 촉진하는 사업에 진지하고 성의 있는 원조를 주었다. 그러므로 새로운 발전을 위한 우리의 이상의 희망과 기대는 꼭 성공하게 될 것이다.

『義勇隊通訊』, 第35期

본 대의 2년 총화

1. 서언

2년이다! 조선의용대는 중국 항일의 전장에서 싸우면서 굳세고 용감하고 절대로 굴복하지 않는 자태를 보여주었다. 조선의용대는 국제 종대의 선봉대이다. 중국항일전쟁의 가장 믿음직한 우군이다. 중국에서 조선혁명운동을 실천하는 가장 중요한 부문이다. 2년 동안 이런 임무를 수행하면서 조선의용대는 가장 큰 노력으로 빛나는 성적을 창조했다. 아울러 끊임없는 전투 속에서 실천적 경험교훈을 쌓았으며 예상했거나 예상하지 못한 수많은 곤난을 이겨나가면서 자신을 발전, 강화시켰다.

첫 1년의 사업에 토대하여 우리는 두 번째 해의 사업을 진행했다. 첫해의 사업 토대가 든든하게 다져졌기 때문에 우리는 두 번째 해의 사업을 순조롭게 진전시킬 수 있었다. 그러나 이는 우리의 사업이 이미 충분하다는 것을 의미하지는 않는다. 반대로 우리의 임무가 아주 막중한 것이기 때문에 우리가 승리하는 그 날까지는 아직도 멀었다. 특히 지금 국제 형세가 급격하게 변화되고 있다. 중국은 지금 항전의 기세가 더욱 강해지고 일본침략자들과 최후의 한 단계를 급히 마무리하려고 하는 시기에 있다. 이런 때에 우리는 필승의 신념, 더욱 큰 노력으로 결사적인 분투를 해야 한다.

본 대의 창설 2주년을 기념하는 오늘 우리는 특별히 과거의 사업에 대해 총화와 검토를 할 필요가 있다.

2. 첫해의 사업에 대한 검토 및 두 번째 해의 사업의 주요 방향

본 대가 창설된 초기에 우리의 전체 동지들은 일치하게 3개의 구호를 외쳤다. 1) 모든 재중 조선혁명역량을 다 동원하여 중국의 항전에 참가한다. 2) 일본의 광범한 군민을 쟁취하고 동방의 약소민족을 발동하여 공동으로 일본군벌을 타도한다. 3) 조선혁명운동을 추진하여 조선민족의 자유해방을 쟁취한다. 이 3개의 구호 역시 본 대의 제반 사업의 목표이다. 첫해에 우리는 이 목표를 실현하기 위한 주요 사업으로 대적선전 외에도 일반군민에 대한 사업, 국제선전, 포로교양, 적의 문건 번역 등등을 했다.

1) 대적선전공작: 이 공작에 대해 우리의 동지들은 우월한 기술적인 역량을 가지고 있을 뿐더러 고도의 흥미도 가지고 있었다. 사업을 시작하자 그들은 적들의 뜨거운 포화도 무릅쓰고 적후 또는 양군 대치의 제1선 진지에서 활동했다. 그들은 진지 선전대로 나뉘어 유격선전대와 함께 전호 속으로 기어들어가 일본어 구호를 높이 불렀다. 적들의 철조망 속으로 기어들어가 표어 전단지를 뿌렸다. 한번은 악북 전장에서 우리의 동지들은 적들과 80미터 사이 둔 곳에서 6자 너비, 한장(역주: 한자의 열배, 약 3미터) 길이의 흰 천 깃발을 세웠다. 이 깃발에는 "일본형제들! 우리의 공동한 적은 일본 군벌이다."라고 씌어져 있었다. 또 어느 날 밤에는 한 동지가 적들과 가장 가까운 전호에서 목청을 높여 일본말로 강연을 했다. 뜻밖에 적병 속에서 대답이 들려왔다. 그리하여 화선의 변론회가 진행됐다. 이 변론회는 약 4일 밤 동안 진행됐다. 이 이야기는 미담으로 널리 전해졌다. 상북 전장에서의 일이다. 한번은 우리의 동지가 새공교의 공격전에 참가했다. 전투가 잠간 끊긴 동안에 대적선전을 했는데 아주 만족스러운 결과를 얻었다. 이밖에 또 종이 연으로 전단지를 살포하는 등 수많은 수단으로 선전했다. 더욱 광범하고 신속하게 대적선전공작을 하기 위해 5전구의 동지들은 훈련반을 꾸려 수백 명의 대적선전간부

를 양성했다. 이런 사업은 다 양호한 효과를 거두었다. 그리하여 우리는 종이탄알로 적군을 와해하는 신념을 더욱 다지게 되었다.

2) 일반군민에 대한 사업: 우리는 이 사업에도 큰 중시를 돌렸다. 이 사업은 대적선전공작과 떨어질 수 없는 밀접한 관계가 있기 때문이다. 군대 내에서 우리는 군사정치공작자로 되어 생활면에서 사병들과 고락을 함께 하고 업무 면에서 사병들과 함께 동락회, 토론회를 했고 전투 중에는 절대로 위축되지 않고 번마다 맨 앞장에 서서 싸웠다. 그리하여 사병들은 우리를 아주 존경하고 사랑했다. 민중에 대한 사업에서 우리는 보갑장, 연보주임과 소통하고 늘 민중과 가깝게 지냈다. 그들에게 각종 문제에 대해 해석해주고 곤난을 해결해 주었다. 어떤 때에는 우리가 군민합작의 교량이 되곤 했다. 아울러 많은 전지민중소학교를 꾸려 학업이 중단된 전쟁지역의 어린이들을 교육했다. 이 점에서 민중은 특히 우리에게 감사해하고 있다.

그리하여 우리가 이르는 곳마다 중국 사병과 민중은 다 우리를 뜨겁게 맞아주었다. 중·한 두 민족의 연합정신은 더욱 널리 알려지고 더욱 선양되었다.

3) 포로교양: 제5전구의 동지들은 30여 명의 포로를 위탁 교양하였다. 그 중 성적이 가장 좋은 6명은 다 우리의 사업에 참가했다. 그들은 아주 노력했으며 늘 각종 대회에 참가해 반전연설을 함으로써 중국 군민에게 크나큰 격동을 안겨주었다. 기타 지방에서도 늘 사람을 파견해 포로교양 훈련 사업에 참가하였는데 그 결과는 다 좋았다.

특히 언급해야 할 일이 있다. ××명의 조선동포 포로들은 우리의 훈련을 받은 후 해방되어 우리의 대오에 참가했다. 그들은 다 열정적인 청년들로서 일본제국주의에 대한 원한이 아주 깊었다. 아주 짧은 시간의 훈련을 거쳐 곧 우수 반일청년이 되었다. 이는 적후 조선동포들을 쟁취하는 우리에게 큰 격동을 안겨주었다.

4) 국제선전: 우리는 각종 국제선전에 종사하여 평화를 사랑하는 전 세계의 사람들로 하여금 중국에 정의를 위해 싸우는 사람들이 있다는 것을 알게 하였다. 또 일본제국주의 압박을 받는 조선민족이 일떠났다는 것을 알게 하였다. 이 사업은 아주 좋은 반향을 얻었다. 우선 미주 한교들이 호응했다. 그들은 조선의용대 후원회를 조직해 모든 힘을 다해 중국 항전 및 조선의용대를 도와 나섰다. 이밖에 우리를 더욱 흥분시킨 점은 대만의용대도 자동적으로 조직돼 정의의 깃발을 들고 우리와 손을 잡은 것이다.

이상의 성적에 대해 우리는 아주 만족스럽게 생각한다. 첫해의 사업에서 우리는 이런 빛나는 성과를 거두었을 뿐더러 우리의 대오를 더욱 발전, 확대하였다. 우리는 정치의식이 제고됐고 사업기술도 늘었으며 조직이 강화됐고 신념이 더욱 확고해졌다. 이 모든 것은 다 장래의 사업을 더 잘하기 위해 객관적으로 유리한 동력이 되었다.

그러나 이 첫해의 사업이 다 완벽하게 잘 된 것은 아니다. 우리에게는 많은 결점도 존재한다!

첫째, 사업이 너무 분산적이고 종횡적인 연락이 영활하게 진행되지 못하다보니 사업효과가 떨어졌다.

둘째, 대량의 대적선전간부를 양성하지 못하여 사업의 발전에 영향을 주었다.

셋째, 무장부대를 건립하지 못했기 때문에 사업에서 줄곧 저급단계에 머물러있다.

넷째, 피 점령지역의 사업이 많이 부족하다. 적후의 조선동포들을 쟁취하지 못했고 우리의 대오를 확대하지 못했다.

두 번째 해가 시작되는 이때 우리는 이런 우점과 결점을 정확하게 인식해야 한다. 우점은 발양하고 결점은 미봉하는 것을 전제로 두 번째 해의 주요 사업 방향을 다음과 같이 규정했다.

1) 첫 해의 각종 사업을 계속 진행하고 그 정신을 발양해야 한다.

2) 피 점령지역에서 사업을 전개한다. 피 점령지역은 조선의용대의 생명의 원천이다. 금후 우리의 대오가 확대될 수 있는가, 우리의 역량이 강화될 수 있는가, 우리의 사업이 더욱 크게 전개될 수 있는가, 그 여부는 다 피 점령지역의 사업을 진행한 정도의 여하에 달렸다. 지금 적후의 각지에서는 일본군벌에 의해 쫓겨 온 대량의 조선동포들이 있다. 믿음직한 통계에 의하면 화북 각지에만 해도 십만 명 이상이 있다. 그들은 다 오래도록 일본군벌의 참혹한 압박과 착취를 받은 노고대중들이다. 그들도 기타 피압박 인민과 마찬가지로 적에게 복수하고 광명을 쟁취하고 싶은 마음을 가지고 있다. 우리가 그들을 쟁취하여 상당한 훈련을 시키기만 하면 반드시 그들을 반일전쟁의 건강한 전투원으로 변화시킬 수 있다. 또 우리가 이런 역량을 이용해 화북에 투쟁 근거지를 만들고 한발 더 나아가 동북조선무장부대와 연합하면 조선혁명운동은 새로운 단계에 진입할 수 있게 된다.

3) 무장 대오를 건립한다. 과거의 경험은 우리에게 대적선전을 하는 사람은 동시에 반드시 전투원이어야 한다, 라는 도리를 말해주었다. 반드시 한손에 전단지를 쥐고 다른 한손에는 총을 쥐어야 한다. 왜냐하면 늘 적들과 만나게 되기 때문에 수시로 무위한 희생이 따를 수 있기 때문이다. 과거에 우리는 늘 이런 상황을 만나곤 했다. 그리고 무장이 없으면 좋은 대적선전의 기회를 많이 잃게 된다. 특히 우리는 금후에 적후로 사업을 발전시켜야 하기 때문에 반드시 무장돼야 한다. 무장선전대를 조직해 유격대와 협동적으로 대적선전공작을 해야 한다. 한편으로는 무장적인 전투를 진행해 전투 중에서 조선동포들을 쟁취하고 전투 중에서 근거지를 건립하고 전투 중에서 적을 타격하는 동시에 끊임없는 전투와 발전 중에서 조선혁명군의 기간을 수

립해야 한다.

3. 두 번째 해의 사업

1) 대적선전.

A. 상북 대전에 참가했다. 작년 9월에 적군은 오한로 북단에서 10만여 명의 병력을 집결해 장사를 공격, 점령하려고 할 때에 상북 대회전이 시작됐다. 그때 우리 제1구대는 금방 전선에서 돌아와 유양에 집중돼 사업했다. 그때 적들은 점점 더 장사에 박근하고 있었다. 선두부대가 장사의 목줄인 '황화시'에 도착했을 때였다. 그 쪽에 원래 있던 군정 각 기관, 정공대는 다 전이하고 일부분의 경비부대만이 경계를 담당하고 있었다. 우리는 이는 대적선전의 양호한 기회라고 생각하고 재빨리 장사시 근교 및 부군의 각지에 널려 공작을 했다. 먼저 이곳에 도착한 부대는 우리의 이 부대 밖에는 없었다. 우리의 동지들은 정신을 가다듬고 밤낮을 가리지 않고 일했다. 수일간 작업한 데서 장사, 황화시, 영안시 부근의 각지에 대적선전 벽제표어가 가득 만들어졌고 전단지가 가득 살포됐다. 이런 무형의 작탄은 적들의 심경에서 반향을 일으켰을 것이다.

B. 계남전선에서: 대서남 보위에 대한 목소리가 높아지자 우리는 한개 분대를 파견해 계림 각 단체가 조직한 '남로공작대'에 참가해 그중의 대적선전 공작을 담당했다.

작년 12월 8일에 우리는 분대를 파견해 남로공작대를 따라 유주에 갔다. 그곳에서 '서남 보위 확대, 군인 복무 운동'을 일으켰다. 사업한지 이틀이 되자 유주시에서는 더욱 활약적이고 긴장한 모습이 펼쳐졌다. 그후 □강으로 갔을 때 그 내몽골 최고 지휘관이 우리에게 상세한 지시를 내렸다. 우리를 기계화부대 ×군에 파견했는데 백주임은 특별히 방송기 두 대를 선물했다.

우리는 위대한 곤륜관 쟁탈전에 참가했다. 일한지 5일째 되는 날 모 사단의 영용한 형제들이 곤륜관 외위의 가장 중요한 거점을 탈취하였고 적들은 할 수 없이 1미터 밖으로 퇴각했다. 이런 상황은 대적공작에 가장 유리했다. 그날 오후 각종 화력의 엄호 하에 우리는 방송기를 휴대하고 작업을 시작했다. 2천여 미터의 반경 내에서는 우리의 말이 또렷이 들렸다. 우선 우리는 우리의 장병들에게 간단한 설명을 했다. 그들이 사격을 멈추자 곧 일본군을 향해 방송했다. 우리는 이렇게 외쳤다. "일본의 형제들! 중국 인민은 당신들의 적이 아닙니다. 당신들의 적은 당신들을 압박하는 군벌입니다. 당신들은 무익한 침략전쟁을 반대하십시오. … 일본 형제들! 당신들은 포위됐습니다. 사당에서부터 팔당까지 전부 중국군에 의해 점령돼 있습니다. 당신들은 식량, 탄약을 보충 받을 수 없으니 빨리 넘어 오십시오! 우리는 당신들이 넘어오는 것을 환영합니다. 중국군은 절대로 당신들을 살해하지 않습니다. ……" 적진은 조용했다. 아무런 대답도 없고 총소리도 없었다. "당신들 들었지요? 오늘 저녁에 우리의 말이 맞는지 잘 생각해보십시오. 내일 다시 봅시다! 당신들의 가장 충실한 친구가 경례를 드립니다." 밤 10시에 우리는 작업을 끝냈다.

한 달 동안 곤륜관 쟁탈전은 승리로 끝났다. 적들은 구당에서 철퇴하고 아군은 계속 전과를 확대하며 나아갔다. 이날이 마침 양력설 전날이었다. 우리는 그 방송기를 가지고 ××사 진지인 442고지로 달려갔다. 우리는 내일이 양력설이라는 주제로 적들을 향해 외쳤다. "내일은 양력설입니다. 당신들은 참전 이후 세 번째로 맞이하는 양력설입니다. 일본 군벌이 당신들을 속이고 있습니다. 당신들은 어느 양력설에야 집으로 돌아갈 수 있겠습니까? 꿈을 꾸지 마십시오. 집에는 부모와 아내가 당신들을 학수고대하고 있습니다. 이렇게 아름다운 명절일수록 그들은 더욱 고통스럽습니다. …" 밤이 깊어갔다. 삼라만상이 고요 속에 잠겨있었다. 이때가 적병들의 향수의 정서를 가장 쉽게 불러일으킬 수 있는 때이다. 우리의 말은 적병들에게서 고향을 그리는 마음을 더욱 불러일으켰다. 이어 우리는 방송기를 통해 하모니 몇 곡을 방송하고 높은 소리로 일본유행 민가를 불렀다. 이런 예리한 무기를 많은 적들은 감당하기 어려웠다.

C. 강서 적군의 염전 정서. 올해 초에 우리 제3구대 전체 동지들은 형양에서 출발해 8백 리를 걸어서 강서의 전장에 들어섰다.

고우는 금하 하류의 한 중요한 거점이다. 이곳에서 ××군은 이미 적들과 1년 넘게 대치해 있었다. 3월부터는 우리 3구대 동지들의 활동장소로 되었다. 우리는 금하 남안에서 북안의 적들과 백 미터가량 사이 두고 있었다. 밤이 되면 고요한 금하의 도처에서 우리의 정의로운 목소리가 울려 퍼졌다.

우리의 무기는 양철로 만든 몇 개의 나팔통이 전부였다. 처음으로 적들을 향해 방송할 때에 적들은 총을 쏘아 교란했다. 그러나 한시기가 지난 후 우리의 작업은 아주 원만한 효과를 거두었다. 이는 첫 해에는 거두지 못했던 성과이다. 이런 현상이 모든 전장에서 보편적이지는 않지만 그 누가 전반 전장의 일부에서 표현된 이 성과를 부인할 수 있겠는가?

강 북안의 적들은 우리와 우호적인 내왕을 하기 시작했다. 우리는 방송할 때마다 총을 울리지 말라고 말하는데 그때마다 사격을 멈추고 총 두 방을 울려서 알겠다는 뜻을 표시했다. 마찬가지로 우리가 말을 끝내면 그들은 또 총두 방을 울려서 들었다는 뜻을 표시했다.

한번은 우리의 이씨 성을 가진 동지가 유가도 부근에서 적들에게 일본유행가 "도꾜처녀"를 불렀다. 생각밖에 적진에서 "좋아요!"라고 외치며 또 한곡 불러달라고 했다. 이동지는 무조건 받아들이고 또 한곡 "고향생각"을 불렀다. 이 기회를 타서 말했다. "당신들은 대체 누구를 위해 이 진지에서 처참하고 고통스럽게 보내고 있습니까? 봄이 왔습니다. 당신들의 군벌, 재벌들은 첩들을 거느리고 사쿠라 꽃 구경을 하고 있겠지요! 당신들의 부모와 처자들은 사쿠라 꽃 아래에서 슬픈 눈물을 흘리고 있겠지요. …" 적병들은 이동지의 말을 끊으며 "말하지 마시오!"라고 했다. 잠시 후 리동지는 침통한 어조로 말했다. "당신들도 행복하게 살겠으면 전쟁을 반대해야만, 다시 진정한 민주 국가로 개조해야만…" 여기까지 말했는데 뜻밖에도 "對了, 對了(역주: 맞소, 맞소)"라는 말소리가 들려왔다. 이 역시 너무 뜻밖이었다. 적병이 금방 배운 중국말로 말한 것이다.

또 한 번은 문씨, 박씨 두 동지가 3영 부영장, 8연 연장과 왕지도원을 대동해 사가영에 가서 방송했다. 먼저 적들더러 총을 쏘지 말고 나와서 대화를 할 수 있기 바란다고 했다. 그들은 일일이 대답했다. 20여 명이 전호에서 일어났는데 그 모습이 그처럼 편안해보였다. 한 적병이 물었다. "당신들은 일본인입니까?" 문 동지가 즉시 대답했다. "나는 일본인이 아닙니다. 그러나 우리 대오에는 일본형제가 적지 않습니다! 그들은 무의미한 침략전쟁을 반대하기 위해 우리 쪽으로 건너왔습니다. 그들도 당신들처럼 징병돼 온 착한 인민입니다. 당신들도 평화를 사랑하지 않습니까? 당신들도 집으로 가고 싶지 않습니까? 당신들이 중국 땅에서 물러나면 평화는 반드시 실현됩니다. 그렇지 않으면 어떻게 될까요. 지금 벌써 3년째 싸우고 있는데 이제 더 3년을 싸운다면 전쟁은 끝나지도 않거니와 당신들도 싫증나지 않겠습니까?" "싫증나기는 하지만 명령은 복종해야 합니다." 한 적병이 금방 말하자 갑자기 한바탕 욕하는 소리가 들려왔다. 음험하게 생긴 적 군관 한 명이 머리를 내밀더니 이쪽을 향해 몇 방 갈겼다. 방비했으니 다행이지 정말 막무가내였다.

우리의 동지들은 적들과 깊은 우정을 쌓았다. 끝내 총 한방 쏘지 않고 적들을 격패시킨 목적에 도달했다. 4월에 아군이 고우시를 향해 출격했다. 적수비군은 즉시 싸우지 않고 물러갔다. 물러갈 때에 그들의 총은 허공을 향해 쏘았고 포탄도 날아오기는 했으나 터지지는 않았다. 그들은 미리 신관장치를 뽑아버린 것이다.

D. 악서지역에 있는 오구산에서 마음껏 대화: 제2구대 동지들은 ×전구에서 1년 넘어 사업하는 동안 많은 눈물겨운 기적을 남겼다. 작년 연말에 네 개의 단위로 나뉘어 기타 지역으로 더욱 폭넓은 공작을 했다. 원래의 진지에는 4명의 일본 동지들로 구성된 특별 분대가 남았다. 이 동지들은 전장의 모든 구석까지 이동하면서 전단지를 뿌리고 구호를 외쳤다. 가장 재미 있는 일은 오구산에서 있은 적병과의 대화였다. 오구산 진지는 중국의 용감한 장병들이 한 달 전에 적 13사단 야마모토여단의 수군을 무리치고 탈취한 것이다. 큰 눈이 내리고 난 뒤의 몹시 추운 오후였다. 우리의 호동지가 일본 반전전사 이토와 함께 뼈를 에이는 북풍을 무릅쓰고 우군의 엄호를 받으며 산기슭의 제1선 진지로 갔다. 그들은 먼저 공세를 발동했다. "여보시오! 일본 형제들! 당신들 중에 니가타현 시바타(야마모토의 여단은 대부분 그곳 출신들이다.)에서 온 사람들이 없습니까? 지난번 장영 격전에서 당신들은 2천여 명의 형제들이 희생됐습니다. 그중 150여 명의 시체는 당신들의 상관이 버리고 갔습니다. 얼마나 불쌍합니까! 지금 우리가 이미 잘 묻었습니다. 당신들은 돌아가게 되면 그들의 부모와 처자에게 말하십시오. 그들은 우리의 보호를 받으며 편안하게 잠들었다고 말입니다." 침통한 말들을 북풍이 전해주었다. 약 10분간 말했는데 적진에서 어렴풋한 목소리가 들려왔다. "여보시오, 잘 들리지 않습니다. 더 높은 소리로 말하시오. 천천히 말하시오." 호동지는 아주 흥분하여 아예 일어나서 큰 소리로 외쳤다. "일본 친구들! 당신들은 누구를 위해 이 처량한 전장에서 죽어가고 있습니까? 당신들이 진정으로 나라를 생각한다면 응당 총을 돌려 당신들을 기만하고 당신들의 국가를 외톨이로 만든 군

벌재벌들을 소멸하시오! 당신들이 일찍 생각을 바꿀수록 당신들에게는 유리합니다. …" 이렇게 한 시간 정도 마음껏 이야기했다. 그 뒤 띄엄띄엄 대답소리가 들려왔다. "내일 다시 봅시다. … 자주 와서 이야기하시오. …"

적들의 이런 친절한 부름소리는 그야말로 흔치 않은 일이었다!

2) 적후공작: 적후공작은 우리의 두 번째 해의 주요 사업 방향의 하나이다. 이 사업의 중요성과 간고성 때문에 우리는 모험은 할 수 없었다. 그러므로 두 번째 해에 우리는 많은 중요한 준비절차를 마쳤다. 예하면, 공작 통일, 간부의 집중 훈련과 학습, 대오의 북쪽이동(아래에 자세히 서술한다.)이다. 다음에 회보할 적후공작은 우리의 국부적인 사업의 시작에 불과하다.

A. 하남 북부 철도파괴대에 참가했다! 작년 겨울의 어느 오후에 제2구대의 부분적인 동지들은 우군을 협조해 대적선전의 과업을 수행하면서 신×군××퇀의 철도 파괴 공작에 참가했다. 황혼녘 8시경이었다. 우리의 동지들은 ××퇀의 우군과 함께 신향 이북 평한로에 나타났다. 50리나 되는 철도 연선에서 우군은 철도파괴 작업을 시작했다. 우리의 동지들은 가지고 간 각종 선전물을 살포했다. 짧은 시간 내에 동지들은 2천여 장의 전단지, 50여 권의 일본사병 고지서를 교묘하게 살포했다. 그 후 우군을 도와 철도를 파괴했다. 이때 적들도 이미 눈치를 챘다. 탐조등을 비추었고 기관총으로 끊임없이 사격하고 탄통을 비 오듯이 뿌려왔다. 그러나 ××퇀의 화력우세에 눌리고 말았다. 9시경에 철도 파괴 공작이 끝났다. 우리의 동지들은 우군과 함께 안전하게 돌아왔다. 이번의 전투에서 철도 50화리를 파괴하고 전선줄 50여 근을 잘라내고 전단지 3천여 장과 일본사병고지서 200책을 망라한 대적 선전물을 살포하는 수확을 거두었다.

우리는 예북 적후공작에서 아주 좋은 효과를 거뒀다. 한번은 전투 후에 전장을 정리하면서 적들의 시체 20여 명의 호주머니에 우리가 살포한 전단지가 들어있는 것을 발견했다. 그 전단지의 뒷면에는 통행증이 있었다. 이는 일부분의 적병들이 우리에게로 넘어올 생각을 했다는 것을 말해준다. 한번은 15명의 조선청년들이 우리의 전단지를 보고 자원적으로 ××군에 와서 투항하고 조선의용대에 참가하기를 원한다고 성명했다.

B. 서산유격: 서산은 남창 부근에 있는데 유격전에 아주 적합하다. ××사의 일부 우군들이 이 서산에 들어가서 적과 유격전을 했는데 제3구대에서는 한분대가 참가했다.

우리는 그곳에서 40일간 공작했다. 특히 하동지는 남창 등지에 깊이 들어가 자세한 조사를 하고 적들의 폭행에 관한 많은 자료를 수집했다. 특히는 강서 전장에서 요언을 만들어 내어 중한민족 사이에 이간을 도발한 적들의 음모를 밝아놓았다.

C. 중조산에서 포위되다: 우리의 ××명의 동지들은 그 곳에서 작업하는 동안 늘 총을 메고 수류탄을 등에 지니고 중국 사병들과 함께 전투에 참가했다. 전투가 잠시 중지될 때마다 그들은 이 틈에 목청을 높여 적들을 향해 방송했다. 어떤 때에는 직접 유격대 기습전에 참가해 선전물들을 적들의 숙영지에 던져 넣곤 했다.

한번은 ×명의 동지들이 중국 형제들과 함께 적들의 방공굴에 들어가 선전하였는데 갑자기 적병 한 소대의 포위를 당했다. 그러나 그들은 침착하게 적들과 전투를 했다. 우리의 동지들은 대부분 충분한 군사훈련을 받았으므로 작전 경험이 풍부했다. 적들에게 하루 동안 포위되었는데 그동안 적들에 대한 설득공작을 했다.

3) 일반 군민과의 합작: 사병과 민중은 우리의 사업에서 빠질 수 없는 두 개의 중요한 요소로서 옹호의 역할을 할뿐만 아니라 우리에게 아주 큰 도움을 줄 수 있다. 그러므로 우리는 줄곧 사병과 민중에 대한 사업을 특별히 중

시했다. 그들과 친밀한 감정을 맺고 업무적인 연락을 취할 수 있기를 바랐으며 이를 통해 중한 두 민족의 깊은 우정이 지속되기를 바랐다.

아래에 몇 가지 실례를 들겠다.

A. 조양의 군민대회: 따스한 바람이 불고 있는 봄이었다. 제2구대의 특별편성 분대가 2일간의 도보행군을 통해 번성에서 악북의 요충지인 조양에 도착했다. 그들은 먼저 ××집단군 총 사령원을 배알했다. 사령부의 뜨거운 환영을 받고 돌아온 후 사령부의 공문을 받았다. 그 속에는 두 가지 일이 약정돼 있었다. 하나는 이튿날 ××집단군 사령부에서 그들에게 환영대회를 열어주는 것이고 다른 하나는 그들을 청해 많은 민중 동원사업을 하게 하는 것이었다.

환영회가 개최된 후 그들은 민중동원 사업에 바삐 돌았다. 예를 들면 거리에서 강연을 하고 벽보를 꾸렸다. 그러나 그들은 이런 사업방식이 너무 단조롭고 심도가 부족하다는 생각이 들었다. 그리하여 한차례 군민연환대회를 준비하기로 하고 대회에서 독막극 「왕정위」를 공연하기로 했다. 당시 왕정위 한간은 금방 괴뢰극을 꾸몄었고 적들도 정치진공의 음모를 꾸미고 있었다. 그러므로 당시 ‘왕정위’를 소재로 괴뢰군의 음모궤계를 폭로하는 것은 아주 큰 의미가 있었다.

그들이 이 일대에서 공작을 벌인 후 조양의 남녀노소는 다 조선의용대가 중국 항전에 참가한 소식을 널리 전했다. 그들은 “조선인은 우리의 좋은 친구다!”라는 심각한 인상을 받은 것이다.

B. 난민 구제: 3구대 1분대장 이동지는 금년 3월 1일에 출격하는 부대를 따라 남창 부근의 부전가에서 작업을 하고 귀가하는 도중에 8명의 난민이 한 마을 부근에서 배회하는 것을 보았다. 이동지는 인류우애의 열정이 솟구쳐 그들에게 2일간의 숙식문제를 해결해주고 그들을 신건현 현정부에 안내

했다. 또 한 번은 하가도에서 가난한 난민이 먹을 소금이 없는 것을 보고 일부러 군부로 달려가 사정을 하여 80여 근을 구해다가 하가도의 난민들에게 골고루 나눠주었다. 그리하여 그 일대의 가난한 민중들은 아주 감격해했다. 그들은 늘 조선의용대 동지들을 찾아와 여러 가지 곤란을 해결 받곤 했다.

C. 군대정치사업: ××군의 공작에 참가한 독립분대는 ××군이 ××곳으로 행군하는 도중에 사병들에게 정신적인 식량이 부족한 상황을 알게 되었다. 독립분대의 동지들은 ××사단장과 상의하여 라지오 한대를 빌렸다. 매일 라지오를 듣고 기록하여 4절지의 신문 『혁명의 봉화』를 등사해냈다. 3일에 한 기씩 꾸렸는데 내용은 주로 국내외 중요 소식에 대한 보도였다. 적정을 분석하고 조선혁명운동을 소개했다. 이 간행물은 30여 기를 꾸렸다. 처음에는 기마다 200매씩 만들다가 점점 더 늘여 500매로 늘어났는데 독자들은 더 늘여달라고 요구했다. 이 신문은 관병들의 큰 환영을 받았다.

동시에 독립분대는 ×군에서 '대적선전대'를 조직했다. 탄마다 10명의 정예한 사병을 뽑아 대원으로 참가시켰다. 독립분대가 훈련을 책임지고 2개월을 한기 기한으로 정했다. 그중 40여 명의 성적이 아주 좋았다. 간단한 대적방송을 할 수 있고 표어를 쓸 수 있었다. 이렇게 그들은 각 부대에서 점차 대적선전 거점을 만들었다. 그리하여 군민들은 그들을 열정적으로 맞이해주었다. 호북에서와 강서에서는 늘 현정부거나 부대에서 그들을 환영하는 대회를 소집하고 "침략을 반대하기 위해 투쟁하는 조선의용대를 환영합니다!"라는 구호를 외치곤 했다.

4) 새 동지의 증가: 조선의용대가 대적공작 과업을 수행한 후부터 각 전장에서 쟁취하여 넘어 왔거나 재편성해서 온 새 동지들이 50여 명이나 되었다. 우리의 훈련을 거친 후 이미 제1, 2, 3구대에 편입돼 공작에 참가했다. 수개월 동안의 공작을 거쳐 그들은 혁명정서가 아주 높고 공작능력이 강하다는

것이 완전히 증실 됐다. 그들은 이미 건강한 간부로 되었다. 또 지금은 수십 명의 새 동지들을 훈련시키고 있으며 얼마 후에는 본 대에 참가하게 된다.

5) 우리의 공작이 발전하고 역량이 증대됨에 따라 미주에 사는 조선동포들이 선후로 조선의용대 후원회를 조직해 조선의용대 및 중국 항전을 적극 원조하고 있다. 이미 수차의 물질 및 정신적인 원조를 받았다. 후원회의 주최로 뉴욕에서 반일 및 일본상품 불매시위운동이 일어났다. 최근에는 모든 각 주의 후원회가 이미 통일적인 조직을 설립했다.

6) 집중훈련 및 학습: 공작 효능을 끊임없이 제고시키려면 우리 자체의 정치인식 수준 및 기능을 제고해야 한다. 특히 새 공작을 진행하려면 우리 자신을 더욱 충실히 해야 한다. 금년에 우리는 하기의 일부분의 시간을 이용해 구대를 단위로 각기 길안, 계림, 형양, 노하구, 낙양 각지에서 집중훈련을 했고 자아교육의 방법을 취했다. 예를 들면 각종 학술연구회, 공작검토회 등이다.

7) 공작의 통일과 정치의 통일: 우리는 이 어려운 사업을 수행하고 공작의 승리를 확보하려면 역량의 집중이 없이는 불가능하다. 이렇게 하려면 반드시 정치면의 통일적인 조직과 공고한 단결이 필요하다. 두 번째 해에 우리는 통일적인 책략과 동일한 사업을 통해 각 당파가 공동이 요구하는 사업의 통일을 추진하고 한층 더 나아가 정치면의 통일을 완성했다. 본대의 제1구대는 북상한 후 그 곳의 부대와 합병했다. 강남의 제3구대도 북방으로 집결중이며 사업가운데서 서로 소통하고 서로 도와주고 서로 상의하고 서로 격려하여 전반 정치의 통일을 한층 더 다그쳤다.

8)기타: 전구의 각급 지휘부에서 적의 문건을 번역하고 포로를 심문하고 포로를 훈련시키고 일본어를 가르치고 적정 연구를 하는 등 업무를 하고 중한문의 각종 간행물을 출판했다. 매 주일마다 장단파 방송을 담당하고 각 통

신사, 신문 잡지에 소개 원고 등을 보내어 본대의 사업을 널리 보도했다. 그러나 유감스러운 것은 여러 원인 때문에 우리가 기획한 영문간행물은 아직도 출판되지 못했으며 이로 인해 우리의 국제선전 효과가 줄어들게 된 것이다.

4. 결론

두 번째 해가 시작되었을 때에 우리는 3개 면의 사업에 대해 규정한 바가 있다. 그러나 두 번째 해의 사업가운데서 우리는 대체 무엇을 했는가? 어느 면에서 부족한 점이 있는가? 아래에 이 점에 대해 검토하겠다.

1) 두 번째 해의 사업: 우리의 대부분의 동지들이 장기적인 집중훈련과 이동을 거치다보니 사업 실적이 첫해보다는 못하다. 그러나 사업이 한걸음 더 발전했다. 첫해에 우리는 대적선전에 대한 큰 반향을 얻었다. 적들은 우리의 말에 대답을 했다. 그러나 금년에는 다르다. 적들은 이미 우리의 선전을 더욱 많이 받아들였다.

2) 피 점령지역에서의 사업: 우리는 아직도 예정된 기획에 따라 공작을 하지 않았지만 우리는 이미 많은 필요한 준비절차와 초보적인 작업을 시작했다. 아직도 시작단계이지만 금후에 우리가 노력하기만 하면 앞날은 가히 낙관할 만하다.

3) 무장부대를 창설하는 면: 이 한해 동안에 별다른 진전이 없다. 원인은 중국정부의 동의 및 도움을 반드시 받아야 하기 때문이다. 지금 이 문제는 계속 상의 중에 있다. 우리는 중국 정부가 우리에게 반드시 원조와 지지를 줄 것이라고 믿는다.

4) 사업의 통일 및 정치의 통일: 사업 중에 얻은 교훈을 통해 우리는 공동으로 보다 통일적인 단결이 필요하다는 것을 인식했다. 이 한해 동안에 우리

의 통일 사업은 이미 아주 큰 진보를 가져왔다. 우리는 지금 사업면의 통일에서 정치면의 통일 단계에 진입하고 있다.

우리는 아직도 사업 면에서 결함이 많다. 우리는 중국 우인들이 우리에게 소중한 가르침을 주어 우리가 더욱 발전할 수 있게 하기를 바란다.

『通訊』, 兩周年紀念特刊

확대간부회의의 수확

조선의용대가 창설된 지 이미 2년이 되었다. 성과도 있었고 결함도 있었다. 우리는 금후에 어떻게 그 우점을 선양하고 그 결점을 미봉할 것인가? 우리는 과거를 검토하고 미래를 내다보며 다시 우리 사업의 새 방침을 계획하고 우리의 사업의 새 방향을 확정함으로써 우리의 이 대오가 보다 큰 성과와 수확을 거두게 해야 한다.

이 목적을 위해 우리는 2년간의 간고한 투쟁을 거친 오늘 각 전구의 사업을 지도하는 각 지대장과 독립분대 대표를 소집해 확대간부회의를 열게 되었다.

1. 확대간부회의 소집의 중요성

무한에서 철퇴한 후 우리 조선의용대는 총대부(總隊部)가 계림으로 이전했다가 금년 봄에 또 계림에서 중경으로 이전했다. 제1지대는 상북(湘北), 계남(桂南)에서 낙양으로 전전했고, 제2지대는 시종 제5전구에서 활약했으며 제3지대는 감북(贛北)에서 화북으로 전전했다. 2년 동안 각 전구를 전전하며 시종 끊임없는 전투를 했다. 동지들은 모든 전역에 열정적으로 참가하여 모든 기회를 틀어쥐고 공작했다. 그렇게 수확한 결과는 어떤가? 서로의 경험과 교훈은 어떤 것인가? 서면적인 보고는 늘 구체적이지 못하다. 총대부는 전방 동지들의 2년 동안의 투쟁 실상을 더욱 확실하게 알기 위해, 전방 동지들은 후방의 상황을 더욱 잘 알기 위해, 그리고 각 지대에서는 서로 2년간의 투쟁 경험과 교훈을 교환하기 위해 회의 중에 서로 우점과 결점을 검토하고 피차의 사업 방식에 대해 비판하였다. 이번 확대간부회의의 소집은 아주 중요했다.

"간부가 모든 것을 결정한다."라는 것은 그 어떤 사람이거나 또는 혁명단체 및 혁명 대오도 부인할 수 없는 진리이다. 간부는 모든 방안과 계획에 대한 실행자이다. 모든 방안, 계획에 대한 결정은 반드시 간부의 투쟁 경험을 참고하고 이에 근거해야 한다. 이렇게 해야만 실제적인 방안을 확정할 수 있기 때문이다. "정확한 혁명노선은 반드시 무수한 간부들이 집행하며 각 구체적인 환경에 운용해 각종 부동한 방식의 투쟁을 경과하게 된다." "간부는 혁명의 지휘부와 군중 사이의 교량으로서 무수한 간부들을 통해서만이 종자를 단체 중에 전파할 수 있고 군중 속으로 전파할 수 있다." 자기의 사업 경험에 근거해 제출한 간부들의 의견을 통해 확정한 사업계획은 반드시 정확하다. 본 대의 사업이 세 번째 해에 들어섰으므로 모든 사업계획은 반드시 다시 확정해야 했다. 그러므로 확대간부회의의 중요성은 더 말하지 않아도 분명했다.

과거의 2년 사업의 중심은 대적선전이었다. 이는 완전히 과거의 객관적인 수요와 주관적인 역량에 근거해서 한 일이다. 2년 후의 오늘 적아의 정세는 변화되었다. 우리 자신의 과업도 대적선전에만 한정돼서는 안 된다. 그러므로 오늘의 객관 정세를 검토하고 이 정세에 근거해 제2단계 사업을 포치해야 하므로 확대간부회의는 아주 필요했다.

단결이 없으면 힘도 없다. 과거 2년간 각 지대는 각자의 독립적인 상황에서 싸웠으며 서로간의 종횡적인 밀접한 연계는 없었다. 지금 중국 관내에서 조선의용대는 가장 유력하게 조선민족을 대표해 중국 항전에 참가한 혁명

대오로서 전 조선민족을 단결하여 일치하게 중국 항전에 참가하는 과업을 지니고 있다. 그러므로 조선의용대는 그 자체가 강철 같은 단합체여야 한다. 이점에 대한 인식을 위해 확대간부회의 소집은 특히 중요한 의의를 지니고 있었다.

실제적인 수요에 의해 확대간부회의는 작년 11월에 개막됐다.

2. 중요결의

1) 본 대의 정치입장을 확정

본 대의 정치입장은 본대의 현실적인 과업에 의해 결정된다. 우리는 일본 제국주의의 도살을 당하는 식민지 시대를 살고 있다. 우리는 피압박민족의 혁명적인 입장으로 중국 항전에 참가하여 중국 항전의 승리와 조선민족의 독립 해방을 쟁취하기 위해 싸우고 있다. 그러므로 우리 자신으로 말하면 조선민족은 반일민족통일전선이 되어야 한다. 즉 조선민족은 전체 민족의 공동 반일의 입장에서 계급, 당파를 불문하고 도적놈을 애비로 삼는 민족의 변절자가 아니기만 하면 우리는 그들과 공동으로 일본제국주의에 반항하는 혁명적 통일전선을 건립해야 한다. 중국 항전 정부 및 각 당파에 대해 공동 항일의 민족적인 연합전선의 정신으로 합작하며 항일하는 중국 사람이기만 하면, 항일 진영 속의 각 당, 각 파이기만 하면 우리는 그들과 친밀하게 합작하고 단결해야 한다.

대회는 인도, 안남(安南), 미얀마, 대만 등 피압박민족과 제국주의 국내의 혁명적인 인민은 다 우리의 친밀한 전우라고 일치하게 인정했다. 제국주의 국가에 대해서는 적당한 상황에서 그들의 모순을 이용하는 사업을 늦추지 않는다.

2) 적후사업을 전개한다.

지난 2년의 사업 중심은 여전히 대적선전이었다. 지역은 대부분 적전(敵前)에 한정되었다. 사실적인 필요에 의해 적후에 들어간 적은 있지만 이는 부분적이고 전체 계획에 들어간 것은 아니다. 지금 중·일 전선의 대치상태가 존재하기는 하지만 목전의 정세를 보면 전사(戰事)는 진행 중이다. 적아 쟁탈의 주요 중심은 적아가 대치하는 전선에 있을 뿐만 아니라 적의 후방의 면, 선, 점에 있다. 그러므로 대적선전은 반드시 보편적으로 적의 후방에 들어가서 모든 유리한 기회를 이용하고 적에 접근해 광범하게 적을 타격해야만 보다 큰 효과를 발생하고 보다 큰 수확을 얻을 수 있다. 그러므로 적후공작을 전개하는 것은 우리에게 있어 가장 중요한 결의 내용의 하나이다.

3) 핍박에 못 이겨 중국에 온 조선동포들을 쟁취하고 조직한다.

우리 조선의용대의 과업은 중국 항전에 직접 참가하며 조선인민에게 중국 항전에 참가할 것을 호소하여 중국 항전의 승리와 조선혁명의 성공을 쟁취하는 것이다. 이 과업은 절대적으로 우리의 현유의 역량으로는 완성할 수 없는 것이다. 우리는 반드시 자신의 대오를 확대하고 자신의 역량을 충실히 하여야 한다. 그러자면 우리는 보다 많은 인원이 필요하다. 지금 중국 관내 조선혁명청년들은 이미 대부분 조선의용대에 참가했다. 그러므로 우리가 쟁취해야 할 대상은 적후에 광범하게 분포된 군중들이다.

중국 항일전쟁이 폭발한 후 대량의 조선동포들이 국내에서 중국의 동북, 화북, 화중, 화남으로 쫓겨왔다. 그들은 소수의 민족의 배반자, 달갑게 일본 침략자의 우마로 되기를 원하는 자, 일본 침략자의 앞잡이 외에는 대부분 선량한 농민, 노동자와 일부분의 지식청년들이다. 이런 동포들은 조선혁명의 생력군이다. 그러나 그들은 지금 모래알처럼 흩어진 상태이며 지도하고 조직할 사람이 없다. 그들은 나라를 위해 자신을 바치고 싶어도 바칠 길이 없어서 고민에 빠져 있다. 본 대가 금후 적후에 들어가 쟁취해야 할 대상은 혁명성은 강하나 길을 찾지 못하는 이런 동포들이다.

4) 무장부대를 건립한다.

우리 전체 동지들은 우리의 대오가 중국의 항전에 참가하고 조선독립을 쟁취하기 위해 이중 과업을 짊어지고 있기는 하지만 우리는 아직도 무장한 대오로 되지는 못했다는 느낌을 일치하게 가지고 있다. 대적선전만 보더라도 반드시 적에게 접근해야 하며 조선동포들을 쟁취하려면 반드시 적후에 깊이 들어가야 한다. 무장대오가 없으면 이런 과업을 수행할 수가 없다. 과거의 교훈이 우리에게 알려주다시피 그 어떤 성질의 혁명의 승리이든 가장 중요한 것은 무장 투쟁에 의해 결정된다. 전면적인 무장투쟁이 없다면 최후의 승리를 얻을 수 없다. 그러므로 조선혁명도 예외는 아니다. 조선혁명군은 조선혁명성공을 쟁취하는 기본적인 무장대오여야 한다. 그러나 이런 기본적인 무장대오는 해외에서만이 건립이 가능하다. 동북항일연군, 소련경내의 조선혁명군, 그리고 조선의용대는 다 해외에서 창설됐다. 이는 조선혁명의 특수성을 말해준다. 조선무장부대를 건립하려면 이런 특수성을 떠날 수 없다. 그러므로 무장부대 건립은 우리의 금후의 유일한 목표이다.

우리는 우리의 우군이 기본적인 무장을 하도록 우리를 도와주는 외에도 우리 자신이 전투적인 행동으로 적에게서 빼앗아 우리 자신을 무장할 준비를 해야 한다.

5) 기구를 건전하게 해야 한다.

기구는 그 단체의 중추로서 모든 신경의 집중점이다. 기구가 건전하지 못하면 사업 능률을 제고할 수 없고 통일적인 행동도 있을 수 없으며 더욱이는 혁명의 중책을 짊어질 수 없다. 우리는 제2단계의 보다 더 간고한 사업을 진행하여 이 참모본부를 건전히 해야 한다.

우선, 적당한 인원과 적당한 인재가 있어야 하며 대량의 굳세고 정치적 소양이 있는 우수한 간부, 각 부문의 전문적인 기술 인재 및 경험, 학식이 풍부하고 높은 기능을 가진 인원들을 양성하여 이들의 특장을 가능한 정도로 발휘하게 해야 한다. 둘째, 적당한 포치를 하여 우리의 금후의 과업에 근거해 각종 사업 부문을 적당하게 갖춤으로써 이것이 실사구시의 완벽한 기구로 되게 해야 한다. 셋째, 각 부문의 사업과 사업면의 관계를 명확하게 확정하여 각 부문의 사업 관계가 질서정연하게 진행되게 해야 한다. 넷째, 각종 법규를 확정하여 모든 사업이 규정한 법칙에 근거해 진행되도록 해야 한다.

3. 확대간부회의의 결의를 견결히 집행한다.

이상의 결의안은 완전히 중국 항전의 현 단계의 형세에 근거하고 조선혁명운동의 발전에 적합하도록 결정한 것이다. 이 결의는 본 대의 금후 사업의 방향이 돼야 한다. 결의를 실행하는 것은 우리 모든 동지의 과업이다. 혁명의 간부는 상급의 결의안을 견결히 집행하는 모범이어야 한다. 이번 확대간부회의의 결의를 자세히 연구하고 구체적으로 각종 부동한 환경에서 운용하여야 한다. 우리는 전 대의 동지들이 사업 경쟁을 벌이는 것으로 확대간부회의의 모든 전투적인 호소에 응답하기를 바란다.

『通訊』, 第39期

천병림 편

중·한 민족 항일연합전선 문제

    일본파쇼군벌의 대 중국 무장진공이 점점 더 적극적으로 확대되고 있는 상황에서 동방 피압박민족의 항일혁명과업이 더욱 과중해졌다.

    중국은 항전과정에 신성하고 위대한 항일전쟁세력으로 국내의 모순대립을 점차 극복했다. 동시에 민중운동이 더욱 활약적으로 전개되고 있다. 항일역량의 증대는 그 질과 양 면에서 다 비약적인 발전을 보여주고 있다. 중·일전쟁이 폭발한 후 일본제국주의의 국내 모순은 더욱 첨예해졌다. 파쇼군벌과 반파쇼인민전선의 대립, 제국주의침략전쟁에 대한 노동계급의 반전운동의 확대와 조선민족해방운동의 고조는 왜괴 내부의 만신창인 모습을 보여주고 있다. 아울러 중국에 대한 침략전쟁은 태평양의 국제세력의 균형을 파괴했다. 그러므로 국제적인 반일세력이 날로 증대되고 있다. 특히 영미는 극동형세의 위험을 느끼고 중국에서의 이권과 태평양에서의 국방을 담보하기 위해 원동군비를 확대강화하고 있다. 총적으로 중국 대륙에 대한 일본제국주의의 무장침략은 결국 자아멸망의 최후만 남았다.

    중국에 대한 일본군사파쇼의 침략전쟁의 실패는 일본제국주의의 전반적인 훼멸인 동시에 동방 피압박민족의 해방의 주요 조건이다. 그러나 중국 항전의 최후 승리는 중국 민족의 단독적인 항전 역량에 의해 결정되는 것이 아니다. 반드시 모든 국제적인 반일세력을 연합해야 한다. 특히는 견고하고 확대된 동방 피압박민족의 항일연합전선이 일본제국주의를 타도하는 주요한 역량인 것임이 분명하다. 중·한 두 민족 사이의 항일연합전선의 건립은 공동의 적―일본제국주의에 대한 혁명적 이익에 의해 결정된 필연적인 요구이다. 동시에 중한민족의 항일연합전선은 대일작전상 아주 중요한 전략적인 문제이다. 그러나 사실상 중일전쟁은 이미 9개월 넘어 진행됐다. 중국은 제2기의 항전에 들어섰다. 산동 남부의 대아장전이 전례 없는 대 승리를 거두었다. 동시에 중국 국민당 대회는 항전건국 강령을 선포하고 모든 반일민족과 연합하여 공동 분투한다, 라는 것을 규정했다. 이는 아주 다행스러운 일이다. 이 기회를 빌어 필자는 특히 중한민족항일전선문제에 관해 개괄적인 논술을 하고자 한다.

중·한 민족의 항일연합전선 문제에는 약소민족의 해방혁명의 국제 연대성의 광의적인 의의만 있는 것이 아니라 공동의 적에 대한 혁명적인 이익이 산생한 구체적인 내용이 망라돼있다. 아울러 자민족의 해방 혁명의 특수성에 입각한 항일의 전략전술이 결정된다. 다시 말해 이민족간에 항일연합전선을 건립하는 것에 대한 주관인식은, 중국민족은 그의 항일역량을 증강하여 최후의 승리를 쟁취하기 위해 조선민족과 항일연합전선 건립을 요구하는 것이고, 동시에 조선민족은 독립전쟁의 승리를 위해 중국의 항일 역량과의 연합전선 건립을 요구하여 혁명 역량을 증강하는 것이다. 그러므로 중·한 항일연합전선은 현 단계에 혁명의 공동성에 토대해 구체적인 전략이 규정돼야 한다. 이 약소민족 항일연합전선에는 반드시 각 민족 간의 혁명적인 상호 신뢰가 구축돼야 한다. 그러나 이런 상호 신뢰는 자민족 해방혁명의 현실동태에 의존하게 된다. 목전 중국민족의 영광스럽고 위대한 항일전쟁은 국제적인 신임을 증대시키고 동방피압박민족의 해방혁명전선내의 중심세력을 확보했다. 동시에 중국의 항전세력은 인방(隣邦)의 약소민족해방운동에 위대한 혁명 동력을 부여했을 뿐더러 지도적인 지위에 있다.

중·한 민족 항일연합전선을 건립하는 것을 전제로 조선민족은 중국혁명대중에게 대체 어떤 신념과 동력을 주었는가? 조선의 처지는 중국과 아주 많이 다르다. 일본제국주의의 독점식민지이고 국가민족의 독립주권이 없으며 국가 주권을 수호하는 정치자유와 무장군대도 없다. 언론, 출판, 집회, 결사의 자유는 완전히 박탈당했다. 오늘의 조선은 일본제국주의 파쇼의 미친 듯한 반동 통치하에 완전히 생존의 권리를 잃고 세상에 비할 바 없는 비참한 궁지에 빠져있다. 이런 잔혹한 사회조건하에서 조선의 혁명운동은 적의 경찰, 군대의 잔혹한 진압을 받고 있으며 혁명군중은 끊임없이 도살당하고 있다. 그러므로 전면적인 혁명운동은 기술적으로 불가피면적으로 지하운동으로 전환할 수밖에 없다. 다시 말해 중국의 대중운동은 목전에 사회의 합법적인 수단으로 성장, 발전할 수 있지만 조선은 이와 다르다. 특히 9·18사변이후 모든 반일성질의 사회단체는 전부 해산되었다.

1928년부터 1935년 사이에 체포돼 투옥된 혁명동지들은 1만 6천여 명이나 된다. 이는 다 공산당 및 반제동맹 비밀결사 조직과 관계된 사람들로서 치안유지법에 의해 팔결 된 숫자이다. 이 사실에서 우리는 조선혁명군중의 반일정서가 얼마나 높고 얼마나 견결한지를 판단할 수 있다. 우리는 근 2만 명의 조직이 있는 군중이 비록 희생됐지만 더욱 적극적이고 용감한 후계자들이 산생됐고 더욱 견결한 투쟁을 하도록 군중에게 영향을 미친다는 사실에 더욱 주목하게 된다. 우리는 각 나라의 혁명동지들, 특히는 직접 일본 파쇼의 무장진공을 받고 있는 중국항일동포들은 일본제국주의 독점통치를 받고 있는 조선의 구체적인 상황에 대해 가히 상상할 수 있을 것이라고 믿는다.

중·한 민족의 항일연합전선문제에 대해 쌍방은 혁명적 동맹자의 의의에 입각한 구체적인 인식이 절대적으로 필요하다. 이런 인식은 추상적인 개념에 의해 규정된 것이 아니라 중·한 두 민족의 대일작전과정의 혁명의 공동성으로 인해 규정된 것이다. 그러므로 그 누구도 동방 피압박민족 항일연합전선의 중요성에 대해 부인할 수 없다. 그러나 우리는 명확한 인식에만 국한될 것이 아니라 어떻게 실천하는가 하는 문제를 고려해야 한다고 본다.

중국에서의 조선인의 혁명역사는 이미 수십여 년간 지속되었다. 중국동포들이 조선민족의 독립운동을 동정하고 원조한 사실이 어찌 한두 가지랴. 그러나 중·한 혁명동지들 사이의 보다 의미 있고 보다 견고했던 합작은 단연 1926년의 북벌전쟁을 꼽아야 한다. 당시의 조선혁명동지들의 단호한 투쟁 및 희생정신은 우리에게 보귀한 경험과 교훈을 주었다. 특히 9·18사변이후 동북 중·한 혁명대중의 항일의용군의 합작은 피압박민족의 항일연합전선의 책략을 완전히 집행했다. 항일 유격전쟁은 끊임없이 생장하고 발전하고 확대되고 있다. 특히 목전 중국의 전면 항전의 정세 하에서 더욱 그 전투역량이 증강되고 있다.

신성하고 위대한 중국항일전쟁은 전면적으로 전개돼서부터 지금 이미 영광스럽게도 9개월간 계속되었다. 장래에도 끊임없이 최후의 승리를 거둘 때까지 지속될 것이다. 이는 이미 동방 피압박민족의 해방의 길을 열어놓았다. 이 위대한 시대에 중·한 민족은 공동의 적에 대해 공동 투쟁하는 원칙 하에서 항일연합전선의 결성이 필연적이라는 것을 우리는 확신한다.

1. 중국의 조선혁명동지들은 중·한 항일연합전선의 형식으로 직접 항일전쟁에 참가해야 한다.

2. 중국은 조선혁명무장 조직을 적극 원조하여 그 독립적인 작전정신을 발휘시켜야 한다.

3. 중·한 항일연합전선은 약소민족의 혁명적인 연관성과 공동의 적에 대한 공동투쟁의 의무에 입각해야 한다. 그러나 두 민족 혁명의 특수성에 주의를 돌려야 한다.

『朝鮮民族戰線』, 第2期

이달 편

중국에서의 조선민족 해방운동의 중요성

신성한 중화민족 해방 전쟁이 진행된 지 꼬박 2년이 되었다. 2년 동안의 항전을 통해 잔폭한 적들은 싸울수록 맥이 진해 빠져나올 수 없는 수렁에 빠져들었다. 그러나 중국은 군사, 정치, 경제, 문화, 외교를 막론하고 여러 면에서 비약적인 진보를 가져오고 있다. 중국은 싸울수록 강대해지고 싸울수록 더욱 확신이 생기고 있다. 중국은 항전을 끝까지 진행하기만 하면 최후의 승리는 필연코 중국에 속한다.

2년 동안의 항전이 이미 최후 승리의 토대를 닦았다. 그러나 이 작은 토대, 이 작은 진보로는 최후 승리를 쟁취하려면 아직 부족하다. 지금 중국이 수세를 바꾸어 공세를 취하는 단계에 들어서기는 했지만 아직은 대거 반공의 단계에는 들어서지 못했고 아직도 적들을 제거하고 잃은 땅을 수복하는 목적에는 도달하지 못했다. 그러므로 중국은 더욱 모든 주관 및 객관적인 요인을 총 발동하고 항전에 유리한 조건이기만 하면 다 동원하여 세 번째 항전의 해를 맞이하고 최후의 승리를 쟁취해야 한다.

조선민족해방운동과 중국 항전은 불가분리의 밀접한 관계를 갖고 있다. 손중산 선생은 일찍 우리에게 다음과 같은 계시를 주었다. 세계의 모든 피압박민족은 긴밀히 연합하여 제국주의를 타도하여야 한다. 황차 중국과 조선은 워낙 긴밀한 관계를 가지고 있는 동시에 일본제국주의 역시 중·한 두 민족의 공동의 적이다. 중국 항전에서 중·한 관계의 측면에서 보기로 하자. 지금 중국 항전은 일본제국주의의 총 붕괴를 다그치는 주력전 단계에 들어섰다. 조선민족해방투쟁은 일본제국주의의 총 붕괴를 다그치는 유력한 요소이다. 조선은 일본제국주의 체계에서 주요한 버팀대인 동시에 대륙 작전에서의 일본제국주의 유일한 병참기지이기 때문에 중국 항전에 조선민족의 적극적인 투쟁의 협조가 없다면 최후의 승리를 하루 빨리 획득할 수 없다. 그리고 적들의 후방을 교란하는 면에서 조선도 대만, 그리고 일본 국내의 반전, 반침략, 반군벌의 인민 대중과 마찬가지로 중요한 지위를 갖고 있다. 중국 측에서는 항전을 견지해야 하는 한편 특히 일본침략자의 후방에서 폭동을 일으켜 적들의 역량을 분산시켜야 한다. 일본침략자의 후방을 교란할 주력들 중에서 삼천만 조선민족이 가장 충실하고 또 가장 굳센 역량이다. 일본 국내 인민대중의 반전역량과 식민지의 혁명운동이 더 확대될수록 일본침략자는 수비 병력도 늘여야 되고 중국 전장을 대처하기도 점점 더 힘들어져서 최종 붕괴의 운명도 더욱 빨리 닥치게 될 것이다. 다음은 조선 민족해방 측면에서 보기로 하자. 우리는 조선은 중국 항전을 통해서만이 해방을 얻을 수 있다는 것을 깊이 알고 있다. 그것은 중국 항전은 동방 약소민족의 해방전쟁이고 조선민족해방의 가장 유리한 객관조건이기 때문이다. 또 조선민족이 해방을 얻기 위해서는 반드시 경과해야 할 한 단락의 과정이라고 할 수 있다. 뿐만 아니라 식민지와 반식민지의 민족해방운동은 민족연합전선을 건립해야 한다. 그러므로 조선민족해방운동은 반드시 중국 항전과 서로 협력해야 한다. 동시에 일본제국주의의 종국적인 붕괴를 병진해 다그쳐야 한다. 조선민족해방운동이 중국의 대일항전에서의 지위가 이처럼 중요하므로 조선이 그 맡은 바의 과업을 잘 수행한다면 중국 항전의 최후승리는 더욱 확신 있게 된다.

그렇다면 조선혁명 역량은 대체 얼마나 되는가? 이는 우리가 알아야 할 문제이다. 특히 조선 문제를 관심하는 국제인사들이 급히 알아야 하는 실제 문제이다. 그러나 그 어떤 성질의 혁명 역량이든지 수자로는 판단할 수 없다. 황차 식민지에 잠복해 있는 혁명 역량임에야.

조선국토가 일본제국주의의 식민지로 된 이후부터 지금까지 삼천만 조선민족은 일본제국주의의 고압통치의 치하에서 계속 끊임없는 분투를 해왔고 피비린내가 나는 30여 년의 혁명사를 써왔다. 그들은 비록 주관 역량의 부족과 객관 정세의 불리한 요소로 인해 여러 번 실패했지만 30여 년 양성해온 실력은 여전히 보전하고 있고 모든 혁명사업은 비밀리에 진행되고 있다. 어떤 사람들은 국외의 조선혁명운동이 조선혁명운동의 전부인줄로 알고 있는데 이는 매우 큰 오유이다. 국외 운동은 전반 운동에서 지엽적인 존재의 의미에 불과하며 그 중심은 여전히 국내운동에 있다. '9·18'사변전후 조선 국내의 모든 합법적인 혁명조직은 다 해산됐다. 그 후 모든 혁명운동은 다 지하에서 진행됐고 지금은 그 파도가 최고에 이르고 있다.

그렇다면 우리는 이를 어떻게 조직이 있고 계획이 있게 발동하여 중국 항전과 협력하게 하겠는가? 이것이 목전 우리가 짊어져야 할 유일한 과업이다. 우리는 조선 본신의 반일민족통일단결을 건립, 확대하고 공고히 하는 것이 목하 사업의 제일 구호라고 생각한다. 다음은 확대된 동방 피압박민족의 연맹기구를 신속히 건립하는 동시에 일본의 국내인민 대중과 연합하여 반제, 반파쇼의 정의적인 투쟁을 확대해야 한다. 이 원칙에 근거해 우리의 행동강령을 규정했다. 즉 국내에서 우리의 혁명진영을 재건하여 통일적인 지도기관을 조직하고 민족적인 무장 정치 폭동을 발동하는 것이다. 국내에서 무장 대오를 건립, 확대하여 중국항전에 직접 참가한다. 동북 중·한 항일연군에서의 조선인부대와 중국 각 전구에서 활약하는 조선의용대가 바로 이 과업의 실천자들이다.

중화민족의 2년간의 항전 결과는 항전을 끝까지 진행하기만 하면 최후 승리는 반드시 중화민족에 속하며 최후 승리의 시기가 이미 더욱 가까워졌다는 것을 뚜렷이 보여주고 있다.

이런 시기에 우리는 조선국내와 국외의 모든 혁명역량을 신속히 발동해 중국항전을 적극적으로 지지하고 원조해야 한다. 일본파쇼강도를 타도하고 우리의 역사사명을 완성하자.

『朝鮮義勇隊通訊』, 第19, 20期

진일평(陳一平) 동지를 애도하여

　　우리의 경애하는 조선혁명청년 진일평 동지가 이번에 계림을 떠나 ×× 지방으로 간 것은 아주 큰 사명을 지니고 갔었는데 불행하게도 지난달 ×× 지방에서 난을 당하여 세상을 떠났다! 비보가 전해오자 조선혁명동지들은 진동지의 서거에 대해 슬퍼하지 않은 사람이 없다! 특히 '조선의용대'의 동지들은 더욱 진동지의 서거를 슬퍼하고 있다!

　　조선혁명을 위한 희생은 위대하고 영광스럽다. 그러나 우리는 그와 이렇게 영별하게 되자 개인적인 슬픔은 말로 형용할 수 없는 것이 사실이다. 이 글을 써서 그를 애도하면서 나의 가슴속에는 끝없는 분노와 비통이 교차되고 있다.

　　작년 12월이라고 기억된다. 형양의 어느 여관에서 처음 만났을 때 그가 나에게 준 인상은 열정적이고 솔직한 내강외유의 청년이었다. 당시 나는 형양을 급히 떠나야 했으므로 그와는 아주 적은 몇 마디 밖에는 나누지 못했다. 그러나 간단한 몇 마디에서도 나는 그가 소박하고 사랑스럽다는 느낌을 받았다.

　　나는 계림에 온 후 그와 함께 조선의용대에서 근무했다. 근 2개월간 지내면서 우리의 감정은 아주 친밀해졌다. 나는 늘 그의 열정에 감동되고 열심히 일하는 정신에 감동되곤 했다! 그가 출발을 앞두고 있던 어느 날 우리 둘은 작은 주점에서 통쾌하게 한잔 했다. 그런데 누가 알았으랴, 그 만남이 영별이었을 줄이야!

　그는 능력 있고 끈질기고 성실하고 강직했다! 건강했다! 그의 죽음은 조선혁명의 손실이다. 더욱이 중국 항전이 새 단계로 진입한 이때에 중·한 두 민족의 해방운동의 손실이기도 하다. 그러나 그의 피는 헛되이 흐르지 않았다. 그의 무수한 중·한 동지들이 계속 끊임없이 그가 채 완성하지 못한 혁명 유지를 이어 분투하고 있다. 이것이야말로 그의 영령에 대한 위안이다.

『通訊』, 第11期

엽홍덕(葉鴻德) 동지를 추모하여

죽음이란 워낙 인생의 귀착점이고 그 누구도 죽음을 면하지는 못한다. 그러나 홍덕 동지의 죽음은 우리에게 너무나도 뜻밖이다. 30세도 채 되지 않은 청년이 특히는 조선혁명의 전야에 이런 습격(襲擊)을 당했으니 이 손실은 우리에게, 우리의 조국에 있어 그 얼마나 미봉할 수 없는 손실인가!

홍덕 동지는 조선의용대의 가장 능력 있는 간부의 한명으로서 조선민족혁명당의 중심인물의 한명이다. 작년 ×월 중순에 그는 조선의용대 1분대를 이끌고 산유(山渝)에서 전방으로 나갔다가 낙양을 지나 신로에서 질병을 만나 다시 일어나지 못하고 낙양××병원에서 사망했다. 그는 중국 항전을 위해 죽었고 조국의 혁명을 위해 죽었다.

홍덕 동지는 학문이 깊다. 그는 조선경성제국대학 예과를 졸업하고 중국 중앙군관학교를 졸업했다. 정치와 군사는 그의 본업이다. 후에 신철학, 사회학, 정치경제학 등을 연구해 탁월한 성과를 거두었다. 특히 중국 항전 후의 수년간 그는 더욱 놀라운 진보를 가져왔다. 이론 면에서, 실천 면에서 그는 가장 성과가 있고 가장 희망이 있는 청년간부였다.

홍덕 동지는 그처럼 침착하고 기민하고 냉정했다. 그러나 일상생활에서 사람을 대할 때에는 맑고 자애롭고 자상한 자신의 마음을 그 누구에게나 드러내어 보이는 사람이어서 서로 간에 아무런 경계심이나 간극이 없었다. 그는 냉정하면서도 따뜻했다. 그와 만난 사람이기만 하면 다 안다. 그는 언제나 성실하게 그 사람의 열정을 유발함으로써 그 사람으로 하여금 자신의 영혼이 불길처럼 활활 타오르는 느낌을 받게 한다. 그러므로 그의 사람 됨됨은 늘 친구들의 사랑을 받았다.

홍덕 동지는 진보를 추구하는 청년 혁명자이다. 언제나 부지런히 학습하는 그의 정신과 태도는 그야말로 탄복스러웠다. 정확한 이론, 유창한 문필, 예리한 관찰, 정밀한 분석 등 모두가 우리가 배워야할 점이다. 특히 그의 혁명열정과 혁명수양은 더욱 우리가 배워야 할 바이다. 홍덕 동지는 혁명에 자신을 바쳐서부터 시종 끊임없이 열악한 환경과 싸웠다. 전투의 환경 속에서도 환경의 전부의 법칙을 인식하고 파악했다. 때문에 그 어떤 변화에 직면해도 영활하게 대처했다. 이 모든 것은 다 그의 깊은 혁명수양을 증실 해준다. 홍덕동지가 행군 중에 사망하게 된 것은 크나큰 혁명적인 책임감을 의식하고 열정이 너무 많이 억압된 결과이다. 총적으로 그는 조국해방에 가장 충실한 혁명자이고 조선혁명청년의 전범이다.

무정한 죽음은 홍덕 동지를 우리와 영별시켰다. 그러나 홍덕동지의 유범은 영원히 그의 일생의 혁명 역사의 한 페이지에 각인되고 영원히 우리의 추억 속에 남아 있을 것이다. 홍덕 동지의 정신은 영원히 죽지 않았다.

『朝鮮義勇隊』, 第41期

전선의 동지들에게

친애하는 동지들!

박대장의 전보―유격전 첩보를 읽고 나는 얼마나 흥분했는지 모릅니다! 사실은 이번뿐이 아니고 이전에도 동지들이 보내온 유격전 승리의 소식을 접하거나 실제 사업 성적이 실린 간행물을 받을 때면 나도 뜨거운 피가 끓어 번지곤 했습니다. 정신적으로도 무한한 흥분과 즐거움을 느끼곤 했습니다. 나는 여러 동지들과 안면은 없지만 나의 가슴속에 동지들에 대한 크나큰 존경심을 품고 있습니다. 특히 여러 분의 영용한 분투 정신에 대해 더욱 끝없이 탄복하게 됩니다!

동지들은 진정 두려움 모르는 영용한 전사들입니다. 아무리 힘든 환경이라도, 특히는 물질적으로 곤난한 조건에서도 전혀 고생스러워하지 않고 사업을 위해 영용히 분투하고 있습니다. 그야말로 조선혁명 선봉의 투사들입니다.

나는 늘 동지들과 함께 전호에서 생활하면서 동고동락을 하고 싶습니다. 그러나 부대에는 중요하지 않아도 번잡한 일들이 많아 그 일들에 발목이 잡혀서 소원을 이루지 못하고 있습니다. 그러나 여러 동지들이 전호에서 영용한 자태로 싸우고 있는 모습이 늘 머릿속을 맴돌곤 합니다. 햇빛에 검붉게 그을린 얼굴이며 땀에 흠뻑 젖었다가 마르기를 반복하다보니 낡아서 허름해진 군복을 입은 모습이며 전투적인 열기로 충만 된 눈빛이며 동지들 사이에 서로 승리의 회심어린 미소를 짓는 모습이며…… 이 모든 것이 너무나도 존경스럽습니다!

동지들, 동지들의 이런 노력과 분투에 비하면 아무런 기여도 하지 못한 나는 그야말로 너무나도 부끄럽습니다. 다만 시시각각 경각성을 늦추지 않고 사업에 노력하여 용왕매진하는 여러분의 뒤를 바짝 쫓아가는 것으로 내심의 부끄러움을 달래고 있을 뿐입니다. 최근 부대의 공작인원들은 여러 동지들의 위대한 노력정신에 감동되어 유동선전대를 조직해 장기적으로 농촌에 심입해 공작하는 것을 통해 우리의 선전 범위를 확대·강화 할 타산입니다. 그러나 많은 곤난 때문에, 특히는 인원의 부족으로 우리의 이 소원은 아직 실현되지 못하고 있습니다. 우리는 최대한의 노력을 하여 유동선전대를 구성하고 모든 곤난을 극복하고 여러분을 따라 배워 조금이라도 더 사업에 매진할 생각입니다.

여러분도 아실 겁니다. 중경에서 훈련 중인 여성동지들과 3·1소년단의 어린 친구들이 이 곳에 온다면 우리의 유동 공작단 조직 문제도 해결될 수 있을 것입니다. 혹은 그들 중 일부분만이라도 오면 이 사업은 즉시 착수하게 됩니다.

최근 미국에 있는 조선 교포들은 조국의 혁명을 위해 절대로 남에게 뒤떨어지지 않으려고 애쓰고 있습니다. 그들의 애국열정은 장기간 국외에 거주한 탓에 더욱 열렬하고 더욱 절박하게 타오르고 있습니다. 그들은 많은 자극을 받으면서 조국이 필요하다는 것을 더욱 느끼고 있습니다. 다만 그들은 직업 및 여러 관계로 인해 조국으로 와서 영용한 형제들과 함께 공동으로 전선에 참가하여 추악한 일본파쇼군벌과 혈전할 수가 없을 뿐입니다. 이는 또한 그들이 직접 자기 손으로 일본침략자들에게 복수할 수 없어 늘 유감스러워하는 부분입니다. 수십 년 동안 그곳에 거주했던 그들은 후원회를 조직하여 조국을 위해 영용하게 혈전하는 형제들을 원조하고 있습니다! 이는 그들의 애국심 때문에 한 일이겠지만 한 면으로는 여러 동지들이 영용하게 싸우는 모습이 그들에게 큰 영향을 끼쳤기 때문입니다. 이는 또한 여러 동지들이 노력한 것에 대한 반응이고 영용하게 싸운 결과이기도 합니다. 동지들, 더욱 영용하게 매진합시다! 해외의 교포들이 동지들의 첩보를 기다리고 있습니다. 뿐만 아니라 조국의 삼천만 노고 동포들도 동지들이 하루 빨리 개선가를 부르며 돌아오기를 더욱 기대하고 있습니다.

『通訊』, 第30期

조선혁명군 문제에 관해

무한이 함락되기 전에 대내외 정세에 적응하기 위해 우리는 조선의용대를 창설했다. 당시 조선의용대의 산생은 '때마침'인 셈이었다. 조선의용대는 반군사, 반정치의 특수부대로서 중국 각 전장에서 분투하기 시작해 지금까지 근 2년이 된다. 과거의 2년을 제1기라고 가정한다면 우리가 '대적선전'을 주요 사업으로 한 이 1기는 이미 한 단락을 고한 셈이다. 지금은 제2기에 들어섰다. 제2기가 시작되는 시점에서 우리는 아래와 같은 이유와 조건에 근거해 조선의용대를 조선혁명군으로 확대할 것을 견결히 주장한다.

1. 중국의 신성한 항전은 꼬박 3년간 견지되어왔으며 싸울수록 더 확신이 서고 있다. 아울러 지금은 제국주의 제2차 대전이 한창 격렬하게 진행되고 있다. 이 기회는 세계 피압박민족의 자유해방 투쟁에 유리한 조건을 마련해주었다. 특히 직접 일본제국주의의 도탄 속에서 헤매고 있는 조선과 대만은 반드시 더욱 맹렬한 투쟁을 하여 독립과 해방을 쟁취해야 한다. 이런 객관적인 정세는 우리가 조선혁명군을 창설할 것을 아주 절박하게 요구하고 있다.

2. 객관정세가 우리에게 이렇게 요구하고 있을 뿐더러 내부의 모든 조건도 이미 성숙됐다. 즉 지금 우리의 역량은 조선의용대를 창설할 때처럼 취약하지 않다. 우리는 과거 2년 동안 직접 투쟁하는 과정에 질적 및 양적인 두 면에서 모두 성장하였고 깨뜨릴 수 없는 사업토대를 닦았다. 지금의 이 토대 위에 응당, 또한 반드시 조선혁명군을 창설해야 한다.

3. 우리는 제2기 사업에서 '대적선전'공작을 확대하려면 반드시 선전이 전투에 잘 협력하게 해야 한다. 즉 전투로 선전해야 한다. '선전이 바로 전투'라는 것이 바로 우리가 공작, 투쟁가운데서 발견한 하나의 원리이다. 구체적으로 말한다면 힘들고 고생스러운 대적선전공작은 전투에 협력할 때만이 공작의 최고 효율을 창출할 수 있다는 것이다. 이런 상황에서 우리는 조선혁명군을 건립할 필요성과 가능성을 더욱 느끼게 된다.

4. 우리는 제1기 단계에서 당시 중국 항전의 수요와 자신의 역량의 한계에 맞춰 대적선전을 주요 사업으로 삼았다. 그러나 지금은 모든 상황이 큰 변화를 가져왔다. 그리하여 우리는 금후 사업 중심을 전환시킬 필요를 느꼈다. 즉 대적작전을 위주로 하고 대적선전을 두 번째 위치에 놓는다. 그러므로 작전위주의 조선혁명군이 더욱 필요하다.

이상에서 열거한 조건들은 물론 구체적이라고 말할 수는 없다. 그러나 나는 이에 대해 각 측의 동지들이 주의를 돌리고 토론하기 바란다.

과거 각 나라의 혁명사는 우리에게 그 어떤 성질의 혁명의 승리이든 가장 주요한 것은 다 무장투쟁에 의해 결정되며 전면적인 무장투쟁이 없이는 최후의 승리를 취득할 수 없다는 것을 알려주고 있다. 조선혁명도 예외일수 없다. 조선혁명군은 조선혁명의 성공을 쟁취하는 기본적인 무장대오이다. 그러나 우리의 무장대오는 해외에서만이 건립할 수 있다. 동북항일연군중의 조선인부대, 소련경내의 조선혁명군 및 조선의용대는 다 해외에서 창설됐고 해외에서 활동하고 있다. 이는 해외 조선혁명운동의 특수성을 말해준다. 조선혁명군도 이 특수성을 떠날 수 없다. 이런 부대들은 다 부동한 곳에 있고 부동한 방식으로 투쟁하고 있지만 이들은 최종 하나의 목표를 위해 투쟁하고 있다. 즉 조국의 독립과 민족의 해방을 쟁취하기 위해 분투하고 있으며 그들의 투쟁대상도 하나이다. 즉 일본 제국주의이다.

어떤 사람(비록 극소수이지만)들은 조선혁명군에 대해 착오적인 인식을 가지고 있다. 즉 조선혁명군은 중국 항전에서 산생했으니 중국항전이 끝나는 때에 조선혁명군도 해산돼야 한다고 생각한다. 다음, 또 어떤 사람들은 조선혁명군의 과업은 중국항전을 돕는 것에 있고 조선혁명과 큰 관계가 없다고 생각한다. 이런 착오적인 견해는 그들이 동방피압박민족의 해방투쟁에서 중국항전이 일으키는 주도적인 역할에 대해 이해하지 못하고 또 우리의 해외운동의 특수과업에 대해 이해하지 못하며 더욱이는 우리가 그 어느 지역에서든 언제나 하나의 최종목표를 위해 투쟁하고 있다는 것을 이해하지 못하기 때문에 생긴 것이다. 총적으로 조선혁명군은 조선혁명의 기본적인 무장대오로서 그가 가지고 있는 역사적인 사명은 아주 크다.

우리는 조선혁명군을 건립하려면 우선 각 당파의 통일과 중국 당국의 지원을 쟁취해야 한다. 우선 각 당파의 통일에 대해 보기로 하자. 혁명군 건립은 아주 간고한 사업으로서 반드시 우리의 통일이 필요하다. 역량을 집중해 이 통일의 기치 아래에서 추진해야만 혁명군 건립 사업이 원만한 결과를 가져올 수 있다. 다음은 외부의 지원이 절대적으로 필요하다. 외부의 지원을 받지 못하면 우리의 사업은 반드시 더욱 힘들어진다. 그러므로 내부의 통일과 외부의 원조는 우리에게 있어 두개의 가장 중요한 조건이다. 그러나 우리는 내부의 통일을 촉성하는 것이 더욱 기본적이며 내부의 통일을 완성해야만 중국 측의 원조와 지지를 얻을 수 있다는 점을 알아야 한다. 조선의 혁명동지들, 우리는 이 긴박한 시기에 어서 깨여나서 통일을 완성하기 위해 분투하며 조선혁명군을 건립하기 위해 분투하며 더욱이는 조국의 독립과 해방을 위해 분투해야 한다.

『朝鮮義勇隊』, 第36期

태평양전쟁과 조선혁명

　태평양의 전쟁국면이 전례 없이 심각해졌다. 지금의 전쟁국면을 보면 일본침략자가 주동적으로 진공하고 있다. 진주만을 습격하고 홍콩을 점령하고 마니츠(馬尼剌, 역주: 마닐라)를 점령하고 말레이시아를 공격하고 보르네오를 침략하고 미얀마 남부를 공격하고 점차 양곤을 위협하는 기세를 보이고 있다. 그리고 싱가포르전은 더욱 전쟁의 위험에 빠져들고 있다.

　이런 심각한 위기 속에서 영국 의회의 불만, 오스트랄리아 정부 당국과 네덜란드령 동인도 총독(荷印總督)의 호소, 중국 여론계의 변론 및 초조한 정서가 한데 어울려 엄중한 분위기를 더욱 크게 조성하고 있다.

　그러나 이 모든 '불만', '우려', '변론', '호소', '대화'의 희비극의 진행은 일시적으로 피할 수 없는 현상이다. 그러나 이 엄중한 국세를 해결하기 위한 열쇠는 어떻게 최선의 노력을 다 하여 가장 큰 역량으로 일본침략자를 타도할 것인가, 라는 것이다. 즉 엄중한 국세에 대해서는 말만 할 때가 아니라 적극적인 행동을 취해야 할 때이다.

　그렇다면 지금 태평양 전쟁국면의 위기를 구할 수 있는 조건 및 가능성이 있는가 없는가? 우리의 답안은 반드시 있다, 라는 것이다.

　첫째, 우리는 목전 전쟁국면을 만회하기 위해서는 중국, 영국, 미국, 화란, 오스트랄리아 등 동맹국들이 태평양전쟁에 군사력을 원조하는 외에 태평양 당지의 여러 민족이 신속히 진정으로 동원, 무장되어 전부의 역량을 바쳐 항일전쟁에 참가해야 한다.

태평양 당지의 각 민족은 거의 전부 영국, 미국, 화란의 식민지, 자치령, 보호지, 위임통치지에 속해있다. 그들은 양적으로 위대한 힘을 가지고 있을 뿐더러 경제, 정치, 문화 등 각 면에서 한정할 수 없는 힘을 가지고 있다. 특히 침략에 반항하는 정신을 보면 이 민족들은 일반적으로 모두 잠재적인 민족 의분으로 충만 되어있다.

그들은 다년간의 생활경험이 있어 그들의 오늘의 적이 누구인지를 똑똑히 인식하고 있다. 이런 광범한 역량을 동원할 수 있다면 지금의 전선을 지키고 싱가포르를 보호하고 네델란드를 보위하고 미얀마를 보위하는 것은 절대적으로 가능하다.

민력에 대한 동원은 물론 급히 해야 할 사업이지만 그러나 영국, 미국 당국이 이런 민족에 대한 정책과 관계를 개선하는 것이 가장 중요한 조건이다. 우선 영미 당국이 이런 민족에 대한 낡은 관념을 개변하고 여러 민족의 민족독립을 존중해야만 그들이 자동적으로 동원, 조직되어 각종 항일사업에 참가할 수 있다. 동시에 그들에게 무장적인 자유를 주어서 무장 항일을 할 수 있게 해야 한다.

둘째, 태평양전쟁은 지구전이다. 최후의 승리는 태평양의 민주국가에 속한다. 이는 의심할 바 없는 일이다. 오늘날 우리가 가장 관심하고 토론하는 문제는 전쟁발전과정에 일본침략자를 전승하는 유리한 조건을 찾아내는 일이다.

조선은 일본침략자의 붕괴를 가속화하는 아주 중요한 지위에 있다. 조선은 일본침략자의 독점식민지로 된지 30여 년이나 되었지만 시종 일본침략자의 심복지환이 되고 있다. 특히 일본침략자가 대외 침략전쟁을 발동함에 있어 더욱 그러하다.

일본침략자가 조선을 병탄한 후 일본침략자의 대조선 정책은 그야말로 잔폭하고 피비린 폭행으로 얼룩져있다. '회유', '강박', 혹은 '멸종', '동화' 등 수단이 가지각색이다. 특히는 중국침략전쟁에서 일본침략자가 조선에서 실시한 야만적인 정책은 사람을 치 떨리게 한다. 이른바 '일선일여(日鮮一如)'의 기만적인 구호를 외치면서 강박적으로 '조선' 칭호를 금지시키고 '반도' 두 글자로 대신하게 했다. 조선인의 조선어사용을 엄금했다. 일선통혼을 제창하고 강박적으로 「창씨개명령」을 실시했다. (이른바 「창씨개명령」은 조선인의 고유 성씨를 버리고 일본인의 성씨를 사용하도록 강박한 전대미문의 야만적인 법령이다.) 모든 조선인 민간단체를 해산시켰다. 조선학생 본위의 학교를 일본학생 본위의 학교로 고쳤다. 모든 조선문 신문과 잡지를 폐간시켰다. 조선인을 강박해 '아마테라스 오호카미'를 참배하게 하는 등 각종 가소로운 음모독계를 끊임없이 꾸며냈다.

일본침략자는 총독부 외에도 이른바 '국민총력 조선동맹'을 신설해 조선민족의 피땀을 착취했다. '국방헌금', '지원병령', '성한대' 등등의 명의로 조선인의 재산을 강제로 빼앗고 강제징병을 실시하고 조선인을 기만해 동북을 개간하게 했다. 이러루한 수단은 다 조선민족을 완전히 멸망시키려는 악랄한 계략이다.

그러나 조선민족은 여전히 조선민족이다. 그들은 5천 년의 찬란한 문명 역사를 가지고 있으며 민족적 자존심과 민족적 의식을 가지고 있다. 그들은 절대로 이민족에게 멸망되지 않을 것이다. 30여 년 동안 끊임없이 계속된 기세 드높은 조선광복운동이 조선민족의 불멸을 증명해왔다.

조선민족은 자연적으로 반침략 민주전선에 서서 일본침략자와 결사적으로 싸워왔기 때문에 조선의 독립운동은 이미 고립무원한 상태가 아니다. 조선독립운동은 완전히 세계 반침략전쟁의 전반 맥락에서 발전하고 있다.

우선 조선의 국내 상황에 대해 말해보자. 일본침략자의 압박이 아무리 대단하다고 해도 삼천만 조선민족의 반일복국의 정서는 날로 더 짙어가고 있다. 혁명은 이미 일촉즉발의 기세에 와 있다. 조선국내의 각지에서도 각종 반일폭동이 자주 발생하고 있어 적들에게 중대한 타격을 안기고 있다. 그러므로 조선 국내의 반일혁명운동은 적후를 교란하는 의미에서 아주 큰 역할을 하고 있다. 다음은 해외의 조선혁명운동이다. 이 역시 홀시할 수 없는 역량이다. 특히는 중국에서 활동하고 있는 조선의용대와 동북의 조선혁명군은 모두 보귀한 특수 역량이다.

총적으로 조선혁명 역량은 태평양 전쟁의 발전과정에서 일본침략자를 전승하는 하나의 유력한 요소이다. 동맹국가에서 멀리 내다보고 조선혁명에 실제적인 원조를 해준다면 조선혁명세력은 적들의 계속적인 전진을 파괴하고 저애할 것이며 앞으로 동맹국의 정규군의 반공을 필연적으로 협조하게 될 것이다.

조선민족은 절대적으로 독립과 해방이 필요하다. 지금이 바로 자유와 해방을 쟁취하는 좋은 기회이다. 중국에서 민족해방전쟁이 발동되고 이번 태평양전쟁이 폭발하기까지 조선민족은 오늘날 자신이 처한 지위의 중요성에 대해 더욱 깊이 이해하고 있다. 이때에 적극적으로 일떠나 조선민족의 독립을 위한 투쟁을 할뿐더러 반드시 세계의 진정한 평화를 위한 일부분의 책임을 감당할 것이다.

끝으로 우리는 피압박민족의 입장에서 영미인사들에게 몇 마디 하고자 한다. 태평양 전쟁이 폭발한 후 세계 피압박민족은 자신의 모든 힘을 다 반침략 민주전선에 기여하고 싶어 한다. 이런 현상은 적을 전승하는 것을 담보하는 결정적인 조건이다. 이때에 영미 당국은 태평양의 각 피압박민족에 대한 낡은 관념을 버리고 민족정책을 다시 제정하여 적들의 도발선전을 타격하고 자신의 항전역량을 증강해야 한다.

최근에 신문을 통해 영미 인사들이 전쟁 후의 원동문제에 대해 토론하는 기사를 본적이 있다. 그들은 조선 문제에 대해서는 별로 관심하지 않고 있다. 이는 나구선언(羅邱宣言,역주: 대서양헌장)의 정신에 맞지 않을뿐더러 조선민족의 오해를 불러일으킬 수 있다. 나구선언에는 "각 민족의 자유를 존중하여 그 민족이 생존하는 정부 형식의 권리를 결정하며 각 민족들 중에 이 권리가 무리하게 박탈당한 민족이 있다면 두 나라는 그 민족의 원유의 주권과 자주정부를 회복시켜야 한다." 이 단락은 각 민족의 독립자유를 존중할 데 대해 설명했다. 영미 당국은 조선민족에 대해 다시 인식하고 그들의 힘을 중시해야 한다. 그들의 혁명운동을 원조하여 영미 주력에 협력해 작전하게 함으로써 적들에 대한 타격을 강화해야 한다.

동맹국가는 피압박민족의 독립운동에 대해 어떤 태도를 취해야 하는가? 우리는 다음과 같이 인정한다. 첫째, 원칙상에서 각 민족의 자유 독립을 완전히 인정해야 한다. 특히는 동맹국 전쟁의 기치에 '민주자유'를 선명하게 표시해야 한다. 도리 상에서도 타인의 민주와 자유를 해치지 말아야 한다. 다음은, 추축국(軸心國家)의 작전에 대한 전략 및 정략 면에서는 이런 전 세계 피압박민족을 쟁취해 자신의 전선에 서게 함으로써 자신의 전투력을 보강해야 한다. 특히 추축국의 하나인 일본침략자의 작전능력은 완전히 그의 식민지 민족에게서 짜낸 고혈로 이뤄졌다. 때문에 피압박민족에 대한 동맹국의 정책은 일본침략자에 대한 식민지민족의 이심(離心)을 초치(招致)하고 강화함으로써 일본침략자의 패망을 촉진해야 한다. 그러므로 우리는 민주적인 동맹국, 특히는 영국에서 피압박민족에 대한 정책을 급히 확정하여 구체적이고 효과적으로 전쟁에서와 전후의 그들의 절대적인 독립을 담보하기 바란다.

모든 피압박민족은 현실에 대해 명확한 인식을 해야 한다. 특히 태평양전쟁에서 자신이 지닌 임무에 대해 잘 알고 수행해야 한다. 그렇게 하면 새로운 광명의 넓은 세계에 토대하여 피압박민족 자신의 영구한 행복과 자유를 꼭 이룰 수 있다.

『朝鮮義勇隊』, 第41期

김인철 편

정여해(鄭如海) 동지를 애도하며

우리의 가장 경애하고 가장 신뢰하는 조선혁명청년 정여해 동지가 불행하게도 3월 8일에 병으로 서거했다! 그는 조선청년 전위동맹의 주요 간부의 한 사람이었다. 그는 조선의용대의 대원이었고 그는 조선혁명운동에서 가장 앞장에 선 청년투사였다! 그는 중국의 항일전쟁이 한창 맹렬하게 진전되고 있는 이때에, 특히는 조선혁명운동이 최후의 승리의 앞날에로 나아가고 있는 이때에 불행히도 사망했다. 이는 우리 청년전위동맹의 손실이고 동시에 조선의용대의 손실이며 또한 중·한 두 민족의 해방운동의 손실이다.

정여해 동지는 본명이 정붕한(鄭鵬翰)이고 현재 28세로 조선함북 명천의 사람이다. 그는 간도 용정에서 은진중학교를 졸업하고 중국 관내에서 중앙육군군관학교 낙양분교를 졸업했으며 또 남경중앙대학교를 졸업했다. 그는 간도에 있을 때에 점원, 소학교 교원을 지냈었다.

여해 동지는 성격이 아주 강직하고 정의감이 있는 청년이다. 그는 학생시절부터 조선민족해방투쟁에 참가했다. 유명한 1929년 광주학생운동시기에 그는 전국 학생 청년의 앞장에 서서 일본제국주의와 박투하였다. 결국 체포돼 감옥에 갇혀서 적들의 혹형을 받았다. 출옥한 후 또 간도의 5·30 반일 대폭동에 참가하여 적에게 중대한 타격을 입혔다. 폭동 후에는 즉시 적들의 경계망을 뚫고 관내로 망명하여 정치, 군사, 혁명 지식을 공부하는 한편 계속 국내의 조선혁명운동에 참가했다. 위대한 중국민족 해방전쟁이 발생한 후 그는 한국에서 조선청년전시복무단을 조직해 중국의 항전사업에 참가했다. 그 후 전시복무단을 조선청년전위동맹으로 개조하고 동시에 조선의용대에 참가하여 조선민족해방운동에 힘쓰는 한편 중국의 항일전쟁에 직접 참가했다.

여해 동지는 모든 어려움과 고생도 마다하지 않고 꾸준히 사업에만 매진한 사람이다. 그는 이런 힘든 사업을 하는 중에 병을 걸렸고 아프면서도 공작에 참가해 의용대 동지들과 함께 전선으로 나갔다. 결국 동지들의 권유를 받아들이고 후방으로 돌아와 요양을 했다. 그는 병상에서도 전선에서 분투하는 조선의용대 동지들의 공작상황에 대해 관심했다. 특히는 조선혁명운동의 통일전선문제에 대해 관심했다. 그는 조선민족통일전선을 견지하고 조선민족전선연맹의 조직노선을 견지했다.

여해 동지는 28세의 청년으로서 위대한 혁명사업을 남겨두고 결국 세상을 떠났다! 그는 이 짧고 짧은 일생을 살면서 중·한 두민족의 해방운동사업에 많은 기여를 했다. 지금 우리는 그를 추모하지만 절대로 소극적으로 슬퍼하지만 않고 적극적으로 그가 남긴 혁명사업을 계속 완성할 것이다. 특히는 모범적으로 영용하게 투쟁하고 꾸준히 사업에 매진한 그의 혁명정신과 사업태도를 따라 배울 것이다. 이는 우리에게 한 그의 부탁이면서도 우리의 임무이다.

여해 동지! 동지는 우리를 영원히 떠났다! 동지의 동지들은 절대로 혁명에 대한 동지의 뜻을 저버리지 않을 것이다. 동지의 무수한 중·한 두 나라 동지들은 모두 항일전선에서 적들과 혈전을 벌이고 있다! 우리의 전위동맹의 동지들은 동지의 유업을 계승하여 계속 분투하며 중·한 두 나라 민족이 최후의 해방을 얻는 그날까지 분투할 것이다!

『朝鮮義勇隊』, 第9期

이영어 편

조선의용대의 새 발전

　조선의용대는 무한에서 중·한 민족은 연합하여 일본제국주의를 타도하자, 라는 빛나는 기치를 추켜든 그날부터 남북 각 전구로 파견되어 적군 와해공작 및 민중선전운동 등 정치공작을 진행해왔다. 오늘까지 이미 5개월 남짓한 시간이 흘렀다. 이 기간에 우리의 대원동지들은 철저한 자아희생정신으로 중국 항전에서 부여받은 조선의용대의 과업을 충실하게 집행했다. 그리하여 전방에서 민중의 깊은 동정과 열렬한 환영을 받았다. 동시에 중국 항전 군사당국의 찬양과 적극적인 원조를 받았다. 최근에는 ××전구의 의용대의 절반의 동지들이 조선의용대 유격대를 조직해 적들의 후방으로 가서 적군의 피 점령구를 드나들면서 유격전을 함으로써 조선의용대의 금후의 투쟁지역을 더 확대했다. 조선의용대는 적과 피어린 전투를 하고 신출귀몰하면서 적들의 모든 군사시도 및 정치음모를 격파하는 등으로 커다란 첫 발걸음을 내디뎠다.

　이는 물론 이 5개월 동안 끊임없이 분투하고 희생을 감내한 영광스러운 성과이다. 동시에 조선의용대는 중국항전에서 조선민족 고유의 용감한 전투정신과 실제적인 전투능력을 발양하여 적에게 결정적인 타격을 안겼다. 이는 중국 항전의 승리를 다그치는 중요한 요소의 하나로 되었다. 때문에 조선의용대가 유격대를 조직한 이 일은 조선의용대 자체의 발전 면에서 새로운 중대한 의의가 있다. 뿐만 아니라 중·한 두 민족이 구체적으로 연합해 항일

전투를 한 것으로서 역량이 한층 더 확대되고 강화되었다.

이런 영광스러운 새발전은 결코 우연한 일이 아니고 자연적으로 된 일도 아니다. 다들 알다시피 조선의용대의 애초의 목적은 조선의용군을 조직해 중국항전에 직접 참가해 적과 싸우는 것이었다. 그러나 인수의 부족으로 최종 의용대로 편성되었다. 이는 총을 들지 않은 대오로서 정치선전공작의 대오이다. 그러나 지금은 어떤가? 인수가 더욱 적은 절반의 절반 숫자로 유격대를 조직해 무장 출전을 한 것이다. 그 이유는 어데 있는가? 이런 영광스러운 성과의 가장 큰 요소는 아래와 같은 세 가지 점에 있다.

첫째, 조선의용대는 혁명의 대오이다. 조선의용대의 대다수 동지들은 과거 조선혁명의 투쟁가운데서 주요 지위를 차지했던 혁명적 지식인과 학생 청년들이다. 특히 반일본제국주의의 대중투쟁가운데서 학생 청년들이 중요한 과업을 짊어졌었다. 그리하여 조선의용대의 동지들은 흉포하고 참혹한 일본제국주의 식민지정책 및 착취정책과의 치열한 투쟁가운데서 학교에서든 군중 속에서든 끊임없이 굳센 혁명성을 발휘해왔다. 조선 본국 내에서도, 만주 평원에서도, 과거의 반일투쟁에서도 노농대중의 반일투쟁과 연결하여 일부의 가장 용감한 선봉의 과업을 수행했다. 그들은 지금 자체로 혁명의 대오를 조직하여 중국항전에 참가하고 있다. 그러므로 이런 혁명의 투쟁성, 선봉역할과 적극성은 그들 모든 동지들의 의식 속에 충만 되어있다. 그들은 충실하게, 용감하게 중국 항전에서 짊어진 과업, 즉 중국항전에서의 조선민족이 응당 짊어져야 할 책임을 짊어지고 있다.

둘째, 조선의용대는 중국인민대중의 깊은 동정과 뜨거운 환영을 받고 있다! 우리는 중·한 두 민족의 자유와 독립을 쟁취하고 일본제국주의를 타도하기 위해 싸우고 있다. 이 사업은 중국항전의 진보에 따라 더욱 밝은 앞날을 제시하고 있다. 그러나 우리는 이 밝은 앞날까지 가려면 중간에 반드시 험난한 길을 지나야 한다. 우리는 이 항전에서 모범 역할과 선봉 역할을 해야 하며 적극적으로 사업해야 한다. 특히 이번 중국항전은 대다수 민중의 조직이 아직 완성되지 않았고 경제가 낙후하고 군비가 충족하지 않은 온갖 곤난한 환경 속에서 진행되고 있다. 적군을 와해하기 위한 대적선전이 물론 중요하지만 민중에 대한 정치공작도 더욱 요긴하다.

민중은 우리의 항전의 원동력이며 민중의 단결은 우리의 위대한 역량을 공고히 하고 성장시킬 수 있기 때문이다. 아울러 중·한 두 민족은 진실하고 영원한 우의관계를 건립해야 하며 반드시 광범한 인민대중의 심각한 인식이 있어야만 그 가능성이 있다. 때문에 조선의용대는 전방에서 철두철미하게 민중을 위해 복무하고 희생적으로 노력하는 동시에 그들이 중국 항전과 중·한 두 민족의 해방혁명전쟁의 역사적인 중대 의의를 철저히 인식하도록 했으며 그들의 전투의식 및 승리의 신심을 제고시켰다. 그리하여 조선의용대는 전방에서 일반 인민대중의 깊은 동정과 뜨거운 사랑을 받았다. 이것이 바로 조선의용대가 갖게 된, 유격전쟁에서 의거할 수 있는 반석—민중적인 토대이다. 이는 가장 보귀한 점이다.

셋째, 조선의용대의 정치공작의 실제성과는 중국항전 군사상급기관의 찬양과 신임을 받았다. 아울러 적극적인 원조를 받아 크게 발전했다. 조선의용대는 대적선전 혹은 민중에 대한 정치공작 면에서 이미 모범성과 적극성을 아주 잘 보여주었다. 조선의용대는 혁명대오의 엄격한 기율을 잘 지켰고 모든 사업을 아주 민첩하고 독창적으로, 그리고 아주 심도 있게 진행했다. 그러므로 전방에서 늘 우군의 환영을 받았다. 지어 △△사 정치부는 조선의용대의 복무정신과 사업방식을 본받아 부하들의 업무개선을 장려했다. △△군 사령부는 유격구역의 정치 및 군사 진공을 강화하기 위해 △△전구의 조선의용대의 절반의 동지들로 유격대를 조직해 피 점령구에 파견했다.

우리는 처음에는 조선의용대는 공작 훈련이 부족하고 백성의 사정에 대해서도 잘 알지 못한다는 생각에 저으기 전전긍긍했다. 특히 중국의 피 점령구에서의 유격전은 더욱 힘들었다. 그러나 열혈의 용광로는 곤난도 철을 녹여버리듯이 실천 중에서 하나하나 해결했다. 지금 제2기 항전에서 새로 나타난 이 조선의용대 유격대오는 정치 진공의 선봉이 되었다. 이런 선봉역할은 적에 대한 반전운동을 촉진하고 인민의 반전운동을 한층 더 온양시키고 있다. 이 두 가지 반전운동의 결과는 적군을 와해시키고 아군의 반공의 전면적인 승리를 촉성하게 된다.

그렇다면 조선의용대 유격대의 이런 선봉역할의 투쟁목표는 몇 가지인가?

첫째, 적군의 군사시설과 정치음모를 조작하는 한간괴뢰조직을 파괴한다. 조선의용대유격대는 신출귀몰하면서 단도직입적인 행동으로 적을 습격하고 적을 견제했다. 적의 실을 피하고 적의 허를 찌르는 방식으로 적은 병력의 적을 만나면, 예를 들어 전초병이거나 무치한 한간 혹은 야영휴식을 취하는 적군 등은 눈 깜박 할 사이에 타격을 가하고 소멸해버렸다. 수시로 적군의 운수교통에 주의를 돌리고 그들의 치중군수품을 저격하여 적군 부대의 구제물자, 무기 등을 단절시켰다. 수시로 적군의 정치기관 및 한간 괴뢰조직을 습격하고 수시로 그들을 교란했다. 이렇게 끊임없이 적을 습격하고 온갖 방법으로 적을 타격해야만 조선의용대 유격대가 건전해질 수 있다! "가장 좋은 방어가 바로 진공이다."라는 말을 기억해야 한다.

둘째, 적군 진지를 진출하면서 대적선전을 하여 적군의 와해를 촉진한다. 지금 적들은 중요한 교통선 및 도시 거점을 점령하고 중국 유격대의 습격을 우려하여 2, 3층으로 겹겹하게 성문을 쌓고 허장성세하고 있다. 우리 유격대는 농민이나 백성으로 가장하고 적군의 진지를 드나들다가 기습하고 교란했다. 동시에 반전, 반파쇼 전단지와 표어를 살포하여 일본 병사들의 전투

상태를 해이하게 하고 염전, 반전 분위기를 이끌어냈다. 이때 가장 요긴한 것은 일본 병사들의 심리상태와 일본사회의 문제점, 즉 파쇼군벌에 대한 인민들의 반감을 정확하게 판단하는 것이다. 이렇게 하면 '마음 공략'의 목적에 달성하게 된다.

셋째, 적군 내부에서 복무하는 조선동포를 쟁취한다. 조선인민은 강박적으로 징병되었거나 일본침략자들의 기만설에 넘어가 군에 복무하는 조선동포들이 적지 않다. 특히 일군은 이번 47차 의회에서 조선인 징병제를 결의했다. 매 3천 명에서 400명의 장정을 의무병으로 징집하고 지원병제를 취소하는 내용이다. 이는 일제가 중국침략전쟁에서 병력 상망이 크고 제2차 세계대전에 보충할 병력이 부족하기 때문이다. 3천 명에서 400명을 뽑으니 그 인구비례는 13.3%이다. 이렇게 높은 징병율은 기타 각 나라에서는 절대적으로 보기 드문 일이다. 조선의 장정청년들 전부가 일본제국주의의 침략전쟁에서 대포밥이 될 위험이 크다. 지금 일제는 조선인 병사들을 화북, 광동과 해남도 방면의 전장에 많이 투입하고 있다. 그 목적은 조선인들을 천애지각의 지역에 보냄으로써 돌아가려는 그들의 마음을 단절시키고 죽을 때까지 일제의 대포밥으로 되어 워낙 용맹하기로 소문이 난 양광(兩廣) 인민들과 목숨을 내걸고 싸우게 하려는데 있으니 얼마나 독한 계략인지 알 수 있다. 이 사실을 통해 우리는 경각성을 높여야 하며 동지들을 향해 대성질호한다. "의용대 동지들! 자신의 민중이 적에게 이용당하여 자신의 민중을 잃는다면 이는 우리의 죄책이 아닐 수 없다! 조선민족의 해방을 위해 투쟁한다면 반드시 우선 우리의 민중, 조국의 동포들을 쟁취하여야 한다!" 우리의 유격대는 피 점령구역에서 달리면서 반드시, 특별히 조국의 동포들을 쟁취해 우리의 광범한 역량이 되게 해야 한다!

넷째, 피 점령구에서 민중운동을 적극적으로 진행한다. 적들과 무치한 한

간조직 괴뢰정권은 기만적인 선전을 널리 하여 민중의 신임을 얻음으로써 그 자들의 군사진공 및 정치음모를 달성하려고 한다. 우리의 유격대는 이런 기만적인 선전에 대한 그들의 음모를 폭로하고 온갖 간음, 학살, 약탈 등의 적의 폭행의 사실을 적발하여 일반 인민의 항전각오를 각성시켜야 한다. 동시에 그들이 조선의용대 유격대의 뒷심이 되도록 조직한다. 특히 중·한 두 민족의 연합에 이간을 도발하는 일본침략자의 온갖 독계를 까밝힘으로써 조선민족이 중국 항전에 참가해 공동항일을 하고 있는 사실을 중국 인민대중이 널리 알게 해야 한다.

조선의용대는 투쟁의 실천을 통해 한 걸음 한 걸음 발전하고 있다. 그러나 나는 유일한 결함은 의용대의 양적 한계성이라고 생각한다. 이로 인해 위대한 힘을 충분히 발휘할 수 없다. 이런 양적 한계성은 우리의 분투로 가장 쉽게 해결할 수 있다. 이런 양적인 발전이 바로 우리 민족의 질적 역량의 강대함이다. 그것은 일본제국주의의 목을 조르는 쇠사슬이다. 동지들, 금후에는 동지 획득 측면에서 다 함께 노력해야 한다! 중국 항전에서의 조선의용대의 모범성, 선봉역할과 적극성을 잘 발휘해야 한다. 이는 조선민족의 의지이다. 동지들, 충실하게 이 의지를 실천하자!

『朝鮮義勇隊』, 第7期

문정일 편

평한로에서 활약하는 제2구대(제2구대 통신)

12월 14일 오후, 조선의용대 제2구대는 신×군 ××퇀을 협조하여 적의 교통을 파괴하고 대적선전을 하라는 명령을 받았다. 출발을 앞두고 우리는 무장을 하고 광장에 집합해 선서를 했다. 이는 비장한 장면이었다. 30년 동안 하늘을 치솟는 원한이 모든 동지들의 가슴속에서 충동하고 있었으므로 다들 극도의 분개로 숨소리가 거칠어지고 포효하는 소리가 귀가 먹먹할 정도로 울려 퍼졌다.

출발하여 아마도 오후 8시 즈음 됐을 때에 우리는 제××퇀의 우군과 함께 평한로 급현에서 탕음까지의 사이에 있는 50리가 되는 횡선에 나타났다. 그곳에서 우리는 적들에게 강제 고용되어 철도를 지키고 있는 피 점령구의 중국 동포를 보았다. 그는 하루 밤에 15전을 받고 강제 고용되어 원하지 않는 일을 하고 있었다. 우리는 우리가 항일 대오라고 말하고 그를 위로하고는 일을 시작했다. 동지들은 재빨리 준비해가지고 간 각종 대적선전물을 이 50리 구역 내의 철도에 뿌리고 또 우군을 협력해 철도와 전선을 파괴했다. 이때 적들은 이미 우리가 온 것을 알고 탐조등으로 들판을 불뱀이 쏘다니듯 비춰댔다. 기관총을 쏘고 탄통을 뿌리고 대포까지 울리면서 비 오듯, 번개 치듯 소사했다. 그러나 적들은 시종 전호를 한 발작도 감히 나서지 못했다.

우리는 우군과 함께 침착하게 작업했다. 부근의 촌민들을 동원해 후방으로 파괴된 물품을 옮겼다. 약 9시경이었다. 비가 쏟아지듯 밀집한 적들의 사격 속에서 고교촌으로부터 급현 북부의 50리가 되는 철도가 동시에 폭발했다. 일순간 흙 사태가 날리고 폭음이 하늘땅을 진감했다. 이때 우리의 얼굴에서는 승리의 미소가 피어올랐다. 적들의 총포인들 우리를 어떻게 당하랴. 당시 시침은 마침 12시를 가리켰다. 흙먼지는 여전히 하늘땅에 날리고 화약냄새는 드넓은 들을 꽉 채웠다. 우리의 후방에서 수십 갈래의 불빛이 일어났다. 아! 우리더러 어서 돌아오라는 신호였다! 마치도 중국 삼국시대 제갈량이 조조를 공격하던 이야기와도 같다. 우리는 흥분하고 즐겁게 과업을 완성하고 전부 안전하게 돌아왔다.

이튿날(15일) 아침, 우리는 또 피 점령구의 각 마을을 순시하고 중국 민중을 모아놓고 연설했다. 망국후의 조선인민의 고통, 중국 항전의 미래, 군민합작, 중국 매국역적 왕정위와 조선매국역적 이완용 등에 대해 간단하게 설명했다. 오전 10시에 적들의 정찰기가 철도연선 및 산악지대의 공중에서 선회하며 정찰했다. "푸르릉"거리는 소리가 일본침략자의 몰락의 운명을 상징하는 듯 무력하게 들려왔다. 한 면으로는 중국 민중의 적개심을 더욱 불러일으켰다.

오후 3시 반에 우리는 묘구방면의 적정을 정찰하기 위해 ×영의 17명의 중국 동지들과 함께 출발했다. 앞으로 약 600미터 되는 마을에 도착했을 때 적들이 온다는 보고가 들어왔다. 우리는 재빨리 작은 고지를 점령하고 만단의 준비를 하고 기다렸다. 적들이 점점 다가올 즈음 우리는 맹렬하게 사격했다. 적들은 뜻밖의 습격을 당하자 당황망조하여 허둥대며 물러났다. 이어 맞은편의 적 진지에서 탄통이 날아오고 기관총이 일제히 사격해왔다. 우리도 반격했다. 그렇게 40분간 격전이 붙었다. 밤 장막이 드리우자 암흑이 들을 덮어버렸다. 그제야 쌍방은 점차 사격을 멈추었다. 이번 전투에서 우리는 120여 발의 탄알로 적의 포탄 20여 발, 탄통 156발, 기관총탄알 2천여 발을 소모했다.

오후 7시에 우리는 ××퇀의 전체 동지들과 함께 다시 철도선을 향해 출발해 9시경에 도착했다. 살펴보니 우리가 어제 살포한 선전물들은 한 장도 보이지 않았다. 이미 적들의 몸에 잘 간수돼있을 것이다!

밤은 우리 조선의용대와 우군이 활동하는 세상이다. 우리는 익숙한 솜씨로 갖고 온 각종 선전물을 이 50리 구간의 철도연선에 살포했다. 어제처럼 우군을 협력해 철도와 전선을 파괴했다. 이번에는 백여 명의 피 점령구의 중국 동포들도 참가했다. 그들도 그처럼 용감했다. 마치도 많은 전투를 겪은 전사들과도 같았다. 이튿날 오전 3시에 우리는 작업을 끝내고 적들의 총소리, 포소리와 철도가 폭발하는 소리가 서로 어울리는 장엄한 절주 속에서 가볍게 귀로에 올랐다. 이번에는 철도 19군데를 파괴하고 전선줄 50여 근을 획득했다.

『朝鮮義勇隊通訊』, 第32期

조선민족전선
편

일본의 혁명대중에게 드림

일본의 혁명대중 여러분! 저는 중국에 망명한 한 조선인입니다. 지금 여러분과 몇 마디 말씀을 드릴 기회가 있어서 스스로도 아주 영광스럽게 생각합니다.

우리는 일본 군벌의 압박 하에 살고 있는 대다수의 노고대중은 전쟁을 싫어한다는 것을 잘 알고 있습니다. 그러나 중·일 전쟁은 현재 이미 아주 오래도록 진행됐습니다. 그리고 계속 확대될 것으로 보입니다. 여러분은 알아야 합니다. 이번 전쟁은 중국민족이 주권의 독립과 영토의 완정을 위해 일본 군벌 강도의 침략에 반항하는 민족 자위전쟁입니다. 즉 중국민족이 세계 평화와 정의적인 공리를 위해 동아시아평화를 파괴하는 일본제국주의자들의 행위를 반대하는 혁명적인 방위전쟁입니다. 이와 반대로 일본제국주의자들은 자신들의 정치모순 및 경제공황을 극복하기 위해 인근의 약소민족국가를 침략하고 있습니다. 이런 침략전쟁은 절대적으로 일본 노고대중의 기아상태를 개선하기 위한 것이 아닙니다. 소수의 자본가계급 및 파쇼군벌의 이윤을 증식시키기 위한 전쟁입니다.

이번 전쟁에서 일본 측이 겪은 희생과 손실은 그야말로 너무나도 큽니다. 이것이 그래 일본 노고대중의 희생과 손실이 아닙니까? 수억만 원의 전쟁비용이 그래 그들의 피가 아닙니까? 전선에서 대포밥이 된 수십만 명의 인명이 그래 그들의 생명이 아닙니까? 정확한 수자로 말합시다. 일본은 러·일 전쟁에서 쓴 전부의 소비액이 7억2천만 원이었습니다. 그러나 이번 반년동안의 전쟁비용은 이미 40억을 넘었습니다. 상망자는 이미 20만 명에 달합니다. 이 수자만 봐도 일본 군벌이 어떻게 인민의 피땀을 착취하고 인민의 생명을 희생시켰는지, 이 사실로 충분히 설명이 됩니다. 이런 거대한 소모로는 일본이 정말로 중국을 이겼다 해도 보충할 그 어떤 능력이 없습니다. 이는 파쇼 이탈리아가 아비시니아를 전승했지만 경제상황이 전쟁 전보다 더 힘들어진 사실을 보면 알 수 있을 겁니다.

그러나 여러분은 알아야 합니다. 일본제국주의자들이 이번 전쟁에서 이길 희망은 없습니다. 왜 그럴까요? 첫째, 4억5천만 중국민족은 이미 역사상 전례 없는 단결과 각오를 다졌고 일치하게 한 마음 되어 일본의 침략에 저항하고 있습니다. 둘째, 전 세계 평화를 사랑하는 나라와 인민들이 정신 및 물질 면에서 적극적으로 중국의 자위항전을 원조하고 있습니다. 이 두 가지 조건에서만 보아도 이미 일본의 침략을 저항해낼 수 있습니다. 황차 일본제국주의 내부의 모순이 날로 심각해지고 있습니다. 국제지위 면에서 보면 더욱 고립되었으며 오히려 결정적인 붕괴의 위기에 처했습니다. 자세히 말한다면 일본의 대다수 인민의 빈궁화, 대중의 혁명 정세의 성숙, 조선 및 대만민족의 독립운동의 발전, 국제적인 고립 및 대립 등등은 그 어느 면에서 보나 일본의 중국 전승이 담보된 조건이 아닙니다.

일본 파쇼군벌은 이번 침략전쟁을 지속시키고 확대하기 위해 미친 듯이 자국 내의 노고대중 및 식민지 민족을 착취하고 있습니다. 그들은 극도로 빈궁한 인민에게 중세를 부과시키고 강제로 징병하고 언론 집회의 자유를 박탈하고 좌익단체를 해산시키고 노고대중의 모든 정치활동을 진압하고 있습니다. 특히 조선 및 대만민족에 대해 극단적인 폭압정치를 실시하고 있습니다. 체포투옥이 아니면 학살도륙입니다! 이런 잔폭하기 그지없는 행위는 바로 그들이 중·일 전쟁에서 스스로 자기 무덤을 파는 표현입니다.

이 방송을 통해 우리 조선 혁명자들은 그 누구를 막론하고 다 일본의 혁명대중에게, 특히는 일본의 파쇼군벌반대, 침략반대, 전쟁반대의 모든 혁명단체 및 개인에게 간절한 동정과 엄숙한 경의를 드립니다. 여러분들은 우리와 마찬가지로 동일한 파쇼의 암흑적인 통치 밑에서 자신의 해방을 위해, 인류의 정의와 공리를 실현하기 위해 영용히 분투하고 있습니다! 우리의 목표는 같으며 실제로는 같은 전선에 서있습니다!

일본의 혁명대중 여러분! 여러분은 역사가 여러분에게 부여한 위대한 사명을 완성할 시기가 지금 이미 왔습니다. 1917년 소련의 10월 혁명의 교훈이 바로 이번 중일전쟁에서 일본혁명 성공의 가능성을 증명하고 있습니다. 여러분은 여러분이 절대로 고립되지 않았으며 여러분은 여러분의 통치계급과 상반대의 입장에 섰으며 세계 그 어디에서든 여러분의 우군과 동맹군을 발견할 수 있다는 것을 굳게 믿어야 합니다. 일본제국주의자들은 여러분에게 중국민중은 불구대천의 원수라고 선전하였을 것입니다. 그러나 그들은 여러분의 원수가 아니라 오히려 여러분의 가장 진실한 우군입니다. 반대로 일본제국주의 파쇼강도는 중국민중의 원수일 뿐만 아니라 여러분의 진정한 원수입니다. 중국민족과 우리 조선민족은 피압박 일본민중을 절대 적대시하지 않습니다. 총적으로 일본제국주의는 중국, 조선 지어 일본 민중의 공동의 적입니다. 그러므로 우리는 반드시 서로 긴밀히 연합하여 이 공동의 적을 타도하고 진정한 동아시아평화를 건립해야 합니다.

우리 조선민족은 지금 한창 민족의 독립과 자유를 위해 투쟁하고 있습니다. 일본제국주의의 압박으로 인해 모든 혁명투쟁은 표면적으로는 활약하지 않는 듯 하지만 사실 우리의 혁명세력은 날로 확대되고 강화되고 있습니다. 조선국내의 반일운동의 확대, 특히는 최근 각지의 반전, 반징병 대폭동 등

혁명형세가 날로 좋아지고 있습니다. 특히 해외의 수천수만의 혁명선구자들은 이미 소련 및 중국의 항일세력과 밀접한 연계를 갖고 있습니다. 특히 목전 중국에 있는 조선 혁명자들은 직접 또는 간접적으로 열렬하게 중국의 항일전선에 참가하고 있습니다. 우리는 중국 항전의 승리에 대해 분명하게 인식하고 있기 때문입니다. 조선혁명의 첫걸음의 승리는 일본혁명민중의 반파쇼운동의 승리라고도 할 수 있습니다!

일본제국주의의 이번 침략전쟁은 바로 그들이 스스로 무덤을 파는 짓입니다. 일본군벌은 중국 도처에서 인민을 도살하고 재산을 빼앗고 부녀를 간음하고 무군비 도시를 폭격하고 있습니다. 이런 극단적으로 야만적인 행위로는 중국을 정복할 수 없거니와 오히려 4억5천만 민족의 항전 결심을 더욱 굳게 만듭니다. 이뿐이 아닙니다. 전 세계의 평화를 사랑하는 나라와 인민은 인류의 정의와 공리를 선양하기 위해 이미 자원적으로 일어나 일본상품 불매운동을 하고 일본에 차관, 무기 및 기타 군수품 공급을 거절할 데 대한 요구를 정부에 제출하고 있습니다.

일본의 혁명 민중 여러분! 이런 정세에서 여러분은 금후 여러분에게서 일어날 더욱 큰 손실과 희생을 계속 겪어낼 수 있겠습니까? 이 전쟁에서 여러분이 얻을 수 있는 것은 더욱 많은 피땀을 지출하고 더욱 많은 희생을 하는 외에는 아무것도 없습니다! 오직 영원히 이런 전쟁을 소멸해야만 영원한 행복과 자유를 불러올 수 있습니다. 일어나십시오! 여러분은 어서 빨리 일떠나서 하늘에 사무치는 이런 죄악적인 침략전쟁을 일본 대다수 인민의 행복을 위해 싸우는 진정한 자유해방전쟁으로 전환시키기 바랍니다. 이렇게 파쇼군벌의 통치를 타도하고 인민 자신의 정치기구와 경제조직을 건립해야 합니다.

일본의 군수공장의 노동자 여러분! 여러분은 어찌하여 여러분의 적인 군벌을 위해, 그들을 대신해 여러분의 우군 중국인민을 살해하는 무기를 만들 수 있습니까? 여러분은 어서 빨리 단합하여 여러분의 진정한 적 일본 군벌을 타도하시기 바랍니다!

일본 농민 및 상인 여러분! 여러분은 하루 빨리 일떠나 군비를 확장하는 모든 증세(增稅)를 반대하고 징병을 반대하고 중국침략전쟁을 반대하시기 바랍니다! 이 전쟁에서 돈을 내는 쪽은 여러분이기 때문입니다. 죽어도 여러분입니다. 전승했다고 해도 결국은 몇몇 자본가와 파쇼군벌들만이 벼슬하고 부자가 될 것이고 여러분의 머리에는 더 많은 쇠사슬이 들씌워지게 됩니다. 전패하면 다 같이 망할 뿐입니다!

일본의 병사 여러분! 여러분은 여러분의 진정한 적이 누구인지를 똑똑히 보셔야 여러분의 총구를 조준할 수 있습니다! 여러분의 진정한 적은 중국에 있지 않고 여러분의 나라에 있습니다! 아니! 여러분의 등 뒤에서 중국인을 향해 총을 쏘라고 하는 여러분의 장관들이 바로 여러분의 진정한 적입니다! 여러분은 응당 하루 빨리 총을 돌려 여러분의 국내의 혁명전쟁을 발동하십시오! 특히 직접 전선에 있는 병사들은 어서 빨리 여러분의 장관을 죽이고 무기를 휴대하고 중국의 우군에게로 오십시오! 중국의 군민은 물론 여러분을 열렬히 환영하고 여러분을 우대합니다!

끝으로 일본의 모든 혁명 민중 여러분, 여러분은 반드시 이번 중·일 전쟁 가운데서 일본제국주의는 반드시 멸망하고 동방의 모든 피압박대중은 반드시 해방된다는 것을 똑똑히 인식해야 합니다! 일어나십시오! 우리가 얻는 것은 자유해방이고 잃는 것은 우리 목에 감긴 쇠사슬 외에는 아무것도 없습니다! 이상 끝입니다.

日本語廣播演講稿, 『朝鮮民族戰線』, 創刊號

조선민족전선연맹 창립선언

우리 세 개의 단체는 다 조선민족의 자유해방을 위해 투쟁하는 단체였다. 그러나 과거에는 한동안 우리는 각자 독립적인 깃발을 내걸고 절실하게 단합하지 않았다. 이는 솔직한 말이다. 그러나 이 역시 시대의 동란 속에서 피할 수 없는 일이기도 했다. 그러나 몇 년 동안 우리는 다 함께 민족전선의 통일을 제창하고 노력해왔다. 특히는 노구교사건 발생 이후 중국 4만만 민족이 전면항전에 들어서자 우리는 민족전선통일의 목적에 도달하기 위해 우리의 각 혁명 단체들과 끊임없이 대화하였다. 이렇게 3개월간의 예비 작업을 거쳐 금년에야 한 단락을 고하게 되었다. 우리는 엄밀한 맹약 및 공동의 강령 정책 하에서 '조선민족전선연맹'을 결성하고 우리의 태도와 결심을 다음과 같이 설명한다.

(1) 조선민족의 유일한 출로는 전 민족적인 힘을 단합시켜 일본제국주의를 타도하고 조선민족의 자주독립을 완성하는 것이다. 그러므로 조선혁명은 바로 민족혁명이고 우리의 전선은 바로 민족전선이며 절대 '계급전선'도, '인민전선'도 아니다. 또 프랑스, 에스파냐 등의 이른바 '국민전선'과도 엄격한 구분이 있다. 이렇게 우리는 우리 민족전선내부에서 발생한 대립 혹은 분화의 현상을 견결히 부정하고 과거의 모든 이런 현상을 극복하기 위해 노력한다. 우리의 민족전선은 이미 이론적인 과정을 넘어 실천적인 단계에 이르렀다. 바로 이때에 우리와 이해관계가 같고 우의관계가 가장 깊은 4만만 중

국민족이 일본강도의 야만적인 침략에 대해 전면적인 영용한 항전을 발동했다. 이는 우리에게 실제적인 교훈을 주었을 뿐만 아니라 우리에게 실질적인 원조를 주었다. 그리하여 우리의 혁명성공의 신념도 끝없이 증강됐다.

(2) 우리의 혁명 목적은 물론 전 조선민족적인 자유평등을 실현하는 것이다. 이 목적에 도달하려면 반드시 전 민족적인 혁명역량을 집중해 일본제국주의를 타도하고 조선민족의 자주독립을 완성해야 한다. 뿐만 아니라 전 민족이 안락과 행복을 향수할 수 있게 하는 정치기구와 경제제도를 건립해야 한다. 다시 말하면 조선민족은 민족생존을 보장할 수 있는 자주권을 위해, 민족의 유구한 번영과 발전을 위해, 세계의 평화를 보장하기 위해, 국제적으로 민족의 자주독립을 요구하고 정치면에서 전민적인 평등권리를 요구하고 경제면에서 대중생활의 안정과 향상을 요구해야 한다. 이는 우리 민족의 공동의 요구이다. 우리 민족의 일치단결의 이론기초 역시 이것에 있다. 우리는 이런 명확한 이론기초가 있기에 단결해야만 공고히 할 수 있으며 혁명 역량만이 위대하다.

(3) 조선민족은 물론 그 특수상황이 있다. 그러므로 우리 조선의 혁명 역시 그 특수성이 있기 마련이다. 이는 그 누구도 부정할 수 없다. 그러나 조선문제도 세계문제의 한 고리에 불과하므로 조선의 혁명도 국제적인 공통성이 있다. 이것 역시 부인할 수 없는 것이다. 예하면 중국민족(정도의 차이는 있겠지만) 역시 우리와 마찬가지의 요구에 도달하기 위해 투쟁하고 있다. 마찬가지로 중국민족의 자주독립을 완성하고 민권주의의 정치를 실현하고 민생주의의 평등한 경제를 획득해야 한다. 이것이 바로 중·한 두 민족의 혁명의 공통성이다. 즉 모든 피압박민족의 혁명이론의 공통성이기도 하다. 그러므로 모든 피압박민족의 연합전선 역시 필요하며 또한 필연적이다. 특히 우리는 반드시 중국민족과 절실하게 연합하여 일본제국주의를 타도하고 진정한

동아시아평화를 실현해야 한다. 이것도 세계 평화 및 인류 행복의 실현에 기여하는 것이다.

(4) 조선민족은 이미 혁명적인 자각성이 있다. 우리는 전 민족적인 공동의 요구에 도달하려면 오로지 한 갈래의 길—혁명의 길로 가야만 한다. 아울러 우리의 사명이 얼마나 중요한지를 알아야 한다. 그러므로 조선국내의 혁명대중은 내부 분열과 대립의 이유가 없다. 남북 만주의 대다수 조선 혁명대중이 분열하고 대립한 것은 이미 과거에 속하는 문제이다. 그러나 화남방면의 조선혁명 진영 내부는 아직도 당파대립의 현상이 제거되지 않았다. 우리는 우리의 혁명운동이 더욱 진일보로 확대돼 대중 속으로 들어가면 이런 현상이 자연적으로 극복될 수 있다는 것을 믿는다. 그러나 이런 과도한 현상이 전반 혁명운동에 끼치는 악영향이 확실히 적지 않은 것은 사실이다. 그러므로 우리는 여전히 그 극복의 시간을 단축시키기 위해 노력해야 한다.

(5) 일본제국주의는 지금 자신의 육해공군의 총 역량을 다 발동하여 중국에 대한 침략전쟁을 적극 발동하고 있다. 뿐만 아니라 독일과 이탈리아와 연합하여 침략전선을 결성하여 그 침략의 목적에 도달하려고 하고 있다. 우리는 반드시 중국 민족과 연합하여 항일 전선을 강화해야 한다. 이는 역사가 우리에게 부여한 결정적이고 필연적인 노선이다. 아울러 침략전선과 대립되는 세계의 민주 및 평화전선을 지지해야 한다. 이것 역시 자연적인 추향이다. 일본제국주의는 중국 및 영국, 미국, 프랑스, 소련의 연합전선에 포위돼 발악하고 있다. 아울러 그 자체의 모순도 극도에 달했다. 그러므로 미친 듯이 발광하는 것 역시 최후의 발악에 지나지 않는다.

우리는 상술한 인식과 주장 하에 '조선민족전선연맹'을 결성하고 국내외 혁명동지 및 혁명대중에게 호소하여 전 민족적인 총동원을 발동하고 일본제국주의를 타도하고 우리의 혁명위업을 완수해야 한다!

조선 전 민족은 단결하여 우리의 민족전선을 공고히 하자!
중·한 두 민족은 연합하여 우리의 항일역량을 집중하자!
세계 모든 반일세력은 연합하여 일본제국주의를 타도하자!

조선민족혁명당

조선민족해방운동자동맹

조선혁명자연맹

『抗戰文藝』, 第7期

조선의용대 지도위원회가 제1, 2구대 동지들에게 보낸 서한

　제1, 2구대 구대장 및 여러 동지들께

　조선의용대는 작년에 무한의 보위전이 가장 긴박한 관두에 창설됐다. 시간이 촉박하고 공간적인 제한이 있었기 때문에 우리는 장시간 모여서 조선의용대가 담당한 과업에 대해 검토하고 앞으로 해야 할 일의 경로에 대해 연구할 수 없었다. 그러므로 짧은 두 주일 동안에 여러분은 어쩔 수 없이 대무한의 철수령에 따라 본대 대부를 떠나서 지정된 전구로 가서 공작하게 되였다. 여러 분이 노력하고 있다는 마음에 승리와 성공의 시작을 미리 축원했다. 여러분은 일찍이 훈련을 하면서 적들과 목숨을 걸고 싸울 수 있기를 기다려 왔기 때문에 이번이 절호의 기회였다. 아울러 전구 측에서도 아주 환영했을 것이다. 그들은 이처럼 강대한 기술을 갖춘 훌륭한 생력군이 자신들의 전투에 참가하는 것이 필요했기 때문이다. 여러분은 가장 적합한 인물이다. 본 위원회 동인들은 평소에 여러분의 생활 및 사업에 대한 지도가 부족했기 때문에 여러분이 떠나게 되는데 대해 약간의 불안과 근심을 했다. 특히 여러분은 이처럼 긴박한 국세에 의해 출발했기 때문이다!

　그러나 이 3개월 동안의 영용한 분투를 거쳐 여러분은 이미 곤난한 환경을 극복하고 사업의 기반을 다졌다. 당국에서도 여러분의 희생적인 정신에 대해 알게 되였으며 민중은 여러분의 노력으로 거둔 성적을 인정하고 있다. 그러므로 조선의용대의 공작이 일반인들에게로 깊숙이 파고들어 중·한 연합전선이 구축될 수 있어서 이미 각계의 깊은 관심이 쏠리고 있다. 뿐만 아니라 여러분은 각자 모두 신체가 건장하고 정신이 유쾌하고 투쟁의 용기로 충만 되어 있으며 승리의 신념으로 가득 차 있다. 철 같은 사실이 우리의 이전의 불안은 부질없는 근심에 불과했다는 것을 증명했다. 여러분의 사업은 순조롭게 진행됐고 비약적인 발전을 이루었다. 이는 전구 당국의 유력한 영도와 더불어 여러분이 열심히 노력 분투한 결과이며 이에 대해 본 위원회 동인들은 진심으로 기쁘고 만족스럽게 생각한다.

영수는 이렇게 말한바가 있다. "승리해도 교만하지 않고 실패해도 굴하지 않는다." 실패는 성공의 어머니인 동시에 성공은 또한 실패의 기회를 만들 수도 있다. 그러므로 성공했을 때 자성하여야 성공할 수 있다. 아울러 성공했을 때에는 반드시 실패를 경계함으로써 더 큰 성공을 기할 수 있다. 성공했을 때의 위험은 간혹 실패했을 때보다 더 크다. 조선의용대는 이 위대한 시대에 산생했으므로 그 사명이 얼마나 중대한가. 미래의 고난은 피할 수가 없다. 본 위원회 동인들은 여러분이 배의 노력을 더 하여 원래의 기록을 유지하고 더욱 큰 발전을 가져오기 바란다.

말씀 드린 본 사업보고는 검시를 거쳐 이미 보관되었다. 이후의 사업 혹은 생활면에서 곤난이 있으면 사실대로 보고하기 바란다. 본 위원회는 직권 능력 범위 내에서 해결하기 위해 노력할 것이다.

여러 동지들의 건강과 노력을 삼가 기원한다.

조선의용대 지도위원회

2월 16일

『通訊』, 第7期

나월환 편

우리는 어떻게 한국 무장대오를 건립할 것인가?

    최근 관내의 각 한국혁명단체들은 다 무장대오 건립문제를 치열하게 토론하고 있다. 이 문제는 관내 한국혁명운동의 필요에 의해, 또 중국항전의 반공격 시기가 박근해옴에 따라 객관 형세가 확실히 한국혁명의 무장역량을 수요하고 있기 때문에 제출됐다. 현재 우리 한국혁명단체들은 무장 대오를 건립하려고 하고 있다. 한국혁명운동의 수요인 것은 더 말할 것도 없고 중국의 항전의 정치 및 군사 각 면에도 특대의 의의가 있다.

    건군 문제는 우리의 혁명운동의 과정에 처음 제출된 것이 아니며 더욱이는 지금에야 제출되고 검토하는 문제도 아니다. 이미 30여 년의 역사가 있다. 지금으로부터 30년 전 한국이 일본제국주의에 의해 강점된 후 뜻이 있는 혁명선배들은 군사역량의 결핍을 통감했다. 그들은 조국의 독립자유를 도모하기 위해 비밀리에 고향을 떠나 중국의 동북 간도에 집중해 군사학교를 창설했다. 한 면으로는 혁명 간부를 양성하고 한 면으로는 동북 각지에 한국독립군, 혁명군 등을 조직했다. 그들은 수십 년 동안의 투쟁을 거쳐 적에게 아주 큰 타격을 안겼다. 뿐만 아니라 한국혁명무장역량의 근거지를 닦아놓았다. '9·18' 이후 일본침략자가 □□□에 명령함으로써 역량이 크게 줄어들기는 했지만 □□□ 중·한 국경선에서 3, 4만 명의 무장한 혁명건아들이 일본강도와 끊임없는 전투를 벌이고 있다. 뿐만 아니라 동북 각 심산오지에서 무수한 유격대오가 항일□□의 깃발아래 중·한 두 나라 청년들이 긴밀히 손을 잡고 작전하여 적들과 결사적으로 싸우고 있다. 동북에서 이럴 뿐만 아니라 소련의 변경에도 4만여 명의 한국의 무장 대오가 활동하고 있다. 한국의 혁명청년들은 무장 대오를 건립하기 위해 중국의 각 군사학교에서 군사지식과 기술을 공부했다. 십몇 년 전에 보정군사학교에서 시작해 선후로 사천, 운남과 황포중앙군교에서 훈련을 받은 한국의 군사간부는 약 수백 명에 이른다. 그러나 중국항전 이전에는 그들이 처한 환경과 객관적인 조건이 불리해서 역량을 집중하여 무장 대오를 건립할 수 없었다. 각자 모두 각지에 분산되어 개인 자격과 역량으로 우군의 각 부대와 군사기관에서 근무했다.

'7·7'사변 이후에야 우리는 군사 활동의 기회를 얻게 되었다. 뿐만 아니라 중국 군민의 영용한 투쟁 및 에스파냐 종대의 영용한 활약, 이 두 가지 생동한 사실에서 우리는 무한한 흥분을 느꼈고 보귀한 교훈을 쌓게 되었다. 주의는 멸망의 길에 들어섰다. 뿐만 아니라 한국 및 동방 피압박민족 해방운동에는 광명, 자유의 서광이 비쳤다.

항전이 발생한 이후 한국 혁명자들은 이미 각지에서 건군문제 해결에 노력하고 있다. 선후로 조선청년전시복무단, 조선의용대, 한국광복전선청년공작대, 한국청년전지공작대, □□군사단 등을 조직했다. 이 모든 것은 다 무장대오 건립의 전야에 일어나고 있는 일이며 중국 각 전구 내에 분산돼있는 한국 혁명의 실제 역량이다. 이런 역량은 지금 각 전구에 분산돼있다. 여러 가지 관계로 인해 일시적으로는 아직 통일할 수 없다. 그러나 그들은 전체적인 통일을 기다리고 있으며 각지에서 자발적으로 일어나 항전에 참가하고 있다. 표면적으로는 이상의 각 행동대오가 대부분 정공단체의 성질을 띠고 있지만 실제적으로는 관내 한국민족무장대오의 기본역량이다.

우리의 한국청년전지공작대(韓國靑年戰地工作隊)에 대해 말해보기로 하자. 표면적으로는 보통의 정공단(政工團)인것 같다. 그러나 그 목적과 부여받은 과업이야말로 무장대오 건립을 위한 것이 아니겠는가? 지금 그 형태는 한국 무장대오의 초창기의 하나의 추형을 보여주고 있다.

지금의 문제는 우리가 이 추형들을 통일시키고 집중시켜서 한국민족항전의 총역량이 되도록 노력하는 것이다. 동시에 또 중국 당국이 정치와 군사 면에서 절실한 원조를 주어야만 이 보귀한 추형이 강유력한 한국민족의 항일무장대오로 확대될 수 있다. 그리하여 이것이 중국 항전과 한국혁명에 더욱 유조하게 해야 한다.

필자는 이 자리에서 이 문제에 대한 견해를 간단히 진술하겠다. 이것이 건군문제의 참고가 되기 바란다.

1. 관내의 한국 혁명자들은 허심하게 과거 30여 년 동안의 투쟁역사와 침통한 교훈을 검토하고 국제정세의 추이와 한국혁명의 현실에 대해 똑똑히 인식해야 한다. 우리의 역사임무와 두 어깨에 놓인 책임을 견결히 실현하기 위해서는 반드시 각자의 이기적인 편견을 버리고 솔직하게 단결하여 국가의 독립과 민족의 자유를 위해 투쟁해야 한다.

2. 우리는 이런 무장 대오를 양성하고 강화하려면 우선 반드시 적당한 공작지구를 선정하여야 한다. 목전의 정세에서 보면 이 공작지구는 화북 각 피점령구의 적후유격구역 및 화중의 상해, 남경 일대가 가장 적당하다. 왜냐하면 이런 지역에는 강제이민을 한 수천수만의 광범한 한국 민중이 있기 때문이다. 우리는 한 면으로는 반드시 적후에 잠입해 이런 구역에서 이런 광범한 한국민중을 쟁취하고 그들을 훈련시키고 조직하여야 한다. 우리의 항전 역량을 확대하려면 무장 대오를 광범한 민중의 토대위에 건설해야 한다. 이렇게 해야만 강대해지고 발전할 수 있다. 또 다른 면에서는 동북 및 한국 국내의 잠재한 혁명군중과 밀접한 연계를 발생해야 한다. 이렇게 해야만 한국의 무장대오가 발전할 수 있고 무한한 역량을 발휘할 수 있다. 이런 혁명의 무

장역량만이 치명적인 타격으로 중국의 항전을 간접적으로 크게 도울 수 있다. 그러므로 우리 관내의 혁명자들이 화북, 화중에 진출해 적후공작을 하면 세 가지 의의가 있다. 첫째는 한국혁명군사역량을 건립함으로써 이후 중국에 있는 한국교민들 속으로 깊이 들어갈 수 있다. 둘째, 우군을 협력해 항전에 참가하여 적에게 막대한 타격을 입힌다. 이는 중국항전의 역량을 직접 증강할 뿐더러 정치적인 의의도 아주 크다. 셋째, 우리는 적에게 이용, 유혹 당했거나 협박을 당한 한교들을 쟁취해 훈련시켜서 중국항전에 참가하게 하여 중·한 양국의 독립자유를 쟁취한다.

3. 우리는 이런 혁명의 무장 대오를 성장, 확대시키기 위해 우리 자신이 노력하는 것은 두 말할 것도 없고 아울러 우군인 중국당국도 정치·군사 면에서 절실한 도움과 편리를 제공해야 한다. 그렇지 않으면 관내의 한국혁명 무장대오는 성장하기 어렵다.

4. 지금 우리의 행동 대오는 아직도 적후에 가지 못했고 후방이거나 국부적인 지역에서 선전공작을 하고 있다. 이것만으로는 부족하다. 때문에 우리도 무한한 고통과 불편을 느낀다. 왜냐하면 우리의 언어, 풍속습관이 다른 관계로 우리가 진행하는 선전공작은 늘 우리가 예기했던 효과에 도달하지 못한다. 뿐만 아니라 지금은 국내의 한국혁명청년들이 선전공작에 적합하지 않다. 그러므로 그들은 이상한 고통을 느끼고 있다. 지금 후방의 한국혁명단체들과 행동대오가 적극적으로 일하지 못하는 원인은 다음과 같다.

첫째, 자신의 민중이 없기 때문에 공작단체의 역량을 확대할 수 없다.

둘째, 적당한 공작이 없기 때문에 그들로 하여금 적극적으로 추진하게 할 수 없다. 그러므로 우리는 후방에서 이렇게 머물면서 억지로 현상유지를 한다면 혁명의 역량을 발전시킬 수 없을뿐더러 오히려 우리의 역량을 약화시킬 위험마저 있다.

중국의 항전은 이미 3년여 견지했다. 우리는 이 장기적인 항전의 용광로 속에서 끊임없이 자신을 단련했다. 한 면으로는 목전 내외의 정세가 우리의 무장대오 건설을 필요로 하고 있다. 목전 우리의 관내의 한국혁명운동자들은 반드시 결심을 굳게 가지고 주의사상의 계선을 버리고 한국민족무장대오의 항일 역량에 집중해야 한다. 우리는 모두 일치하게 단결하여 재빨리 무장 대오를 건립하기 위해 노력해야 한다. 우리 한국민족의 영용한 투사들은 중국항전 대오와 보조를 일치하게 맞춰서 항전승리의 길에서 용왕매진해야 한다. 이런 무장의 참전으로 인해 중국항전에 대한 원조가 더 강화됐다. 동시에 중·한 두민족의 단결도 따라서 공고히 되고 있다. 한마음 한뜻으로 단결하여 항전에 협력함으로써 공동의 적 일본파쇼강도를 타격해야만 중·한 두 민족의 진정한 출로가 있다.

『韓國靑年』, 第2期

건군, 건국

　　중국항전이 시작된 이래 우리 한국혁명의 복국운동은 다행스럽게도 중국경내에서 재빨리 공개적인 활동의 기회를 얻게 됐다. 더욱이는 중국 측의 여러 면의 동정과 도움을 받아 우리의 혁명역량은 날로 발전되고 확충됐다. 지금 중국은 정의, 공리를 위한 자위적인 항전을 한지 이미 4년이나 되었다. 중국항전은 일본을 지치게 만들었고 더욱이는 동방피압박 각 약소민족에게 빛나는 앞날을 열어주었다. 또한 우리 한국의 광복에는 천재일우의 좋은 기회이고 순식간에 사라질 수도 있는 기회이므로 우리는 이 기회를 절대 쉽게 놓을 수가 없다.

　　복국을 하자면 정치면에만 의존할 것이 아니라 동시에 반드시 혁명적 무력이 뒷받침 되어야 한다. 역사는 우리에게 각 나라 혁명의 성공은 반드시 기본적인 두 가지 조건을 구비해야 한다고 알려주고 있다. 첫째는 혁명정당이고 둘째는 혁명무력이다. 혁명정당이 있어야 의지의 통일, 역량의 집중을 수행할 수 있고 아울러 혁명무력을 양성하고 영도할 수 있다. 혁명정당이 추행하는 것은 반드시 혁명적인 주의이고 이 주의가 대표하는 것은 반드시 국가민족의 이익이다. 그러므로 혁명정당이 양성하고 영도한 무력은 바로 주의의 무력, 즉 국가와 민족의 무력이다. 반대로 혁명정당의 통솔력이 부족하면 반동적인 무력, 사인무력, 봉건적인 무력으로 변하기 쉽다. 이런 무력은 끝없이 해를 끼치고 혁명의 진전을 저해하게 된다. 그러므로 혁명정당이 혁명무력을 갖게 되면 반역자를 숙청하고 상하가 일치·단결하여 밖으로 사납고 포악한 세력을 막고 혁명의 성공을 보장할 수 있다. 그러므로 지금까지 세계에서 그 어느 나라의 혁명이든지 다 이 두개의 기본적이고 필수적인 조건을 떠날 수 없다. 그러므로 혁명운동의 발전이 공개 활동의 단계에 들어섰을 때 그 본신은 반드시 혁명무력을 갖춰야만 적을 타도하고 혁명의 임무와 목적을 완수할 수 있다. 혁명무력을 조직해야만 혁명당인으로 하여금 시종 그 엄밀하고 순수한 당기(黨紀)와 군기(軍紀)를 유지하고 전체적인 무형의 역량으로 결성되어 동일한 목표를 향해 매진하게 할 수 있다.

그러지 않으면 의견충돌로 분열이 발생하거나 생활이 해이해져 진취심을 잃고 타협의 길에 들어서게 된다. 이런 혁명의 성패에 관한 사실들은 역사에 많이 기재돼있다. 중국과 소련 혁명운동의 경과가 이를 충분히 설명해준다.

중국 쪽을 보면 중산선생이 영도한 중국혁명은 무창기의로부터 시작해 만청정부를 뒤엎고 민국을 건립했다. 당시에는 정통적인 혁명무력이 없었기 때문에 표면적인 부분적인 성공뿐이었다. 사처에 군벌관료의 봉건할거의 잔여세력이 잠복해있었다. 이런 상황에서 혁명당인들은 국가건설의 열정은 있었으나 건설할 기회는 부족했다. 당시 중국혁명은 혁명당의 분투는 있었으나 혁명무력이 이를 보위하지 못했으므로 여전히 토대는 없었다. 때문에 민국 13년 초에 중산선생의 부탁으로 장중정선생과 요중개 선생이 황포군관학교를 광동 황포에 창설했다. 학생들을 모집해 군사정치교육을 실시해 혁명의 군대가 저마다 혁명주의 및 전쟁의 목적을 명기하게 했다. 황포군관학교를 기간으로 군대의 건립을 완성한 후 다시 당의 모든 지휘를 받게 하였다. 때문에 중국혁명의 전반 국면이 다시 창조될 수 있었고 양광을 통일하고 북벌을 진행해 국내의 군벌정객을 소탕하고 모든 봉건할거의 국면을 제거하고 국가의 통일을 완성하고 국가의 정권을 장악하고 새 국가를 건설할 수 있었다. 이렇게 중국이 건설을 하고 있는 때에 일본제국주의자들이 중국 혁명사업의 완성을 저애했다. 그리하여 민국 20년에 '9·18'지변이 일어나고 이어 열하가 함락되었고 민국 21년에 '1·28'사건이 일어나서부터 중국정부 는 국토를 상실하고 불평등조약을 체결하였다. 즉시 저항하지 않은 것은 당시에 국제에 대항할 만한 혁명무력이 없었기 때문이다. 사건이 발생한 후 공군을 애써 확충하고 육군을 재편성하고 해군을 정리하여 수 년 후에야 조금 규모가 있게 되자 '7·7'사변이 폭발하였다. 전쟁이 일어나자 적의 군벌들은 처음에는 조금만 위력을 보여 겁을 주면 중국이 즉시 굴복할 것이고 점차 침략의 목적에 도달할 것이라고 생각했다. 중국정부는 저항할 결심을 다졌고 사태는 날로 확대되었다. '8·13'부터 적의 군벌은 수 시간 내에 중국을 점령하겠노라고 떠벌였다. 그러나 수개월, 수년으로 연장되자 결국에는 백년전쟁이라는 구호를 내걸었다. 이 점에서 일본이 4년간의 전쟁을 통해 중국사건이 아무 확신도 없이 끝날 것임을 알고 있다는 점을 알 수 있다. 3대강국의 하나라고 으시대던 적국이 200만 명의 현대화 대군으로 전쟁에 종사하면서 4년 동안 중국 및 중국의 혁명 무력자들을 굴복시킬 수 없은 것은 완전히 중국 국민당이 당시에 건군의 기반을 잘 다진 공로 덕이다. 즉 중국 국민당이 건군이후에 거둔 공적이다.

소련 쪽을 봐도 마찬가지이다. 소련 10월혁명은 시작되자마자 즉시 홍군을 창설했다. 혁명당원으로 구성된 혁명군대가 대외로는 소련에 대한 각 나라의 포위에 저항하고 대내로는 백당의 반란을 숙청하고 끝내 강대한 국가를 건설했다. 지금 기세등등한 구라파 폭군인 히틀러가 이끈 나치의 침략무력이 2주 내에 프랑스 강국을 멸하고 본년에 유럽 13개 나라를 점령하였다. 이처럼 그 누구도 막을 수 없는 군대를 이번 소련침략전쟁에서 몇 주일동안이나 여전히 레닌그라드 밖에 막아놓고 있다. 동시에 적이 수차 진공해도 북쪽 지면을 침략하지 못하는 것은 소련이 아시아에서도 강대한 군대를 가지고 있는 까닭이다. 이런 성과는 소련이 두 대륙에서 동시에 작전할 수 있는 능력을 구비한 건군사업의 성공이라고 하지 않을 수 없다.

상술한 역사의 교훈에서 그 근원을 탐구해보면 여전히 혁명당인이 혁명무력을 구성했기 때문에 모든 곤란을 제거하고 적을 타도하는 혁명요구를 달성할 수 있었다는 것을 알 수 있다. 혁명무력이 없다면 혁명사업을 완성하려고 해도 절대 가능할 수 없다. 지금 우리 한국동지들은 혁명운동을 완성하고 자신의 국가를 광복할 수 있기를 바라고 있다. 당면의 가장 절실한 일은 바로 혁명무력을 창설하고 혁명군대를 건설하는 것이다. 건군 면에서 성과를 쌓아야만 한국의 복국운동이 성공의 확신이 있게 된다. 지금 혁명군대를 건립하지 않으면 장래의 복국운동은 지금보다 백배 더 곤란하다. 그러므로 우리는 지금 대성질호한다. 우리 한국혁명동지들이 한마음 한뜻으로 단결하여 한국혁명의 건군운동에 주력하기를 바란다.

건군사업을 함에 우리의 전체 한국동지들이 한 가지 점에 주의하기 바란다. 즉 '시간문제'이다. 중국항전이 시작된 지 이미 4년이 됐다. 이 기나긴 동안 그 어느 하루도 우리의 혁명운동을 적극 발전시키는 양호한 시기가 아닌 적은 없었다. 그러나 우리가 과거의 4년을 돌이켜보면 건군 운동은 둘째 치고 일반적인 활동도 충분히, 적극적으로 전개하지 못했고 자신의 힘을 다 바쳐서 현실의 환경을 파악하고 분투하고 노력하지 못했다. 이는 그야말로 우리가 부끄러워해야 할 일이다. 중국에 이런 속담이 있다. "지나간 것은 돌이킬 수 없고 미래의 것은 아직 얻을 수 있다." 우리는 과거는 더 말하지 말고 금후에 대해서는 잘 인식해야 한다. 시간은 한번 가면 돌아오지 않고 기회는 순식간에도 사라진다. 이 양호한 기회를 충분히 운용하지 않으면 장래는 어떠할 것인가? 혁명 동지들, 우리는 '시간'의 중요성에 주의를 돌려야 한다.

오늘을 놓치지 말고 오늘을 잊지 말아야 한다. 우리는 지금 전체의 역량을 집중해 건군사업에 힘써 종사해야 한다. 건군하지 않으면 복국 할 수 없다. 우리가 나라를 광복할 수 없다면 다른 것을 더 말할 수 있겠는가?

친애하는 혁명 동지들, 나는 깊이 믿는다. 우리의 마음속에는 반드시 한마음 한뜻의 요구가 있어야 한다. 즉 우리는 빛나는 전도가 있어야 하고 자유의 생존이 있어야 한다. 우리의 30년 동안의 노예의 쇠사슬을 제거하고 적들의 능욕을 받으며 우마보다 못한 생활을 하는 부모형제들을 구해야 한다. 결국은 독립자주의 대한민국에 대한 요구가 있어야 한다. 이것 역시 우리의 가장 낮은 요구가 아니겠는가! 이 자리에서 우리의 한국 혁명동지들이 일치하게 한마음 한뜻으로 단결하여 우리의 정당을 건전히 하고 우리의 혁명의 무력을 건설하기를 바란다. 오늘 우리의 강유력한 한국혁명군대를 건설한다면 내일 우리는 반드시 독립자주의 대한민국을 구라파의 동쪽에 우뚝 세워 세계에서 길이 존재하게 할 것이다.

『韓國靑年』, 第4期

일치하게 협력하여 혁명을 완성하자

　　역사적으로 보나 지리적으로 보나 중·한 두 나라는 몇천 년 동안 밀접한 관계가 형성되면서 중·한 양국의 상호 관련된 운명 역시 연대적으로 다져졌다. 일본이 한국을 멸한 가슴 아픈 역사가 있기 때문에 오늘날 중국이 끊임없이 침략당하는 고난을 겪고 있다. 마찬가지로 오늘날 중국의 전면 항전이 있기 때문에 한국혁명운동이 더욱 확대되어 한국광복의 앞날의 전개에 무한한 희망을 주고 있다. 내일의 중국항전의 승리에 이어 한국도 반드시 더욱 빨리 독립 및 자유를 얻게 될 것이라고 믿는다. 중·한 양국의 운명이 서로 연관되었기 때문에 중·한 혁명동지들의 노력과 행동은 반드시 협력하게 된다. 적이 하나이고 목표도 하나이기 때문에 공동한 행동가운데서 공동한 훈련도 불가피한 것이다. 지금 중·한 동지들은 공동한 훈련과 공동한 학습을 통해 중·한 동지의 협동정신과 습관을 양성하여야 한다. 그래야 다음날 전장에서 일치하게 협동해 적과 싸워 동방 피압박민족의 혁명운동을 완성할 수 있다. 이런 의미에서 중국훈련기관이 한국동지의 교육 원지를 만들어주었다. 이 원지에서 중한 동지들은 정신면에서 더욱 단결하고 행동 면에서 더욱 협동하며 서로를 더 잘 이해하고 서로 확실하게 도우면서 중·한 단결의 깊은 토대를 닦아야 한다. 이렇게 되면 금후 한국혁명의 역량은 날 따라 성장하고 날 따라 장대해질 것이며 중국항전의 역량에도 직접 및 간접적으로 적지 않은 도움이 될 것이다.

중·한 혁명동지들이 함께 훈련한 오늘 우리는 중국과 한국의 역사관계를 돌이켜보게 된다. 그야말로 □□하다. 몇천 년 동안 중·한 양국은 지리, 인종, 문화면에서 밀접한 관계가 있어서 워낙 친목하고 조화롭게 지낸 형제나라이다. 그런데 30여 년 전 일본이 검은 손을 뻗쳐 이런 친목관계를 끊어놓고 한국을 병탄하고 파괴했다. 한국에 가장 침통한 역사를 조성하는 한편 중국에 가장 불행한 화근을 심어놓았다. 지리 면에서 한국이 중국 동북의 맞은편과 바다의 앞쪽에 위치했기 때문이다. 한국이 일단 멸망하면 중국 동북은 울타리가 없어지고 안전 보장이 없으며 수시로 적의 침략을 받을 가능성이 있다. 일본이 한국을 멸한 뒤 삼십몇 년 동안 중국은 일본의 침략과 능욕, 압박 밑에서 살지 않은 날이 없다. 9·18사변으로부터 7·7사변에 이르기까지 일본이 중국을 대거 침략을 감행했는데 이 사실은 중한관계의 밀접성을 충분히 말해주고 있고 한국을 지키지 못하면 중국이 불안해진다는 사실을 증실 했다. 갑오전쟁 후에 이홍장이 마관조약을 체결했는데 이는 일본의 대륙정책을 허가 한거나 마찬가지이다. 그때 이후로 일본은 한국을 멸망시킨 것을 기점으로 하고 만주와 몽고를 삼키고 중국을 침략하는 것을 과정으로 하여 세계를 정복하는 목표를 향해 매진했다. 오늘날 태평양의 형세는 위험하고 소란스럽기 그지없다. 화근을 따지자면 한국이 멸망한 것이 기점으로 되지 않았는가? 오늘날 전반 태평양의 문제는 일본이 한국을 멸망시키면서 발생했다. 앞으로 태평양문제의 진정한 해결은 독립적인 한국이 없으면 안 된다. 독립적인 한국이 없으면 태평양문제는 영원히 진정한 해결을 가져올 수 없고 세계 분쟁과 관계되는 근원도 제거될 수 없다.

역사가 오늘에 이르러 중국은 전면 항전을 발동한지 4년이 됐다. 이번 중국 항전은 세력이 엇비슷한 나라들의 쟁탈전이 아니라 중산선생이 창도한 민족혁명운동이 반드시 경과해야 할 단계의 일이다. 그러므로 중국의 지금의 항전은 혁명의 성공을 위한 일이며 단순하게 전쟁의 승리를 위한 것이 아니다. 두 번째 의의는 중국의 혁명동지들이 단지 자기 국가의 자유·독립만을 위해 노력하는 것이 아니다. 중산 선생이 남겨놓은 전반 피압박민족혁명의 과업을 수행하는 것이며 동방 피압박민족의 전체적인 해방을 실현하는 것이다. 지금 세계 국면을 보면 전 세계의 평화는 서로 불가분의 관계인데 태평양의 안정만은 그렇지 않단 말인가? 그러므로 우리는 오늘날 중국 항전의 승리는 중국이 영원히 세계에서 독립하는 것만이 아니라 전체 동방 피압박민족 모두가 이때로부터 노예의 쇠사슬을 벗어버리고 독립자유의 생활을 회복할 수 있다는 것을 믿는다. 이것을 실현하지 못하면 원동문제가 절실한 해결을 가져오지 못할 뿐더러 중국혁명도 완전한 성공을 거뒀다고 말할 수 없다. 이런 민족대혁명의 거세찬 물결 속에서 한국동지들은 조국의 독립과 자유를 위해, 노예의 쇠사슬을 짓부시기 위해 조금도 주저함이 없이 중국혁명전쟁에 참가해야 한다. 3년 동안 한국동지들은 자원적으로 중국혁명군에 가입하여 남북전장에서 공작에 참가한 사람이 많다. 더욱이 이번에는 집단적으로 조직돼 중국혁명훈련에 참가했다. 이제 후에는 더욱 집단적으로, 조직적으로 전투에 참가해 우리의 전반 전투역량을 발휘하고 우리 혁명의 조직을 확대하게 될 것이다. 금후 우리는 중국동지들의 전투에 협력하여 한국의 독립과 자유를 쟁취해야 한다. 중·한 양국 혁명 동지들! 오늘 우리는 함께 학습하고 함께 훈련하고 내일 우리는 함께 전투하고 함께 피를 흘리게 된다. 중·한 동지들은 한마음 한뜻으로 협력하여 목숨을 아끼지 않고 앞사람이 쓰러지면 뒷사람이 이어나가는 전투에서 반드시 우리의 공동의 원수를 타도하고 우리 공동의 사명을 완성할 것이라고 믿는다. 중국은 지금 무수한 열혈청년들이 나라를 위해 희생하는 것으로 중국의 항전의 승리를 담보하고 있다. 마찬가지로 오늘 무수한 한국동지들이 피를 흘리며 분투하고 있다. 미래에는 반드시 독립자유의 한국이 동아시아에 우뚝 서게 될 것이다. 중·한 두 나라 동지들, 노력하자! 일치하게 협력한 전투에서 우리의 공동의 사명을 완성하고 우리의 공동의 광명과 행복을 쟁취하자.

『韓國靑年』, 第3期

김성호 편

나는 어떻게 포로가 되었는가?

나는 이른바 '중국사변'에서 포로가 된 사람이고 워낙은 죽어 마땅한 죄인이다. 그러나 지금 나는 죽지 않았고 오히려 중국 군민의 뜨거운 환영과 따뜻한 위안을 받고 있으니 너무나도 감격스럽고 부끄럽기 그지없다!

나의 집은 조선 북방 신의주 부근의 한 농촌에 있고 나는 소작인 가정에서 자랐다. 어렸을 때부터 살기 위해 버둥거렸다. 그러나 우리 집 생활은 여전히 막막했다. 열몇 살이 되자 처참한 심정으로 사랑스러운 고향과 자애로운 부모와 작별하고 떼를 지어 압록강을 넘어 동북으로 떠돌이를 떠나는 이민대오를 따라 중국의 동북으로 왔다. 아주 큰 희망을 안고 동북으로 왔으나 우리의 앞에 펼쳐진 것은 끝없이 황막한 들판과 짝 벌린 피 묻은 아가리뿐, 약자가 오기를 기다려 한입에 삼키려 드는 것 같았다. 나는 재산도 없고 아는 사람도 없어 그곳에서도 삶은 막막했다. 심양 도시에서 떠돌며 매일 공원에서 유랑했다.

그때 '7·7'사변이 일어났다. 나는 다시금 희망을 품고 전전하여 화북으로 갔다. 그러나 그 곳에서도 여전히 자기 그림자와 동무하며 외로운 나날을 보냈다. 그 누가 오갈 데 없는 이 나그네를 도와줄 것인가? 나는 화북에서도 동북에서와 마찬가지로 가슴속의 희망이 모두 물거품이 되었다. 나는 암흑 속에서 길을 더듬다가 한 갈래의 빛을 발견했다. 벌어먹기 위해서는 별수 없이 적군의 번역원이 되는 일이었다. 나는 적군을 따라 석가장과 순덕 등지에서

7개월 동안 경비 직무를 담당했다. 작년 2월에 하북 위현 주둔지로 소환됐다. 금방 이 곳에 왔는데 중·일 두 군대 사이에 격전이 붙었다. 열몇 시간이 지난 후 적군은 300여 명이 사상되고 더는 견딜 수가 없어서 시체와 부상자들을 버리고 황망히 철퇴했다. 그때 나는 다리에 총상을 입고 걸을 수가 없어서 초지에 엎드려 신음하다가 중국 유격대에 의해 발견됐다. 그때 나는 너무 두려워서 온 몸을 떨면서도 기를 쓰고 저항하려고 생각했다. 적군에 있을 때 적군 수장은 '지나인'은 잔인하기 때문에 포로의 귀를 베어내고 눈을 도려내고 가슴을 찔러 걸어놓고 길가는 사람들에게 보인다고 했던 말이 생각났기 때문이다. 그리하여 나는 중국 유격대에 발견됐을 때에 단방에 총살당하더라도 그런 혹형은 받지 말아야지, 하면서 죽어라고 저항했다. 그러나 부상을 당한 탓에 자유롭게 손을 쓸 수 없어서 포로 되었다. 그들은 나를 부근의 한 농촌 마을에 들어다 놓았다. 그곳의 군민들이 와서 나를 보더니 맛있는 음식을 주면서 나더러 먹으라고 권했다. 그러면서 친절하게 나의 상처에 약을 발라주고 부드러운 말로 무서워하지 말라고 나를 위안했다. 그때 나는 두려움과 고통 속에 모대기면서도 점차 중국 군민이 얼마나 자상하고 위대하며 우리를 절대 죽이지 않는다는 사실을 깨닫게 됐다. 무치한 적군이 우리를 완전히 기만한 것이다. 나는 지난날 내가 그자들의 기만에 넘어가 침략의 도구로 되었던 일 때문에 부끄러움을 금할 수 없었다.

나는 전선에서 후방으로 왔다. 지금은 □□□한국청년공작대에서 근무하고 있다. 나는 새로 태어난 생명으로 조국의 혁명을 위해 싸우는 선진 동지들의 지도를 받으며 우리의 진정한 혁명을 위해 싸우고 우리 조국의 독립자유와 해방을 위해 싸우고 중·한 두 민족의 자유와 해방을 위해 싸우고 있다.

나는 지금 새로 태어난 생명으로 새로운 환경에서 정의를 위해 싸우고 있으니 나는 얼마나 행복한가! 중국 항전이 나의 생명과 앞날을 구해주었고 내가 빛나는 큰길에서 매진하게 해주었다.

『韓國靑年』, 第2期

양민산 편

여성 동지들이 훈련받고 있다

서양식 집 한 채가 울창하고 키 높은 나무들이 가득한 가운데 우뚝 솟아 있다. 도처에 매혹적인 꽃들이 가득 피고 새들이 꽃 속에서 날아다니며 지저귀고 있다. 자동차 경적소리도 들리지 않고 가스냄새도 없다. 풍경화를 보는 듯하다. 중경, 양자강, 산, 탑, 촌락들, 나무들이 가득하다. 이곳에 온 사람이기만 하면 반드시 아름다운 느낌이 들것이고 잔혹한 전쟁마저 잊게 될 것이다.

이곳이 바로 위대한 혁명 역량을 양성하기 위해 여성 동지들이 훈련하고 있는 곳이다. 그들은 하루 종일 바삐 돌면서 공부하고 사업하고 있다. 그러나 그들은 고생스러워 하지도 않고 즐겁기만 하다. 이런 감정은 그들의 얼굴과 노랫소리에서 나타나고 있다. 이런 즐거움은 인생에 없어서는 안 되는 자양분이고 또한 그들이 빛나는 앞날로 나가는 원동력이다.

이 훈련반은 부녀 간부인재들을 양성하기 위해 꾸린 것으로 학원은 도합 11명이고 나이는 다 20여 세이다. 저마다 건강하고 활발하고 재능이 있다. 그들은 모두 중경에 머문 조선부녀회의 기본 회원이다. 이 반에 대한 훈련을 책임진 사람은 세 명의 훈련위원이다. 한 명은 주임이고 한 명은 생활지도담당이고 한명은 공작지도담당이다. 훈련기간은 2개월이다.

이 훈련반을 꾸릴 때에는 많은 곤난이 있었다. 그중에서도 가장 큰 곤난은 아이문제였다. 학원 대부분이 아이 엄마였으므로 아이 문제를 해결하지 않으면 훈련을 받을 수 없었다. 그리하여 그들은 아줌마 몇 명을 고용하여 아이들을 보게 했다. 그리고 나이가 많은 부녀들 중에서 성격이 온화하고 경험이 풍부한 보모를 고용해 아줌마들을 지도하고 감독하게 했다. 그러나 젖은 여전히 엄마가 먹여야 했으므로 젖을 먹이는 시간표를 규정했다. 잘 때에도 아이는 엄마와 함께 잤다. 그러므로 이 제도는 반탁아소형식이다.

이 훈련반은 4월 9일에 개학했다. 개학식을 하던 날 중경에 있는 다수의 혁명동지들이 와서 참가했다. 집이 작고 별다른 장식도 하지 않았지만 실내분위기는 아주 정숙했다. 우선 담당교사 왕지연동지가 간단한 개회사를 했다. 그는 "오늘 당신들은 이미 가정에서 뛰쳐나와 실제사업을 할 수 있는 원지로 왔습니다. … 우리는 지금 전방이거나 후방이거나를 막론하고 의용대의 사업 혹은 본 당의 사업에 동지들이 참가하는 것이 필요합니다. 전방에 대해서는 일단 말하지 않고 후방의 사업에 대해 말하겠습니다. 만일 동지들이 이 곳의 남성 동지들을 대신해 일할 수만 있다면 전선이거나 외지로 가서 사업에 참가할 동지들이 더 많이 늘어나게 됩니다. … 지난날 조선혁명여성들은 다 명의만 내 걸었고 진정한 실천가는 아주 적었습니다. 동지들은 훈련을 받은 뒤 명의만 내건 사람이 되지 말고 진짜로 일하는 일군으로 되기 바랍니다." 이어 김약산(金若山) 동지도 훈화를 했다. 그는 이렇게 말했다. "오늘 이 곳에서 부녀 훈련반을 하는 것은 새 기원을 연 것으로 됩니다. 전 조선에서도 드문 일입니다. … 인구 절반을 차지하는 부녀들이 혁명에 참가하지 않는다면 혁명의 승리는 불가능합니다. 부녀들을 조직하고 부녀들을 동원하는 것은 동지들이 해야 할 특수한 과업으로서 동지들은 이 위대한 과업을 책임져야 합니다. … 지난날 혁명동지들은 혁명운동에서의 부녀의 위대한 역량과 역할을 홀시해왔습니다. 지금 본 당의 동지들도 이런 똑같은 오유를 아주 많이 범하고 있습니다. 이런 오유적인 관념은 동지들이 노력 분투하여 개변시켜야 합니다! … 이제부터 동지들은 일반적인 각종 사업에 적극 참가할 뿐더러 부녀들의 특수한 과업을 수행하기 위해 노력해야 합니다." 다음은 김백연(金白淵), 윤규운(尹虬雲), 최우강(崔友江) 등 혁명 선배와 부녀회 대표들이 아주 많은 격려의 말을 했다. 끝으로 학생대표가 답사를 하고 견결히 훈화에 따라 노력하겠다고 표했다.

이 훈련반의 교육원칙은 진정한 "지행합일(知行合一)"이다. 오전에는 학과 공부를 하고 오후에는 근무했다. 학과에는 당의 조직, 정치상식, 국제관찰, 조선역사, 전시공작, 부녀문제, 도서(圖畵), 창가가 있었다. 근무내용에는 작문번역, 편집조리, 유치생교육, 벽보연습, 연필작업 등이 들어있다. 근무는 조를 나누어 했고 두 주일에 한 번씩 바뀠다.

그들은 매일 6시에 일어나 밤 9시에 취침했다. 아침에 30분간 체조를 하고 밤이면 각종 집회에 참가하거나 자습을 했다. 주일마다 3차의 회의가 규정돼있었다. 하나는 소조회의, 하나는 좌담회, 하나는 음악회거나 오락회였다. 다 학원 자체로 사회했다. 그들은 이런 집회에서 보고하고 비평하고 토론하고 고무격려하고 노래를 부르고 즐거워했다. 그들은 이런 집회를 통해 더욱 단결되고 더욱 서로를 잘 도와주었다.

그들은 학과거나 근무거나 집회를 막론하고 다 아주 재미있어했다. 뿐만 아니라 규율을 잘 지켰다. 그들은 이렇게 말했다. "이런 생활은 진짜 의미가 있다! 왜 전에는 하루가 그렇게 길어보였는데 지금은 하루가 이렇게 짧아졌을까!

그들은 분발하여 매일 자신을 발전시켰다. 이렇게 계속 나아가면 그들은 다 혁명에 유용한 간부인재로 성장할 것이다. 나는 그들이 더는 평범한 여인, 즉 남자의 현처로, 아이의 양모로만 되지 않기를 바란다.

4월 21일 중경에서

『通訊』, 第11期

김상덕 편

조선민족혁명당 창설 경과 및 약사

머리말: 조선은 근대의 혁신 및 혁명운동, 예하면 1884년의 혁신, 1894년의 평민혁명, 1897년의 독립협회, 1905년의 의병운동 및 신민회, 저격암살 등 혁신운동을 통하여 민주정권을 수립하거나 독립자주의 운동을 보장하려고 했으나 번마다 실패를 당했다. 가장 주요한 원인은 전 민족적인 통일조직 및 일치한 행동이 부족해 혁명역량을 집중하지 못한데 있다.

이런 조선혁명운동은 초기에 조직이 건전하지 못해 실패했다. 중기에는 또 단체가 너무 많고 당파가 분립하여 서로 자기 주장을 고집하다보니 행동의 통일을 가져올 수 없어 실패했다. 1923년에 국내 13도 및 국외 40여 단체의 대표 130여 명이 국민대표회의를 소집했고 1927년에는 국내의 신간회 및 국외의 민족단일당 촉성운동이 선후로 분열 또는 와해됐다. 조선 혁명 지사들 중의 적지 않은 선각자 영수들이 상술한 경험 및 교훈에 근거하고 또 '9·18', '1·28' 등 일본제국주의가 시행한 잔폭하기 그지없는 중국침략 정책의 기회를 빌어서 가장 큰 결심을 내리고 혁명조직의 통일을 위해 동분서주했지만 결과는 조선민족혁명당이 국내외 혁명전선을 통일하는 자태로 나타났는바 이것이 본 당의 역사적인 배경이 되었다.

1. 대일전선 통일동맹

상술한 3·1대혁명, 국민대표회의, 단일당조직 촉성회 등 통일운동이 실패한 후 사분오열이 된 해외 각 혁명단체들은 중국 동북 4성의 함락, 및 1·28사변의 발생을 통해 국제국세의 급변을 예견하고 조선혁명당(조혁으로 간칭), 한국독립당(한독), 한국혁명당(한혁), 조선의열단(조의), 광복동지회 등 재중 각 혁명단체의 대표들이 약속하고 상해에 모여 각 단체의 통일협의기구에 대한 조직사항을 공동으로 토론했다. 그리하여 '한국대일전선통일동맹'이 1932년 10월 25일에 설립됐다.

2. 혁명단체대표대회

대일전선통일동맹이 창립된 후 사업진전이 신속했다. 먼저 가맹단체인 광복동지회가 자원 취소되고 또 1933년 1월에 김규식(金奎植)박사가 미국으로 가서 선전한 결과 미주대한독립당, 뉴욕한인교민단, 하와이국민회, 하와이동지회, 미주국민회 등 단체들이 선후로 동맹에 가입했다. 1934년 3월 1일에 남경에서 동맹 제2차 대표대회를 소집하고 다음과 같이 결의했다. 우리 한국혁명운동의 비상한 정세에 근거하여 각지 혁명단체 대표를 소집해 진일보의 완선한 대동단결체를 조직할 데 대해 상의하는 방안이 필요하다고 믿는다. 그러므로 각 혁명단체 대표대회를 소집하고 해당 준비서류 7항을 체결하기로 결정하고 동맹집행부에서 이 결의에 따라 적극 준비한다. 1935년 6월 20일, 조혁, 한독, 조의, 신독, 미한독, 뉴교, 미국민회, 하와이국민회 등 9개의 단체대표 32명이 남경에 모여 「혁명단체대표대회 예비회의」를 소집하고 단체의 성질, 지역적인 임무, 혁명운동의 대계 및 국내외 형세 등 문제에 대해 자세하게 검토했다. 결과 조선혁명당, 한국독립당, 조선의열단, 신한독립당, 미주독립당 등 5개의 단체가 "강유력한 단일 대신당을 조직하기 위해 현유의 각 단체를 취소할 데 대해" 의견이 일치했다. 그리하여 6월 29일 상술한 5단체 대표대회를 소집하고 신당 당의, 당강령, 정책, 당장을 기초할 데 대해서와 대일전선통일동맹을 취소할 데 대한 사항 등을 결의하고 신당창립대회를 준비했다.

3. 조선민족혁명당 창립대회

상술한 5단체 대표대회는 1935년 7월 4일에 원만히 결속된 동시에 신당창립대회를 소집하고 당명부를 심사정리하고 당원을 682명으로 조사하여 결정했다. 같은 날 당명, 당강, 정책 및 당장 각 사항을 통과하고 제1기 중앙집행위원 15명, 후보 5명, 검사위원 5명, 후보 2명을 선거했다. 이튿날에 제1기 중앙집행위원회 회의를 열고 상무위원 및 각 부 주관인원을 서로 선거한 후 신당창립식을 거행했다. 각 중앙위원이 동시에 선서하고 취임했다. 조선민족혁명당은 이렇게 창설됐다.

4. 신당창립 및 각 단체 해체

1935년 7월 5일, 즉 조선민족혁명당 창립일에 한국독립당, 조선의열단, 조선혁명당, 신한독립당 및 대한독립당이 공동선언을 발표했다. 각 단체를 취소하고 조선민족의 혁명요구에 맞춰 급속도로 발전하는 비상 국세에 대처하는 견지에서 최대의 결심과 단합으로 조선민족혁명당을 조직한다, 라고 선포했다. …동시에 신당창립선언을 발포했다.

5. 창립후의 제1기의 사업(1935년 7월부터 1936년말)

1) 조선혁명 간부학교를 설립했다. 중국 국민정부군사위원회 장위원장이 특별허가를 하고 원조하여 남경에서 조선혁명 간부학교를 설립, 선후로 3기에 간부 300여 명을 졸업시켰으며, 교장은 김약산(金若山) 동지이다.

2) 특별훈련반을 꾸리고 국내외 청년간부를 모집해 집중훈련을 시켰다.

3) 조직사업인원을 국내와 만주에 파견했다.

4) 청년들을 모집해 혁명교능훈련을 실시했다.

5) 지방 당부 개설준비를 했다.

6. 제2차 전당대표대회

1937년 1월에 남경에서 제2기 전당대표대회를 소집했다. 중요 의결안은 다음과 같다. 1) 당장을 수정 2) 당면정책을 제정 3) 제2기 중앙집행위원을 개선 등 사안을 의논하고 회의 후 시국에 대한 선언을 발표했다.

제2기의 사업:

1) 한문 납글자를 주조했다. 2) 당 기관지 『전도』와 『민족혁명』을 간행했다. 3) 당원에 대한 군사훈련을 실시했다.(강서에서) 4) 중국항전에 관한 중·한문 선전물을 제작, 인쇄, 살포했다.

7. 제3차 전당 대표대회

1938년 5월 호북성 강릉에서 개회하여 중요 결의안을 통과했다. 1) 당의 (黨義), 당강, 정책 및 당장을 수정. 2) 당의 노선(즉 정신통일안)을 확정. 3) 중앙 집검위원(執檢委員)을 재선거. 4) 전부의 역량을 집중해 중국 대일항전 및 작전을 협력할 데 대한 등 결의안을 통과했다.

제3기사업:

1) 청년당원 100여 명을 호북 강릉에 집중시켜 군사훈련을 다그쳤다. 2) 조선민족전선연맹을 조직해 항적(抗敵)조직을 강화했다. 3) 조선의용대를 창설해 직접 중국항일전쟁에 참가했다.

8. 제4차 전당대표대회

1939년 9월 중경에서 소집되어 중요결의안을 통과했다. 1) 해외 운동선을 재차 통일할 데 대한 정책을 확정. 2) 조선의용대를 발전시킬 데 관한 방법과 책략을 확정. 3) 대외정책을 확정. 4) 중앙집검위원에 대한 선거 등을 했다.

본기의 사업은 주로 조선의용대의 전방사업 및 혁명전선 통일사업을 적극적으로 진행하는데 주력했다.

9. 제5차 전당대표대회

1940년 10월에 중경에서 소집했다. 1) 금후 혁명련(革命運)에 대한 총 방침 9항을 수립. 2) 조선민족전선연맹 소속 3개 단체를 통일. 3) 당의 각급기구를 조절. 4) 중앙집검위원을 재선거했다. 본기 사업은 여전히 조선의용대의 전방 및 적후사업 전개에 주력했다.

10. 제6차 전당대표대회

1941년 11월 중경에서 소집됐다. 중요의결안을 통과했다. 1) 한국임시정부에 참가. 2) 반파쇼전쟁에 적극 참가. 3) 화북의 무장동지들과 절실하게 연락하고 그들을 지휘. 4) 전민족통일당에 대한 조직사업을 힘써 촉성. 5) 중앙위원을 재선거. 본기는 의정원 및 호법운동에 참가하고 각 당파시국협진회를 조직하고 한국독립당과 통일에 대해 협상하는 것을 중요사업으로 했다.

11. 제7차 전당대표대회

1943년 2월 중경에서 소집됐다. 이번 대회는 4당(즉 조선민족혁명당, 한국독립당통일동지회, 조선민족당해외전권위원회, 조선민족해방투쟁동맹) 통일개조대표대회로서 중요성과는 다음과 같다. 1) 4당 통일협정을 접수 2) 당강 정책 및 당장을 다시 의정 3) 선언을 발표하고 당의 성질, 당의 계급기초 및 주요정치주장을 천명. 4) 중앙집검위원을 재선거.

본기 사업:

1) 임시의정원은 임시약헌을 수정하기 위해 노력했다. 2) 임시정부내의 지도기구에 참가하고 그 확대강화를 위해 노력했다. 3) 인도주재 영국당국과 대일선전에 관한 협정을 맺고 공작인원을 파견했다. 4) 미주 및 하와이 두 곳의 본당 총 지부 강남지부(강서에서), 곤명, 육안, 정주 등지 특별구 당부를 설치했다.

12. 제8차 전당대표대회

1944년 4월 중경에서 개최, 다음과 같은 중요 의결안을 통과했다. 1) 화북 총 지부를 설치하기로 확정. 2) 당사편찬위원회를 조직. 3) 국내 및 적후 조직공작을 적극 전개하는 것을 금후 당의 중심과업으로 정했다. 4) 미주교포가 원동에 와서 직접 혁명공작에 참가하는 동시에 재미교포들의 인력, 물력을 동원해 혁명역량을 강화. 5) 중국내외 각 지역 무장역량을 임시정의 통일적인 지휘 하에 집중. 6) 임시의정원을 독려해 각 당파를 포함한 신임 임시정부 국무위원회를 재빨리 선거하는 등 결의안이다.

『朝鮮民主革命黨創立第九周年紀念專刊』,
一九四四年七月五日

윤정우 편

조선혁명과 조선민족혁명당

1. 조선혁명운동사의 발전

조선은 4천여 년의 유구한 문화역사를 가진 동방의 오래된 나라이다. 그러나 19세기 말엽에 국내정치경제가 아주 낙후하여 점차 각 선진자본국가의 침략 대상이 되었다. 특히는 지리 면에서 조선과 근접한 일본제국주의가 명치유신을 경과한 후 그의 국내 자본주의발전이 점점 더 번영하는 시기에 들어서자 점차 조선반도에 침략의 마수를 뻗쳤다. 그로 인해 조선 사회 내부에서 점차 강열한 인민혁명운동이 발생했다. 예를 들면 유명한 1884년 '갑신정변'—상층개혁운동과 1984년 '갑오동학난'—농민투쟁이 일어났는데 본질적으로는 다 반제반봉건의 자본주의 민주혁명 성질을 띠었다. 그러나 이런 혁명운동은 당시 봉건통치계급과 외국침략자의 연합진공에 의해 다 진압되고 말았다. 일·청, 일·러 2차의 전역 후 열강은 조선 문제에 대해 일본침략자와 감히 다투지 못했다. 그리하여 1910년 일본침략자들은 잔폭한 수단으로 조선을 자신의 독점식민지로 만들었다. 망국 후 일본제국주의는 극단적이고 잔혹한 정치압박으로 피비린 통치를 유지했다. 그들이 조선인민에 대해 실행한 야만적인 경제착취는 우선 대량의 토지 약탈 정책에서 표현되었다. 동시에 상품투매 및 자본수출정책을 급격하게 실행했다. 그리하여 조선국내의 경제는 중대한 변화가 생기게 되었다. 이른바 '아시아'의 오랜 봉건생산방식이 이른 봄의 햇빛에 얼음이 덩이 채 녹아내리는 것처럼 무너졌다. 현대식 공상업도 '비온 뒤의 봄 죽순이 자라는 듯'한 기세로 발전했다. 물론 일본제국주의는 비록 기본국의 모습으로 조선을 개조하기는 했지만 다른 한 면으로는 봉건세력을 유지하여 이를 경제독점지위에 이용하고 조선민족자본의 발전을 극력 저애했다. 이런 상황에서 광범한 노농대중은 다 기아와 굶주림에 시달리고 파산되고 떠돌이 하는 처지에 빠졌다. 또 상층신흥자산계급은 일본 독점자본세력에 대해 아주 큰 불만과 분노를 품고 있었다. 그리하여 1919년 세계 제1차 대전 이후 조선에서는 위대한 '3·1'혁명운동이 일어났다.

'3·1'대혁명운동은 조선혁명운동의 발전사상 획기적인 하나의 분수령이다. 이 운동은 조선인민에게 하나의 길을 가리켜 주었다. 그것은 바로 일본제국주의를 타도하고 조선민족의 자유해방을 쟁취하려면 반드시 광범한 인민대중을 조직하고 무장시켜야 한다는 것이다. 광범한 인민대중을 조직하고 무장시키려면 반드시 정확한 혁명정당의 영도가 있어야 한다. '3·1'운동 실패의 최대 원인은 바로 주관적으로 진보적인 정당의 영도가 없는 것으로 말미암아 수천수만의 인민대중을 계획적으로 조직, 동원, 무장시키지 못했고 혁명의 무력으로 일본제국주의의 통치를 뒤엎지 못했기 때문이다.

'3·1'운동이 실패한 후 '3·1'운동을 지도했던 상층의 분자들은 정치면에서 점차 그 연약무능하고 동요하고 타협하는 경향이 나타났다. 광범한 노농소자산계급혁명대중이 정치무대에 나타나기 시작했다. 그들은 피땀으로 바꿔온 보귀한 경험과 교훈으로 자신의 역사를 창조하고 자신의 행동을 지도했다. 그러므로 대중문화운동은 일사천리의 기세로 진행됐다. 국외의 각종 혁명적인 비밀정당과 군중단체가 수풀처럼 나타나서 반일본 혁명투쟁을 결연히 진행했다. 그러나 혁명운동이 심도 있게 발전함에 따라 혁명전선의 통일과 집중문제가 또 의사일정에 떠올랐다. 더 구체적으로 말하면 국내 자본주의발전이 낙후하다보니 계급적인 분화 역할이 자본주의국가와는 비교될 수 없었다. 일본제국주의의 야만적인 압박 및 착취는 전민족의 생존과 발전을 직접 위협하여 각 계급사이의 모순과 대립을 줄이고 완화시켰다. 그러므로 조선에서 민족통일정당을 창립한 것은 조선혁명운동에 첫째가는 의의가 있다. 그리하여 1926년부터 1930년 사이에 국내에서 신간회가 창립되고 국외에서는 유일당 촉성회가 나타났다. 국내의 신간회와 국외의 유일당 촉성회가 창립 후에 조선혁명에 막대한 기여를 한 것은 의심할 나위 없는 사실이다. 예를 들면 유명한 원산대파업, 광주학생운동, 각지 노농운동 및 동북조선인민무장투쟁은 다 직접 혹은 간접적으로 이 2대 단체의 지휘와 영도를 받았다. 그러나 일본제국주의가 미친 듯이 혁명진영을 진공하고 일본침략자의 이간도발정책이 시행되면서 소수의 상층분자들이 혁명을 배반하기 시작했고 민족내부의 단결이 점차 파괴되고 한동안 유명했던 2대 혁명단체도 해산되고 말았다.

2. 조선민족혁명당의 창립

1929년에 세계경제공황이 폭발한 후 이른바 전후 자본주의의 상대적인 온정시기가 종말을 고하고 일본 국내 파쇼정치단체들이 이 기회에 흥기했다. 그 후 1930년 런던 해군부 회의 후에 일본군부 파쇼는 국정을 간섭하기 시작했다. 1931년 9월 18일 깊은 밤에 일본 파쇼 소장 군인이 심양의 봉화에 불을 달고 대규모의 중국침략전쟁을 발동했다.

9·18사변이후 일본의 파쇼운동이 비약적으로 발전해 일본 국가 정권이 완전히 파쇼화의 길로 나갔다. 파시즘은 바로 제국주의가 계급자산 독점단계에서 공개화한 독재를 실시하는 새로운 정치형식이다. 그 특점은 바로 자

산계급의 은밀한 독재정치(專政)—데모크라시민주정치를 완전히 취소하고 극단적인 공포전제수단으로 혁명세력을 진압하고 피압박계급과 피압박민족을 압박착취하며 또 대외 침략전쟁을 미친 듯이 감행하는 것이다. 그러므로 '9·18'사변이후 일본 파쇼는 조선에서 조선인민이 '3·1'운동에서 쟁취한 약간한 정도의 언론, 출판, 집회, 결사 등의 자유를 폐지하고 야만적이고 잔혹하고 무단적인 전제정치로 대체했다. 그러므로 조선 국내의 모든 공개적인 혁명군중단체와 비밀조직은 다 파괴, 유린당하고 모든 공개 및 비밀적인 신문, 도서와 간행물은 전부 엄금 당했다. 수천수만의 혁명 전사들이 비참하게 감금과 도살을 당했다. 조선 국내의 혁명운동의 발전은 그때로부터 전례없이 엄중한 좌절을 당했다.

동북 조선인민 무장투쟁을 중심으로 한 혁명운동은 9·18사변 이후에 일본 제국주의의 대규모의 진공 하에 전례 없는 대재난을 당했다. 대부분의 혁명 군중은 중국인민과 연합하여 동북의용군의 깃발아래 계속 영용하고 간고한 반일무장투쟁을 진행했다. 그러나 상층 지도인물 혹은 각 단체의 영도기구들은 대부분 환경의 핍박에 못 이겨 분분히 중국 관내로 이동했다. 그리하여 남경, 상해 등지는 당시 조선의 각 혁명단체가 활동하는 정치중심 지대였다.

일본 국가정권이 파쇼화 되고 그 무력이 동북을 침점한데서 국내외 조선혁명운동이 일으킨 변화는 상술한 바와 같다. 당시 국제정세는 일본침략자가 동북을 침점한 뒤 한발 더 나가 전 중국을 멸망시킬 추세였다. 세계경제공황의 엄중성으로 인해 독일, 이탈리아 파쇼 등 나라가 침략전쟁을 발동하려고 미친 듯이 준비하고 동아시아 평화가 위급한 국면에 들어서고 세계 대전의 위기가 일촉즉발의 기세였다. 날로 엄중해지는 국내외 혁명정세 하에서 조선혁명의 가장 긴급하고 중대한 과업은 전 민족의 역량을 단합하고 중·한 두 나라 연합전선을 건립하는 것이었다. 중국과 조선은 수천년래 역사, 정치, 문화 각 면에서 다 불가분리의 가장 밀접한 관계를 가지고 있다. 특히 근 백 년 동안 동일한 적인 일본제국주의의 압박과 착취를 받아왔다. 때문에 9·18사변이후 조선인민은 중국인이 당한 재난에 대해 무한한 동정과 관심을 가지고 있었을 뿐만 아니라 날로 팽창하는 중국인민의 반일투쟁에 대해 최대의 희망을 품고 위대한 중화민족이 틀림없이 신성한 전국적인 항일혁명전쟁을 일으킬 날이 있을 것을 깊이 믿었다. 그러므로 당시의 유명한 조선혁명단체─조선의열단이 김약산(金若山) 동지의 영도 하에 1932년 북경에서 남경으로 이동하였다. 김약산 동지가 중국 당국에 중·한 두 민족의 연합항일문제에 대해 교섭하고 장위원장의 윤허를 받아 남경에 조선혁명간부학교를 특설하고 간부인재를 양성했다.

조선혁명간부학교의 설립은 당시의 조선혁명에 대해 실로 더 없이 큰 의의가 있었다. 국내외의 대량의 우수한 혁명청년들이 김약산 동지의 가르침을 받으며 정확한 혁명이론으로 무장했다. 동시에 그들은 동북과 국내 등지로 흩어져 군중을 조직하고 훈련시키는 비밀공작을 적극적으로 진행했다. 김약산 동지는 간부훈련사업을 적극적으로 하는 한편 예리한 정치적인 안광으로 세계정세의 변화를 주시하고 조선혁명의 전략과 군략의 과업에 대해 자세하게 고려하고 검토했다. 그는 당시 조선민족혁명역량을 단결하는 가장 효과적인 방법은 각 당, 각 파의 공동합작으로 된 통일동맹을 결성하는 것이라고 인정했다. 그리하여 1932년에 조선의열단과 각 혁명단체들이 연합하여 대일전선통일동맹을 결성했다.

대일전선통일동맹이 설립된 후 조선혁명의 이익에는 강유력하고 집중적인 혁명조직─통일정당의 영도가 필요했다. 동맹에 참가한 각 단체가 조선혁명이론에 대해 원칙적으로 서로 접근되었기 때문에 1935년에 중국 수도 남경에서 각 혁명단체대표대회를 소집했다. 원유의 5당(조선의열단, 한국독립당, 신한독립당, 조선혁명당, 대한독립당)을 취소하고 조선민족단일진영—조선민족혁명당을 결성했다. 국내 신간회 및 국외 유일독립당촉성회의 빛나는 혁명전통을 계승한 동시에 수십 년래 조선혁명 통일운동의 최대 성과를 획득했다.

3. 조선혁명당의 성격 및 그 강령정책

일반적으로 말하면 한 당은 한 계급의 선봉대이다. 그러나 조선민족혁명당은 어느 한 계급의 선봉대가 아니라 각 계급 연맹의 민족통일전선 정당이다. 수십 년의 조선혁명운동의 피의 경험과 교훈이 있기 때문에 조선인민은 조선혁명의 이익을 위해서는 강유력한 혁명정당의 영도가 필요하다는 것을 깨닫고 있다. 그러나 조선사회는 '앞뒤의 계급이 적고 중간 계급이 많은(兩頭小中間大)' 나라이기 때문에 어느 한 계급의 정당이 단독으로 조선혁명을 영도할 수 없으며 각 계급이 공동으로 조선혁명을 영도해야 한다. 해외의 우리 혁명 운동은 환경의 한계로 인해, 어떤 의미에서는 군중기초가 결핍하기 때문에 계급의 정당은 더욱 형성될 수 없다. 이것이 바로 민족통일전선정당—조선민족혁명당이 산생될 수 있는 객관적인 원인이다. 특히는 '3·1'운동이 실패한 후 조선의 민족자산계급은 이미 조선혁명을 영도하는 역사적인 과업을 담당할 수 없어졌다. 일본제국주의의 극단적이고 야만적인 압박과 착취 하에 전국의 토지와 금융공상업의 10분의 8, 9는 다 일본제국주의의 소유로 변했다. 이는 물론 세계 식민지들에서도 보기 드문 현상이다. 이런 상황에서 조선국내의 토착자산계급의 역량이 이미 극단적으로 박약해져서 조선혁명에 중대한 역할을 할 수 없게 된 점은 말하지 않아도 알 수 있다. (물론 우리는 목전의 상황에서 조선자산계급이 혁명성을 가지고 있다는 점을 다는 부인하지 않는다.) 그러므로 조선민족혁명당은 7차 대표대회의 선언에 조선민족혁명당은

'노농소자산계급의 정치연맹'이라고 분명하게 규정했다.

조선민족혁명당은 창립 당시에 조선사회는 식민지 반봉건사회이고 조선혁명의 성질은 반제반봉건의 민족민주혁명성질이라고 규정했다. (물론 이 양자 중 전자가 중요한 결정적 지위를 가지고 있다.) 그러므로 조선민족혁명당은 일본제국주의 통치를 전복하고 조선민족의 자주독립의 민주공화국을 창립하는 것을 기본적인 강령으로 했다. 이는 조선민족 각 계급의 공동의 정치요구였다. 통일전선정당—조선민족혁명당이 이 요구를 제출하여 자신의 기본강령으로 한 것은 완전히 합리하다. 그러나 우리는 조선민족혁명당의 계급토대를 노농, 소자산계급에 두었다는 것을 알아야 한다. 그러므로 조선민족혁명당의 강령은 또 특별히 노농, 소자산계급의 이익을 보호하는 문제에 주의를 돌리고 있다. 그러므로 당강의 제4조에 '공업농업의 합작운동을 제창하고 반파쇼인민의 기업경영을 보호한다.'라고 규정하고 또 당책 제6조에 '노동시간을 단축하고 노동에 관한 각종 사회보험사업을 실시한다.'라고 규정했다. 물론 조선민족혁명당 강령이 건설하려는 나라는 사회주의국가가 아니라 자본주의민주주의의 국가이다. 그러나 이 자산계급 민주주의국가는 영미식의 자산계급의 국가가 아니라 사인자본(私人資本)의 극단적인 발전을 제한하고 자산계급독재를 반대하고 노농소자산계급정치와 경제이익을 보호하는 가장 새롭고 가장 진보적인 자본주의 민주주의국가이다.

조선민족혁명당의 강령의 기본 특점은 위에 서술한 바와 같다. 이 강령의 기본정책을 실현하기 위해 대내로는 전 민족적인 통일전선을 확대, 강화하고 대외로는 중·한 연합항일전선 및 세계반파쇼통일전선을 결성했다. 그러므로 중국 항일전쟁이 폭발 후 조선민족혁명당은 각 당파와 연합하여 조선민족전선연맹을 설립하는 한편 소·독 전쟁 및 태평양전쟁의 폭발 후에는 또 자원적으로 조선민족전선연맹을 취소하고 한국임시정부에 참가하여 전 민족적인 단결을 완성했다. 또 다른 한 면으로는 항전 폭발 후 조선민족혁명당은 또 조선의용대를 조직했고 후에는 한국광복군 제1지대로 개편하여 중국 항전에 직접 참가했다. 남북 각 전장에서 빛나는 전적을 창조해 중국 당국과 인민 또는 전 세계 반파쇼 정의인사들의 뜨거운 옹호와 지지를 받았다. 조선민족혁명당은 대내로는 전 민족적인 통일전선을 확대하고 강화하고 대외로는 중·한 두민족의 연합항일전선 및 세계 반파쇼통일전선을 결성하는 것을 기본 정책으로 했다. 그러나 동시에 조선민족혁명당의 정책은 또 국내외 혁명군중을 조직 및 훈련시키는 문제에 주의를 돌렸다. 이 정책을 실현함에 있어 조선민족혁명당은 많은 우수한 청년간부들이 희생됐고 아울러 아주 거대한 사업성과를 올렸다.

4. 조선민족혁명당의 당면한 과업과 그 발전 전망

조선민족혁명당은 질적 면에서 이미 조선혁명운동중의 강대한 혁명정당으로 형성됐다. 특히 목전 전 세계 반파쇼전쟁이 이미 전례 없는 승리의 단계에 진입하여 조선혁명의 절대적인 유리한 객관조건이 형성됐다. 때문에 우리는 조선민족혁명당이 책임진 임무의 중대성을 느끼게 되었다. 첫째로 중대한 과업은 전 민족적인 역량을 집중해 임시정부의 실제 사업을 적극적으로 전개함으로써 국제원조를 쟁취하는 동시에 공동작전의 동맹국 구성원 자격을 획득하는 것이다. 까히로회의 이후 조선독립문제는 이미 동맹국의 공개적인 승낙을 얻었다. 특히는 한국임시 의정원의 제36차 임시의회에서 조선민족혁명당 및 각 당파의 공동한 노력으로 전 민족적인 단결을 완성하였기 때문에 한국임시정부는 전 민족적인 통일전선 정부로 되었다. 그러나 목전까지 임시정부는 우리 전 민족을 대표해 유력한 국제적인 물질원조를 쟁취하지 못했고 공동 작전에 참가할 동맹국 구성원 자격은 더욱 논할 여지가 없다. 그 주요 원인은 임시정부가 아직도 중요한 실제 사업 표현이 없기 때문이다. 그러므로 우리 조선민족혁명당은 적극적으로 임시정부를 선전하고 외교에 힘쓰는 등 책임을 수행하는 외에도 특별히 임시정부와 국내 혁명세력의 절실한 연계에 힘써야 한다. 아울러 현유의 한국광복군을 개선(改善)하고 확대하며 각지의 조선혁명무장역량이 임시정부의 지휘 하에 통일되게 하며 동맹국이 승리하도록 협조하여 대규모의 무장반일투쟁을 전개하도록 해야 한다. 둘째로 중대한 과업은 바로 당의 세포조직이 국내외 군중의 토대 위에 건설되도록 적극적으로 사업을 전개하는 동시에 수천수만의 혁명대중을 조직하고 훈련시켜 광범한 반일, 반전, 반병역운동을 전개하고 군대의 반란과 무장기의를 준비하는 것이다. 우리는 군중을 발동한 혁명투쟁이 바로 조선혁명 승리의 기본 조건을 쟁취하는 것이라는 것을 잘 알고 있다. 우리가 이 점을 실행하지 못하여 국외의 정치활동과 국내의 군중투쟁을 연결시키지 못한다면 국제환경이 아무리 유리해도 혁명의 승리를 완성할 수 없다. 그러므로 우리는 그 어떤 곤난이 있어도 최대의 관심과 노력으로 이 두 가지 과업을 수행해야 한다.

우리는 이상의 두 가지 과업을 어떻게 수행하는가에 따라 조선민족혁명당의 발전 비전이 어떻게 되리라는 것에 대해 쉽게 짐작할 수 있다. 다시 말해 조선민족혁명당이 이 두 가지 과업을 잘 수행한다면 자연적으로 조선인민을 영도해 조선독립의 승리를 완성하는 혁명정당이 될 수 있고 그렇지 못할 경우에는 군중을 이탈하고 조선혁명에 아무런 기여도 없는 망명 정치집단이 될 것이다. 물론 조선혁명에 신념을 가지고 충실한 조선민족혁명당 당원들은 저마다 조선민족혁명당은 전자로 될 것이고 절대로 후자로 되지는 않을 것이라는 것을 굳게 믿고 있다. 그러나 어떤 사람들은 중국 관내 조선혁명운동에 대해 지나치게 낮은 평가를 한다. 그리하여 조선민족혁명당의 발전 비전에 대해 완전히 비관하고 실망한다. 그들은 조선민족의 자유해방은 완전히 국내 혁명운동의 발전에 의거하고 있으며 군중토대가 결여된 국외정치활동은 조선혁명에 아무런 무게도 실어주지 못한다고 생각한다. 그러므로 혁명 영수와 혁명 원로 선배를 중심으로 한 조선민족당은 국내외에서 조선혁명의 과업을 추동할 수 없으므로 자연히 발전 비전이 없다는 것이다. 이런 설법은 얼핏 듣기에는 퍽 고상하고 아주 좌적인 것으로 보이나 실제적으로는 현실 책임을 회피하는 후퇴적이고 낙오된 관점에 불과하다. 우리는 조선혁명의 기본 역량은 국내에 있다는 것을 다 알고 있다. 그러나 그렇다 하여 국외혁명운동이 조선의 독립에 별로 큰 역할을 하지 못했다는 이런 결론을 얻어서는 안 된다. 실제로 말하면 목전에는 전시 일본파쇼의 강압정책에 의해, 또 일본침략자가 군사 면에서 최후의 실패를 아직 당하지 않았기 때문에 조선국내혁명운동의 발전은 큰 저애를 당하고 있다. 이런 상황에서 우리는 국외의 혁명운동의 가치를 절대 과소평가해서는 안 된다. 특히는 이 세계 반파쇼전쟁에서 동맹국이 이미 전후(戰後) 조선의 독립에 대해 승인했기 때문에 국외 원조 쟁취를 중심과업으로 삼은 조선민족혁명당은 조선혁명에 실제로 중대한 의의가 있다. 때문에 혁명 영수와 혁명 원로, 선배 중심의 조선민족혁명당은 조선혁명운동에서 아주 중대한 세력이다. 이런 영수와 원로, 선배들 모두가 조선인민들 속에서 크나큰 성망과 위신을 갖고 있기 때문이다. 황차 전방의 각 적 점령구에서 간고분투하는 조선민족혁명당의 많은 청년 간부들은 가장 우수한 조선의 아들딸이며 조선혁명의 정화이다. 그들은 다 혁명의 이론을 정확하게 파악한 동시에 다년간 실제사업을 하면서 얻은 경험이 있어 수많은 시련 속에서 굳세게 단련된 사람들이다. 그러므로 우리는 조선민족혁명당은 조선혁명을 영도하는 과업을 감당할 수 있고 완전한 조선독립의 승리를 이끌어낼 수 있는 혁명정당이라는 것을 충분한 이유로 믿을 수 있다.

조선혁명 발전의 전도(前途)는 밝다. 조선민족혁명당 발전의 전도 역시 밝다!

『朝鮮民主革命黨創立第九周年紀念專刊』,
一九四四年七月五日

신기언 편

통일전선에 대한 우리의 새 주장 및 임시정부 내의 임무

　오늘날 조선혁명의 유일기본목표는 다음과 같다. 1. 일본 파쇼침략자를 타도하고 조선반도에서 바다에로 몰아낸다. 2. 독립자주의 신 민주국가를 건설한다. 우리는 이 목적에 도달하기 위해 반드시 광범한 민주전선을 건립하여 모든 항일독립의 혁명역량을 집중해야 한다. 그러므로 통일전선은 오늘날 조선혁명운동의 최고요구이며 또한 조선민족혁명당의 기본정책이다. 우리 민혁당의 정책 제1조에는 다음과 같이 규정했다. 해내외 혁명당파 또는 군중단체를 합병·연합하여 전 민족적인 통일전선을 확대·강화한다. 제8차 전당대표대회는 더욱 명확하게 결의했다. 군내외 각 혁명집단을 망라한 군중 및 개인은 민족해방의 공동 강령 하에 행동을 통일함으로써 연합전선을 결성한다. 이는 모든 조선혁명단체 또는 개인이 다 복종해야 할 혁명의 요구이다. 그러므로 우리는 적어도 각 혁명단체들 사이의 행동면의 통일을 요구함으로써 전 민족적인 혁명역량을 집중한다. 우리는 당파조직의 단일화에 급급해하지 않고 당파조직의 단일화를 통일전선 결성의 전제로 삼지 않으며 더욱이는 당파의 부동함에 따라 차별하지 않는다. 이것은 통일전선문제에 대한 우리의 새로운 주장이다. 과거에는 수십 년 동안 혁명전선 통일문제에 대해 조직면의 통일을 전제로 한 동시에 한 조직 내에 동일 주의자만 망라한다는 원칙을 세웠었다. 그러나 경험은 우리에게 이런 계획과 방식은 영원히 실현되지 않는다는 것을 알려주고 있다. 그러므로 우리는 1943년의 개조를 통해 민족자유, 정치자유, 경제자유 및 사상자유를 당의 정치주장으로 확정했다. 아울러 우리의 당은 조선민족중의 어느 한 계급을 대표하는 정당이 아니라 조선민족 중 민족해방을 주장하는 몇 개의 계급을 대표하는 혁명적인 정치연맹이라고 표명했다. 그러므로 우리당의 강령은 어느 한 주의의 강령이 아니고 어느 한 계급의 이익을 대표하는 강령도 아닌 절대다수 조선인민이 요구하는 공동강령, 즉 통일전선강령이다. 동시에 우리는 조선민족에서 절대다수를 차지하는 농민, 노동자 및 소자산계급을 당의 토대로 삼았다. 이런 면에서 모든 각종 사상의 신봉자들에 대해 본 당의 대문은 활짝 열려있다. 당의 강령과 정책을 받아들이고 복종하기만 하면 그 어떤 주의자 또는 그 어느 계급에 속하는 조선 혁명자든 다 본 당의 조직에 가입할 수 있다. 다른 한 면에서는 모든 혁명당파 및 개인이 행동면의 일치를 요구해야만 혁명역량의 분산을 막을 수 있다.

한국임시정부에서의 우리의 과업에 대해서는 당의 정책에 명백히 규정돼있다. 임시정부가 국내외 혁명집단 및 혁명군중의 토대위에 확립되게 하고 전 민족 독립사업을 총 영도하는 혁명정권기구로 발전되게 한다. 우리는 1942년에 임시정부에 참가한 이래 줄곧 상술한 목표를 실현하기 위해 노력해왔다. 임시정부는 기성국가의 통치기구가 아니라 조선독립이 아직 완성되기 전의 독립사업의 영도중심이다. 다시 말하면 오늘의 임시정부는 혁명조선의 대표기구이다. 그러므로 임시정부는 반드시 전체 조선민족혁명단체 및 혁명군중을 그 토대로 하여야만 민족독립사업을 지도하는 능력을 발휘해 항일건국의 사명을 달성할 수 있다. 이런 인식에 근거해 우리는 임시정부의 지도기구에 참가하는 것을 정권을 점취하는 것으로 간주하지 않는다. 이를 우리가 응당한 책임과 응당한 의무를 다 해야 할 지위를 취득한 것으로 간주할 뿐이다. 우리는 독립 이후 조선인민이 자유 선택한 정부가 오늘날 우리가 독립사업의 중심영도기구로 삼은 임시정부가 되기를 바라기는 하지만 이는 전체 조선인민이 결정할 문제이다. 또한 우리 본신의 노력과 분투의 정도에 의해 이 문제가 결정될 수도 있다고 생각한다.

『朝鮮民主革命黨創立第九周年紀念專刊』,
一九四四年七月五日

조선민족
혁명당 편

조선민족혁명당 제7차 대표대회—개조(改組)대표대회 선언

　국내 혁명형세가 날로 긴장해지는 국면을 앞에 두고 우리 조선민족혁명당, 한국독립통일동지회, 조선민족당 해외전권위원회, 조선민족해방투쟁동맹 4당 대표들이 중국항전의 수도 중경에서 본당 제7차 대표대회—개조대표대회를 원만히 끝냈다. 우리 4당 대표들은 가장 뜨거운 혁명정서와 가장 꿋꿋한 혁명신념으로 동지들을 향해 다음과 같이 선언한다.

　동지들, 동포들! 우리의 이번 개조대표대회는 우리 4당의 역사상 그 중대한 의의가 있을 뿐더러 조선혁명사에서도 중대한 의의가 있다. 이번 개조(改組)는 조선혁명운동의 하나의 새 방향, 즉 혁명역량이 날로 단합되는 새 방향을 의미하기 때문이다. 우리는 민족혁명당 개조의 형식 하에 4당의 단결을 완성했다. 이 단결은 양적인 면에서 하나의 강대한 정당을 형성했고 질적인 면에서 조선민족은 반드시 철저히 해방돼야 한다는 것을 주장하는 정당을 형성했다. 이 단결은 우리로 하여금 민족자유를 주장하는 정당을 형성할 수 있게 했을 뿐만 아니라 우리로 하여금 정치자유, 경제자유, 사상자유를 주장하는 정당을 형성하게 했다.

　동지들, 동포들! 우리가 주장하는 4대 자유는 조선민족의 혁명정신을 대표할 뿐만 아니라 동시에 세계 반파쇼전쟁중의 민주정신을 대표한다. 세계는 어떤 방향으로 가는가? 우리의 대답은 긍정적이다. 새로운 민주주의 방향으로 간다. 우리가 제출한 4대 자유는 바로 이 방향으로 가는 것이다. 우리는 이 방향으로 가야만 세계의 모든 파쇼국가를 타도할 수 있고 조선민족이 일본파쇼의 통치에서 해방될 수 있다.

동지들, 동포들! 우리 4당의 단결은 조선 전 민족적인 단결의 토대이다. 작년에 우리는 4당의 초보적인 합작의 토대위에 한국임시정부 제34차 의정회의에 참가해 원만한 결과를 얻었다. 금후 우리는 4당의 완전한 단결의 토대 하에 임시정부가 모든 조선민족의 혁명정당과 밀접히 합작해 더 큰 항일투쟁 내지는 항일전쟁을 전개하도록 해야 한다.

동지들, 동포들! 본당은 창설 9년 이래 조직 면에서 특별히 공고해졌다. 4당 통일후 우리의 조직은 더욱 공고해졌다. 이번 개조대회에서 우리는 조선민족의 혁명선배 김규식 동지를 중앙집행위원회 주석으로 선거했다. 동시에 우리는 김약산 동지를 위수로 하는 중앙상무위원회를 조직했다. 이는 우리의 당이 그 정치노선의 정확성으로 조선민족 해방을 위해 투쟁할 뿐만 아니라 그 조직기구의 견고성으로 조선민족의 해방을 위해 투쟁하고 있다는 것을 말해주고 있다. 우리는 개조후의 조직기구가 필연코 우리의 정확한 정치노선을 실현할 것이라고 깊이 믿는다.

동지들, 동포들! 우리의 정당은 조선민족의 한 계급을 대표하는 정당이 아니라 조선민족의 민족해방을 주장하는 몇 개의 계급의 정치연맹이다. 우리의 정치연맹은 노농소자산계급을 토대로 하고 있다. 우리는 이 정치연맹이 조선민족 해방운동에서 주요한 역량이라는 것을 깊이 믿는다.

동지들, 동포들! 이번 개조대회에서 우리는 4당의 정부강령을 자세하게 고려한바가 있다. 동시에 민족혁명당의 강령을 토대로 하여 수정하여 하나의 새로운 정치 강령이 산생되었다. 이 강령에 근거해 우리는 당전의 정책을 규정했다. 이 강령, 이 정책이 바로 본 당의 목전의 가장 선명한 정치목표이다. 동지들, 동포들, 조선이 망한지 이미 33년이 되었다. 조선독립선언이 발표된 지 이미 24년이 됐다. 우리는 장기적인 혁명투쟁을 거친 후 지금은 이미 가장 강대한 민족해방의 정당을 형성했다. 지금 이미 가장 정확한 민족해방의 정치노선을 산생했다. 우리는 전체 조선민족의 혁명지사들이 본 당에 와서 본 당의 강령과 정책을 위해, 조선민족의 해방의 최후의 승리를 위해 투쟁할 것을 호소한다.

강령

1. 이족 일본제국주의 통치를 뒤엎고 조선민족자주독립의 민주공화국을 창설한다.

2. 조국 독립후 1년 이내에 국민대표대회를 소집해 헌법을 제정하고 보선제를 실시한다.

3. 조선 경내의 일본제국주의자, 매국적 및 부일 반역자의 모든 공사재산을 몰수하고 대기업은 국영으로 돌리며 토지는 농민에게 분배한다.

4. 공업농업의 합작운동을 제창하고 반파쇼인민의 기업경영을 보호한다.

5. 징병제를 실시해 국방군을 건립하고 국가의 독립 및 인민의 안녕을 보장한다.

6. 노동시간을 단축하고 노동에 관한 각종 사회보장 사업을 실시한다.

7. 정치, 경제, 사회면에서의 부녀의 권리는 남자와 일률로 평등하다.

8. 아동보육사업을 제창하고 아동공 제도를 금지한다.

9. 인민은 언론, 출판, 집회, 결사, 사상 및 신앙의 자유가 있다.

10. 인민의 의무교육, 직업교육 및 사회보험에 대해 국가에서 경비를 실시한다.

11. 조선민족 문화에 대한 연구, 보급, 발양을 위해 노력한다.

12. 세계의 반침략국가 및 민족과 연합해 각 민족, 각 나라간의 자유평등

의 새 세계를 구축한다.

정책

1. 해내외 혁명당파 및 군중단체를 합동 혹은 연합하여 전 민족적인 통일전선을 확대 강화한다.

2. 임시정부를 국내외 혁명집단 및 혁명군중의 토대위에 확립하고 전 민족 독립사업을 총 영도하는 혁명정권기구로 더욱 발전시킨다. 각 나라가 가장 짧은 기간 내에 우리 임시정부 및 전후 우리나라의 완전한 독립을 승인하도록 노력한다.

3. 국내 및 중·미·소 등 각 국경내의 우리나라 무장역량을 통일해 동맹국의 반공에 협력해 대규모의 독립전쟁을 전개하도록 한다.

4. 국내 인민의 혁명적인 조직 및 훈련 사업에 더욱 노력하여 전민적인 폭동을 준비한다.

5. 해외 각지의 교포의 생활 개선을 도모하고 그 이익을 보호하는 동시에 그 혁명적인 훈련 및 조직의 발전을 위해 노력한다.

6. 세계 반파쇼 정의 전쟁을 지지하고 중국 항일전쟁에 적극 참가한다.

7. 동방 피압박민족의 반일운동 및 일본인민의 혁명운동을 지지하고 원조한다.

1943년 2월 22일

『朝鮮民主革命黨創立第九周年紀念專刊』,
一九四四年七月五日

왕통 편

조선민족혁명당의 성질문제

조선민족혁명당은 대체 어떤 당인가? 이 당의 성질문제에 관해 민족혁명당 중앙은 일찍 다음과 같이 명확하게 규정했다. 그리고 당원들 사이에서도 이 문제에 대해 보편적인 연구와 토론이 있었다. 그러나 당 외의 광범한 동포들과 우방인사들은 민족혁명당의 성질에 대해 여전히 잘 알지 못하고 있다. 이는 주로 민족혁명당 자체의 선전이 부족한데 그 원인이 있다. 그러므로 우리는 민족혁명당 창립 제9주년 기념일에 민족혁명당의 성질문제에 대해 다음과 같이 천명함으로써 당외 동포와 우방인사들의 이해를 도울까 한다.

1. 노동자, 농민, 소자산계급을 토대로 한 정치연맹.

우리의 당은 조선민족중의 한 계급을 대표하는 정당이 아니라 조선민족 중 민족해방을 주장하는 몇 개 계급의 정치연맹(민족혁명당 제7차 대표대회—개조 대표대회 선언)이다.

현 단계에 무릇 반일반파쇼를 주장하고 이 주장을 실현하기 위해 적극적으로 분투하며 당강, 정책, 당장을 인정하는 조선인이기만 하면 주의사상, 신앙을 불문하고 다 민족혁명당에 가입할 수 있다. 민족혁명당은 어느 한 계급을 대표하는 정당이 아니라 반일반파쇼의 각 계급의 정치연맹이다. 이런 성질의 정치연맹은 식민지, 반봉건의 조선에서는 반일반파쇼역량을 단결하는 조직형식이다. 이런 정치연맹의 정당형식은 주관적인 일시적인 수요에 의해 형성된 것이 아니라 조선혁명운동 수십 년의 무수한 승리와 실패로부터 얻은 피의 경험교훈에서 형성된 것이다. 지금은 매국노(韓奸)를 제외하고는 반드시 반일반파쇼인민을 광범하게 단결하여 일본침략자를 향해, 전 세계 모든 파쇼들을 향해 결전을 할 때이다. 이런 정치연맹은 전민반일반파쇼의 투쟁의 이익에 부합되는 조직형식이다. 이 연맹은 오늘날 해외에서 현실적인 의의가 있을 뿐만 아니라 독립 후 국내의 광범한 혁명군중속에서도 아주 필요하며 여전히 이 연맹의 존재 및 발전의 정치, 경제, 사회적인 각 조건이 구비돼 있다. 이 정치연맹의 조직이론은 일반적인 정당조직의 이론을 위반하지 않았다. 반대로 이것이야말로 조선의 특수성—특징에 근거하여 정당이론을 더욱 발휘한 것이며 활발하고(活潑的) 창조적인 운용이다. 이 자리에서 우리는 다음과 같이 표명한다. 즉 조선민족혁명당은 오늘과 금후의 존재에 필요한 사회적인 조건을 갖고 있다. 뿐만 아니라 우리의 부동한 각종 정치형식도 마찬가지로 그 존재의 사회적인 조건을 갖고 있다. 그러므로 민족혁명당은 각 반일반파쇼정당과 친밀하게 합작하여 조선에서의 일본파쇼의 피비린 통치를 타도하고 자주행복의 새 조선을 공동 건립해야 한다.

다음은 민족혁명당의 계급토대에 대해 서술하겠다.

우리의 정치연맹은 전 민족 중의 전부의 계급을 토대로 하지 않고 노동자, 농민, 소자산계급을 토대로 한다. 왜 노동자, 농민, 소자산계급을 토대로 하는가? 우리는 조선은 '앞뒤의 계급이 적고 중간 계급이 많은(兩頭小中間大)' 사회이다. 다시 말하면 자산계급과 노동자계급이 소수이고 농민과 소자산계급이 많은 사회라는 것을 알아야 한다. 조선에는 조선인 지주와 민족자본가가 있다. 그러나 이런 사람들은 대부분 일본인의 자본의 난익 밑에서 기생하고 있다. 뿐만 아니라 그 수자가 아주 가련할 정도로 적고, 전국 총 토지면적에서 차지하는 비례와 총 투자자본의 비례가 아주 가련할 정도로 적다!

우리는 그들에게 민족독립에 대한 요구가 있다는 것은 인정한다. 그러나 그들은 전국 인구의 극소수를 차지할 뿐더러 '반일 민주주의(反日民主)'의 투쟁을 철저하게 진행할 수 없다. 그러나 노동자, 농민, 소자산계급은 전국 인구의 90%의 절대 다수를 차지할 뿐만 아니라 그들은 가장 격렬한 '반일 민주주의' 투쟁의 계급이다. 그것은 그들이 일본파쇼통치의 정치압박과 경제착취를 받을 대로 받은 사람들이기 때문이다. 그러므로 앞으로 조선의 운명을 결정하는 사람들은 오직 그들이다. 노동자, 농민, 소자산계급의 요구와 이익이 바로 조선 전민족의 진정한 요구와 이익이다. 그들은 그 어떤 계급(목전 조선의 정세)보다 더 반일, 반파쇼 요구가 가장 강렬하며 진보에 대한 추구가 가장 절박한 계급이다. 민족혁명당은 노동자, 농민, 소자산계급의 요구와 이익을 위해 투쟁할 것이다. 즉 전 민족의 요구와 이익을 위해 분투하는 것이다. 그들이 바로 계속 혁명의 영원한 진보적인 계급이기 때문이다. 그러므로 민족혁명당도 그들과 함께 끊임없이 앞으로 나아갈 것이다.

2. 조직의 완정성 및 당내 사상 신앙의 자유.

민족혁명당은 비록 정치연맹이지만 당 조직의 완정성과 민주집권제위에 건립 된 철 같은 규율을 엄격히 요구한다. 즉 당 조직 내에 몇 개의 독립단체가 존재하는 것이 아니고 '협의식'의 방식으로 당 사업을 진행한다. 반대로 개인이 참가할 수 있는 것은 물론이거니와 단체의 참가 역시 원유의 단체를 해소하고 완정한 단일당으로 되어 행동과 조직의 절대적인 통일을 요하고 당 상급 기관의 모든 영도에 대한 절대적인 복종을 요하며 소파벌 조직의 시도, 언론, 행동을 금지한다. 정식 대표대회가 선출한 하나의 중앙, 당장이 선거한 각급 당 조직 외에는 그 어떤 성질과 형식의 '조직'도 그 존재를 허용하지 않는다.

　민족혁명당은 한 면으로는 철 같은 규율과 조직의 완정성을 엄격히 요구하고 다른 한 면으로는 또 당내 사상 신앙의 자유를 윤허한다. 무릇 반일민주사상에 위배되지 않는 경우, 즉 민족혁명당 강령, 정책, 당장에 위배되지 않는 범위 내에서는 사상 신앙을 연구할 충분한 자유가 있다. 민족혁명당은 조선민족중의 해방을 주장하는 몇 개 계급의 정치연맹이기 때문에 사상, 신앙을 '통제'하거나 '압박'하지 않는다. 그렇다면 당의 완정성, 철 같은 규율과 사상 신앙의 자유는 모순되는 것인가? 우리의 대답은 아니다, 이다. 민족혁명당의 성질로 말할 때 그 어떤 부동한 의식형태든 다 결함과 약점이 아닌 특징으로 될 수 있다. 민주적인 토론과 집권적인 집행 면에서 장애가 되지 않으며 반대로 당내에 사상 신앙과 학술 연구의 충분한 자유가 있으면 당이 더 빨리 진보하고 더욱 단결될 수 있다. 이 우점은 과거의 경험에서 이미 증명된바가 있다.

　3. 4대 자유(민족, 정치, 경제, 사상 자유)와 당의 영도권.

　우리는 지금 전국 동포와 전 세계 인사들에게 우리의 4대 자유의 주장을 재 언명한다. 우리가 주장하는 4대 자유는 조선민족의 혁명정신을 대표할 뿐더러 세계 반파쇼전쟁중의 민주정신을 대표한다. 세계는 어느 방향을 향해 가고 있는가? 우리의 긍정적인 답복은 새로운 민주주의 방향으로 가고 있다는 것이다. 우리가 제출한 4대 자유는 바로 이 방향을 향해 가고 있다. 우리는 이 방향을 향해 가야만 세계의 모든 파쇼국가를 타도하고 조선민족이 일본파쇼통치에서 해방될 수 있다는 것을 깊이 믿는다.(동상) 우리는 이 정확한 정치노선을 지키기 위해 반드시 강한 당의 영도가 있어야만 한다. 노동자, 농민, 소자산계급 외에도 우리는 기타 모든 애국지사들이 민족혁명당에 용약 참가하여 함께 민족해방을 쟁취하는 것을 아주 뜨겁게 환영한다. 그러나 우리는 또한 솔직하게 성명한다. 당의 영도권은 반드시 노동자, 농민, 소자산계급의 손에 장악돼야 한다. 이 세 계급의 친밀한 공동 영도만이 당내와 민족의 단결을 담보하고 4대 자유의 빛나는 길로 나갈 수 있도록 담보하며 중도에서 멈추거나 '도피'하지 않도록 담보할 수 있다.

4. 민족혁명당은 아직도 창설 과정에 있다.

대내외 혁명당파 및 군중단체와 합동 혹은 연합하여 전 민족적인 통일전선을 확대 강화한다. (정책 참조)

민족혁명당의 통일전선정책 조목에 '합동'은 합병이라고 명확히 규정했다. 이 점에서 민족혁명당은 아직 건립 과정에 있으며 맏이가 아니라 완성해야 할 유일한 대 정당이라는 것을 보아낼 수 있다. 우리와 같은 성질의 당― 정치연맹―들에 대해 우리는 합동하기를 원하며 우리와 성질이 부동한 당에 대해서는 우리는 연합을 원한다. 민족혁명당은 창설돼서 지금까지 줄곧 조선혁명운동의 하나의 새 방향 즉 혁명역량이 날로 단합되는 새로운 방향을 향해 발전하고 성장해왔다. 그러나 우리의 목표와는 아직도 먼 거리가 있다. 지금의 민족혁명당 이 하나의 역량에만 의거해서는 조선에서의 일본의 파쇼통치를 뒤엎을 수 없다. 도리는 빤하다. 모든 항일당파와 연합해야 할뿐만 아니라 우리와 같은 성질의 당파와도 진일보의 합동을 해야 한다. 오직 이렇게 해야만 위대한 역량이 합쳐질 수 있다. 과거 민족혁명당이 창립 될 때에도 이렇게 했다. 지난해의 4당 통일 때에도 이렇게 했다. 앞으로도 이렇게 할 것이다. 우리는 우리 당의 역량을 조금치도 과장하지 않는다. 우리는 솔직하게 말한다. 우리의 당은 아직도 창설 과정에 있다. 우리의 당은 주관적으로 '득의양양'해하는 정당이 아니며 매일 매 시각 진보하고 발전하는 젊은 당이다. 끊임없이 새로운 혈액이 들어와 영원히 보충되어야만 한다. 우리의 당은 양자강의 한 지류일 뿐이다. 우리는 끊임없이 수많은 지류와 합동하고 연합하여 전 민족적인 강대한 정치연맹을 형성하기 위해 분투해야 한다.

우리는 믿음직한 근거가 있다. 국내의 광범한 노동자, 농민, 소자산계급의 군중들은 적들의 압박 밑에서도, 전례 없이 어려운 환경 속에서도 각종 조직 방식으로 민족해방운동을 계속하고 있다. 이런 역량은 아직도 한 조직에 통일되지 못했고 분산적인 상태에 있다. 분산적이고 개별적인 운동조직을 통일적인 역량으로 조직하는 이 과업의 일부분을 우리의 당이 짊어져야 한다. 동시에 이것 또한 우리 당이 창설 과정에 있다는 증명이 된다.

5. 민족혁명당의 내일은 더욱 밝을 것이다.

민족혁명당은 오늘은 해외에 있지만 장래에는 국내에 있을 것이다. 독립 후에는 그 존재 및 발전의 더욱 큰 사회조건이 있을 것이다. 이 문제에 관해 위에서 이미 서술한 바가 있지만 지금 다시 한 번 거듭 말하고자 한다. 노동자, 농민, 소자산계급을 토대로 하는 반일반파쇼 정치연맹은 국제형세의 영향, 국내 인민의 혁명화, 당내의 사상의 자유화에 따라 정치동맹의 내용이 끊임없이 충실해지고 혁명화 될 것이다. 혁명운동이 발전함에 따라 반드시 혁명적인 인민이 정치연맹에 대량으로 가입할 것이며 인민에 대한 정치영향이 확대됨으로 하여 이 정치노선은 더욱 정확해지고 조직기구는 더욱 강해질 것이다. 이런 정치연맹은 지금 그 우월성이 담보되었을 뿐만 아니라 장래에도 여전히 그 존재 및 발전의 사회조건을 갖게 될 것이다. 그리고 해외에서의 과업이 중대할 뿐만 아니라 국내에서도 독립 후에는 더욱 밝은 앞날이 있을 것이다.

민족혁명당의 성질문제에 대해 오늘 여기까지만 말하겠다. 상술한 5가지 점은 극히 간단한 개요에 불과하다. 나는 금후 적당한 기회에 성질문제를 다시 한 번 더욱 깊고 자세하게 진술하는 것으로 그 부족점을 보충하고자 한다.

『朝鮮民主革命黨創立第九周年紀念專刊』,
一九四四年七月五日

대적선전에 대한 몇 가지 문제

서언

우리는 대적선전공작을 시작한 후 지금까지 이미 1년이 됐다. 이 1년 동안 우리는 무수한 전역에 참가했고 무수한 전단지를 살포했고 무수한 표어를 붙였다. 어떤 때에는 우리는 사병들과 함께 전호에 엎드려 있었고 어떤 때에는 적후 지역을 수백 리씩 다녀야 했다. 적들의 마취를 당하고 꼬임에 넘어가 할 수 없이 중국에 죽으러 온 일본 사병들을 불러일으키기 위해 우리는 최대의 위험을 무릅쓰고 최대의 고생을 하면서 적들의 겹겹한 철 사망을 넘고 적의 진지에 뛰어들어 우리가 감당해야 하는 대적선전공작을 수행했다.

'대적선전'은 멋진 명사가 아니다. 적들은 '명분도 없이 군대를 출동'시켰고 우리는 민족해방을 쟁취하고 세계평화를 구하는 대 전제가 있다. 때문에 전쟁이 지속될수록 전쟁을 혐오하고 전쟁을 반대하게 되는 사실에 근거해 적들의 사병 민중을 불러일으키는 공작을 하게 된 것이다. 이런 과업을 달성하려면 분명 단 시간 내에는 할 수 없다. 소수인이 책임지고 완성할 수 있는 것도 아니다. 이는 반드시 광범한 군중운동이여야 한다. 모든 민중, 모든 전투원들, 모든 지휘관들, 특히는 적후에서 각종 투쟁을 진행하는 공작인원들이 다 이 거대한 과업에 대해 알고 실행해야 하는 것이다.

솔직히 말하면 전쟁이 이미 제2기에 들어선 지금도 대적선전은 사람들의 실행과 주의를 불러일으키지 못하고 있다. 뿐만 아니라 지어 어떤 사람들은 이에 대해 의심하고 경시하고 있다. 이는 확실히 엄중한 오유이다. 이런 오유를 극복하기 위해, 대적선전공작에 대한 중국 군민들의 중시와 실행을 불러일으키기 위해 이미 1년 남짓한 동안 대적선전공작을 한 우리 조선의용대가 나팔 역할을 할 수 있기 바란다. 그러므로 우리는 우리가 1년간의 투쟁 중에서 얻은 경험을 중국의 군민들에게 기여하여 이 문제에 대한 뜨거운 토론을 불러일으킬 수 있기를 바란다.

1. 대적선전의 몇 가지 원칙

우선 우리는 대적선전원칙의 이론으로 우리의 두뇌를 무장하고 모든 동지들이 이론의 통일을 가져오게 하는 것을 대적선전 실천의 선결조건으로 삼았다.

"대적선전은 적군내부 및 적군 전선에 우리의 우군을 건립하고 침략주의자들의 입각점을 뒤엎는 정치투쟁"(조선의용군 대적선전 필휴를 참조.)이다.

1) 침략전쟁은 그들(일본사병)과 그들의 나라에 거대한 손실을 주었으며 그들은 이미 위험한 길에 들어섰다는 것을 그들에게 철저히 인식시켜야 한다.

2) 위험을 벗어나는 유일한 방법은 침략전쟁을 반대하고 전쟁 발동자, 군사침략주의자(군부 폭력파)를 타도하는 것이라는 것을 알려준다.

3) 그들의 반침략전쟁은 절대 고립무원하지 않다는 것을 알려준다.

(이상 세 가지는 조선의용군 대적선전 필휴를 참고.)

이런 원칙이 현실로 변하게 하기 위해서는 반드시 다음과 같이 한다. ① 이번 침략전쟁으로 말미암아 그들 및 전 일본 국민들이 당한 희생, 빈궁, 기아의 고통을 지적하고 구체적인 사실을 열거한다. ② 이번 중국침략전쟁의 발동자를 공격하고 적들의 약점을 진공하고 주요한 적을 고립시킨다. 일본

국민에게 공격당해야 할 사람의 성명을 말해주며 절대 얼버무리지 말고 각기 격파하는 전술을 응용한다. ③ 국제 환경에서 반침략 세력이 끊임없이 강화되고 침략주의자들이 날로 고립되고 쇠약해지는 사실을 지적한다.

상술한 원칙을 이해하고 파악한 후에는 또 반드시 기계적으로 운용하는 몇 가지 점에 주의한다. 즉 "각 전구, 각 지방의 현실상황에 근거하고 시시로 변화하는 전쟁국면에 근거해 일본 인민과 사병들이 직면한 문제와 생활 상황을 확실하게 알아야만 예기한 효과를 거둘 수 있다."(조선의용대 대적선전 필휴)

2. 과거의 오유적인 관념을 타파했다.

1) 빠른 효과를 거두려는 관념을 타파했다. 직접 대적선전을 담당하는 우리 자신은 늘 이런 관념을 갖고 있었다. 일반 부대의 장병들은 특히 이런 관념이 농후하다. 구호 몇 마디와 표어 몇 장으로 적의 내부에 이상이 발생하는 효과를 바라는데 이는 불가능한 일이다. 이런 바람이 사실이 될 수 없을 때에는 실망하고 조급해하는 것이 일반 통병이다. 이런 속효(速效) 관념은 완전히 주관적인 조급증이다. 틀림없이 적의 군국주의 사상에 마취된 적의 병사들에 대한 인식이 부족한 탓이다. 이런 속효관념의 결과는 반드시 대적선전공작에 대한 신심을 잃게 되는 결과에로 나가게 된다. 지어 '대적선전무용론'의 오유적인 인식에 빠지게 된다. 우리는 대적선전에 대한 자신감을 잃고 대적선전을 경시하는 오유적인 사상을 극복해야 한다. 정치면에서 적군을 쇠약 시키고 적군을 동요시키고 적군을 와해하는 공작이 얼마나 중요한 의미를 가지고 있는지를 철저히 인식해야 한다. 동시에 우리는 어떻게 해야 부대 장병에 대한 보편적인 선전을 잘 하여 대적선전의 진정한 의미를 잘 알게 하겠는가, 라는 문제를 잘 연구해야 한다. "우리는 조급해서는 안 되며 단

기간 내의 큰 효과와 표현을 요구해서도 안 된다. 워낙 선전공작이란 단기간 내에 효과를 보는 것이 아니며 반드시 장구적이고 지속적인 노력을 기해야만 조금씩 점차 효력을 발생하게 되는 것이기 때문이다."(화선상의 조선의용대의 55쪽 참조.)기타의 선전공작과 마찬가지로 대적선전공작은 오직 지구적이고 참을성 있는 노력을 기해야만 원만한 효과를 거둘 수 있다. 그러므로 '끝까지 선전하고', '장기적으로 선전'하는 정신이 필요하다.

　2) 유일기구주의 관념을 타파했다. 가능하다면 과학적인 선전기재로 얻은 효과가 물론 더 클 것이고 공작자의 위험과 곤난도 더 줄일 수 있다. 이는 자연스러운 일이다. 그러나 지금 민족해방전쟁을 진행 중인 중국에 어찌 완비한 과학기재가 있어서 대적선전용으로 공급할 수 있겠는가? 확성기 설비를 몇 대 얻는 것도 어려운데 전단지를 살포할 수 있는 비행기를 바란다면 그건 더욱 어려운 일이다. 중국 항전이 이미 승리 단계에 접근하는 지금 물질조건의 곤난은 날로 심해지고 있다. 우리가 이런 원인으로 대적선전공작을 포기할 수 있는가? 아니, 절대 안 된다. 물질조건이 낙후한 약소민족이 제국주의에 대한 혁명전쟁을 하려면 장병의 몸과 고도의 자각적인 정신으로 제국주의자들의 현대무기에 대항해야 한다. 동시에 이런 대항으로 우리는 승리에 대한 파악이 있다고 굳게 믿어야 한다. 그러므로 우리는 각오와 자신감을 갖고 정의적인 대적선전공작은 목소리로 확성기를 대신하고 두 다리로 비행기를 대신하면서 구호를 웨치고 전단지를 살포할 수 있다고 인정했다. "적아가 접촉하기 시작하면 자신의 과업을 달성하기 위해 총탄이 우박처럼 쏟아져도 우리는 생명의 위험을 무릅쓰고 포복 전진하여 대적선전의 전단지 800장을 완전히 적의 철사망 안에 살포했다."(화선상의 조선의용대 45쪽 참조.) 우리는 '유일기구론'과 '기구 제1주의'를 절대적으로 버렸다.

3. 반드시 긴밀히 연계하여 보조적인 공작을 해야 한다.

1) 부대 장병들과 하나로 뭉쳤다. 전단지를 살포하고 구호를 외칠 때에 반드시 적들과 가장 가까운 거리에 접근해야 한다. 이렇게 하려면 부대의 무장 보호 또는 원조가 필요하다. 대적선전은 반드시 부대의 전투에 협동하여야 한다. 중요한 것은 현재 공작인원이 너무 적은 현상을 개변시키고 이 공작에 대한 전체 장병들의 관심을 불러일으켜서 그들이 이 공작에 적극 참가하게 하는 것이다. 현재 장병과 정공 인원의 반목과 비협조, 질시의 경향을 극복함으로써 장병들과 하나로 뭉쳐 새로운 공작 작풍을 수립하는 것이다.

"우리는 부상당한 형제들을 등에 업고 그들을 안전한 지대에로 전이시켰다. 그들의 선혈이 우리의 옷을 붉게 물들이고 옷 속으로 스며들어 우리의 살에 엉겨 붙었다."(화선상의 조선의용대 50쪽 참조.)

이렇게 사업 적극성을 발휘하여 모든 곤난과 위험을 무릅쓰고 자신의 생활을 사병화하고 대적선전의 정치공작에서 영도 및 모범역할을 해야만 성공할 가능성이 있다.

2) 민중과 하나로 뭉쳤다. 민중의 진심어린 사랑과 합작이 없었더라면 신변의 위험은 수시로 있었다. 우리는 소수인의 공작을 광범한 민중운동으로 확대하고 군중 속에서 대적선전공작을 선전하고 조직하려고 하기 때문에 각종 민중공작을 통해 민중과 하나로 뭉쳐야만 가능했다. "북항선무반 반장 히로키는 유지회에 지시해 조선의용대 대원 1명을 잡으면 상금 천 원을 준다고 했다. 우리와 당지의 백성들은 감정이 아주 친밀하여 한집 식구 부자처럼 지냈다. 우리는 적들의 이런 유혹을 받을 사람은 한 사람도 없다는 것을 믿고 있다."(화선상의 조선의용대 82쪽 참조.)

4. 공작에서 몇 가지 중요 사항

1) 부대의 전투에 긴밀히 협조하고 협동한다. 장병들로 하여금 대적선전을 경시하는 경향을 극복하게 한다. 특히는 지휘관의 작전 계획에 항상 대적공작의 협력관계가 반영되게 해야 한다. 대부분의 지휘관들은 이 공작에 대해 망각하거나 지어 그들의 작전을 방해한다고 생각한다. "적들은 퇴각할 때에 혼란스럽기 그지없다. 총과 총이 부딪치고 사람과 사람이 부딪친다. 이 기회를 이용해 우리는 큰 소리로 외친다. '총을 버리시오, 우리한테로 오시오, 우리는 일본 형제들을 환영합니다.' 우리가 이렇게 일본어로 구호를 외치는데 우리의 형제들은 추격사격을 한다. 이때에 일본의 사병들은 진짜로 투항하고 싶어도 할 방법이 없다. 우리의 의견은 반전사상이 있는 적병들에게 투항의 기회를 주기 위해서는 사격을 중지하고 일본어 구호만 외치면서 지켜보아야 한다. 그러나 우리의 능력 한계 때문에 이렇게 할 수가 없다!"(화선상의 조선의용대 49쪽 참조.) 이렇게 전투와 선전공작이 '각기 제 갈 길을 간다'면 결국은 실패할 것이 뻔하다.

2) 직접 전투에 참가한다.(복무원식을 반대한다.) 우리는 전체 장병들을 동원해 직접 대적선전공작에 참가하게 하는 노력이 필요하다. 그러나 우리가 사부, 탄부에 앉아 모든 일은 다 장병들이 하게 하고 자기는 최전선에 나가 혁명적인 모범역할을 발휘하지 않는다면 적극적인 전투성과 희생정신을 표현할 수 없다. 결국은 '복무원화'와 '관료화'를 양성해 공작의 실패와 자신의 파산을 초래하게 된다.

"우리는 영장의 허가를 받고 연장과 패장을 잃은 두 패의 사병들을 지휘해 공격하면서 전진했다. 한 면으로는 선전표어, 전단지, 풀 통과 솔을 손에 들고 다른 한 면으로는 사병들을 지휘해 전진하였는데 그 모습은 그야말로 우스웠다. 우리는 지휘하는 한편 일본어로 구호를 외쳤다."(화선상의 조선의용대 47쪽 참조.) 이렇게 작전을 지휘하고 적의 진지로 돌격하면서 가장 가까운 거리에서 구호를 외치면 아주 큰 효과를 볼 수 있다.

3) 선전물의 자체 제작, 자체 공급. 선전물의 공급은 아주 어려운 일이다. 특히 적후에서는 더욱 곤난하다. 금후 항전이 심각한 단계에 진입할수록 이런 곤난은 더욱 심해질 것이다. 이 곤난을 극복하는 유일한 방법은 오직 선전물을 자체로 만들고 자체로 공급하고 '당지에서 해결하는 것' 뿐이다. 우리는 후방에 대한 의뢰심을 타파해야 한다. 이런 환경에서 어디에 인쇄소가 있으며 어디에 인쇄잉크가 있겠는가? "교통이 불편하다보니 인쇄비용이 많아져서 대적 선전물에 대한 인쇄가 아주 힘들었다. 이런 어려움을 극복하기 위해 우리는 도장을 새기는 노인을 찾아 목각을 부탁했다. …… 그 후부터 우리는 자체로 전단지, 표어를 아주 적은 잉크로 인쇄해낼 수 있었다. 게다가 이 목각은 영구적인 것이어서 가난하고 편벽한 고장이거나 황야, 심산에서도 우리는 계속 인쇄해낼 수 있다."(화선상의 조선의용대 81쪽) 우리는 이런 정신과 작풍으로 모든 물질적인 곤난을 극복했다.

4) 무장선전(전투하는 한편 선전했다.) 대적선전공작은 적과 가장 가까운 거리에 접근하지 않고는 할 수 없다. 그렇다면 전투에 참가하는 것 외에는 다른 방법이 없다. 과학적인 선전기재가 완전히 결핍한 우리로서는 육박전을 해야 할 위험 지대가 아니고는 과업을 수행할 수 없었다. 수시로 적을 만날 수 있기 때문에 수시로 전투해야 했다. 동시에 무장은 대적공작의 과감성을 더욱 강화하고 위험지대를 피면하려는 나약한 심리를 제거했다. 더욱이는 무장했기 때문에 부대의 전투에서 저급적인 노예지위를 벗어나 독자적인 작전계획을 짜고 대적선전공작 위주, 전투 보완의 방식으로 공작을 더욱 순조롭게 할 수 있었다. 때문에 무장은 절대적으로 필요했다. "적들의 보초선인 황가산 아래에서 전단지를 붙이는 한편 붉은색 흙으로 벽에 표어를 제작했

다. 한창 작업하고 있는데 갑자기 적들의 편의대 15명의 습격을 받았다. 우리는 즉시 권총으로 전투하고 형제들은 보총으로 반격하여 격렬한 전투는 약 10여 분간 진행됐다. 15명의 일본침략자들은 머리를 싸쥐고 쥐들마냥 도망쳤다. ……"(화선상의조선의용대 26쪽 참조.) 이렇게 무장해야만 적의 보초선에 접근해 공작하면서 적을 격퇴할 수 있다.

5) 유격선전이 진지선전보다 더 중요하다. 진지선전이 중요하기 때문에 우리는 포기할 수 없다. 그러나 더욱 중요한 것은 유격대 선전공작이다. 우리는 진지선전공작을 하는 한편 유격대 선전을 우리의 중심공작으로 삼았다. 우리가 적군에서의 조선민중을 쟁취해 우리의 혁명전선으로 오게 하려면 유객대와 협동해 적후에 심입하는 것이 필수적이기 때문이다. 우리는 대적선전공작과 금후 조선의용대 확대 계획 및 절차를 하나로 하여야 하기 때문에 일본 사병들을 향해 공작하는 것은 당연한 일이다. "……어제의 적의 주둔지가 오늘은 우리의 주둔지로 되고 오늘의 우리의 숙영지가 내일의 적의 숙영지로 될 수도 있다. 그러므로 우리의 대적선전공작은 그 어느 곳을 가든지 우선 병영을 만드는 일을 중심으로 전단지와 구호들을 가능한 곳마다 다 붙였다."(동상 104쪽)

"……아군의 사복 정탐들이 유격구에서 적들이 무치한 날조를 하는 집회를 직접 보았거나 그 집회에 직접 참가한 적이 있다. 적들은 우리가 살포한 전단지와 붙여놓은 표어를 들고 일반 민중(유격구)에게 '이른바 조선의용대라는 것은 전부 군벌 ×××가 허망하고 터무니없는 날조를 한 것이다. 조선에는 이런 물건들이 하나도 없다'라고 말했다."(동상 82쪽)

유격구내에서 적들이 얻게 되는 우리의 선전물의 수량은 진지에서 얻은 수량보다 몇 배 더 많다.

5. 기술면의 몇 가지 요점

1) 구호를 가르치는 방법(사병에 대해): "염불 외우듯이 읽게 하면 발음이 정확하지 않을 뿐더러 두 번째 구절을 읽으면 첫 번째 구절을 잊게 된다."(동상 86쪽)

반을 단위로 총명한 몇 사람을 선택해 (오늘은 4명이라고 가정하자) 사람당 한 구절씩 가르친다. 예하면 다음과 같다. (1) 日本の兄弟ょ! (2) 銃を捨てか― (3) 殺さない! (4) 此處へ來ぃ! 이렇게 하면 완전한 뜻이 완성된다.

2) 표어를 쓰고 표어를 붙이고 전단지를 살포하고 선전물의 색깔과 양식을 선택하는 문제.

A. 피해야 할 곳: "적들은 어느 날 웬일인지 왕가판 부근에 뛰어들어 촌민 세 명을 붙잡고 우리가 붙인 표어와 전단지를 가리키며 물었다. '이 물건들은 어떤 사람들이 붙였는가! 한국인인가?' 눈알을 희번덕거리며 살기등등하여 촌민을 쏘아보며 대답을 기다렸다. ……"(동상 104쪽)

적아가 대치하는 중간지대의 가옥이거나 적 점령구의 가옥의 벽에 대적 선전표어를 만들어 놓거나 붙여놓으면 적들은 그 가옥에 꼭 불을 지른다. 지어 인민이 살해될 수도 있기에 가능한 피면해야 한다.

B. 좋은 곳: 절이거나 불상의 몸에 쓰거나 붙여놓으면 가장 좋다. 적병들이 미신을 믿기에 감히 불을 지르지 못하고 감히 파가지도 못하기 때문이다.

C. 피해야 할 시간: 비 올 징조가 있기 전, 바람이 불 때에 전단지를 살포하지 않는다.

D. 색깔이 있는 종이 표어, 전단지는 흰색보다 더 좋다.(초록색, 붉은색, 노란 색.)

E. 살포한 전단지는 붙인 표어보다 낫다.

F. 작은 것이 큰 것보다 낫다.(명함장만한 크기)

G. 전단지 뒷면에 우대증, 통행증을 찍으면 좋다.

3) 종이 연 사용의 가능성: 종이연의 하단의 약 5촌 가량 되는 곳에 종이 봉지를 달아맨다. 안에는 적당한 수량의 전단지를 넣고 종이봉지를 끈으로 잘 맨다. 종이봉지와 끈의 중간에 향불을 매어놓고 종이 연을 공중에 날린다. 이렇게 되면 향불이 타면서 끈을 태워버리고 종이봉지가 열리게 되면 전단지가 날아갈 수 있다. 그러나 사전에 적과의 거리와 향불이 타는 시간을 잘 계산해야만 가능하다.

4) 전단지를 붙이고 살포하여 그 효과를 보려면 시간에 대한 조사를 하고 수시로 방법을 바꿔야 한다.

5) 전단지를 돌멩이에 매어 투척하는 방법이다. (단거리에서는 가능하다.)

이상의 진술은 대적선전공작을 통해 배우고 체험한 나의 개인적인 경험이다. 대적선전은 간단한 문제가 아니다. 그러므로 절대로 이 짧은 문장 하나로 토론이 다 될 수 있는 것이 아니다. 그러나 이를 통해 포전인옥을 했다면 이것은 나의 바람이기도 하다.

『朝鮮義勇隊通訊』, 第33期

조선의용대의 정치노선

금년 쌍십절은 조선의용대가 창설된 지 3주년이 되는 날이다. 확실히 우리의 의용대는 투쟁 속에서 강대해졌다. 이는 그 누구도 부인할 수 없는 철 같은 사실이다!

이런 승리적인 전투성과는 전체 동지들이 영용하게 분투한 외에도 중국 정부 및 중국 민족이 원조한 결과이다. 아울러 더욱 혁명적이고 정확한 정치노선에 의해 얻은 결과이다. 우리는 일관적으로 이 정치노선을 견지해왔다. 과거에도 그러했거니와 지금도, 그리고 앞으로도 반드시 이 혁명의 정확한 방향을 향해 전진할 것이다. 그렇다면 이 혁명의 정확한 정치노선의 구체적인 내용은 무엇인가?

1. 우리는 조선민족의 대오이다.

1) 오늘날 조선민족의 가장 주요하고 유일하고 공동한 목표는 조선민족의 철저한 해방이고 조선민족의 독립을 쟁취하는 것이다. 김대장은 늘 두 가지 구호를 제출해왔다. 즉 "민족제일", "독립제일"이다. 이 두개의 구호는 아주 정확하게 목전 우리가 노력해야 할 혁명의 방향을 틀어잡았다. 이는 본대의 정치정신이다. 우리는 비록 중국 관내에 있지만 단 한 시각도 전반 조선민족의 앞날을 잊은 적이 없다. 우리는 오직 조선민족에게 이익이 있기만 하면 모든 곤난을 두려워하지 않고 희생할 것이다. 그것이 진지이든, 적후이

든, 혹은 적이 이미 강점한 도시이든 가서 공작할 것이다. 우리는 바로 이런 민족의 대오이기 때문에 민족해방의 위대한 책임을 짊어지고 있다. 그러므로 우리의 모든 언론, 행동, 선전, 조직 등 모두가 일본제국주의의 압박과 착취 밑에 신음하고 있는 조선민족에 입각하고 있다. 우리의 모든 정신은 다 일본제국주의를 타격하기 위해 집중돼 있다. 화남, 화중, 화북이든 가리지 않고 진지이든, 적후이든, 유격구이든 가리지 않고 우리는 김대장이 지시한 "민족제일", "독립제일"의 견정한 본 대의 정치정신의 영도 하에 중국의 국민혁명군, 백성들과 긴밀히 손잡고 우리의 총구를 일치하게 적의 가슴에 조준하고 있다!

2) 우리 의용대는 어느 계급의 대오가 아니라 민족의 대오이다. 대원들의 성분이 서로 다르고 대원들의 출신이 각양각색이지만 그들은 다 적의 압박과 착취 때문에 핍박에 못 이겨 중국으로 왔다. 그들은 오랫동안 반일투쟁을 한 경험이 있는 사람들이다. 이런 그들이기 때문에 일본제국주의에 대한 원한이 아주 깊다. 우리는 우리의 적은 하나—일본제국주의라는 것만 알고 있다. 의용대는 어느 한 계급의 부대가 아니기 때문에 무릇 반일하는 조선인민은 다 참가할 권리가 있으며 우리의 의용대에 참가하는 것을 아주 환영한다. 민족의 이익에 위배되지 않고 반일 투쟁 강령을 반대하지 않고 절대적으로 본 대의 기율에 복종한다면 사상, 신앙을 묻지 않는다. 어느 어느 사상은 환영하고 어느 어느 사상은 배척한다는 것이 없이 반일하는 전부의 민족은 다 의용대의 깃발아래 단결하고 일본제국주의와 결투하여 조선민족의 독립을 쟁취하기 위해 싸운다. 우리는 새 나라를 세울 것이다. 낡은 한국을 광복하는 것이 아니고 구미식의 의회제도의 나라도 아니고 소련식의 사회주의 나라는 더욱 아니며 전민이 자유 행복한 새로운 조선민주공화국이다. 본 대는 어느 한 계급에 복종하는 것이 아니라 전 민족에 복종한다.

"우리는 일본제국주의에 의해 유린당한 식민지이다. 우리는 피압박민족의 혁명 입장으로 중국 항전에 참가하여 중국 항전의 승리와 조선민족의 독립해방을 쟁취하고자 한다. 그러므로 우리 조선민족은 반일민족통일전선의 일원이다. 즉 조선민족은 전체 민족의 공동 반일의 입장에서 계급, 당파를 불문하고, 도적을 애비로 모시는 민족의 반역자만 아니면 우리는 그들과 공동으로 일본제국주의에 반항하는 혁명 통일전선을 건립한다."(본 간행물 39기 5쪽)

3) 다음으로 우리는 절대 의용대가 오늘의 역량에 머물러 있기를 바라지 않는다. "오늘날 조선혁명운동의 수요에 부합되게 하기 위해, 오늘날 항전의 수요에 부합되게 하기 위해, 이 위대한 시대의 수요에 부합되게 하기 위해 우리 조선의용대는 반드시 더욱 굳세고 공고히 되고 발전되고 전투화된 대오로 됨으로써 그 적극적인 역할을 충분히 발휘해야 한다."(김약산)

우리는 자신의 모든 것을 희생시켜서라도 오늘의 의용대가 재빨리 공고히 되고 강화되어 일본제국주의를 전승하는 강대한 반일역량으로 될 수 있기를 바라며 아울러 우리를 가장 많이 관심하는 모든 국제 전우들의 역량도 재빨리 공고히 되고 발전, 강대해져서 조선민족의 철저한 해방을 쟁취할 수 있기를 바란다. "무장대오를 건립해 중국 항전에 직접 참가하는" 과업을 완성하려면 광범한 반일조선인민이 직접 조선의용대에 참가하지 않고는 완성할 방법이 없다. 그렇다면 광범한 조선인민은 어디에 있는가? 적후에 가야만 있다. 더 확실하게 말한다면 그들은 다 적들의 총포가 직접 통치하는 곳에서 강박을 당하고 기만을 당하면서 우마와 같은 삶을 살고 있다. 그러므로 우리는 그들을 쟁취해야 한다. 반드시 사업을 적후에로 발전시켜야 한다. "지금 우리는 반드시 과거 2년 동안의 경험을 살려서 새로운 객관 정세에 근거해 우리의 사업을 포치함으로써 우리의 사업이 전반적인 전변을 가져오고 보다 높은 단계에 들어서게 해야 한다. 단순한 대적선전의 과업을 전투적이고 무장적인 작전 과업으로 발전시켜야 한다. 전장에서 단순한 공작을 하던 데로부터 공작중심을 적후로 발전시켜 적후에 깊이 들어가 조선군중을 쟁취해야 한다. 이 두 가지 큰 과업은 본 회의 금후 사업의 기본 방향이다. 우리는 적후의 수십만 조선군중(동북 제외)이 동원되고 조직되기만 하면 그야말로 가볍게 볼 수 없는 역량이 될 것이라는 것을 굳게 믿는다. 중국 항전 및 조선혁명에 거대한 도움이 될 것이며 적후유격전쟁의 발전에 아주 큰 영향을 일으킬 것이며 정치면에서 전반 조선혁명의 활발한 발전을 추동할 것이며 적들의 통치를 동요시킴으로써 중국 항전의 승리 및 조선혁명의 성공이 더욱 빨리 도래되게 할 것이라는 것을 굳게 믿는다."(김약산) 그러므로 '적후로의 발전'은 오로지 하나의 공동한 신념이 있을 뿐이다. 즉 오늘의 의용대를 재빨리 공고히 시키고 강대하게 발전시켜 일본제국주의를 전승하는 하나의 강대한 반일역량이 되게 함으로써 더욱 효과적으로 중국 항전을 돕고 더욱 많이 일본제국주의를 타격하여 하루 빨리 조선민족의 철저한 해방을 완성하고 자유행복의 민주공화국을 건립하는 것이다. 이 광명정대한 신념 외에 다른 신념이란 있을 수 없다!

4) 우리 조선민족은 비록 나라는 망했지만 우리는 자신의 공동한 언어, 공동한 영토, 공동한 경제연계, 공동한 문화를 갖고 있는 3천만 인민 집단이 있다. 동시에 우리의 의용대는 조선인민이 건립한 대오로서 조선민족의 철저한 해방을 위해 투쟁하는 대오이다. 그러므로 우리는 우리 의용대가 자신의 민족의 자주성, 독립성을 갖고 있다고 인정한다. 이 민족의 자주성, 독립성은 우리가 금후 사업을 발전시키고 적을 타격하는 면에서 절대적으로 유익하며 아울러 영원한 전우인 중국 민족이 조선혁명을 원조하는 효과 면에서도 특별히 중요하다. 중국 관내의 특수성에 의해 우리 자신은 자력갱생하지

못하고 정치, 경제 여러 면에서 거의 다 중국 정부와 민족의 도움에 의거해 우리의 사업을 진행하고 있다. 우리에 대한 이런 위대한 동정과 도움에 대해 무한한 감사를 표하며 금후에도 보다 큰 범위에서 계속 우리의 반일혁명사업을 도와주기를 바란다. 국제원조에 있어 민족자주성, 독립성은 모순의 대립 면이 아니다. 국제원조로 인해 우리 민족의 자주성, 독립적인 활동을 약화시켜서는 절대로 안 되며 반대로 혁명적인 국제원조는 피 원조민족의 자주성, 독립성을 더욱 보장하고 확대시켜 주어야 한다. 동시에 우리도 민족의 자주성, 독립성의 보장 및 확대의 토대에 근거해 원조를 쟁취해야 한다.

중국정부는 과거에도 그러했거니와 지금도 시종 조선혁명운동에 호의적인 동정과 원조를 아주 많이 했다. 그러나 그들은 원조를 했다하여 재중 조선혁명운동자들의 민족적 자주성, 민족성을 조금이라도 제한하거나 약화시키려고 하지 않는다. 반대로 우리에 대한 그들의 원조는 호의적이고 동정적이고 혁명적인 원조였기에 시종 우리의 민족자주성, 독립성을 존중하고 적극적으로 민족의 자주성, 독립성을 발양하도록 우리를 도와주었다. 중·한 두 민족은 영원히 친밀하게 연합하는 것과 민족자주성, 독립성을 적극 발양하는 것 사이에 아무런 갈등도 없다. 오히려 이와는 반대로 중·한 두민족의 친밀한 연합은 더욱 강화돼왔다. 우리는 굳게 믿는다. 오늘날 항일하는 중국정부는 금후에도 우리에게 과거와 지금보다 더 크고 더 구체적인 원조를 할 것이며 아울러 우리에게 가능한 정도로 민족자주성, 독립성을 발양할 기회를 주면서 반일공작을 계획하고 포치할 것이다.

2. 우리는 시종 반일반침략 노선을 견지했다.

1) 우리는 일관적으로 반일반침략노선을 견지했다. 이 노선 외에는 두 번

째 노선은 없다. 우리 조선민족은 다 망국노이기 때문에 우리의 적은 하나, 일본 제국주의이다. 오직 반일반침략 노선을 견지해야만 광명이 있고 반대로 이를 견지하지 않으면 오로지 멸망뿐이다. 우리의 모든 사상, 행동은 다 반일반침략 사업에 집중돼있다. 책을 보고 연구하고 담화를 하고, 진지에서 일본말로 구호를 부르고 일본전단지를 살포하고 적의 후방으로 가고 적의 도시로 잠입해 조선군중을 조직하고, 강남유격구에서든, 화북유격구에서든 다 일본제국주의를 타도하기 위해, 망국노의 쇠사슬에서 벗어나기 위해 싸워왔다. 적에 체포돼 영용하게 희생된 동지들도 반일반침략을 위해 희생됐다! 조선민족해방운동과 중국항전에 불리한 일이기만 하면 죽어도 하지 않았다! 지금 우리 민족 중에서도 오직 반일반침략하는 사람은 다 우리의 전우이다. 우리는 그를 도와주고 발전시켜줘야 한다. 반대로 어떤 사람이든 일본을 돕고 침략을 도운 사람은 다 우리의 적이다. 반드시 그와 목숨 걸고 싸운다. 적이 반대하는 사람은 우리의 친구이고 적이 옹호하는 사람은 바로 우리의 적이다!

2) 우리는 계급의 부대가 아니고 민족의 부대이다. 우리는 지금 중국 항전에 참가한 부대일 뿐만 아니라 조선민족의 철저한 해방을 쟁취하기 위해 투쟁하는 부대로서 조선민족의 자주성, 독립성을 대표하는 부대이다. 그러므로 중국에 대한 우리의 혁명외교 대상은 중국의 어느 당, 어느 파가 아닌 중국민족이다. 더 구체적으로 말한다면 중화민족을 대표하는 중국국민정부이다. 우리도 반일하고 중국국민정부도 항전을 한다. 우리의 적은 공동으로 일본 제국주의이다. 그러므로 우리는 한 전선에 서서 일본제국주의를 반대하고 있다. 중국항전의 최후 목적은 적을 압록강변으로 몰아낸다고 하지만 동북과 전 중국의 안전을 위해 따져보면 조선반도내의 적까지 쫓아내야만 한다. 그렇다면 우리가 국내에서 최후 결전을 할 때에 중국 정부가 수수방관할

것인가? 절대 아니다. 우리는 굳게 믿는다. 중국의 국민혁명군과 조선혁명군은 꼭 어깨 걸고 작전할 것이다. 그러므로 우리의 혁명외교 대상은 전 중국민족—중국국민정부라고 인정한다. 이는 잠시적인 것이 아니고 장기적인 것이다. 동시에 다른 한 면으로는 중국의 각 당, 각 파에 대해서는 공동 항일하는 중·한 두 민족 연합전선의 정신으로 합작한다. 반일진영의 각 당, 각 파이기만 하면 우리는 그들과 친밀하게 합작해 단결을 견지해야 한다. 우리 의용대는 조선인민의 의용대이고 중국 어느 당, 어느 파에 속하는 것이 아니다. 우리는 중국 내부의 모든 문제에 참여하기를 원하지 않고 그렇게 해서도 안 된다. 이는 우리에게 좋고 중국에도 유리하다. 우리는 오직 장위원장의 영도 하에 중국 민족과 상호 평등하게, 상호 자원적인 연합을 토대로 일본과의 투쟁을 끝까지 한다!

3) 우리는 반일적인 조선민족과 연합 항일하는 중국민족과 단결할 뿐만 아니라 세계의 모든 반일반침략 역량과 연합하고 손을 잡는다. 우리는 영원히 반일반침략전선에 설 것이고 영원히 친일침략을 반대한다! 영·미·소 등 반파쇼 나라들과 한 전선에 서며 전 세계 약소민족해방운동과 일본국내혁명운동 역량과 손을 잡고 공동으로 일본제국주의를 타도하고 공동으로 침략주의자들을 격파할 것이다!

3. 우리의 위치는 전 세계에 있다.

1) 목전 의용대의 사업 중심은 적후, 특히는 화북 적후에 있다. 무수한 조선군중이 화북 적후에 살고 있기 때문이다. 이것이 주요한 사업 방향을 결정하기는 했지만 전부의 사업을 잊어서는 안 된다. 주요 사업 방향이 있다하여 다른 한 방향의 사업 및 전면적인 사업임무를 과소평가해서는 안 된다. 반대

로 사업에 대한 적극성을 서로 불러일으키고 강화하며 그 내용을 더 풍부하게 해야 한다. 화북의 적후공작이 그 얼마나 중요한 중심이든지 간에 결국은 전반적이고 전면적인 사업의 한부분에 불과하며 한 지역의 공작에 불과하므로 전면적인 공작에 복종해야 한다.

우리는 절대로 한 지방의 국부적인 사업 지대의 공작에 매몰돼서는 안 되며 다른 지방의 공작 및 전반 국면의 중요성을 홀시해서는 안 된다. 우리는 정신을 바짝 차리고 눈을 똑바로 뜨고 전반 항전중의 중국과 반침략투쟁중의 세계를 보아야 한다. 우리의 진정한 위치는 전반적인 전쟁 및 혁명의 세계에 있는 것이고 중국의 어느 한 지방에 있는 것이 아니기 때문이다! 우리가 공작하는 지방은 절대 한 범위에 한정되거나 규정돼서는 안 되며 전 세계가 다 우리의 혁명공작의 전장이 될 수 있다. 오직 한 목표, 즉 반일반침략에 집중하기만 하면 된다. 오늘의 세계는 고립적이지 않고 서로 밀접히 연계돼 있고 교차돼 있기 때문이다.

2) 화북 혹은 화남의 적후는 우리의 최종 목적지가 아니며 경과해야 할 노정일 뿐이다. 최후의 목적지는 여전히 국내이다. '고향으로 쳐들어가는' 이 길에서 항일하는 국민혁명군과 밀접한 연합을 하는 동시에 상대방이 어느 당, 어느 파에 속하는지에 대해서는 불문해야 한다. 이 연합은 민족과 민족의 연합이고 서로 존경하고 존중하는 평등한 연합이다. 우리는 어느 곳으로 가든 한 사병의 자격으로 국민혁명군에 참가하는 것이 아니다. 조선민족—의용대의 깃발을 높이 들고 일본제국주의를 타격할 것을 조선군중에게 호소해야 한다.

3) 우리는 금후 시종 전반적인 국면을 내다보고 각 진지와 적후에서 공작하는 동지들에 대한 영도를 강화하여 중국 항전부대를 더 많이 협조하고 대적선전공작을 다그치며 적극적으로 조선군중을 쟁취해야 한다. 국제선전을

강화하고 확대하고 내부의 단결을 강화해야 한다. 국내, 일본, 미국, 소련, 남양 및 전 세계 각지에 분포돼있는 동포들을 극력 동원하고 발동하여 공고한 통일체를 건립함으로써 실제적인 사업성과로 세계 각 나라의 반일반침략 역량과 구체적이고 실제적으로 긴밀한 연계를 취해야 한다. 이는 다 의용대가 짊어지고 있는 전반적이고 전면적인 사업이다.

이상에서 서술한 3가지 문제가 바로 우리의 정치노선이다. 즉 우리의 정치정신이다.

우리의 이처럼 정확한 정치노선은 반드시 우리의 간고한 투쟁을 통해서만이 실제화 되고 구체화 될 수 있다. 우리는 조선민족해방사업의 곤난을 똑똑히 알고 있다. 동시에 우리는 또 이런 곤난은 굳센 의지로 극복할 수 있으며 절대로 곤난 앞에서 거꾸러지지 말아야 한다는 것을 알아야 한다.

의용대의 앞날에는 광명만이 있다. 오직 승리만이 있다!

-끝-

『朝鮮義勇隊通訊』, 第40期

민필호 편

韓中外交史话

緒論

　　제1차 世界大戰이 終結되었을 적에 美國大統領 '월슨'(W. Wilson, 1913~1921)
은 民族自決을 提唱하는 동시에 汎太平洋會議를 召集하여서 民族 問題를 解
決하고자 하였다. 이 風聞이 傳播되자 全地球에 響應하여 모든 被壓迫民族은
이 提唱을 經典으로 받들어 獨立의 自由를 恢復하고자 圖謀한 것이다.

　　韓國은 오랫동안 日帝의 酷毒한 壓制를 받아서 일찍이 水火之中에 있었
으니 苦病을 당한 것은 其他 弱小 民族과 비할 바가 아니었다. '월슨'의 民族
自決論이 한번 提出되자 크게 刺戟을 받아 多年來의 鬱積 苦悶憫이 기다릴
사이없이 爆發되어 서기 1919년 3월 1일에 全國民의 一大 示威運動이 展開
되어 代表 33을 뽑아 明月館에 會集하고 獨立宣言을 發表하는 동시에 臨時
政府를 組織하였으니 이것으로 日帝의 奴隸의 쇠사슬을 粉碎하고 우리의
古代 三韓을 繼承하여 自由獨立 地域으로 하려고 하였던 것이다.

　　韓國 臨時政府의 組織이야말로 무수한 先烈의 鮮血로 물들인 바이고, 自
由를 사랑하는 三千萬의 韓國 民族이 擁護하는 바이었고, 正義를 崇尙하는
全世界 人士들의 同情을 받으며 절대로 不屈不撓하는 革命志士의 推進하는
바이었다. 다만 개나 매 같은 倭寇가 秘密裡에 國內에 布告하여 憲兵과 警察
의 偵探을 가지고 監視가 극히 嚴重하였으므로 순조롭게 政令을 施行하고

國權을 恢復할 수 없었으니 外國에서 形勢가 비교적 安全한 곳을 選擇하여 政府를 設置하고 政權의 安全과 政令의 貫徹을 求하게 된 것이다. 그래서 당시 여러 革命 指導者들이 많이 上海에 雲集하여 秘密裡에 擧事를 圖謀하였던 것이다.

上海는 東方의 大都會地로 交通이 便利하고 治安이 安定되었으며 또한 國際視線이 集中된 곳이니 世人의 보고 듣는 바가 되어 效果가 大端하였다.

이에 上海를 臨時政府 所在地로 하고 各地의 代表들이 모여 臨時議政院을 組織하여 意氣相通하였으며, 또한 國內와 東北等地(滿洲를 意味함)에서 抗倭하는 武裝 獨立運動에 대하여 여러가지의 直接 行動을 指揮하여서 日帝의 暗黑統治를 顚覆시키고 太極旗를 서울에 다시 날리도록 圖謀하였다.

一國의 革命은 모름지기 自己가 責任을 지고 自力으로 奮鬪하여야 하지마는 國際友邦의 聲援도 매우 重要하니 절대로 없어서는 안될 것이다. 먼 例로는 美國의 獨立이고 가까운 例로는 체코슬로바키아의 光復이니 前者는 佛蘭西의 援助이고 後者는 條約國의 後援이었다.

歷史가 이러하여 명백히 證明하는 것일진데 韓國만이 어찌 홀로 例外가 되겠는가? 그러므로 臨時政府가 成立되자 우선 國際關係를 參酌하여서 各 友邦의 同情과 聲援을 구하기로 하였다. 마침내 特使를 巴里에 派遣하여 平和會談에 參加한 民主國家에 向하여 大大的으로 呼訴하고 極力 援助를 구한 것이다. 당시 26개국의 社會民主黨 代表 大會에서 韓國 獨立의 承認이 通過되어 國際聯盟에 加入을 推進하는 決意에 까지 이르렀다.

佛蘭西 方面에서는, 民間側의 佛蘭西 人權協會같은 것은 聲明書를 發表하여 極力 韓國 獨立을 承認하고 또한 大韓親友會를 조직하였고, 政府側의 上海 佛領에서는 佛租界가 臨時政府에 대하여 保護를 留意하였다. 倭敵은 數次 交涉하여 封鎖를 要求하고 또한 秘密裡에 懸賞方式을 가지고 暗暗裡

에 韓國人을 逮捕하기를 陰謀하였으나 모두 拒絶을 당하였다.

美國方面에서는, 1920년 3월 22일 上議院議員 '뎀즈'(Thames)씨 및 '시이덕스' 씨가 議案을 提出하여 極力 韓國 獨立을 承認하고 韓國이 國際聯盟의 會員國이 됨을 批准하여 마땅히 全體의 贊助를 獲得해야 할 것이라고 主張하였다. 그런데 당시 美日 國交가 平常的인 軌道에 올라가야 하겠는데 이 案이 通過되면 兩國의 관계가 반드시 破裂에 이르게 될 것이므로 부득이 이 案을 잠시 保留하기로 하였다.

英國 方面에서는, 國會가 역시 韓國 獨立을 承認할 것을 提出하여 長時間 熱烈한 討論이 있었고, 民間에서도 역시 對韓親友會의 組織이 있었다.

蘇聯 方面에서는, 熱烈한 同情은 勿論이고 同時에 秘密裡에 特使를 上海로 派遣하여 臨時政府와 緊密한 連絡을 하고 또한 巨額의 物資도 暗暗裡에 援助하였다.

中國에 있어서의 精神上의 同情과 物資上의 援助는 다시 論할 必要가 없었던 것이다.

臨時政府는 成立 後에 全世界의 注目을 惹起하여 美·英·佛·中 등의 國家 朝野의 熱烈한 同情을 獲得하고 一步 나아가서 各國 政府와 正式 接觸하고 外交 過程에 따라 各國의 正式 承認을 얻기로 圖謀하였다. 第一먼저 努力한 것은 中國의 承認이었다.

그것은 第一, 韓中 兩國은 원래 兄弟之國으로 傳統的 友誼가 있어서 中國 朝野의 韓國에 대한 同情은 더욱 他國에 비할 바가 아니었다.

第二, 韓國 獨立을 圖謀하려면 地理上으로 보아 中國 大陸에 의존하지 않을 수 없다.

第三, 그때 護法政府 는 廣東에서 成立하고 中國 民意를 代表하는 政府이었다.

執政者 孫文 中山 선생 및 國民黨 諸先輩는 평소에 正義와 自由를 崇尙하고 韓國 革命을 同情한 것이다. 멀리 巴里 平和會義에 廣東 非常國會는 卽時 韓國獨立을 承認하고 또한 平和會義 中國代表에게 電文을 發送하여 韓國獨立을 主張할 意向을 援與하였다.

以上과 같은 여러 理由로, 民國 十年 十月에 臨時政府는 드디어 特使를 廣東에 派遣할 것을 決定하고 韓國獨立 事件을 承認토록 交涉하기로 하였다.

韓國에 있어서는 獨立 運動線上 免할 수 없는 方針에 屬한 것이나 그러나 世界 弱小 民族을 解放하는 것을 職志로 하는 中國 護法政府로서는 考慮中에 屬하는 일이었다.

第一章 南海行

(韓國 臨時政府 史臣을 廣東에 派遣함)

大韓民國 三年(서기 1921년 10월) 韓國 臨時政府는 國務會議의 決議로 國務總理 兼 外務總長 故 申圭植 씨를 訪廣特使로 派遣하여 國書를 携帶하고 中華民國 護法政府와 韓國獨立 事件을 承認토록 協商케 한 것이다.

政府 組織 以來 正式으로 特使를 派遣하여 友邦을 訪問한 것은 이것이 最初의 擧事이었다. 韓·中革命史上에서도 極히 紀念할만한 一大事이다.

그때 나는 上海에 寄留하여 臨時政府의 諸氏의 뒤를 따라 祖國 光復을 圖謀하고 있었다.

申公은 命令을 받은 날 나에게 隨行秘書가 되기를 委託하고 같이 南下하여 中國 南方을 遊覽하기를 督勵하였다. 나는 아직 年少하고 才識이 淺薄하여 使命을 遂行치 못할가 두려워서 固辭하였으나 許諾되지 못하였으므로 드디어 決意하니 衷心으로 愉快함을 느끼었다.

생각컨데 非常政府 大統領 中山 선생은 평생에 仰慕한 분인데 다만 먼 거리와 交通 不便으로 因하여 아직 한번도 拜面치 못하다가 이제 拜謁케 되니 어찌 榮光이 아니겠는가? 게다가 南華의 風光을 오래 동안 보고싶어 하던 차 바로 이번 機會를 빌어 宿願을 達成하게 되었으니 어찌 愉快하지 않겠는가?

準備가 이미 完了되어 10월 26일 새벽 나는 申公과 같이 涯山 埠頭에 달려가 佛國郵船 에스 스나일號(S. Sniel)에 乘船하였다.

이 汽船은 一萬톤 可量의 배였으며 色은 草綠色으로 아주 스마트하며 船型은 巡洋艦과 近似하였다. 船內의 設備는 퍽 華麗하고 稠密하고 깨끗하였다. 食堂 應接室, 醫療室, 沐浴室로부터 理髮館에 이르기까지 없는 것이 없었다. 몸은 船內에 있다고 하나 陸地와 다름이 없으며 閑適하고 말쑥하여 자못 世界 武陵桃源의 感이 있었다.

9시에 出帆하니 汽笛이 울리며 船體는 漸漸 陸地를 떠나 바로 吳淞口로 향하여 달렸다. 우리는 자주 손을 흔들면서 岸上의 同志들과 作別하였다. 俄然히 大上海의 紅塵萬丈은 이미 아득한 煙波 사이에 煙沒되고 말았다. 오직 蒼空萬里에 흰 물결이 하늘을 넘치고 갈매기는 여기저기 바다와 하늘은 一色이다. 此際에 一葉孤舟는 바람을 타고 前進하는데 마치 滄海 一粟 大河의 一沙같으니 人生이 天地 사이에 또한 이렇게도 渺然하게 微微한 것인가? 이 아름다운 景致를 보니 無限한 懷顧를 禁할 수 없었다. 臨時政府가 三千萬 同胞의 重責을 지고 東亞大陸의 한구석에서 애를 쓰며 數年동안 苦鬪하고 가진 苦生을 겪다가 天運을 만나니 바로 이 大海의 孤舟와 똑같은 것이다. 오직 여러 計策, 여러 힘에 依賴하여 心德을 같이하고 同志들과 같이 光明한 前途를 圖謀할 뿐이다.

二晝夜를 航海하여 10월 28일 下午 12시에 香港에 到著하여 海關 案內船

에 바꾸어 타고 上陸하였다.

香港島의 風景은 그림같이 明麗하다. 푸른 봉우리로 港岸을 두루고 푸른 바다는 갓이 없다. 香港島 山에는 高樓巨閣이 櫛比하게 섰으며 街道는 아스팔트 길이 많아 넓고 平坦하다. 케이블카가 나는 것같이 往來하여 퍽 奇觀이다. 80년 前에는 이 섬은 一片의 荒蕪地였는데 英國人의 苦心 經營으로 이러한 成績을 얻기에 繼續 努力하였으니 이것은 거의 西方 物質文明의 象徵인가 한다.

우리는 東亞호텔에 投宿하였는데 이곳은 海濱에 位置한 香港島의 繁華한 中心地이다. 잠시 休息한 후에 外出하여 散步하였다. 人馬의 往來가 連絡不絶하며 귀에 들리는 것은 말소리 노래소리 晝夜 그치지 않았다. 모두들 香港에 三多가 있다고 하는데 麻雀이 많고 阿片이 많고 댄스홀이 많다는 것이나 누가 그러지 않다고 하겠는가? 밤이 되니 萬山이 點燈되어 恍惚燦爛하니 밝음이 白晝와 같다. 거리 뒷골목에는 接客婦가 구름같이 모여들어 連續해서 가고 오니 마치 5월의 파리 모양이다. 이러한 무리들은 一生을 醉夢中에 보내며 金錢만 아는 人間으로 國家 民族이 무엇인지를 알지 못하는 것들이다.

夕飯을 먹고 狹小한 房에서 가깝하게 있으니 더욱 무더워서 上海의 淸閑한 生活이 回想되고 황홀함이 隔世의 感이 있다. 하는 수 없이 申公과 같이 海濱으로 納凉하러 갔다. 道中에 先施公司를 지나다가 마침 張薄泉 씨를 만났다. 張 씨는 申公의 친구인데 他國에서 서로 만나니 대단히 즐거웠다.

함께 旅館으로 돌아와 서로 心中의 實情을 吐露하고 또한 東亞 時局과 韓國 問題를 詳細히 論하여 談話가 밤중까지 이르러서 겨우 作別하였다.

나는 張氏의 姓啣은 오래 전부터 듣고 있었는데 지금 拜面하여 그 指導를 받으니 和氣는 가히 친할만하고 부드러워서 어른의 氣風이 있고, 肅然히 敬虔한 마음을 금할 수 없었다. 張氏는 婦人의 病으로 上海에 가서 治療하게 되어 우리와 같이 廣東에 갈 수 없다고 퍽 遺憾의 뜻을 表하였다.

　이날 나는 한통의 電文을 作成하여 電報局에 가서 政府에 無事히 香港에 到著하였다고 打電하였다.

第二章 唐繼堯將軍 訪問

　다음날 아침 申公이 나에게 말하되 唐蓂賡(繼堯)가 皇后 거리에 留宿한다고 들리는데 그분과 오래 동안 隔阻하였으니 一次 訪問하여야겠다라고 함에 나는 그의 提議를 贊成하였다.

　朝飯을 마치고 우리는 唐氏 宿所를 訪問하여 名啣을 내고 面會를 請하였다. 守衛가 客室로 안내하여 茶를 待接한다.

　잠시 후에 唐氏가 나왔는데 나이는 40세 가량, 身長은 보통이며, 外貌가 훌륭하고 風采가 스마트하며 몸에는 진한 藍色의 周衣를 입고 洋服을 입은 청년을 데리고 得意하게 臨席하였다. 우리는 起立하여 맞아 握手를 하고 人事를 하였다. 唐氏는 滿面에 웃음을 띠어 대단히 기뻐하는 모양이며, 우리에게 언제 香港에 왔느냐? 旅程이 平安한가? 라고 물으며 또한 "申公과는 이별한지가 多年이었는데 지금 香港에서 만나뵈니 퍽이나 유쾌하다." 말한다.

　다음에 洋服 입은 靑年을 소개하며 "이분은 나의 妹夫 董雨蒼(澤)先生으로 最近 佛蘭西에 留學하다가 歸國하였다."라고 말하였다. 申公은 다시 나를 唐·董 兩氏에게 紹介하기에 再三 握手를 하고 主客이 매우 歡樂하였다.

　이날 申, 唐 兩氏의 談話는 大略 다음과 같다.

　唐……"듣건데 3년전에 貴國에서는 獨立運動이 發生하고 臨時政府를 組織하였다고 하니 祝賀하여 마지 않습니다. 詳細한 事情을 들을 수 없습니까?"

申……"己未年(서기 1919년) 3월 1일 弊國 各地에서 抗日大示威 運動이 展開되었는데 우리는 이것을 3·1運動이라고 합니다. 그때 全國 代表 33人이 民意를 代表하여 大韓 臨時政府를 組織하고 獨立宣言을 公布하였습니다. 이 소식이 전파되자 거국적으로 相應하여 動員된 全民族은 200만에 달하였습니다. 사람으로는 男女老小의 구별이 없고 地域으로는 都市村落을 論할 것 없이 모두 太極旗를 높이 들고 行列을 지어 '獨立萬歲'를 미친듯이 불렀습니다. 그러므로 이것을 '萬歲運動'이라고도 하지요. 民衆이 이 運動에 參加한 것은 오로지 一片의 愛國丹心과 自由解放을 구하는 正義感에서 솟아나온 것 입니다. 몸에는 아무 武裝도 없고, 손에는 창칼 하나 없이 倭敵의 蠻行을 만나 慘殺者가 7만여명, 投獄者가 3만에 가까왔습니다. 그때의 慘景은 참으로 눈으로는 볼 수 없었지요. 其間에는 若干의 小學生도 行列에 參加하여 左手에 國旗를 높이 들었는데 日本警察은 그 손을 베어 손이 잘리고 旗가 떨어지자 右手로 旗를 바꾸어 잡고 '獨立萬歲'를 불러 마지 않았습니다. 日本 警察이 그 혀를 베고 그 목을 잘라도 最後의 숨이 끊어질 때까지 萬歲를 불렀지요. 대체로 당국의 이러한 悲慘한 狀況은 이루 헤아릴 수 없습니다. 지금에도 이것을 생각하면 마음이 아플 따름입니다."

唐……"從前에 저는 다만 韓國 獨立運動이 發生하였다는 것만 듣고 詳細한 事情을 몰랐는데 지금 先生의 말씀을 들으니 매우 感動하였습니다. 古人이 '마음이 죽는 것보다 더 슬픔이 없다.'라고 하였는데 貴國 臨時政府 組織의 經過는 어떠하시고 全體 閣員은 몇 사람이며 모두 한 곳에 있습니까?"

申……"3·1運動당시 33명의 代表로 臨時政府 閣員을 選定하였는데 이분들은 모두 國內에서 極히 名望이 높은 老革命家로 그 名單은 다음과 같습니다.

大統領 李承晚 博士

國務總理 李東輝

內務總長 李東寧

外務總長 朴容萬

法務總長 申圭植

財務總長 李始榮

軍務總長 盧伯麟

學務總長 金奎植

交通總長 文昌範

勞動總辦 安昌浩

法務總長은 猥濫하나 제가 一員으로 充當되고 있습니다.

이상 여러 同志는 혹은 歐美혹은 露西亞나 滿洲東三省 등지에 있습니다. 後에 上海를 中心으로 決定하고 再昨年에 一次 集會를 가졌었습니다. 近來에 와서 多少 人事의 變動이 있었으니 國務總理 李東輝 先生과 外務總長 朴容萬 先生이 모두 事情으로 他方面을 가게 되어 오래 동안 缺員이 되어 政務를 迅速히 推進하기에 困難하므로 요새는 다시 저에게 國務總理 兼 外務總長의 職을 管理토록 하라는 命令을 받아 이를 固辭하였으나 許諾하지 않습니다. 그저 힘을 다하여 報恩코저 하나 지금까지 아무 成案이 없어서 매우 부끄럽게 생각하지요."

唐……"千萬의 말씀이지요. 先生의 愛國 精神은 제가 평소에 感服하고 있습니다. 나는 감히 말씀하노니 現世界에서 國家를 위하여 臥薪嘗膽하는 者 先生보다 더할 자 없습니다. 이번 南下에는 廣東省에 一次 가실려고 합니까? 혹은 他處로 가십니까?"

申……"이번 온 것은 廣東省에 가서 孫 大總統과 기타 친구와 拜謁코저 한 것입니다. 弊國 臨時政府가 貴國 領內에서 成立한 이래 이미 3년이 되는

데 지금까지 아직 貴國 政府를 正式 訪問치 못하여 매우 面目 없습니다. 그
런데 目下 北京政府는 이미 日本人 勢力에 包圍되어 事實上 中國人民을 代
表치 못하고 있으니 弊國 革命 運動에 同情을 바라는 것은 거의 不可能합니
다. 지금 다행히 護法政府가 廣東에서 成立되었고 執政者 孫 大總統은 우리
들이 평소에 尊敬하는 분입니다. 그러므로 이번 弊國 臨時政府는 저를 特使
로 波遣하여 國書를 携帶하고 南下하여 廣東을 訪問하고 護法政府가 正式
으로 韓國 臨時政府를 承認토록 交涉함과 아울러 弊國 光復運動 사항을 援
助토록 協商할 것 입니다."

唐……"좋은 말씀입니다. 말하자면 대단히 부끄럽습니다마는 우리나라가
共和國을 建設하여 이미 十年이나 됩니다. 이 十年동안 政客은 賣國을 하고,
軍閥은 割據하며, 內亂은 頻繁하여 戰禍가 그치지 않아 다시 國家民族을 危
急 存亡의 地境에 빠뜨렸습니다. 이번 다행히 孫 大總統이 護法政府를 組織
하여 民族의 前途에 한 曙光을 나타냈지요. 그러나 北洋 軍閥을 徹底히 打倒
하고 中國을 통일하려면 計策과 여러 힘에 의하여 流血 奮鬪하여야 할 것입
니다.

貴國 獨立運動에 대하여서는 우리들은 평소에 同情하는 바인데 다만 헛
되이 空言에만 委托하고 지금까지 아무 具體的·實質的 援助가 없었던 것을
대단히 부끄러워하는 바이지요."

申……"선생의 情誼와 熱情에 매우 感服합니다. 韓中 兩國은 역사상이나
지리상 원래 특수한 관계가 있습니다. 中國의 朝野는 大多數가 우리나라 革
命에 同情하고 있으나 그러나 內亂에 쫄리어 비록 韓國을 援助코자 하나 마
음뿐이고 實力이 不足함은 一大 遺憾事입니다. 그러므로 나는 일찍이 歎息
하여, '申包胥가 될 사람은 있는데 秦庭이 없음을 어찌 하나?' 지금 유일한
希望은 貴國 統一에 있어서 이 申包胥로 하여금 秦庭을 얻어 痛哭케 하는

것입니다."

唐……"至當한 말씀입니다. 저도 역시 中國이 早速한 時日에 統一되고, 貴國도 早速한 時日에 失地를 收復하고 自由 獨立을 恢復할 것을 希望합니다. 묻사오니 貴國 臨時政府의 現在의 軍事·經濟狀態는 어떠합니까?"

申……"저희 臨時政府는 上海에서 初創되어 一切의 實力은 이제부터 培養하여야 하겠지요. 現在 軍事方面은 다만 吉林·延吉·寧古塔 일대를 근처지로 하고 있습니다.

그 地方은 本國과의 거리가 비교적 가까와서 일을 하는데 편리하며, 또한 韓國 僑胞로 滿洲 東北方에 居住하는 수가 200만에 달하여 資金 利用에 充分합니다.

약간의 同志는 이전에 이미 該當 區域에서 新興軍官學校를 設立하여 軍事 敎育을 實施하고 있으며, 大量의 士官 人物과 革命 幹部를 培養코저 합니다. 그 후에 東北方 地方의 日人勢力이 膨脹하여져서 張作霖은 外交 紛紛를 일으킬가 두려워서 그 學校의 解散을 命令하니 軍官學校 學生은 韓國 獨立軍에 投入되어 韓國 北路軍의 政署 徐一 선생 및 金左鎭 將軍의 指揮下로 들어갔습니다. 작년 陰曆 九月 上旬에 吉林省 和龍縣에 속하는 靑山里 부근에서 日本軍 5만여 명과 만나 激戰이 發生하였는데 大勝利를 얻었습니다.

日軍의 死傷者가 3,300여명으로 推算되고 聯隊長 한명을 射殺하였으니 이것은 韓國 革命史上에서 實로 悲壯을 極한 한 페이지가 될 것입니다. 다만 獨立軍은 비록 勝利를 얻었으나 그러나 固定된 根據地를 喪失하여 前途 發展에 아직 樂觀은 할 수 없습니다. 經濟方面에 이르러서는 아주 군색함은 말씀할 필요도 없습니다.

大體로 國內 同胞는 모두 倭敵의 監視를 받아 資金 輸送의 방법이 없어서 고민하고 있으며 海外 同胞는 겨우 在美僑胞에 의하여 義捐運動이 實行되고 또한 期限附로 納稅하여 그 피와 땀으로 所得한 것을 기우려서 臨時政府 經濟 援助를 계속하고 있읍니다. 그러나 額數가 퍽이나 微弱하여 工作을 展開함은 극히 容易한 일이 아니지요."

唐……"대체로 한 民族의 光復運動은 自身의 단결과 自力으로 奮鬪함이 필요할 뿐만 아니라 外力의 援助, 外國의 相助도 또한 필요함은 有史이래로 歷代의 慣例가 大抵 이와 같으니 다시 말할 것도 못되지요. 과거의 中國 革命도 또한 外國 援助를 얻어서 成功하였다고 하겠지요. 韓國 獨立만이 어찌 例外로 外國 援助를 필요하지 않겠읍니까?

다만 現下의 中國 時局은 混沌하여 참으로 可歎할 바입니다. 이전 제가 雲南城 督辨時에 安南에 대하여 대단한 同情을 표하여 一部 軍隊를 培養하고 그 獨立運動을 贊助하고자 하였읍니다. 그 후 視察한 결과 그 人民의 知識이 淺陋하고 思想能力이 缺乏함을 깨닫고 게다가 佛人의 監視가 嚴重하였으므로 擧事할 방법이 없어서 그만 단념하였읍니다. 貴國에 있어서는 저는 평소에 좋은 印象을 가져서 仰慕함이 하루만이 아니였지요. 回顧하니 옛날 日本士官學校를 卒業하고 歸國時에 韓京 서울을 經過하였는데 거리를 거니는 學生을 보나 모두 生氣가 活潑하고 英俊하고 有能하여 결코 亡國之民같지 않았읍니다.

그러므로 저는 항상 남에게 말하되 '韓國人民은 亡國之民은 아니다. 반드시 早晩間 救濟가 있을 것이다.'라고 하였읍니다. 今後 만일 雲南에 돌아가면 韓國을 위하여 最小限度 二個師團의 軍官人才를 養成하여 貴國 革命을 援助할 것을 盟誓하는 바입니다.

經濟方面에 있어서는 多額은 힘이 부치나 만일 中佛銀行 預金 問題가 解決되면 마땅히 十萬元은 贊助하겠읍니다."

申……"선생의 厚意는 至極히 感謝합니다. 切望하노니 早速한 時日에 雲

南에 돌아가시오. 이것은 비단 선생의 행복일 뿐만 아니라 동시에 韓國 民族의 행복입니다. 제가 上海에 돌아가면 마땅히 여러 同志들에게 선생의 厚意를 傳達하겠습니다."

唐……"雲南에 돌아가는 것은 머지않아 실현될 것인데 지금은 당분간 秘密을 지켜주시오. 雲南에 돌아간 후에는 應當히 선생에게 通知하겠으니 貴國政府에서 本省에 人員을 派遣하여 交涉하시오. 貴國 志士에 대하여 本省 人民은 반드시 열렬히 歡迎할 것입니다."

申……"선생의 이와 같은 熱誠에 감사합니다. 모든 것을 命令에 따라 處理하겠습니다."

唐……"선생께서는 어느날 入省하겠습니까?"

申……"今日 下午에 入省하겠습니다."

唐……"어째 그리 바쁘십니까? 하루 더 머무르시오. 오늘 저녁 선생을 請하여 晩餐을 할까 합니다."

申……"우리는 모두 舊同志인데 念慮하실 필요가 없습니다. 장차 廣東에서 돌아와서 다시 指導를 받겠습니다."

唐……"오늘 저녁 두 분께서 往臨하여 주십시오. 우리는 좀더 이야기를 하여야 하겠습니다."

申公은 固辭하였으나 듣지 않으므로 그의 請을 承諾하였다. 이렇게 談話하는데 時間半이나 지나서 드디어 作別하였다.

下午에 나는 申公과 같이 皇家公園을 遊覽하였다. 케이블카를 타고 겨우 15분만에 山頂에 도달하니 氣分이 유쾌하여 마치 昇降機를 탄 것 같았다. 山頂은 香港島의 要塞區域으로 兵營과 砲臺가 있는데 工程이 宏大하여 보는 사람을 敬歎케 한다. 저녁에는 約束대로 唐氏 집에가서 極盡한 歡迎을 받으며 滿醉飽食하고 돌아 왔다.

第三章 廣州一瞥

　九龍에서 廣東城內까지는 약 3시간 걸리니 거리는 대략 上海에서 杭州까지 만하다. 10월 29일 하오 3시반 우리는 廣東에 到著하여 長項에 있는 大東호텔에 投宿하였다. 電報局에 가서 無事히 到着하였다고 政府에 打電하였다.

　廣東은 珠江 北岸에 位置하였고 南岸은 河南이라 稱하며 珠江을 사이에 두고 相峙하고 있다. 全市의 面積은 25km² 人口는 약 100만이니 평균 매 km²에 약 4만人이다. 人烟이 조밀하여 西南方各 大都市 中에 제1위며 中國 4대經濟의 重要 都市의 하나로 遜色이 없다. 廣東이 繁華하게 된 주요한 原因으로는 다음의 四項이 있다.

　其一, 西南方의 유일한 政治, 經濟, 文化의 中心으로 人材가 집중하기 쉬운 것.

　其二, 西洋과 通商이 가장 일러서 歐洲 文化의 영향이 莫深하였다. 듣건데 後漢代 桓帝 延熹九年(서기 166년)에 羅馬王 安敦(Antonius)이 使臣을 派遣하여 交趾에 朝貢하였다고 하는데 옛날의 交趾는 現在의 廣東이다. 또 唐貞觀年間에는 洋商으로 繁昌하였으며 특히 廣東에는 市舶使를 設置하여 洋商 船舶 事務를 專門管理하였다.

　其三, 海上이 香港과 극히 近接하며 交通이 편리하다.

　其四, 華僑 中에는 福建省 廣東省에 在籍한 자가 많아서 廣東에 투자가 매우 많았다. 工場을 開設하고 實業을 復興하여 儼然히 西南地域의 工業 中心地가 되었다.

廣東은 亞熱帶에 位置하여 氣候가 溫和하고 일년동안 눈을 볼 수가 없으며 林木이 茂盛하고 景致가 明媚하다. 南國의 風景은 참으로 아름다워서 사람으로 하여금 心醉케 하며 長堤는 十里나 되어 形勢는 流虹같고 垂楊은 검푸른 물에 비치며 푸른 물결은 거울과 같다. 樓閣이 櫛比하며 푸른 기와로 대마루를 다듬었고 曲江은 連綿하며 놀이배는 붕어같이 오고간다. 밤이 되면 萬戶에 點燈되며 갖은 音樂소리가 하늘을 뚫는다.

거리에는 수많은 사람이 오고가며 人馬도 북처럼 往來한다. 丹粧한 美人들 金錢에 迷惑되어 繁華하고 美麗함은 上海나 香港에 못지 않다. 특히 華界가 더욱 심하고 밤새도록 燈火가 눈부시며 白晝같이 밝다. 반대로 沙面의 租界를 보면 이상하게도 쓸쓸하니 이것이야말로 참말 놀랄만한 怪事이다.

廣東은 中國 革命의 源泉地로 城外의 白雲山 黃花崗에는 七十二烈士의 墓地가 있다. 거리에는 歌舞가 太平하고 安樂한 氣象을 보이고 있으나 그러나 孫中山이 非常大統領에 就任하여 省內에 駐在한 후에는 四方의 豪傑이 이곳에 雲集하여 北洋軍閥을 顚覆하고 中國을 復興할 것을 共謀하니 일종의 再興 氣象이 卓然하여 볼만하다. 이것은 모두 孫中山 선생의 偉大한 人格의 所致라 하겠다. 長道 旅行으로 疲勞가 심하여 이날 밤은 코를 골며 熟眠하였다.

다음날 아침 申公은 나를 帶同하고 非常 大統領 官府와 各 部會 및 各 親知를 訪問하였다. 이와 前後하여 大本營 秘書長 兼 總參議 胡漢民(展堂), 大理院長 徐謙(秀龍), 內政部長 呂天民(志伊), 外交部長 伍廷芳, 次長 伍朝樞, 總統府秘書長 謝持, 財政部長 廖仲凱, 參議院議長 林森, 總統府 宣傳局長 郭復初(秦祺), 軍政部次長 程頌雲(潛), 內務部秘書 劉百泉 및 劉芦隱, 許汝爲, 田桐 諸先生을 訪問할 계획인데 이분들은 모두 申公과 옛날 同志로 지금 찾아보게 된 것이다.

申公은 여러 친지들에게 이번 南下한 意義를 大略 다음과 같이 敍述하였다.

一, 韓國 臨時政府는 中國 領內에 成立된지 이미 三年이다. 벌써 貴國 政府를 訪問하여서 友好親善과 主客 自重에 이바지했어야 할 것이다. 지금 다행히 護法政府가 成立되어 孫 大統領이 國政을 主管함에 弊國 臨時政府는 愼重하게 저를 特使로 派遣하였으므로 國書를 攜帶하고 南下하여 孫 大統領을 拜謁하고 敬意를 표하고자 한다.

二, 護法政府가 韓國 臨時政府를 正式으로 承認함을 要請한다.

三, 護法政府가 韓國의 光復運動을 援助함을 要請한다.

四, 저는 여러분과 오랜동안 隔阻하여 思慕하는 마음이 대단하였는데 이 機會를 빌어 쌓인 實情을 풀고 아울러 여러분의 指導를 請한다.

總統府 內에서 申公의 來意를 듣고 熱烈한 同情을 주지 않는 者 없었다. 異口同聲으로 誠心歡迎을 表하였다.

그 중에 특히 胡漢民 씨는 論談이 가장 眞摯하였으니 要旨는 大略 다음과 같다.

'韓中 兩國은 歷史上으로 論하면 手足之誼 (손과 발 같은 情誼로 兄弟의 情愛를 말함)가 있는 것이요, 地理上으로 論하면 脣齒之依 (이와 입술 같이 서로 依持하는 密接한 關系)가 있어 喜悲가 相關하며 難問은 相助하여야 한다. 뜻밖에도 우리 中華民國이 成立한 이래 20년 동안 袁凱는 帝王이라고 稱하고 張勳은 復辟하고 軍閥은 割據하니 內亂은 頻繁하여 國家에 平安한 날이 없으며 國民은 生活을 安定하지 못하여 國家 民族의 存亡이 실로 危機에 直面하게 되었다. 그러므로 貴國 光復 運動에 대하여서 지금까지 아무 援助가 없었음은 마음이 아픈 일이고 부끄러움을 참을 수 없다. 이번 선생이 멀리 우리 護法政府를 來訪한 厚情은 극히 感銘하는 바로 저는 반드시 尊意를 孫 總統에게

傳達하고 時間을 정하여 正式 會見할 것을 約束하며 韓中 兩國의 國是에 對하여 가장 좋은 方法을 相議코자 한다.'

이날 밤 徐季龍, 呂天民, 劉百泉 선생들이 계속 來訪하여 時局과 韓國 援助 問題를 討論하였다.

다음날 廣東 各 新聞에는 '韓國特使 申圭植 씨가 來廣하여 우리 當局과의 協商이 매우 融和하였으며 全廣東은 기뻐 慶祝한다.'라는 記事가 報道되었다. 申公의 廣東 訪問의 消息이 傳播된 후 廣州 各界 및 일반 친구들이 날마다 매우 많이 來訪하여 一時 盛況을 다하였다. 이것으로 中國 朝野의 우리에 대한 同情의 一部를 볼 수 있는 것이다.

第四章 孫大總統 會見記

11월 3일 日氣가 溫和하고 明朗하였다. 아침에 일어나자 申公은 나에게 "오늘 아침 孫 大總統이 召喚 會見하니 君은 빨리 大禮服을 입고 함께 가서 뵙게 준비하게"라고 말하였다. 나는 卽時 沐浴하고 옷을 갈아입고 重要 書類와 各種 宣傳品을 携帶하고 申公과 함께 觀音山 아래 非常總統府로 달려가서 名啣을 내니 잠시 후에 胡漢民 씨가 마중나왔다.

應接室로 案內하고 웃으면서 申公에게 "先生은 本來 多年間 老同志로 이번 孫 大總統을 會見하니 원래 形式的 禮儀는 필요치 않으나 다만 선생이 이번 오신 것은 國賓의 資格이니 國際慣例에 의하여 먼저 外交府에 節次를 밟으시오. 그러면 저도 陪席하여 大統領과 會見을 하는 것이 마땅할 것입니다."라고 말하였다.

申公은 그 말을 옳게 생각하였다. 이어 胡氏는 우리를 外賓應接室로 案內하였다. 잠시 후에 外交府長 伍廷芳 博士가 次長 伍朝樞 씨를 帶同하고 들어와서 일일이 握手를 하고 各己 자리에 앉았다. 主客이 人事를 하고 우선 서로 元首 및 政府 閣員의 安否를 묻고 다음 기타 사항에 미치었다.

談話中에 伍 博士는 돌연 英語로 나에게 "듣건데 貴國 臨時政府는 이미 成立되었는데 그러면 國都는 어디 있습니까?"라고 질문한다. 나는 "弊國의 國都는 원래 漢城인데 현재는 비록 一時 倭敵에게 强占되었으나 그러나 아직 그 國都의 資格은 喪失치 않았습니다. 上海는 臨時政府 假所在地로 交涉地區에 不過합니다."라고 答辯하였다.

博士는 내말을 듣고 半信半疑하며 話題를 돌려 나에게 質問하려고 했다. 말이 나오기 전에 그의 아들인 伍朝樞次長이 廣東語로 이것을 中止시켰는데 그 말 중에는 父親에 對하여 勸告하는 바가 있는 것 같았다. 나는 廣東語를 理解치 못하나 그 氣分은 推測할 수 있었으니 혹은 博士에게 勸告하여 유모아로 相對치 말라는 것이 아니었든가 한다. 나는 博士가 유모아 外交로 著名하다는 것은 오래 前부터 듣고 있었는데 이제 親히 그것을 들으니 果然 虛無한 宣傳은 아니었다.

이날 나는 美國의 韓國 僑胞가 出版한 韓國見聞錄 一卷(The Case of Korea), 韓字 新聞 數種, 3·1運動 당시의 慘狀 寫眞 여러 帖, 申公이 經營하는 震檀學校 등의 印刷物 등, 여러 種類를 綜合하여 伍次長에게 贈呈하여서 널리 宣傳하여 韓國 獨立運動의 眞相을 밝히려고 하였다.

伍氏는 감사히 이것을 받으며 나에게 물어 말하되 "西洋人은 혹은 貴國을 불러 'Morning Calm'이라고 하는데 이것은 어떠한 意味입니까?" 나는 "Morning이라는 것은 아침이고 'Calm'이라고 하는 것은 東方에서 해가 뜰 적에 新鮮하고 고요한 景象의 뜻이니 'Morning Calm'은 實은 朝鮮의 뜻 입니다."라고 대답하니 伍氏는 그럴 것이라고 한다.

談話中에 傳令이 와서 '孫 大總統이 우리의 會見을 기다린다' 라고 報告하였다. 伍次長은 胡漢民 씨 秘書室로 데리고 가더니 마침내 作別 人事를 한다. 우리는 胡氏를 따라서 大統領 官邸에 갔었는데 觀音山 중턱에 있어 山밑 總統府로부터 官邸까지 거리는 약 半里 가량이다. 建物에는 廻廊이 있어 꾸불꾸불한 커브는 妙味를 다하여 工事가 精密하고 깨끗한데 들은즉 前 淸代의 龍濟光이가 建築한 것이라고 한다.

步行 10분만에 커브를 몇 번 지나 비로소 廊道를 나서니 한 樓間이 있는데 아주 말쑥하다. 樓間外에는 林木이 울창하고 풀이 보기 좋으며 綠蔭과 嘉樹는 매우 깨끗하고 조용하다. 樓閣에 올라서 멀리 바라보니 珠江의 風物이 남김없이 다 보이며 市街의 먼지와 붉은 건물이 모두 눈앞에 다 들어온다. 景致의 아름다움은 全市에서 으뜸인 것이다.

胡氏는 그 樓閣을 가리키면서 "이것이 卽 大統領 官邸입니다."라고 말이 끝나기 전에 이미 한 老人이 石階 위에 우두커니 서 있는 것이 보인다. 나이 五十歲를 지난 것같고 身長은 보통이며 상고머리에 짧은 수염을 길렀다.

연한 黃色의 中山服을 입고 風采가 빛나며 精氣가 차서 人品이 偉大하고 寬厚한 氣象은 저절로 사람으로 하여금 必服케 한다. 한번 바라보고 이 분이 孫 大總統인 것을 알았다. 대개 孫 總統 自身이 몸소 마중 나와서 來賓을 苦待하고 있다는 것이다. 우리는 이미 惶悚함을 느끼고 앞에 나아가서 敬禮를 하니 總統은 答禮를 하고 일일이 우리와 握手를 하며 申公에게 "申先生 오래간만입니다. 그동안 安寧 하십니까?"라고 말하니 申公은 "고맙습니다. 大統領께서 氣體 安寧하십니까?"라고 答禮하였다. 總統은 "좋습니다. 매우 고맙습니다"라고 하며 應接室로 案內했다.

應接室은 本官邸 왼쪽 편에 있어 設備가 簡素하고 布置가 깨끗한데 中央

에 작은 테이블이 한 개가 놓여 있고 흰 카아바가 씌워 있으니 四面에는 소
오파 의자 네 개가 놓여있다. 자리에 앉기 전에 胡氏는 특별히 나를 大統領
에게 紹介하며 "이 분은 申선생의 秘書 閔石麟 同志입니다."라고 말함에 나
는 大統領에게 향하여 敬禮를 한즉 자리에 앉기를 請한다. 이어 各己 한 의
자를 차지하여 테이블을 둘러싸고 앉았는데 總統은 申公과 對面하고 나는
胡氏와 對面하여 앉았다. 이때 室內外에는 우리를 除하고는 다른 사람은 없
어서 매우 조용하여 마치 深山속 古寺에 있는 것 같았다.

이날 申公과 孫大總統 및 胡漢民 씨와의 談話는 대략 다음과 같다.

申……"再昨年 上海에서 閣下와 作別한 후 俗務에 몸이 매여 여러번 南
下하여 拜謁하고 問安을 하려고 하였으나 끝내 如意치 못하여 참으로 부끄
럽습니다. 이번 弊國 臨時政府 李 大統領의 命令을 받들고 國書를 가지고 廣
東을 訪問하여 貴大統領의 氣體 安否를 問安하고 아울러 저의 臨時政府 및
全體 人民을 代表하여 貴大統領에게 敬意를 表합니다."

總統……"貴國 大統領과 貴國 政府의 厚意를 感謝합니다. 나는 貴大統領
과 貴政府 全體 閣員의 健康을 願합니다."

申……"대단히 감사합니다."

總統……"선생은 나의 老同志인데 遠路에 來訪하여 주시니 매우 감사합
니다. 이번에는 다시 韓國國使의 자격으로 一堂에서 서로 만남을 더욱 慶賀
합니다. 그런데 오늘의 會合은 公式은 아니니 우리는 자유스럽게 談話를 하
여 오래 쌓인 心情을 吐露하여도 無妨할가 합니다."

申……"감사합니다. 貴大統領께서 會見을 許諾하여 주셔서 至極한 榮光
이올시다. 圭植이 이번 拜謁하는 意圖는 이미 胡 선생께 자세히 말씀드렸으

므로 總統께서도 아실 것입니다. 圭植은 辛亥에 亡命하여 中國에 와서 마침 中國 革命을 만나 드디어 同盟會에 加入하고 貴大統領을 따라서 第一次 革命에 參加하였습니다.

그 意圖는 대략 韓中 兩國의 革命은 同一하게 중요하여 中國 革命의 成功의 날은 卽 韓國 獨立 解放의 때라는 것을 말합니다. 圭植은 鈍才하오나 申包胥를 본받아 秦庭의 痛哭을 하려고 원하였습니다. 意外에도 民國이 成立하여 十年이래 袁氏는 帝王이라고 稱하고 張勳은 複辟을 하고 軍閥은 割據하고 政客은 國家를 亡치고 內憂와 外患이 그치지 않으니 圭植은 申包胥가 되고저 원하였으나 실은 痛哭할 秦政이 없지요. 지금 다행히 貴大統領께서 護法政府를 組織하고 天地의 正氣를 保護하고 國家 紀綱을 바로 잡으니 弊國 臨時政府는 이 消息을 듣고 雙手로 慶祝하지 않는 者 없었으며 모두들 中國統一은 有望하고 東亞에 曙光은 이미 열리었다고 하였습니다.

그러므로 圭植에게 特命하였으며 이제 南來하여 廣東에 와서 貴大統領을 拜謁하고 護法政府의 諸位를 訪問하여 崇高한 敬意를 표하는 동시에 아울러 貴政府가 正式으로 우리 臨時政府를 承認하고 平等한 立場에 弊國의 光復運動을 援助해주기를 要請하는 바입니다. 이어 弊國政府가 擬訂한 互惠條約 五款을 가져왔삽기 특히 奉呈하매 裁可하심을 비나이다."

이어 나는 本項의 文件을 가지고 孫 大統領에게 奉呈하였다. 總統은 胡氏와 함께 閱覽하였는데 그 條文은 아래와 같다.

一, 大韓民國 臨時 政府는 護法政府를 中國 正統의 政府로 承認함. 아울러 그 元首와 國權을 尊重함.

二, 大中華民國 護法政府가 大韓民國 臨時政府를 承認할 것을 要請함.

三, 韓國 學生의 中華民國 軍官學校에서의 收容을 許可하기를 要請함.

四, 借款 五百萬원을 要請함.

五, 租借地帶를 許可하여서 韓國 獨立軍 養成에 도움이 되게 하기를 要請함.

總統은 다 보고서 잠시 沉默하더니 穩健한 態度로 말하였다.

"韓中 兩國은 同文 同種으로 本來 兄弟의 나라이고, 오랜 歷史 關系가 있어서 輔車가 相倚하고 脣齒가 相依하여 잠시도 分類할 수 없으니 마치 西方의 美英과도 같습니다. 韓國 光復運動에 대하여 中國은 마땅히 援助할 義務가 있음은 말씀할 것조차 없습니다. 다만 滿, 淸을 顚覆하고 共和國을 建立한 이래 軍閥과 政客이 그저 自己의 私利만 알고 共和가 무엇인지를 알지 못하고 專心角鬪하여 날로 祿利의 싸움만 일삼아 내가 創造한 建國 精神에 違反하고 人民을 水火 속에 빠뜨려 國家 民族을 다시 危急存亡에 直面케 하였으니 생각하면 참으로 痛歎을 禁할 수 없습니다. 그러므로 中國은 滅亡을 救濟하고 生存을 圖謀하지 않는다면 그만이지만 그렇지 않다면 强力한 革命政府가 없어서는 아니 되겠습니다.

護法政府 誕生의 原因은 여기에 있읍니다마는 目下 北伐作戰이 아직 成功되지 못하고 國家가 아직 統一되지 못하여 겨우 廣東 一省의 力量을 가지고는 韓國 光復運動을 援助하기가 實은 困難합니다. 그러므로 貴政府의 第四條, 第五條의 要請에 關하여서는 現在 아직 不可能하니 北伐軍이 武漢 三鎭을 占領한 후에라야 비로소 가능할가 합니다. 또 第二條 韓國 臨時政府에 대하여 우리 護法政府는 마땅히 深深한 同情을 表하고 承認을 加하여야 하겠지요. 事實은 우리 護法政府는 지금까지 아직 他國의 承認을 얻지 못하였습니다.

(微笑를 띠며) 몇 年 전부터 나는 韓國 問題에 대하여 終始 特別한 注意를 하여 왔읍니다. 그러므로 이번 汎太平洋會議에 出席하는 代表에게 나는 이

렇게 말하였습니다. '소위 二十一個條 東三省 問題와 山東 問題의 重要性은 馬關條約에 比較가 되지 못한다. 대저 日本이 弱小民族을 侵略하고 東亞 和平을 破壞함은 실은 제멋대로 馬關條約을 成立시키고 韓國의 獨立을 蹂躪하기에 始作된 것이다. 그러므로 列國이 만일 馬關條約이 平等하고 合理的인 條約이 아니라고 不承認을 한다면 여러가지의 附隨條約은 모두 無效로 돌아갈 것이다.' 그런데 소위 泛太平洋會議는 人事를 다하는데 지나지 못하는 것이니 國際 紛糾에 대하여 무슨 도움는 바가 되겠습니까?

그리고 貴政府의 第三條의 要求도 또한 조금도 問題가 없습니다. 우리들은 원래부터 韓國 子弟가 많이 軍事 敎育을 받아 韓國의 軍事 人材가 培養됨을 매우 希望하고 있습니다. 이 일은 내가 原案대로 決裁하여 各 軍官學校에 貴國 子弟를 全部 收容하여야 한다고 命令을 전달하겠습니다.

租借地를 가지고 軍事를 訓練시키어 革命의 根據地로 삼는데 대하여는 나는 北方이 가장 適當하다고 認定합니다마는 目下의 護法政府의 力量으로는 아직 到達치 못하고 있으니 헛되이 空言만 하여서는 아무 利益이 없겠지요. 설사 練兵을 할 적당한 地帶가 있다고 하여도 강력한 政府의 保護가 없으면 모든 일을 進行할 方法이 없을 것입니다.

요컨대 一切의 實力 援助는 北伐計劃이 完成됨을 기다린 후에 時機가 오면 全力으로 韓國 光復運動을 援助하겠읍니다. 나의 말씀을 先生은 혹은 迂遠하다고 생각하시겠지만 그러나 실은 이것은 眞心에서 나온 말씀입니다."

申……"貴 大統領의 厚意를 감사합니다. 弊國 革命에 대하여 깊은 同情을 주시고 다시 많은 指示를 하여 주시니 感激하여 마지않습니다."

胡……"韓國은 東亞의 '발칸'으로 韓國 問題가 早速한 時日 內에 解決되지 않으면 亞細亞州의 時局大勢가 均衡을 잃어 東亞의 平和를 維持할 方法이 없습니다. 그러므로 우리 大總統은 몸소 三民主義를 提唱하고 아울러 大

亞細亞主義를 내걸었으니 實로 이것이 亞細亞 問題를 解決하는 열쇠가 됩니다. 主義와 思想上에서 함께 뭉치어 眞正한 平和를 共謀한 후에야 東亞의 永久平和가 비로소 實現될 것입니다."

申……"現在 우리 臨時政府는 이미 파리와 워싱턴 등 地方에서는 歐美委員會를 設立하였고 이번 汎太平洋會議에도 역시 人員을 派遣하고 벌써 參加하여 呼訴와 宣傳에 努力하고 있습니다. 또한 請하노니 大總統께서 貴國 代表에게 訓令하시어 우리 代表와 緊密히 連絡하여서 呼應에 이바지하면 다행일까 합니다."

總統……"좋습니다. 나는 즉시 우리 代表에게 通知하겠습니다."

申……"또 한가지 相議할 件이 있사온데 즉 韓中 兩方은 今後로는 系統的 外交 連絡이 있어야 하겠습니다. 종전 우리 臨時政府가 成立되기 이전에 貴國과 우리나라 雙方의 外交는 私的 關係에 偏重되어 系統的인 正當한 外交 連絡이 없었습니다. 이러한 實情은 害로움이 많고 利益은 적은 것입니다. 그러므로 貴國과 우리나라의 兩政府 사이에는 마땅히 正式的 外交 連絡 系統이 있어서 協商을 하여 公私의 混同을 避하여야 하겠습니다. 그런데 閣下의 意向은 어떠하신지요?"

總統……"선생이 보시는 바는 퍽 合理的입니다. 부탁하신 일은 그대로 잘 처리하겠습니다. 今後에도 貴政府가 代表를 派遣하여 南來해서 廣東에 常駐하고 護法政府와 密接한 連絡을 保特하며 隨時로 協商케 하시오. 貴代表의 旅費에 대하여는 모두 우리 政府가 責任을 지겠습니다."

申……"감사합니다. 삼가 吩咐에 따르겠습니다."

總統과 申公의 談話는 前後 두 時間이나 걸리었다. 雙方이 衷心을 披瀝하고 懇曲하고 진지한 이야기가 많았다. 깊은 友情은 사람을 感動케 하였다.

談話 中에 여러 번 茶를 가져왔고 어느새 正午가 되어 일어나서 作別하였다.

總統은 "오늘의 會合은 참으로 愉快하였습니다. 이후 機會가 있으면 우리는 좀 더 이야기합시다."라고 하니 申公은 "감사합니다. 다시 뵈옵고 指導를 받겠습니다."라고 하였다.

應接室을 나올 적에 總統은 나에게 "君이 中國에 온지가 몇 해인가?"라고 묻기에 나는 "中國에 온지 이미 8년입니다."라고 대답하였더니 總統은 다시 "中國에 대한 印象은 어떠한가?"라고 묻는다. 나는 "모두가 위대하다고 생각합니다."라고 對答하였다. 總統은 미소를 띠우며 머리를 끄덕거리고 말은 없었다.

親히 門前까지 餞送하고 일일이 握手를 하니 우리는 總統에게 향하여 敬禮를 하였다. 總統은 和氣있게 答禮를 廣東말로 再三 胡氏에게 부탁하는데 우리는 廣東語를 모르니 무슨 뜻인지를 알 수 없었다.

다음 胡氏에게 가서 잠시 休息하였는데 胡氏는 "總統께서 오늘 저녁 榕園에서 申公을 위하여 宴會가 있다고 분부하셨습니다." 申公은 "總統의 厚意는 참으로 惶悚합니다. 이미 引見하여서 優待를 받았는데 이 또 감격하여 마지않습니다. 이제 또 宴會를 베풀어 주신다니 堪當하겠습니까? 請컨데 그만 두시도록 하여주시오."라고 辭讓하니 胡氏는 "辭讓하지 마시오. 우리는 모두 老親舊이니 이 機會를 빌어 더 이야기합시다. 正式 接見에 대하여서는 近來 北伐 事件으로 奔忙하니 總統과 相議하여 擇日하고 선생께 通知하겠습니다. 좀 더 며칠만 기다려 주십시오." 申公은 感謝의 뜻을 표하고 잠시 閑談하다가 作別하고 旅館으로 돌아왔다.

孫總統은 4억5천만의 仰慕를 받은 偉大한 분이다. 나는 이번 背面하여 親히 指導를 받을 수 있었던 것은 실로 平生의 榮光이다. 나의 記憶中에 總統

의 面貌는 비록 오랜 세월은 지났으나 生氣가 活潑하게 남아있다.

그 짙은 눈썹은 漆色같고 눈은 빛나서 족히 堅忍不拔의 決斷力을 表示하고 이마가 넓고 눈썹턱이 쑥 나온 것은 족히 위대한 理想力을 지니고 豐富함을 表示한다. 그는 사람을 接待함에 態度가 寬大하며 和氣가 親切하여 족히 平等博愛의 氣象을 表示하고 그 起居가 산뜻하고 生活이 素朴함은 愛國愛民의 精神을 表示한다. 이러한 모든 印象은 나의 머릿속에 파묻히고 뼛속에 사무치어 一平生 잊을 수 없는 것이다.

이날 밤 徐季龍 선생이 찾아와서 우리를 榕園에까지 迎接하였다. 園內는 花草가 많아서 서로 美觀을 다투어 퍽이나 아름다웠다. 더욱이 여러 개의 아름다운 나무들은 壽命이 數百 年이나 되어 나무가지와 나무잎이 늘어져서 綠蔭이 日光을 가리어 실로 奇觀이었다. 한창 더운 여름에는 바람을 쏘일 수 있는 名勝地가 될 것이다. 宴席은 七테이블, 主客이 70여 명인데 모두 總統府의 要人들이었다. 들락날락하다가 一堂에 모이니 퍽 盛況이었다. 우리는 胡漢民, 徐季龍, 謝持, 伍朝樞, 呂天民 등 여러 선생과 자리를 같이하여 主客이 歡樂을 다하고 解散하였다.

다음날 廣東 各新聞에는 '昨日 孫 大統領이 私誼를 가지고 韓國 特使 申圭植을 接見하였다.'는 記事가 났었다.

第五章 國書 上程

申公은 繁雜한 事務로 인하여 過勞로 不眠症에 걸리어 旅館生活이 매우 不便하였다. 나는 旅館은 시끄러우니 적당한 病院에 入院하여 加療하라고 勸告한 즉 申公은 자못 당연하다고 하였다.

11월 5일 佛蘭西人이 經營하는 韜美病院에 入院하엿다. 이 病院 長堤에 位置하고 퍽 여유가 있어 房이 깨끗하며 四方에 樹木이 많아서 環境이 고요하였다. 病院 內의 施設도 旅館같아서 病없는 사람도 이 病院에서 居住하면 퍽 자유스러워서 出入에 조금도 拘束이 없었다.

우리가 入院한 후에 申公의 親舊들이 날마다 問病오는 것이 그치지 않았다. 孫 大總統은 특히 徐季龍 선생을 代表로 慰問하였다. 胡漢民, 謝持 兩先生도 역시 人員을 派遣하여 慰問하였고 또한 아래와 같은 事項을 通知하였다.

'孫 大總統은 今月 十八日 上午 九時에 東較場에 北伐誓師典禮를 擧行하고 同時에 閣下와 正式 接見을 하고자 하오니 同時刻에 枉臨함을 바랍니다. 또 韓國 臨時政府 承認件은 參衆 兩院議員이 熱烈히 贊同하니 國會 開會時에 通過함은 절대로 문제없습니다.'

이보다 먼저 韓國 사람인 金晉鏞 군은 우리보다 먼저 廣東에 와서 『廣州日報』 사장 謝英伯 선생과 連絡하여 '韓中互助社'를 發起하였다. 그 趣旨는 連絡, 宣傳, 互助의 三項으로 區分되었는데 社員의 大部分은 社會의 知名人士이었다. 그후 申公의 來廣을 듣고 謝·金 兩氏는 특별이 와서 妙案을 가지고 수차에 걸쳐서 이 互助社의 사항을 協議하였다. 申公은 誠意를 다하여 贊助하였다. 이에 11월 10일에 曲園에서 成立大會를 擧行하고 동시에 會食을 開催하기로 決定하였는데 이날 會에 參加한 者는 100여 명, 물론 우리도 參加하였다. 謝英伯 선생을 이 互助社의 社長으로 公薦하고 刊行物을 發行하여 宣傳에 도움이 되도록 決議하였다.

11월 18일에 北伐誓師典禮와 韓國 特使를 正式 接見하는 儀式이 擧行되었다. 全市의 空氣는 갑자기 緊張되었으며 그때 護法政府는 三軍을 動員하여 北伐을 準備하고 있었다. 總統府를 元帥府로 하고 非常大統領을 陸, 海軍大元帥로 정하니 市民의 感情은 퍽이나 興奮되었다.

이날 下午 申 特使는 黑色 大禮服을 입고 東較場으로 달려갔다. 외교부에서는 專門人員을 特派하여 外賓 應接室로 맞아드려 接待를 했다. 會場의 配置는 대단히 嚴肅하였다. 前面에는 黨旗, 國旗를 내걸고 內部에는 講演台가 設置되고 주위에는 좋고 고운 꽃으로 裝飾되어 彩色이 빛나고 눈부시게 찬란하였다. 會場에 參與한 者는 總統府 全體 閣員, 參·衆 兩院 全體 議員, 陸·海軍 全體 將校로 모두 양쪽으로 分列하여 大元帥가 臨席하는 것을 삼가 기다리고 있었다.

九時쯤 하여 大元帥는 到著하였다. 自動車에서 내려 徒步로 會場에 들어왔다. 伍朝樞 次長이 來賓 應接室에 와서 申特使를 맞아 會場으로 引導했다. 軍樂이 크게 울리며 매우 莊嚴하였는데 軍樂이 伴奏되는 중에 申 特使는 徐步로 入場하여 孫 大總統에게 향하여 敬禮를 하고 會場 中央에 나아가서 다시 敬禮를 하고 總統 面前에 나아가서 또다시 敬禮를 하니 總統은 일일이 答禮를 하였다.

申 特使는 이어 祝辭를 읽고 아울러 國書를 上呈하고서 자리에 돌아왔다. 孫 大總統은 國書를 接受하고 곳 外交部長에게 傳하여 주고 答辭를 하니 大略 아래와 같다.

"韓中은 本來 兄弟之國으로서 傳統的 깊은 友誼가 있습니다. 이제 貴國 臨時政府는 首席 特使를 派遣하여 우리 護法政府를 訪問하니 실로 榮光이올시다. 이로부터 兩國의 外交 關系는 열리어 將次 親善友好의 길을 永久히 保持할 것입니다. ……"

이어 申 特使가 앞으로 나아가니 孫 大總統은 特使와 握手를 하고 아울러 李 大統領의 政體健康을 祝賀한다. 잠시 人事가 끝난 후에 물러서니 大統領은 다시 特使와 握手를 한다. 特使는 一步一步 물러서며 總統에게 향하여 敬禮하고 門앞에까지 물러서서 또 敬禮를 하니 總統도 일일이 答禮를 했다.

禮式이 끝나자 伍 次長은 特使를 應接室로 案內하여 特使는 잠시 休息하고서 作別하였다. 次長과 기타 接待 人員 모두 門밖에까지 歡送하였다. 車를 탈 적에 特使는 여러 사람과 일일이 握手하고 作別하였다.

車中에서 申公은 나에게 "이런 孫 大總統의 正式 接見을 받게 됨은 비록 일종의 儀式에 불과하나 그러나 그중에 意義는 참으로 重大한 바 있다. 臨時 政府가 成立된 이래 이것은 가장 紀念할만한 一大事이고 또한 내가 中國에 온 이래 가장 榮光스러운 一大事이다. 다만 目下의 中國革命은 未完成이고 우리 國土 未收復으로 이것은 참으로 근심되고 焦燥하여 마지 않는 바이다. 今後의 우리의 責任은 더욱 重大할 것이다."라고 말하였다.

나는 "선생의 말씀은 지당합니다. 이번에 中國 護法政府가 正式으로 우리 臨時政府를 承認한 것은 孫 大總統의 眼光이 遠大하고 正義感이 强烈함을 보아 足히 證明할 수 있으니 실로 우리를 感服케 하였지요. 非常 國會의 우리에 대한 熱烈한 同情은 더욱 얻기 容易한 일은 아니지요. 이후 孫 大總統이 中國을 統一하면 이번 廣東 問題는 意義가 重大한 것입니다."라고 하였다.

申公은 '이번 孫 總統의 優待는 물론 胡漢民 선생 등 여러 老同志의 助力을 바라게 되어 衷心으로 感激하는 바이다'라고 하셨다.

談話中에 車는 벌써 宿所에 到着하였다. 나는 經過 事項을 電文으로 作成하여 政府에 打電했다.

다음날 廣東 各新聞에는 '昨日 아침 孫大元師는 東較場에서 北伐誓師典禮를 擧行하고 겸하여 韓國 特使 申圭植을 正式 接見하였다.'라고 記事가 실리어 있었다.

第六章 中山縣 遊覽記

11월 21일 夕飯을 마치고 나서 申公은 中山縣에 있는 唐家灣에서 온 便紙를 받았다. 편지를 보고나서 웃으면서 나에게 "唐少川 선생에게서 便紙가 왔다. 우리들에게 한번 놀러오라고 하였는데 지금은 급한 일도 없으니 唐 씨를 찾아 뵙는 것이 어떠한가?"라고 물으셨다. 나는 물론 贊成하였다.

다음날 아침 나는 申公의 부탁에 따라 總統府 其他 親舊들에게 近日 內에 唐少川 선생 댁에 가서 數日 동안 머물다가 돌아오겠다고 通知하고 또한 政府에도 이 일을 打電 報告하였다. 23일 아침 우리들은 廣東을 떠나 香港을 거쳐 배를 타고 마카오(Macao)로 向하였다. 이날 天氣는 明朗하고 푸른 하늘에는 구름 한 점 없으며 배는 물결을 타고 화살같이 달렸다. 오랫동안 都市에만 있어서 퍽이나 싫증이 났었는데 이번 바다 旅行을 하게 되어 바람을 타고 萬頃蒼波를 헤치며 넓은 바다와 虛空을 달리니 가슴이 시원하고 愉快한 氣分을 禁할 수 없다.

오후 한시에 마카오에 到著하여 점심을 먹었다.

마카오는 일찍이 포르투갈(Portugal)人이 經營한 바로 一彈丸의 地에 不過하다. 市街 建設은 香港, 廣東에 따르지 못하고 賭博窟과 阿片窟이 많으며 특히 賭博으로는 世界에 유명하여 東方의 몬테칼로오(Montecarlo)라고 할만하다.

점심 후에 우리는 唐家灣 宅에 가는 길을 물으니 어떤 者가 轎子(가마)는 퍽 느리니 人力車로 빨리 가는 것만 못하다고 하므로 人力車를 타기로 하였다.

마카오로부터 中山縣 唐家灣 宅까지는 약 五十里인데 沿道의 山川은 아름답고 林木이 茂盛하고 岩谷, 溪川, 村落, 田園, 竹籬와 초가집, 작은 다리, 흐르는 물 모두가 南華 늦가을의 格別한 景致이다. 山川의 明麗함은 故國의

山川과 恰似하며 멀리 구름진 하늘을 바라보니 여러가지의 感懷를 禁할 수 없다. 얼마 안 있어 夕陽이 西山에 기울어지니 저녁노을은 불과 같고 집으로 돌아가는 까마귀는 숲에서 지저귄다.

나는 四方이 어두워진 것을 보고 車夫에게 "몇 里나 남았는가?"물으니 그는 두 손가락으로 대한다. 나는 다시 "二十 里냐 그렇지 않으면 二 里냐?"라고 물으니 그는 "아직 二十 里"라고 한다. 나는 이 말을 듣고 "속았다"라고 連發하니 申公이 그 理由를 따지기에 나는 "人力車에 三十 里 동안이나 흔들렸더니 궁둥이가 아파서 못참겠소. 二十 里를 더 가야 한다니 생각만하여도 輪를 탈 것을 잘못하였어요."라고 하니 申公은 웃으며 "무슨 일이든지 經驗을 해봐야 아는 것이야, 이번은 참 좋은 經驗이야. 俗談에 길은 걸어봐야 알고 사람은 겪어봐야 안다고 하였지! 當初에 이 길이 이렇게 나쁜 줄이야 누가 알았나?"라고 하기에 나는 그 말도 無理가 아니라고 하였다. 밤이 되니 車夫는 村사람에게 초롱을 빌리어 계속 前進한다.

험한 산길을 넘어가니 밤 추위는 더욱 심하며 九時쯤 되어 겨우 唐家灣 宅에 到著하였다. 前後 人力車를 탄 것이 八時間이니 全身이 아프고 저리어 車를 내리니 거의 일어설 수가 없었다.

唐氏 邸宅은 左右에 울타리가 있는데 小砲 二門이 設置되고 門 안에는 短衣를 입은 壯丁이 銃을 메고 巡視하다가 우리를 보더니 큰소리로 "어디서 오느냐?"고 따지다가 後에 申公의 姓名을 알고 기뻐하면서 바라보고 "唐 선생이 벌써 申 先生께서 오신다고 말씀하셨습니다."라고 말하였다.

이어 사람을 請하여 우리를 唐氏 宅으로 案內하였는데 百步를 못가서 앞에 두 사람이 초롱을 들고 맞으러 나왔는데 그 한 사람은 卽 唐氏이었다. 우리가 感謝의 뜻을 表하니 唐氏는 우리가 無事히 到着한 것을 놀래었다. 申公이 "이곳에 처음 오니 길이 설고 沿道에 산길은 험하고 車는 느리어 밤中客

이 되었습니다."라고 말하니 唐氏는 속히 집에 가서 쉬자고 催促한다.

나는 唐氏에게 향하여 敬禮하고 問安을 하니 唐氏는 자못 기뻐하며 나를 어루만졌다. 그러나 袁世凱가 駐韓 公使時에 仁川總領事를 지내며 韓國에 20년 동안이나 살아서 우리나라 人情과 風俗에 精通할 뿐더러 先考와의 友誼가 퍽이나 깊었었다고 한다.

唐氏 宅에 가보니 집은 廟堂같고 室內構造는 中洋合式이며 書帖이 걸려 있었는데 아주 名筆로 매우 幽雅한 風이 있었다. 沐浴이 끝난 후에 唐 씨는 특히 夜宴을 베풀어 貴賓으로 歡待하여 주었다. 밤中에 主人에 弊가 될까 퍽 未安하여 여러 번 辭絶하였다. 宴席에는 山海珍味가 많아서 밤中에 이렇게 훌륭한 안주를 準備한 것을 나로서는 놀라지 않을 수 없었다.

食事中에 唐氏는 "두 분이 멀리 찾아오니 마땅히 잘 歡待해야 할 것인데 집이 넉넉치 못하고 또 僻村이므로 여러 가지가 不足하여 할 수 없이 있는 대로 차렸습니다." 또 "나는 두 분을 만나 뵈니 衷心으로 愉快합니다. 옛적 韓國에 있을 때의 事情을 돌이켜 생각하니 分明하기가 책상 밑에 있어서 눈앞에 보는 것 같습니다. 참으로 感慨無量하지요."라고 말하니 申公은 "우리들도 같은 感想이지요. 선생을 만나니 마치 故鄕 어른을 만나는 것 같습니다."

唐 씨는 웃으면서 "제가 韓國에 있을 적에 잊을 수 없는 二件의 일이 있으니 하나는 特製의 김치로 암만 먹어도 물리지 않지요. 또 하나는 韓國의 山水인데 金剛山 關東八景 같은 것은 모두 어떻게 아름다운지 求景하다가 차마 떠나지 못하겠지요. 특히 金剛山의 神秘하고 奇異함은 그저 感嘆할 뿐으로 遊覽者는 몸에 날개가 달려 仙女로 올라가는 것 같아서 俗世를 超越하는 感이 있으니 참으로 天地의 壯觀이고 人間의 福地입니다."라고 讚辭를 말하였다.

申公은 말을 이어받아 다음과 같이 말하였다.

"近年에는 日本人이 이미 金剛山을 名勝地區로 정하고 서울서 이 山까지 汽車가 直通합니다. 歐美人士의 遊覽하는 者 每年 무려 千名, 萬名이 넘는데 그들의 批評에 의하면 '金剛山의 風景이 幽美함은 스위스에 못지 않으며 그의 莊嚴하고 神奇함은 오히려 이보다 나을 것이다.'라고 말했는데 아깝게도 이 좋은 山水가 倭敵에게 가로 채였으니 어찌 憤慨하지 않겠습니까?"

食事가 끝나고 申公은 南來의 뜻과 經過를 말하니 唐氏는 자못 그럴 듯이 머리를 끄덕거렸다. 그는 다시 "中國이 韓國에 對하여 始終 實際的 援助를 못한 것은 遺憾된 일입니다. 馬關條約의 締結은 中國이 韓國에 대하여 가장 未安한 일입니다."라고 말했다. 歡談이 11시에 이르러 主客이 歡樂을 다하고 헤어졌다.

다음날 朝飯이 끝난 후 唐氏는 "우리 집 뒤에 조그마한 山이 있어 높은 곳에 位置하여 南海를 바라볼 수 있고 景致가 매우 아름다워서 이 山을 公園으로 만들어 亭子와 樓閣이 있으니 한번 놀러 갑시다." 하기에 우리는 贊成하였다.

唐氏집 울타리 門을 나서서 길을 돌아 山위로 올라가서 公園入口에 '公樂園'이라는 현판이 걸렸는데 汪兆銘의 筆跡이라 한다. 산 꼭대기의 亭子의 花木, 樓閣의 水榭며 怪石이 우굴우굴하고 古木이 울창하여 매우 말쑥하고 아담하다. 公園 앞은 푸른 바다를 面하여 一望無涯하고 風光이 아주 좋으니 보는 사람으로 하여금 仙境에 있는 感을 가지게 한다.

唐氏는 바다를 가리키면서 "이 곳을 唐家灣이라고 합니다. 淸道光年間에 포르투갈(Portugal)軍艦이 여기 와서 騷亂하다가 地方民團에게 擊退를 당하였지요. 居留民은 唐姓 以外에 梁姓이 있습니다. 華僑가 多數를 占하고 모두 富豪로 最小 한 者의 財産이 二十萬元은 되지요. 우리 廣州의 惡習은 唐, 梁 兩性 사이에 늘 싸움이 있어서 現在는 政府가 嚴重한 官制를 加하여 이 風

習은 多少 완화되었지요. 唐家灣 地帶는 真正한 共和制의 實驗 地區라고 할
수 있습니다.

이 地區는 다만 長幼의 分別은 있으나 階級의 差別은 없으며 上下가 아무
間隔이 없이 극히 融和되고 있습니다."

散策을 하다가 正午가 되니 下人이 料理를 가져와서 亭子에 차려놓으니
材料가 豊富하고 樣式이 많아서 입맛을 다시게 한다. 唐氏는 말하되 "내가
韓國에 있을 적에는 春秋의 佳節이 되면 늘 貴國 人事의 招請을 받아 名勝
地區에서 들놀이를 하였습니다. 閑適한 趣味는 이루 形容할 수가 없었습니
다. 오늘 이 자리가 貴國의 들놀이만 할런지요?"

申公은 웃으면서 "野外놀이만 하고 말구요. 分量이 더 많습니다. 우리나
라 俗談에 十景飯도 울타리 아래서 먹으면 더욱 맛이 있다고 한 것은 이런
뜻이지요." 이어 나는 "野外飲食은 本來 맛이 있는데 선생께서 차린 것이 너
무 豊富한데 겨우 우리 三人뿐이니 어떻게 箸를 대야 할지 모르겠습니다."
라고 말하고 서로 바라보며 웃었다.

食事中에 唐氏는 甲申年 때의 우리 韓國의 事件을 閑談하였다. 그때 改革
黨이 郵政局 落成式을 憑借하여 宮中에서 外國 손님을 招待하였을 적에 宮
中에 侵入하여 各大臣等의 要員을 刺殺하였다.

唐氏도 當時 그 宴會에 參與하고 친히 目擊한 바를 상세히 말하였다. 食
事를 마치고 茶를 마시며 閑談을 하다가 申公은 "이번 韓國 臨時政府가 代
表를 派遣하여 汎太平洋會議에 參加하였습니다. 이 事件은 이미 孫 大總統
에게 말씀하였습니다만 또 唐 선생께 請하노니 卽時 中國 代表에게 書信을
보내어 韓國 代表들과 緊密한 連絡을 取하여 서로 도와 意氣 相通하게 하여
주시요. 貴下의 意向이 어떠하신지 아직 모르겠습니다마는"라고 하니 唐 씨
는 "좋습니다. 代表에게 書信을 보내는 것은 容易합니다. 나는 現 美國 大統

領 후버(Herbert Hoover) 선생과 친하오니 후버氏에게 따로 書信을 보내어 援助를 請하는 것도 可能합니다."라고 함에 申公은 謝意를 表하였다.

저녁에 唐씨와 作別하였다. 唐氏는 특별히 寫眞師 一名을 求하여 우리와 함께 海濱에 가서 조그마한 배를 빌려 三人이 타고 같이 寫眞을 찍었다. 다음에는 그 배로 한 雙의 砲艦으로 갔는데 이 砲艦은 香港으로 가는 것으로 唐씨는 그 조카 唐銑에게 命令하여 隨行토록 하니 그 厚意에 感謝하였다. 砲艦이 出發하기 전 唐씨는 우리의 손을 잡고 鄭重히 作別하였다. 너무나 친절하여 그 떨어질 수 없는 愛情은 지금에도 잊을 수 없다.

배는 5시간만에 香港의 繁華한 地區를 遊覽하였다. 申公은 先約대로 唐繼堯 씨를 訪問하고, 下午에 唐銑君은 마카오로 우리는 廣東으로 돌아갔다.

第七章 韓·中·美·佛 聯合歡記

歲月은 如流하여 어언간 크리스마스(Christmas)가 되었다. 總統府 要人들은 孫 大元師를 따라 北上하였다. 廣東市民들은 每月같이 前方의 勝利 報道만 바라보고 있었다. 그때 申公은 閑暇한 틈을 利用하여 市內 沙面에 駐在하고 있는 各國 領事를 拜面하고 아울러 造詣있는 李聖耀 醫師에게 請하여 佛語로 通譯시켜서 韓國 獨立의 眞相을 밝히는 宣傳을 하였다. 크리스마스 이틀 전 22일 上午에는 특히 新新호텔을 빌리어 沙面의 各國 領事를 招待하였는데 參加한 者는 美佛領事 및 總統府 來賓 60여 명이었다. 席上에서 申公은 中國語로 아래와 같은 三點을 演說하고 李聖耀 氏가 佛語로 通譯하였다.

'弊國 臨時政府는 上海에서 成立되었는데 오로지 佛蘭西 總領事의 同情을 받아 多方面으로 援助하여 주신데 대해서 대단히 감사하는 바이다. 또한

華府方面에서도 美國 朝野人事들이 弊國 革命運動을 同情하여 韓國人을 日本의 屬國民으로 인정하지 않아 우리 臨時政府와 全國民은 極히 感激하고 있습니다.

一, 3·1運動 당시의 經過報告 및 各地 韓國民族의 運動 近況.

二, 이번 中國 護法政府가 韓國 臨時政府가 韓國 臨時政府를 正式으로 承認한 經過와 아울러 列國이 韓國 獨立運動에 대하여 加一層 援助와 指導를 希望함.'

佛領事의 答辭는 대략 다음과 같다.

'宴會에 招待를 받아 감사합니다. 佛蘭西는 世界 革命의 策源地이고 民主政治의 搖籃地입니다. 革命事業이 대단히 困難한 것은 잘 아는 고로 政治犯에 대하여는 모두 同情하고 加一層 保護하는 것이야말로 佛蘭西의 本來의 國責입니다. 또한 弊國은 平等·博愛·自由를 가지고 建國하였으므로 自由를 爭取하려고 奮鬪하는 韓國民族에 대하여 甚深한 尊敬을 表示하고 同情을 하는 바입니다.'

끝으로 美國 領事의 祝辭는 대략 다음과 같습니다.

'美國人民은 韓國獨立 革命運動에 대하여 本來부터 甚深한 同情을 表하고 있습니다. 생각컨데 美國 建國精神도 平等·博愛·自由입니다. 과거 歷史上의 링컨(Abraham Lincoln) 大統領의 宣言과 南北戰爭의 經過는 모두 美國人民이 平等 自由 平和를 愛護함을 足히 證明하고 있습니다.'

講演이 끝난 후에 主客이 記念攝影을 하고 歡喜를 다한 후 解散하였다.

우리가 廣東에 온지 二個月이 지나서 맡은 바의 使命을 거진 達成하였다.

上海 方面의 政府에서는 速히 돌아오라는 特電이 있었다. 이어 總統府 여러분을 宴會에 請하고 作別人事를 하니 府中의 여러 사람들은 우리를 餞送

하는 등 數日 동안은 人事往來에 퍽이나 奔忙하였다.

25일 아침 偶然히 廣東에서 上海로 直行하는 汽船이 있었으므로 그 汽船을 타고 上海에 돌아 왔는데 到着하였을 적에는 이미 年末에 가까왔다.

飮水思源(著者 自敍)

나는 戊戌年(서기 1898년)에 出生하였다. 마침 李朝 末葉으로 國勢가 기울어지고 內憂와 外患이 자꾸 닥쳐오는 때이었다. 나는 六歲에 先父인 孝獻公이 乙未年(서기 1895년)에 日本이 우리나라를 어떻게 侵略하고 暴行하고 또 日本人이 어떻게 宮中에 侵入하여 우리 明成皇后를 燒殺하였나 等等의 悲慘한 歷史를 痛述함을 듣고 憤한 마음이 가슴에 찼었다. 先親은 그때 年歲가 六十이 넘었는데 이 國難을 만나 깨끗이 怨讐를 갚고자 急히 꾀하였으나 環境이 나빠 如意치 못함을 어찌 하리오?

이것 때문에 鬱憤을 참다못해 病이 되어 數年동안 病席에 누우니 漸漸 形容이 파리해져서 精神이 常態를 잃은 것 같았다. 하루는 나는 갑자기 그이가 朝服冠帶를 하고 뜰 가운데 서서 말하는 모양이 天堂에 올라가서 玉皇上帝에게 韓國 사람들이 日本 사람의 迫害를 받는 冤恨을 하소연 하는 것 같은 것을 보았다. 家族이 말리어도 듣지 아니하다가 넘어져서 落傷을 하니 그 後 病勢가 漸漸 甚하여 마침내 다시는 일어나지 못하였다.

그후 家勢는 沒落하였는데 先妣 李憲卿의 고생스러운 支持에 의지하게 되었다. 내가 小學부터 中學에 이르는 十年동안은 國事가 더욱 多難하였다. 日本은 우리나라를 엿보는 者를 顧問으로 하여 우리나라 政事를 監視함을 일삼았다. 계속해서 우리나라를 强壓하여 五條 七條의 亡國條約을 調印케 하고 끝내는 韓國으로 하여금 日本의 保護國으로 만들고 말았다. 다시 韓國 軍隊를 解散하고 우리 老皇 光武帝를 逼迫하여 帝位를 太子 隆熙皇帝에게 讓位케 하였다. 日本人은 韓國에 統監府를 設置하고 統監 伊藤博文이 全面 的으로 우리 內政, 外交를 干涉하다가 1910년에 우리나라는 마침내 合併되고 말았다.

이해 나의 나이는 13세, 先親이 憂國으로 인하여 病死한 것을 생각하니 그림같이 머리에 떠올랐다. 그러나 우리나라 사람 中에서 나라를 위하여 自殺한 者, 武器를 가지고 義擧하다가 被殺된 者 또는 日本人의 暴行으로 慘殺된 者, 어찌 先親 一人뿐이랴! 나는 先親의 死亡을 痛嘆한다. 또한 나는 日本人이 우리나라 靑年에게 日本말을 배우게 하고 기타 여러 가지 暴行을 目睹하니 나의 敵愾心은 더로 더할 뿐이었다.

韓日合併을 당한 후에 日本人은 爵位를 미끼로 우리 同胞를 誘惑하였다. 나의 長兄 瀅鎬는 爵位 받음을 拒否하고 仲兄 濟鎬, 溶鎬와 같이 敎育文化事業에 盡力하였다.

그런데 이 事業도 日本人이 시기하는 바가 되어 아무 發展도 없었으며 辛亥年(서기 1912년)에 國民들이 中華民國의 革命 成功을 風聞에 듣고 心中에 興奮하였다. 나라 光復을 위하여 이해 봄에 仲兄은 北京으로 逃亡하였고, 이해 겨울에 나는 남몰래 上海로 건너갔다. 仲兄의 紹介로 上海에서 申圭植 씨를 뵈올 수 있었고 아울러 申公이 主管하는 博達學院에 入學하여 工夫하였으며 다시 申公이 創設한 同濟社에 參加하였는데 이것은 우리 兄弟가 申公을 따라 革命陣營에 參加하는 始初였다.

申公은 仁慈하고 義理를 좋아하며 公만 取하고 私를 버리었다. 休日마다 나는 반드시 申公 宿所에 달려가서 깊이 申公의 人格의 熏陶를 받았었다. 申公은 일의 大小없이 모두 나의 意見을 묻는 것이었다. 우리로 하여금 가장

尊敬仰慕케 한 것은 酷暑나 嚴寒을 就寢과 早期에 時間이 일정하였으며 아침 일어나기 전에 반드시 우리 國祖 檀君聖像에 향하여 敬禮와 默念을 하였고, 同使에 李忠武公의 '誓海魚龍動 盟山草木知'(바다에 물고기와 용이 움직이고 산에 맹서하니 풀과 나무가 알도다)의 詩句를 읊어서 自身을 謹身하고 督勵한 것이다.

申公은 自身이 매우 儉素하고 一生을 獨立運動에 奔走하여 餘力을 남기지 않았다. 내가 그이를 알고서부터 그이가 病死하기까지 10여 년을 하루와 같이 지내었다. 諸葛孔明의 出師表에 이른바 '鞠躬盡瘁 死而後已'(몸을 구부려 있는 힘을 다하고 죽은 뒤에야 그만둔다)라고 하였는데 申公이야말로 참으로 이에 부끄러움이 없을 것이다. 申公이 作故한 후에 나는 다시 李始榮, 李東寧, 金九 諸氏를 따라서 계속 獨立運動에 服務하였다.

대체로 우리 國內, 中國, 日本, 美國, 露西亞 등지에서 우리나라 革命志士가 行한 忠熱한 事跡을 나는 大概 보고 들었는데 당시 우리 革命志士가 머리를 잘리고 뜨거운 피를 뿌리는 慘事가 그치지 않았었다. 30여년의 奮鬪로 우리 韓國革命運動은 그 소리가 遠近에 떨치며 널리 國際社會에서 깊은 同情을 얻게 되어 1943년 12월 1일 카이로(Cairo)會議에서 마침내 韓國의 獨立議案이 通過되었으니 이것을 우리 革命 先烈志士의 犧牲, 奮鬪의 對價인 것이다.

2차 세계대전이 終結되자 同盟軍은 進駐하였는데 뜻밖에도 聯合軍은 韓國을 信託統治하는 그릇된 建議를 하였다. 다행히도 우리 賢明한 最高 領導者인 李承晚博士 및 全國 同胞의 굳은 反對와 아울러 卽時 우리나라에 獨立을 줄 것을 聯合國에 要求하였다. 奮鬪努力을 몇 번 거듭한 後 聯合國은 비로소 이상의 建議를 取消하고 마침내 1947년 11월 14일에 韓國 獨立 方案을 通過시켰고 1948년 8월 15일에 우리나라는 正式으로 獨立을 獲得하였었다. 이로부터 數十年 동안의 國恥를 깨끗이 씻어버리고 우리 大韓民國이 東

亞에서 卓然 獨立한 것이다.

우리 韓國 同胞가 自由安樂의 生活을 享有할 수 있는 것은 모두 우리 革命 先烈志士의 膳物인 것이다. 그런데 不幸이도 우리 韓國이 戰後에 二區로 分裂되어 아직 統一되지 못하였고 北傀는 中共과 聯合하고 1950년에 突然 南侵함에 이르러 3년 동안의 戰禍는 우리 同胞를 空前의 大災難中에 빠뜨리었으니 실로 우리 革命 先烈志士의 神靈에게 面目이 없는 것이다.

나는 『韓國魂』을 再版함에 있어 삼가 飮水思源의 意義를 가지고 國民을 勉勵하고 國民으로 하여금 우리나라가 能히 獨立한 것은 실로 여러 先烈의 功임을 알게 하고 今後 우리들은 마땅히 先烈의 遺志를 繼承하고 우리나라의 統一을 圖謀하여야 할 것이다.

金俊燁 編, 『石麟 閔弼鎬 傳』, 나남출판, 1995.3, pp. 209-260

희곡 편

대장동무의 명령은 내렸다[01]

각본: 김 강

연출: 김 혁

등장인물

고봉철(17, 8세의 조직에 충실한 동무)

김상진(20세 전후의 용감한 동무. 그의 결점은 너무나 덤비고 고집이 센 것이다.)

나팔수

분대장

부분대장

특무(영철)

리희원

정찰원

대원(大元)

흥결

---

01 《대장동무의 명령은 내렸다》는 1946년 1월에 창작되고 그해에 흑룡강지구에서 공연된
작품이다. 1988년에야 겨우 《문학과 예술》 제5호(연변문학예술연구소)에 발표되었다.

막이 열리기전에 동굴 속에서《우리 광영 끝없다》는 노래가 들림

막이 열리면 봉철 떨면서 보초를 보고 있다

부: 봉철동무, 춥지?

봉: 응응 (하고 고개를 흔든다.)

부: 아무 일도 없습니까!

봉: 네! 저쪽에서 총소리가 들릴 뿐입니다. (그 방면을 본다)

부: 봉철동무, 배고프지? 왜 동무는 웃는 것을 잊었어.

봉: 아닙니다. 웃을 수 있습니다.

부: 어디 웃어봐.

봉: (살그머니 부분대장을 보고 웃는다.)

부: 봉철동무 내 교대하여 줄 테이니 들어가 불을 좀 쪼이고 나와. 응.

봉: 아닙니다. 괜찮습니다.

부: 봉철동무, 동무 손과 뺨이 이렇게 얼었는데 자, 어서 (봉철동무의 뺨을 만진다) 들어가 불을 좀 쪼이고 나와. 응.

봉: 아닙니다. 저는 어려서부터 굶어본 경험이 많아서 요만쯤은 괜찮습니다.

부: 봉철동무, 아니, 내 동무만큼 책임지고 보초를 못 봐드리겠어?! 자, 어서 내 책임지지, 응.

봉: 아니 괜찮습니다.

부: 자, 또 공연히 고집을 쓰네. (총을 달라고 손을 내들며) 우리는 이틀이나 굶었으니깐 동무 배도 고플 것이고 이렇게 날이 춥고 눈이 오는데 자, 어서 몸이 뜨뜻하여야 기운이 좀 나지. 만일 적이 진공해오면 어떻게 해. 자, 어서.

봉: 그러나…… ?

부: 봉철동무 이것은 부분대장으로서의 명령이야. 동무 들어가 10분만 불 쪼이고 나오시오. 알았어?

봉: (차렷하고 명령을 기다림) 네— (하고 할 수 없이 부분대장에게 교대하고 들어간다.) (들어가다 부분대장이 웃는 바람에 돌아 나와) 부분대장동무, 다른 것이 아니라 저는 대원동무와 상진 동무하고 경쟁을 하고 누가 자기 책임을 자기가 꼭 완성하는데 낫느냐 보자고 약속을 하였습니다. 그래 제가 들어가면 대원동무와 상진 동무한테 지지 않겠습니까? 그리고 두 동무는 날보고 웃을 것입니다.

부: 오. 하하하. 그러면 상진동무와 대원동무에게 말하시오. 봉철이는 부분대장의 명령에 의해서 들어온 것이라고.

봉: 그렇지만 (주저한다.)

부: 무엇이 그렇지만이야. 속히 들어가!

봉: 네—! (하고 들어감) (이때 안에서 여러 동무들이 웃으며)

상: 봉철동무 춥지. 자, 불 쪼여.

대: 졌어. 졌어. 나한테 졌어.

봉: 대원 정말이야

대: 거짓말 말어. 내가 이겼어.

봉: 참 안타까워 죽겠네. 어디 나가 부분대장동무한테 물어 볼가?

대: 물어보긴 뭘 물어봐. 내가 이겼는데.

상: 자 봉철동무 앉지. 내 자리를 양보하지. (이때 멀리서 총소리가 남.) (안에서 웃음소리)

부: 오—, 내 사랑하는 동무들— 흥. 그래 네놈들이 우리를 포위한 것이 6일 동안이지만 우리를 굴복시켜 보자는 것은 어림도 없지. 우리 앞에는 주림과 고난 앞에 조금도 굴하지 않고 저렇게 유쾌하고 활발스럽게 웃는 진실한 인민의 일군들이 있어.

봉: 아니 그런데 동무는 어디 가?

상: 나—? 내 나가 소변보고 오지. (하고 나온다.) 부분대장동무 속히 들어가 보십시오. 안에서 무슨 큰일이 생겼습니다.

부: 무슨 일이요?

상: 들어가 보시면 아실 겁니다. 속히요.

부: 정말이요?

상: 아니 내가 부분대장을 속이겠습니까.

부: 그럼 동무 잠간만 봐주시오. 내 곧 갔다 올 테이니깐. 저 방면을 주의하시오. (손짓을 하며 상진에게 보초를 교대한 후 부분대장 들어간다.)

상: 네! 잘 알았습니다. (부분대장이 들어 갈 때) 하하하 부분대장동무가 나한테 속았어. 하하하 (웃는다.)

부: (안에서) 동무들 무슨 일이 생겼습니까?

봉: 아니요. 아무 일도 없습니다.

부: 정말 아무 일도 없습니까?

대: 네. 아무 일도 없습니다. 왜요?

부: 아—참 내가 또 상진 동무한테 속았군.

봉: 속다니요?

부: 상진동무가 안에서 무슨 큰일이 생겼다고 들어가라고 해서 들어왔더니. 하하하

대: 이! 나팔쟁이가 (뛰어나가다) (전체 나온다.)

상: 모두들 어디 가십니까? 이것은 분대장의 명령인데 아무도 이 보초선을 함부로 넘지 못합니다.

부: 상진동무! 그렇게 사람을 속이시오. 하하하.

상: 네네 잘못했습니다. 탄백하지요. (하고 머리를 숙인다.)

대: 상진이 그래 거짓말을 해서 우리 동무우애를 발휘하자는 경쟁조건에 일등을 먹겠다는 것은 틀린 사상이야. 그건 비겁한 일이지!

봉: 상진동무 누가 다 모를줄 알구.

상: 오—! 꼬맹이동무는 뭘.

봉: 상진동무 괜히 날 놀리려구.

상: 아—니 내가 봉철동무를 놀리다니! 소조회 때마다 칭찬받는 이는 모범맹원 고봉철 동무요. 비평받는 것은 김상진인데.

봉: 아니 자기는 모범맹원이 아닌가? 동무 자꾸 그러면 나는 정색할 테야.

상: 네네 잘못했습니다. (일동 웃는다.)

봉: 그런데 부분대장동무, 아까 상진동무가 벌써 며칠 동안이나 나팔을 못 불어서 죽겠다구! 또 분대장동무한테 불어드릴 시간이 되였는데 큰일이 났다구 나팔을 보고서 오오— 내 사랑하는 나팔아 네가 소리를 못 낸지도 벌써 엿새로구나 하며 함박눈 같은 눈물을 뚝뚝 흘렸답니다.

대: 그래요 참 보기 싫어요! 그래서 내가 말해주었어요. 이런 때 나팔은 무슨 개나팔인가구. 그래 이런 때 나팔을 불어서 적 있는 곳에 우리 있는 곳을 알려 습격하러 오라구 할 생각인가구. 이렇게 말해주었습니다.

부: 동무들 추운데 이렇게 보초선에 나와 잡담하는 것을 분대장동무가 부대에서 돌아오시다가 보면 비평할 겁니다. 자— 들어가 불을 쪼입시다.

봉: 부분대장동무 보초를 저에게다 돌리시오. 제가 볼 시간이니깐.

부: 네! 그럼 그렇게 하시오. 동무가 온 다음은 희원동무이니 그 동무에게 돌리시오. 더 봐서는 안 됩니다. 알겠지요?

봉: 네! 꼭 지키겠습니다. (하여 상진한테 총을 바꾼다.)

부: 동무들 들어가 책을 봅시다. (이때 안에서)

영: 제—기 이렇게 배고파서야 사람이 살수가 있나. (다 들어온다.)

대: 누구야? 배고파서 참지 못하겠다는 것은.

희: 그것은 리영철입니다.

상: 이 자식!

대: 이 자식 네 그래 배고프다고 해서 우리 분대를 혼란시킬 작정이야.

부: 영철! 너는 특무다. 너는 아직 혁명자가 민족을 위해서 적과 생사의 싸움을 할 때 그 싸움이 얼마나 가난하다는 것을 조금도 몰라! 그러나 오직 민족을 사랑하고 조직을 위하여 모든 것을 즐겁게 바칠 수 있는 진실한 인민의 일군으로서만이 이 고난을 뚫고 나가면서 끝까지 싸워나갈 뿐이지! 동무들 그렇지요. 영철, 네 함부로 그 쇠빠진 대가리에서 나오는 수작을 짓지 말어. 다시는 용서하지 않을 테야.

영: 네. 용서해주시오. 다시는 안 그러겠습니다.(이때 밖에서 발자국소리)

봉: 누구야? (총을 재인다.) 암호.

정: (손벽 친다.)

봉: 구호.

정: 용감!

봉: 누구요?

정: 나야~

봉: 수고했습니다.

정: 아니, 수고 없습니다.

봉: 그런데 정환이 어때?

정: 다른 것이 아니라 지금 이 아래 하장(下庄)에 있는 적약 한개 소대가 저녁밥을 먹고 상장(上庄)으로 올라와서 주둔하고 로백성의 짐승을 잡아먹느라고 야단이야.

봉: 기타의 적은……

정: 다른 곳에 있는 적은 우리군 팔로군의 압박 밑에 감히 나오지 못하고 있어.

봉: 오면 (하고 총을 바로 잡는다. 정찰원도 권총을 잡는다)

정: 응. 그런데 너무 긴장 말어. 아마 가능성이 있기는 하지만 안 올라올거야. (이때 안에서 웃음소리가 난다.) 아니 안에서 누가 있어.

봉: 응. 안에 우리 부분대장동무가 있어.

정: 그럼 나도 들어가 볼가.

봉: 아니 부대에 가서 보고 안 해도 돼—

정: 응. 나하고 정찰 갔던 리동무가 먼저 갔댔어.

봉: 동무는 언제나 이거야. (엄지손가락을 내든다.)

정: 무엇이?

봉: 용감하고 민첩하고……

정: 또또또

봉: 아니야. 나는 동무의 그것을 언제나 따라 배우려고 하는데.

정: 뭘 또 돌연히. (안으로 들어간다.)

부: 오동무 수고했습니다.

상: 자 앉으시오.

정: 그런데 동무들 배고프지 않아.

대: 이건 또 뭘 쓸데없는 소리를 하고 있어.

정: 아니야. 내가 여기 떡을 가지고 왔소.

영: 어디서 났어.

정: 다른 것이 아니고 인제 오는데 늙은 할머니가 종발인데 적이 온다는 말을 듣고 걷지 못해 울고 있겠지. 그래 내가 할머니를 안전지대까지 업어다 주었더니 고맙다고 붙잡고 울며 자꾸 가지고 가라 하길래 하나 받아가지고

왔어.

　대: 그래 그것을 받았어. 남의 곤난을 몰라주는 작자라구. 그럼 그 할머니도 배고플 것이 아니야!

　정: 나도 그렇게 생각해서 안 받겠다고 하였지만 자꾸 가지고 가라 하겠지. 그리고 그 할머니 가진 떡이 여러 개 있기에 동무들이 배고플 것이고 하니 그냥 받아왔어. 자―! 동무들 나누어 잡수시오.

　상: 아니. 동무나 잡수시오.

　정: 참, 내가 먹을라면 가지고 오지도 않았겠소.

　부: 자― 동무들 오동무가 모처럼 가져왔는데 사양할 것 없이 나누어 먹읍시다. (떡을 다 나누어준 후 부분대장 것은 없으니깐)

　대: 부분대장동무는요?

　부: 아니, 나는 안 먹어도 괜찮으니 동무들이나 잡수시오.

　상: 그럼 나도 안 먹겠습니다.

　대: 나도 안 먹겠습니다.

　희: 나도요.

　부: 자― 요건 좀 크게 됐는데.

　영: 그것은 확실히 큽니다.

　상: 부분대장동무, 그럼 그것은 봉철동무에게 줍시다. 가장 나어린 동무이니깐.

　부: 그럼 그렇게 합시다.

　상: 그럼 내가 갖다 주고 오지요. (나온다. 웃으면서)

　정: (이때 같이 나온다) 나는 그럼 부대에 가 볼가? (하고 상진이 어깨를 치고 나간다.)

　상: 에이 꼬맹이~ (봉철 대답 안하고 샐죽한다.) 오―그럼 봉철동무.

　봉: 왜?

상: 나 뭐 줄가?!

봉: 뭘?

상: 떡.

봉: 떡. 흥, 떡은 어디서 났어?

상: 응. 오동무가 하나 가지고 왔어.

봉: 그럼 동무나 먹어.

상: 아니 배고프지 않어?

봉: 응응 인민의 일군이 요만한 것을 못 참아서야 되나. 우리 항상 굶어죽을 각오, 얼어 죽을 각오, 적의 총알에 맞아죽을 각오를 하지 않았어.

상: 또 3대각오야.

봉: 인민의 일군이 그것도 몰라 되나. 나는 늘상 이것을 외우고 있어. 상진동무 그럼 그 떡을 부분대장동무에게 갖다 주어.

상: 부분대장동무는 분대장동무가 잡수실 것을 남기고 그는 안 먹고 동무들더러 먹으라고 나누어주었어.

봉: 아니 그래 동무는 그것을 받았어?

상: 아, 그럼.

봉: 참 동무는 키만 컸지 아무것도 모르네. 책임진 동무가 좀 먹어야 되지 않겠어. 그래야 적이 진공해도 능히 우리를 지휘할 수 있지. 상진동무 그럼 이 떡을 부분대장동무에게 갖다줘 응?

상: 그래—.그럼 내 갖다 주지. (하고 떡을 까보에 넣는다.)그런데 봉철동무 동무는 무엇이 제일 좋아.

봉: 응, 나? 나는 조직.

상: 그다음은?

봉: 그다음도 조직이지 뭐야

상: 그런 것 말고 말이야.

봉: 응 대장동무. 그러나 대장동무야 존경하지 제일 좋은 것은 대장동무, 부분대장동무, 분대장 또 여러 동무들, 그리고 상진동무 (툭 친다.) 그럼 동무는 무엇이 제일 좋아?

상: 나도 역시 조직이 제일이지. 그러나 나는 이 나팔이 제일 좋아.

봉: 아니 그렇게 나팔이 좋아. 참 나는 동무의 기분을 못 리해하겠어.

상: 아니 이것 봐. 어제밤 꿈에 내가 대장동무의 명령을 받고 돌격나팔을 불었더니 아— 어떤 놈이 놀라 심장이 터져 둥둥 떠오르겠지. 그리고 (이때 희원동무 보초교대 나온다.)

희: 보초 교대하러 왔습니다.

봉: 시간이 되었습니까?

희: 네. 되었습니다. 얼른 들어가 불을 쪼이시오.

봉: 희원동무, 저—아래 불이 보이는 곳이 하장이라는 곳인데 지금 적이 있다합니다. 이쪽도 적이 있으니 주의하시오. 그리고 이것은 분대장의 명령인데 누구든지 함부로 이 보초선을 넘기지 마시오. 알았소?

희: 네. 알았습니다. (이때 두 사람은 들어간다. 봉철이가 상진이의 귀에다 가만히 말한다)

상: (상진이가 희원동무 있는데 와서) 동무 이걸 잡수시오.

희: 아니요. 저는 이제 먹었습니다. 동무나 먹으시오.

상: 아니 우리는 이미 단련되어서 아무렇지도 않습니다만 동무는 온지가 얼마 안 되어 어디 이런 고생을 해보았겠소. 자— 사양 말고 잡수시오.

희: 아니 정말 괜찮습니다. 동무들이나 잡수시오.

봉: 동무, 사양 말고 잡수시오. 네—

희: 네. 고맙습니다. (주고 들어 갈 때 영철이 나온다.)

봉: 어디로 가?

영: 네. 부분대장의 허락을 맡고 소변보러 갑니다. (이때 봉철이와 상진이는 희원이한테 경계하라는 뜻의 눈짓을 함.) (소변보고 와서 주물주물하다 보초보고) 동무, 이 추운데 무척 많이 수고합니다.

희: 아닙니다. 민족을 위해섭니다.

영: 에—이! 이틀이나 굶었더니 제기! 소변조차 안 나오는구만.

희: 왜, 또 배고파서 그러시유! 자, 이거나 잡수시오.

영: 아—어디서 났소. 글쎄 어떻게 밤낮 저렇게 떠들고 노는가 했더니 알고 보니 자기네끼리 먹는 것이 있었구만. 글쎄 이틀이나 굶어서 견딜 수가 있나.

희: 그럴리야 있소. 부분대장이 준 것을 내놓았다가 주는 것이 아니요?!

영: 희원동무는 놈들의 말을 곧이듣소! 그것들이 얼마나 흉측한 놈들이라구 자기네끼리 혼자 먹으면서 동지우애를 발휘하는척하며 한 쪼각 내놓은 것이 아니요?

희: 그럴리야 있소. 그건 너무나 야속한 말이요. 오동무 가지고 온것이 빤한 일이 아니요?

영: 그런데 희원동무는 록태농장에 있었다지요. 그 키가 훨씬 큰 산전(山田)이란 사람을 아십니까?

희: 네. 알지요.

영: 산전이란 사람은 나하고 친한 친우인데 그러고 보니 희원동무도 내 친구이구려. 그런데 희원동무는 팔로군한테 잡혀왔다지요. 팔로군들, 아! 희원동무야 무슨 죄가 있다고 붙들어 온단 말이요. 그런데 동무, 저기 저 불은 무슨 불이요.

희: 네— 그곳에는 지금 적이 있다고 합니다.

영: 적이요! 적이 저렇게 가까이 있어요?

희: 그런데 무슨 일이 있어요?

영: 동무 처자가 있어요?

희: 네. 있어요.

영: 처자가 그립지 않아요? 처자가 의례히 그리울 것입니다. 이 추운데 보지 못하고 떨다니?

영: 그리우면 살 방법을 구해야지요.

희: 살 방법이라니.

영: 살 방법은 꼭 하나 있습니다.

희: 무슨 방법이요?

영: 동무, 내말 좀 듣겠소? 내 말을 들으면 동무도 살고 가족도 잘 살 수 있고 그렇지 않으면 오직 죽음뿐이요. 회원동무 나와 도망갑시다.

희: 어디를요?

영: 희원동무 나와 저—기 불이 보이는 곳으로 도망을 갑시다. 적어도 과거에는 통역관이었소. 자— 다른 놈들이 나오기 전에 빨리 도망을 갑시다.

희: 듣기 싫어! 손 들엇! 움직이면 쏜다. (총을 대고)

영: 아— 아니 그럼 동무는 처자가 그립지 않소?

희: 안돼! 나는 본래 낫 놓고 기옥자도 모르는 놈이지만 이 조직에 들어와서 정말 사람다운 대접을 받았어. 이 어머니보다 더 따뜻한 조직을 버리고 가다니 안되지! 나는 살아도 동무들과 같이 살고 죽어도 같이 죽을테야.

영: 자, 그러면 나 혼자라도 보내주시오. 인정상 이렇게도야.

희: 시끄러워!

대: 아—요놈자식 어디가 오래 있는가 했더니 알구 보니 도망을 가려고 하였군.

희: 속히 바를 가지고 나오시오.

대: 네—(안으로 뛰어 들어가다.) 부대장동무 특무 영철이란 놈이 도망치려고 합니다. (바를 가지고 나와 특무 옆에 가서) 요놈자식, 내가 이때까지 네모가지를 못딴 것만 해도 분해 죽겠다. (묶는다.) (부분대장, 상진 등장)

희: 부분대장동무 이 특무 영철이란 놈이 나를 꾀여가지고 도망가자는 것을 붙들었습니다.

상: 이놈의 자식! (때리려고 달려드는 것을 부분대장이 막는다.)

부: 가만들 계시오.

대: 부분대장동무 이 영철이란 놈이 적 있는 곳에 가서 우리 있는 곳을 알려주려고 했습니다. 요놈을 죽입시다. (일동: 동의합니다.)

부: 동무들 이것은 엄중한 문제이니깐 분대장동무가 오면 곧 처리하도록 합시다.

봉: 물론 저놈이 밉기는 하나 부분대장동무의 말씀과 같이 분대장동무 올 때까지 기다립시다.

대: 동무들 분대장동무가 옵니다. (분대장과 홍결이 등장)

분: 동무들 이 추울 때 박에 나와 있습니까?

부: 분대장 이 특무영철이가 희원동무를 꾀여가지고 적 있는 곳으로 도망치려는 것을 희원동무는 영철의 꼬임에 넘어가지 않고 오히려 특무 영철이를 붙들었습니다.

봉: 이런 긴장한 환경에서 특무 영철의 행동은 마땅히 죽여야 되리라고 생각됩니다. (일동: 동의합니다.)

분: 동무들의 의사는 옳습니다. 그러나 우리에게는 상급이 있으니 이 일을 대부에서 처리하도록 합시다. (일동: 동의합니다.)

분: 회원동무!

희: 넷 (돌아선다.)

분: 동무가 영철이란 놈을 데리고 대부로 가시오.

희: 알았습니다. 분대장동무!

분: 만약 도중에서 도망치려 하면 그 자리에서 당장 없애버리시오. 그 책임은 내가 질터이니.

희: 네— (하고 특무 영철이를 데리고 퇴장)

분: 동무들! 상부에서 우리에게 중대한 임무를 내렸습니다.(일동 차렷)

분: 오늘 우리 대오는 이곳을 떠나 인츰 출발하게 되였고 일부분 동무들만이 이곳에 남아서 엄호의 임무를 맡게 되였습니다. 동무들도 알다시피 우리 대오가운데는 우리를 영도하시는 대장동무와 여러 간부들이 계십니다. 이 동무들은 앞으로 새 조선을 건설하는데 총간부 동지들입니다. 우리들은 이 간부동지들과 여러 동무들을 엄호할 영광스럽고도 엄숙한 임무를 맡았습니다. 동무들! 영광스러운 임무를 완성할 자신이 있습니까? (일동: 있습니다.) 동무들 이것은 보통으로 되는 임무가 아닙니다. 오직 민족을 사랑하고 조직을 사랑하는 진실한 인민의 일군으로서만이 완성할 수 있는 임무입니다. 동무들, 동무들가운데 누가 이 영광스럽고 엄숙한 임무를 맡겠습니까?

대: 분대장동무! 그것은 접니다. 저의 아버지는 농촌에서 왜놈의 손에 죽었습니다. 이 원수를 갚을 때가 왔다고 생각합니다.

봉: 분대장동무, 저는 분대장동무에게 묻고 싶습니다. 제가 이때까지 조직에 충실했습니까? 못했습니까?

분: 네 충실했습니다.

봉: 저는 이미 죽을 것을 결심하고 있습니다. 민족을 위해서 조직을 위해서 또 여러 동무들을 위해서 죽는 것을 즐겁게 생각하고 있습니다. 제 마음에는 오직 이것이 있습니다.

상: 싸움에는 제가 제일일걸요. 저는 이미 민족을 위해서 또 사랑하는 동

무들과 같이 죽을 것을 결심하고 있다는 것을 대장동무는 이미 잘 알고 있습니다.

흥: 흥! 이 기관총수가 없으면 안 될걸요.

분: 아참 소개를 잊었습니다. 이번 임무를 완성하자고 7분대에 있는 흥결동무가 기관총을 가지고 왔습니다.(대원 흥결이를 보고 돌아선다.) 일동 악수.

분: 그럼 이렇게 합시다. 흥결동무, 봉철동무, 상진동무, 데원동무 그리고 저 이렇게 다섯 동무만 남아있도록 합시다. (일동 저두요. 나는요.)

부: 분대장동무 저는 남아있을 수 없습니까?

분: 동무에게는 또 딴 임무가 있습니다. 남은 동무들을 데리고 곧 대부로 가시오. 대부에서 기다릴 것입니다.

부: 분대장동무 정말 남을 수 없습니까? 동무와 생사를 같이 할 수 없습니까?

분: 동무는 가야 합니다.

부: 네 가겠습니다. 동무들 그러면 무기와 배낭을 가지고 나오시오.

　　(분대장, 부분대장, 상진만 남고 들어감. 보짐을 가지고 나와 선다.)

부: 동무들! 동무들은 민족의 새 영웅, 씩씩한 인민의 일군입니다. (하고 가만가만 봉철이를 향해 온다.)**봉철동무**, (봉철 손을 내여 악수) **웃어봐.** (봉철이 눈물의 웃음을 지음)

봉: 부분대장동무 이 시계는 우리 어머니가 준 시계입니다. 돌아가거든(하고 시계를 준다. 부분대장이 주머니에 넣은 다음 그는 운다.)

부: 혁명자가 울기는 (하고 고개 숙인 것을 쳐들어 줌)

봉: 네ー.

부: 대원동무! (악수)

부: 상진동무, 동무의 나팔소리가 그립소!

상: 그럼 한번 불어드릴가요. (부분대장동무 손을 쳐들고 막는다.)

부: 흥결동무! (악수)

부: 분대장동무!

분: 상규. (한참동안 머리 숙이고 악수.)

(한참 있다 모두 머리를 숙인다.)

분: 부분대장동무, 속히 돌아가시오. 대부에서 기다릴 것입니다.

부: 네— (하고 손을 놓고 뒤로 퇴보한다. 경례를 한참 한다.)

차렷! 총메엿! 우로 돌앗! 앞으로 갓!

분: 상진동무, 동무는 기관총탄환수를 하시오.

상: 네—

분: 동무들 시간을 맞추시오.지금 세시입니다. 동무들 지형은 이렇습니다.
(일동 분대장 곁으로 온다.)

분: 동무들 이 동굴고지는 주위가 절벽이고 동쪽 편에 하장으로 통하는
소로가 있고 오른쪽에는 큰길이 있습니다. 그 가운데 강이 하나 흐르기 때문
에 적이 우리를 진공하기 힘든 지형이며 또한 우리 선발대동무는 이미 상장
옆에 있는 고지를 점령하고 있고 아군 팔로군은 하장 옆 부락을 점령하고 있
기 때문에 적은 감히 나오지 못할 겁니다. 그런데 우리 간부대오는 무사히
적 포위선을 돌파하면 일곱 시 정각에 지뢰 두 방을 놓고 동쪽 산에 붉은 기
를 꽂아 신호하기로 하였습니다. 만일 위험한 시에는 지뢰 한방뿐이고 붉은
기는 안 꽂기로 하였습니다. 동무들 알았지요. (일동 네—알았습니다.)

분: 전투준비를 하시오. (일동 자리에 앉아 무기를 닦는다. 분대장 물 가지러 안으로
들어갔다.)

상: 꼬맹이 부분대장동무가 가니깐 슬프지 않아?

봉: 응 나는 조직에 들어와서 정말 기쁘다는 것을 알았어.

상: 우리를 친동생같이 배워주고 사랑하던 것을 생각하면 나팔이나 한번 불어주었다면 속이 시원할걸.

봉: 상진동무 나하고 경쟁할까?

상: 그래 무슨 경쟁?

봉: 누가 적을 많이 죽이느냐구.

상: 그래 나는 흥결 동무와 같이 10명이다.

대: 그랬다. 나두 했다. 나는 20명이다.

흥: 그러니까 분다는 것이 아닌가? 아 그래 기관총과 보총이 같은줄 알어. 나는 기관총이 있지만 동무는 무엇이 있어? 사람이 좀 상식이 있어야지.

대: 이 밥통 같은이라구. 진찰기 민병 리용이는 지뢰를 가지고 왜놈 300여 명을 죽였는데.

봉: 그렇게 크게 생각지 마—.나는 3명을 잡을 생각이야. (분대장 이때 물을 가지고 등장. 물을 나누어준다. 조금 후)

봉: 분대장동무 우리는 지금 누가 적을 많이 죽일가 경쟁을 하고 있습니다.

분: 그래 어떻게 되었소.

봉: 내가 3명, 흥결동무와 상진동무가 합하여 10명, 그리고 대원동무는 보총을 가지고 혼자서 20명을 잡겠다는데요.

분: 허허허 대원동무는 공을 너무 탐내서.

대: 정말 자신이 있습니다. 싸움에는 경험이 있으니깐.

흥: 대원, 대원 아직도 기관총 때문인가?

대: 그래.

흥: 거야 대장동무가 나한테 준 것이 아닌가.

대: 그때 대장동무가 대원동무는 기관총을 쏠 줄 아는가 물을 적에 쏠 줄 모른다 한게 누구야?

흥: 그러나 대장동무가 결코 그것 때문에 기관총을 동무에게 안 준 것이 아니지. 대장동무는 또 딴 생각이 있어 나한테 준 것이 아닌가.

대: 아, 그럼 그때 대원동무는 덤비기를 잘한다고 한 것이 누구야?

흥: 대원동무, 그리 화를 내지 말고 내말을 좀 들어봐. 그 일이 그렇게 분할거야 있나?

봉: 그때 대원동무는 하루 종일 밥을 안 먹고 이불을 푹 쓰고 있었지.

대: 그럼 이것이 분하지 않고 무엇이 분해!

흥: 그러나 조직을 사랑하는 데야 마찬가지 아닌가. 자, 내 잘못했다는 것을 승인하지.

대: 조직은 조직이고 개인은 개인이지.

흥: 분대장동무 들었습니까?

분: 대원동무 화해하시오. 흥결 동무가 자기의 잘못을 승인하고 화해하자는데 동무는 너무 협애한 것 같소.

대: 그러나 흥결 동무는 나를 깔보고 막 내리치려 합니다. (흥결 악수하려고 손을 내민다.)(대원 팩 돌아앉는다.)

흥: 분대장동무, (엄호해 달라는 듯이 분대장을 쳐다본다.)

분: 대원동무, 대원동무! (대원 할 수 없이 악수한다.)

봉: 우리도 두 동무의 화해를 축하하지.

상: 그래.

상: 그런데 벌써 여섯시 반이니깐 동무들이 얼마나 갔을가?

봉: 퍼그나 갔을 거야.

분: 한 시간에 십리씩 가니깐 세시 반, 네시 반, 다섯시 반, 벌써 포위선부근까지 갔을 거야.

상: 그런데 꼬맹이.

봉: 상진동무, 이제부터 나보고 꼬맹이라구 그러지 말어.

상: 왜 꼬맹이?

봉: 생사를 같이하는 동무보고 놀려주는 것은 좋지 않아. (이때 밖에서 발자국소리)

분: 가만, 가만, 누구요? 누구요?

정: (손뼉을 친다)

상: 아―오동문가 봅니다.

정: 분대장동무 적이 올라옵니다.

분: 동무들, 동무들이 민족을 사랑하고 조직을 사랑하는 마음을 나타낼 때는 왔습니다. 봉철?

봉: 네! 저는 이미 죽을 것을 결심하고 있습니다.

분: 대원?

대: 안심하시오. 왜놈을 꼭 잡을 테니깐.

분: 상진?

상: 오―라―이―

분: 흥결?

흥: 기관총이 동무의 명령을 기다리고 있습니다.

분: 침착히 내가 쏘라할 때까지. (권총을 내든다.)

대: 쏘자―

분: 가만.

대: 쏘자, 쏘자 올라온다. 하나, 둘, 셋―소부대밖에 안 된다.

분: 가만있어.

봉: 우리 잘 싸워.

상: 그래. (분대장 권총소리 쾅! 대원 일어서 쏜다.)

봉: 대원이 은폐해! 은폐. (대원 엎다다 또 일어난다.)

분: 수류탄 던졌!

봉: 대원이 엎드렸! 앗?! (대원 넘어진다.)

분: 앗, 대원동무가, 봉철!

봉: 네! (하고 대원이를 뒤로 끌어다 팔뚝에 붕대를 감아주고 싸운다.)

분: 흥결 동무, 기관총에 화력을 가하시오.

흥: 네—.

분: 수류탄 던졌!

분: 흥결 동무는 기관총을 대원동무에게 주고 돌격준비를 하시오.

흥: 네 사랑하는 기관총을 맘대로 쏴라.

대: 그래. (이때 돌격나팔. 일동 야—하고 돌격. 뒤에서 효과) 적이 중대본부를 습격
하니 엄호해라. 엄호! (한참, 있다 숨찬 형태로 돌아와)

봉: 허허! 저 우리 동무들이 쏘는 기관총이 없었더면.

상: 그래 봉철 괜찮아.

봉: 응. (하며 먼지를 턴다.) (분대장동무와 흥결 동무는 대원동무에게 가서)

분, 흥: 대원동무 괜찮어.

대: 요만한 것 하하하 아무렇지도 않아. (분대장 이때 시계를 보니 일곱시다. 한참
있다 지뢰 한방 쾅 일동 얼굴을 호상 쳐다보면서 한방만 일가 근심. 그때 또 한방 쾅.) 오—지
뢰소리.

봉: 사령원 동무, 우리는 대장동무가 주신 임무를 완성하였습니다. 오—저
산 뒤에는 우리가 가장 존경하는 사령원동무가 계시겠지. 사령원 동무 우리
가 진실한 인민의 일군이 될 수 있겠습니까?!

상: 분대장동무 사령원 동무에게 나팔을 불어드릴까요?

봉: 그러나 들릴 리가 있나.

상: 왜 안 들려, 네 마음이라도 알려주지.

분: 그래 불어드리시오. (상진이 승진곡을 붐. 대원, 홍결 어깨를 끼고 웃음)

―막―

1946년 1월 1일 밤

연변대학 조선문학연구소 편,
『20세기 중국조선족 문학사료전집』(제16집), 연변인민출판사, 2010.7, pp. 325-345.

血鬪[01]

崔 采

全四幕

　태행산(太行山) 호가장(胡家庄)전투에 조국과 인민을 위하여 장렬히 싸우시다 희생하신 손일봉(孫一峯) 박철동(朴喆東) 최철호(崔喆鎬) 왕현순(王顯淳) 네 동무에게 숭고한 혁명경례를 올리며 삼가드리나이다.

　때 一九四一년 조선의용대가 조선과 중국반동분자들의 비열하고 추악한 손아귀를 벗어나 열정으로 도와주고 지극히 사랑하는 중국공산당팔로군근거지의 품에 들어온 해 늦가을

　사람

　金隊長 …………………… 三十二歲

　孫一峰(分隊長) ………… 二十八歲

　朴喆東 …………………… 二十九歲

01　장막극 「혈투」는 1948년에 출판된 『대중』 제1호, 3호의 p.63과 제4호의 p.62에 발표된 것이다. 작자는 전4막이라 했는데 아직 3~4막은 찾지 못하였다.

崔喆鎬 ………………… 二十九歲

王顯淳 ………………… 二十五歲

文明哲 ………………… 二十八歲

金鐵(宣傳干事) ………… 二十八歲

李一英 ………………… 二十二歲

安娜(女宣傳員) ………… 二十三歲

金萬壽 ………………… 二十六歲

趙光(分隊長) ………… 三十歲

金漢 …………………… 二十七歲

老太太(中國百姓) ……… 五十餘歲

老 鄉 (中國百姓) ……… 四十餘歲

商 人 (中國商人) ……… 三十餘歲

黃營長(八路軍) ………… 三十餘歲

通信員(八路軍) ………… 二十餘歲

隊員 …………………… 三十餘名

日本軍官 兵士 ………… 十餘名

第一幕

때   초저녁 밤

곳   촌 백성의 집

(지저분한 백성의 곡간방을 나서면 넓은 마당 그 가운데 말로 가는 큰 돌 망짝이 놓였으며 마당 뒤에는 군데군데 허무러진 돌담장 그 뒤에 잎 떨어진 감나무 한그루가 가지만이 뻗히어있다.

웅장한 태행산의 그림자가 진하여가는 황혼에 사라져가고 어둠컴컴한 하늘엔 갈퀴와 같은 초생달이 날카롭게 걸리워 있다.

동무들은 해 떨어질 무렵에 이 촌에 도착하여 늦게야 저녁을 먹게 되어 마당에 끼어 앉아 굶주림에 조밥과 소금국을 들어 삼킨다.

밥 먹는 소리 외에는 끽—소리도 없다.

얼마 있다가 중국 백성 로태태(老太太)가 바가지에 쏸채(酸菜)를 듬뿍 담아 가지고 들어온다.)

로태태: 먼 길을 걷고 이렇게 늦게야 저녁밥을 먹으니 시장들 하시겠소. 자—변변치 않지만 이 쏸채를 찬 삼아 잡수 (동무들 로태태를 보고 모두 일어선다. 일봉동무 마주나간다)

일봉: (로태태의 바가지를 가벼히 밀며) 할머님 우리 찬이 많습니다. 집에서나 가져다 잡수시오

로태태: 찬이 많기는 소금국만 가지고 되겠소. 자 사양들 말고 받아 잡수시우. 에이 고생들 하는걸 보면……

일봉: 이리 뛰고 저리 뛰고 우리 뭐 고생하는거 있나요. 할머님이 집에서 고생이시지 자 우리는 밥도 이미 다 먹어가니 도루 가져 가십시오.

로태태: 모두다 왜놈의 새끼들이 오기 때문에 군대도 백성도 이 고생이 아니오. 들으니 동무들은 우리 중국 사람도 아니고 외국 사람이라 하니 고생이 얼마나 더 하겠소 자 이 쏸채가 외국 사람 입에 맞을지 안 맞을지는 모르겠지만 찬이 모자라니 입땜 삼아 받아 잡수.

일봉: 원 참. 할머님. 우리 먹지 못할 것이 어디 있겠어요. 그렇지만 밥도 거진 다 먹었고 ……

로태태: 에이 젊은 사람들이 웬 고집들이 그렇게 센지 맛있든 없든 늙은 사람이 갖다 주는 것이라면 응당 받아야 도리가 아니오. 자 받우.

일봉: (하는 수 없이 받으며) 할머님이 그렇게까지 말씀하신다면 이거 참 너무 황송해서……

로태태: (인자하게 웃으며) 암 그래야지 팔로군은 백성들께 너무 사양해서 걱정이야.

대원들: (웃는 얼굴로 로태태를 끌며) 할머님은 우리에게 맛있는 쏸채를 먹으라고 갖다 주시니 맛은 없지만 우리와 함께 진지를 잡수서야 되요.

로태태: 아니 난 저녁을 이미 배불리 먹었으니 동무들이나 빨리 많이 잡수

대원들: 안 돼요. 안 돼요.

로태태: 에구 동무들껜 뭐 갖다 주기두 급하니까 갖다 주면 그 대신에 꼭 또 뭘 줄랴니 자─빨리들 잡수 난 이후에 동무들이 돼지잡구 만두 했을 때 와먹지.

일봉: 동무들 할머님께서 오늘은 이미 저녁을 잡수셨으니 내일 할머님을 청 합시다.

로태태: 그럼 그래야지.

(동무들 모두 흩어져 제자리로 가서 다시 밥을 먹는다. 로태태가 가져온 쏸채를 한동무가 나눈다. 로태태 만족히 웃고 돌아가련다.)

로태태: 자 밥들이나 많이 잡수 집에 있으면 이런 고생들은 안 할건데……

(로태태 돌아간다. 동무들 모두 일어나서 "고맙습니다." "안녕히 가십시오." 인사들 한다.)

일영: (쏸채를 한입 먹고 무슨 생각에 잠겨) 태행산 근거지가 꼭 우리 둘째 고향이야 따스한 맛이 맘에 나.

김철: (쏸채를 먹으며)……첫 번 입에 들어갈 제는 시고 쓰지만 차츰 차츰 집씹으면 달콤한 맛이 나며 밥맛을 돈우어……

현순: 그게 시에 한 구절인가?

김철: 아니 철리야 잘 기억해 두라우.

명철: (밥을 다 먹고 일어나서 배를 쓰다듬으며) 아이구 이제야 살아났다. 껙ㅡ 조밥이 사람을 살리거던.

철호: (능청맞게) 여보 마누라. 뭘 그렇게 떠들우. 남 듣기에 창피하지 않소. 쩨쩨.

명호: 조런 조런……깨여진 양철통 또 뚜들긴다.

(동무들 밥먹다말고 킬킬 웃는다. 만수 역시 웃으며 밥을 들어 삼킨다. 급작스러이 재채기를 『아췌ㅡ』한다 입안에 밥이 터져 나오자 함께 밥 먹던 동무들이 밥그릇을 손으로 가리우며 『원』『원』한다 만수 재채기가 끝나지 않아 뒤로 돌아서 또 몹시 『아췌ㅡ』한다.)

일영: (밥을 다 먹고 일어서며) 왜 그래

만수: (재채기가 아직도 끝나지 않은 얼굴로) 아니 고놈에 좁쌀알이 목구멍으로 넘어갈려는데 웃는 바람에 고만 콧구멍으로 들어가……

(또 한번 세차게 재채기를 『아췌ㅡ』한다……) 이제야 나왔다 (코를 닦는다) 에구 못 먹겠다. 마른 목에다 깔깔한 고놈에 좁쌀을 집어널랴니.

철호: (밥 먹으며) 미끈덕하게 넘어가지.

만수: 미끈덕이 무어야 모래알이 넘어가는 것 같은데.

일영: 하 그러니까 아직 조밥 먹을 줄 모른다는 거지 내가 가르쳐줄까 조밥그릇을 들고 나서는 오오 번지르르한 이밥 이라 외치고 한수깔 듬뿍 떠서 입에 넣거든 그리구 소금국물을 뚝 떠서는 오 기름이 둥둥 뜬 갈비 국 하고 입에 후루루 떠넣으면 스르르 꿀꺽ㅡ(힘없는 기침을 한다.)

만수: 동무는 그런 방식으로 조밥을 먹어 빼빼 말러 기침만 하는군. 난 그런 공상할 줄 몰라.

일영: 모르니까 배우라는 거지 (밥그릇 씻으려 간다.)

김철: (밥을 다 먹고 일어나서 넓적다리를 치며) 구십 리 급행군 꽤 뻐근한데.

일봉: (밥 먹으며) 우리가 살짝 없어서 왜놈의 새끼들이 꽤 심심하겠다.

김철: 심심해? 하나도 잡지 못하였다고 화가 원숭이 엉덩짝같이 나서 깡충 깡충 뛸 판인데.

현순: (밥을 다 먹고 나서) 우리 머리 하나에 십만 원 흥 백만 원을 걸어보라지.

김철: 아니 현순동무의 머리는 백만 원두 너무 헐해.

현순: 이거 또 왜……

김철: (정색을 하며) 사실이지. 그래 동무의 머리 값이 백만 원밖에 안된단 말인가? 철학 연구한 것만 해두.

현순: 그럼 동무 시인의 머리는

김철: 엽전 한잎 어치도 못돼. (대부분 동무가 밥을 다 먹고 물통에 그릇 씻으러 간다. 철호만이 그대로 먹고 있다.)

김철: (발길로 철호 엉덩이를 툭 차며) 작작 먹어라 체할라.

철호: 왜 이래? 아직 멀었어.

명철: (그릇을 다 씻고 돌아오며) 고만 놔두라우. 지금 박철동 동무 설흔 공기 기록 타파하겠다구 배가 터져라 접어 였는 판이야.

철호: 여보 마누라. 사내들끼리 이야기하는데 또 무슨 말 참섭이오. 남 보기 흉하지 않소.

명철: 조런 조런 깨여진 양철통 좀 작게 뚜들기라우.

김철: 그래 몇 공기째야

명호: (그대로 먹으며) 열 공기

명철: 그럼 아직 멀었어. 철동 동무는 그날 밥이 모자라니까 그렇지 밥만 남었다면 쉰 공기는 먹었을 것이야.

호건: 그날 개장국을 했으니까 그렇지.

명철: 흥 큰소리 한다. 우리 후방에 있을제 개장국이 아니구 감자국인데

두 콩떡을 마흔두개를 먹었어. 철동 동무를 따라 갈려면 아직두 스무고개를 넘어가야 해.

김철: 철동 동문 아무렇든 무섭거든. 우리 낙양 있을제 동무들하구 중국 음식집엘가 '죠즈'를 먹는데 하나 없는 백 개를 집어쳐.

대원: 어케나 아흔 아홉 개?

금철: 허 그래 어째 백 개를 채우지 않느냐 하니까 대답이 묘하지 동무들 보기에 부끄러워서.

일영: 그러니까 이름을 밥철통이라고 했지.

대원二: 흥. 그래도 일하는덴 소야.

일봉: 철동 동무가 어째 아직 돌아오지 않을가?

김철: 그놈의 외눈깔이 늙은 말을 끌고 올랴니 오직이나 힘들겠소. 승리 품은 적은가.

일봉: 별일은 없겠지?

김철: 앗다 할망구 또 걱정이시다. 걱정이 너무 많으면 말라죽는다니 밥 이나 잔뜩 준비해 두라우.

철호: (밥을 다 먹고 일어서며) 어 숨쉬기두 가쁘다. (동무들 이미 밥을 다 먹었다 어떤 동무는 밥통과 물그릇을 내가고 어떤 동무는 마당을 쓸며 명철동무 하모니카를 꺼내어 「태행산우에」 곡조를 불고 일영동무 그 옆에 쪼구리고 앉어 따라 노래 부른다 방안에 일봉 동무 일기를 쓰고 현순동무 책보고 있으며 김철 동무 무슨 시를 구상하는 듯. 그 외 몇 동무가 피로에 못 이기여 누워 휴식한다. 초생달이 사라졌다 온 누리가 캄캄하다. 찬바람이 불어온 다. 동무들 마당 한복판에 마른나무가지를 얻어다 잿불을 피운다. 불빛이 환하게 마당을 비추 인다. 모른 동무들이 일영동무를 따라 노래 부른다.)

「태행산우에서」

붉은 해 동방에 빛나니 자유여 마음껏 노래 불러라

보라 천산만곡 동장철벽 투쟁의 불길이 태행산우에 터져

기염이 천만장—

들으라 어머님 아들 불러 원쑤치라고 처자는 정든님 전장에 보내니

우리는 태행산우에 우리는 태행산우에

높은 산 깊은 숲 강하고 장하라

원쑤가 진공하면 우리는 여게서 멸망시키리

원쑤가 진공하면 우리는 여게서 멸망시키리

일영: (노래를 다 끝마치고 먼 산을 바라보며 혼잣말 비슷이) 산 산 산 앞에도 산, 뒤에도 산, 옆에도 산, 하늘을 뚫고 올라간 태행산 봉오리 그래도 여기가 우리에 근거지로구나. 그렇지 않으면 오늘도 또 평원에서 왜놈들하고 밤새도록 아기자기한 숨박곡질을 할 것인데 우리가 납작 이 산우에로 올라온 줄은 놈들은 꿈에도 모르고 눈이 뻘개 평원에서 우리를 찾겠지 허 허 만약 놈들이 우리가 산중터에 있는 이 촌에 온 줄 알고 따라 온댓자. 흥 개뼈다귀도 못 추릴걸. (깊은 생각에 잠긴다.)

만수: (기지개를 하며) 아무렇든 사람 사는게 꿈과 같애. 어제 밤만 해두 굼벙이와 같이 콩알만 해서 달랑 달랑 했는데 흥 오늘은 천하태평이로구나.

대원: 흥 자기가 겁쟁이니까 남두 다 겁쟁인 줄 아는가부지. 무어 달랑 달랑한단 말이냐? 불알이?

(동무들 깔깔 웃는다)

만수: 공연히 여기 와서 큰소리치며 뽐내지 말아. 총소리가 빵 빵 나니까 떨기는 저 혼자 떨데.

대원一: 야 요 주둥아리 봐 제가 내손을 잡고 떤 걸 내가 떨었다네.

만수: 아무렇든 자네도 숨을 쌔근쌔근하지 않았어? 피차일반이야.

대원二: 그래도 다른 동무들은 동무와 같은 겁쟁이는 아닐걸. 글쎄 그게 뭐야 군중대회 하는 날 왜놈들이 포위하여 쳐들어오니까 뒤에 멧던 이불 짐을 내어던지고 쥐구멍을 찾느라구.

대원三: 대포알이 쾅 터지니까 머리를 땅 구멍에 틀어 박구 그 큰 엉덩짝만 휘젓느라구 에이 못난 사람.

만수: 그럼 대포알이 터지구 총알이 쏟아지는데 업데지 않구 뭘해 군사학을 못배웠나?

대원三: 그럼 대장동무는 왜 업데지 않구 깟닥없이 서있어서 대장동무가 군사학을 몰라서 그런가?

만수: 건 대장이니까 그렇지

대원四: 거 쓸데없는 말다툼을 하구 있네. 죽기를 무서워하지 않는 사람이 어데 있어? 어떤 사람은 전쟁에 단련을 많이 받아 침착한 것이구 어떤 사람은 전쟁에 경험이 적어 당황해지는 것이구 그렇지.

대원五: 그것뿐만이 아니야. 어떤 사람은 혁명사업을 위해 죽음을 예사로 여기어 자기목숨을 아끼지 않은 사람이 있는 것이구 어떤 사람은 혁명사업보다 자기 몸이 더 귀해 자기 몸을 지극히 아끼는 사람이 있는 것이구. 그래 여기에 용감과 비겁의 분간이 있거던.

만수: (화를 버럭내며) 그럼 내가 비겁하단 말인가? 그래도 동무보다 일년 앞서 내가 혁명에 참가했어.

철호: 허 리론이 붙었는데 내 또 양철통 한번 뚜들겨볼가? 참말로 용감하고 비겁한 총소리, 대포소리 난다구 엎디고 일어서고 하는 거기에만 있는게 아니라 마지막 위급할 제 말하자면 적이 나를 포위하여 생명이 위태하다던

가 내가 적에게 사로잡히게 되었다던가 할제 적에게 굴복하느냐 안하느냐 여기에서 결정 되는거야.

대원五: 아무렇든 두려움이 없는 용감은 우리 혁명가의 덕성이야 철동 동무를 보더래도 나는 그 동무를 흠모하지 않을 수 없거든 글쎄 왜놈의 군복을 입고 왜놈의 보초앞에 가 말 몇 마디 묻는척 하더니 번개불이야. 날창으로 그놈을 푹—찔러 발길로 거더차버리고 나는 새와 같이 토찌카 문을 열며 폭탄을 냅다 던져 왜놈들이 아이구 제이구……

대원三: (입을 삐죽하여 정신없이 하모니카를 불고 있는 문명철 동무를 가리키며 낮은 말씨로) 철동 동무 뿐인가 우리 기관총수 문명철 동무는 어떡하고. 왜놈의 날창이 가슴을 찔으려 접어드는데 알 없는 권총을 드러내어 왜놈은 질겁을 해 나가 자빠뜨려 놓지 않았나. (이때 명철동무 하모니카로 「카주샤」를 불고 일영 동무 따라 노래 부른다.)

　　　「카주샤」
　배꽃이 만발한 들밭에
　부드러운 물결은 흘러
　높은 언덕에선 카쥬샤의
　노래 소리는 봄빛 같어

　조국을 위하는 전사
　이 순결한 처녀가 그리워
　용감히 원수와 싸우니
　카쥬사의 사랑이 보호하리

철호: 제기 또 연안 간 '푸취' 생각이 나는가부지.

대원一: 그게 뭐야 '푸취' 생각이 나면 밤낮 하모니카로 그 곡조나 불고. 불고 나서는 머리를 싸매고 연애편지를 쓰느라구. 뭐 연애편지를 일주일을 썼어도 다 못 썼다나 사내자식이 고리탑탑하게.

명철: 조런 조런……기가 막혀서

대원二: 그래 우리는 연애 냄새두 못 맡아봤는데 와서 '푸취'하고 연애하던 경험담이나 하라. 어디 좀 냄새나 맡아보자. 더구나 국제연애가 돼서 맛이 더 고소하겠다.

(대원들이 명철이를 끌어온다)

철호: 그래 '푸취'하고 산격전을 했나? 유격전을 했나? 진지전을 했나?

대원一: 뭐 연애하는 것두 전쟁하는 거와 같은가?

철호: 아무렴 전쟁하는 거보다 더 어렵구 말구. 전쟁은 그래두 네가 죽던 내가 죽던 판가리가 있지 않나 그러나 연애는 죽느니 사느니 가느니 마느니 떠들어 대기만 할 뿐이지 판가리 낼 줄을 모르거던.

대원一: 에키나 난 그럼 연해해보긴 다 글렀군. 내가 제일 무서워 하는게 진득진득 한건데.

대원四: 그런데 대관절 연애에 산격전이니 유격전이니 진지전이니 하는 건 다 뭔가.

철호: 연애하는 작전방법이야. 번개불과 같이 번쩍 대방이 끽소리두 못하게 들이치어 행복케 하는 것이 산격전인거구. 동쪽에 가서 우아하구 서쪽에 외치어 대방이 얼떨떨해 넘어가는 것이 유격전인거구. 진지전은 장기전인데 거기엔 또 일도방선 이도방선 삼도방선이 있거던. 그래 일도방선을 치고 이도방선을 치고 삼도방선을 친 다음에야 대방을 죽여줍쇼 하게 하는 거야.

대원一: 에구 땀난다.

대원三: 그럼 명철동무는 어떤 작전방법을 썼나?

명철: 엣다 아르켜주지. 운동전이다 운동전이야.

대원一: (나가자빠지며) 에키나. 이건 새 전술이로구나.

(동무들 배가 터져라 웃는다. 「즐거운 사람들」 노래가 저절로 울려나온다. 방안에 있던 동무들도 일봉 현순 김철 세 동무를 제한 외에는 모두 마당으로 뛰어나와 웃고 떠들고 합창한다.)

「즐거운 사람들」
즐거운 맘은 노래따라 뛰고
즐거운 사람들 광채가 찬란해
우리의 노래는 대지를 깨우고
도시와 향촌을 깨워준다
이 노래는 우리에게 큰 힘을 주어
우리를 이끌어 앞으로
누가 영원히 이 노래따라 전진하면
그는 영원히 멸망치 않으리
×   ×
즐겁게 북극의 천지를 개벽해
세차게 죽음의 위협을 막어
인류의 행복을 건설하거니
이는 끝없이 찬란한 영광
이 노래는 우리에게 큰 힘을 주어
우리를 이끌어 앞으로
누가 영원히 이 노래따라 전진하면

그는 영원히 멸망치 않으리

×   ×

우리는 부단히 앞으로 전진

우렁찬 기세로 투쟁하리

우리의 생활은 투쟁속에 있으니

곤난한 환경을 극복하세

이 노래는 우리에게 큰 힘을 주어

우리를 이끌어 앞으로

누가 영원히 이 노래 따라 전진하면

그는 영원히 멸망치 않으리

×   ×

우리의 원수가 우리를 침범하여

전 인류의 심장을 소멸하려면

우리의 노래는 인민을 깨워

조국을 위해 희생을 준비하리

이 노래는 우리에게 큰 힘을 주어

우리를 이끌어 앞으로

누가 영원히 이 노래따라 전진하면

그는 영원히 멸망치 않으리

김철: (천정을 우르러보며 시를 구상한다)…… 영원히 사라지지 않는 거룩한 영혼이여……불멸의 영령.

　현순: (책 보다말고 김철 동무를 물끄러미 바라보며) 찬송가 부르나.

　김철: 왜 또 신이 나서 빈정대는거야. 또 뭐 철학문제에 걸리는가부지.

현순: 오 영혼이여. 오 신이여. 오 썩어진 유심론이여. 오 말라빠진 시여.

김철: 제기 보태어도 분수가 있지. 내 언제 오 신이여 했어.

현순: 영원히 사라지지 않는 영혼은 어디서 튀어나왔나.

김철: 한 혁명투사가 만약 원수와 용감히 싸우다 희생당하였다면 그 동무의 위대한 혁명정신, 거룩한 영혼이 우리의 마음속에 영원히 살아있단 말이야.

현순: 그게 다 너즐한 수작이거던 죽으면 다 그만이야. 땅속에 들어가 썩어질 뿐이지 무슨 빌어먹을 영혼이니 정신이니 살아있단 말이야

김철: 이건 제기 썩어진다는 것밖에 몰라. 아 그래 그 동무가 죽었지만 그 동무의 충실하고 굳세던 사상도 썩어진단 말인가. 그 동무의 용감하게 투쟁한 빛나는 사적도 썩어진단 말인가. 그 동무가 우리에게 준 정동지의 사랑도 썩어진단 말인가. 아니야 그 동무의 몸은 죽었지만 그 동무의 거룩한 영혼, 위대한 정신은 영원히 살아있는거야.

현순: 그걸 가지고 영혼이나 정신이 살아있다구 할 수 없어. 그건 한낱 그 동무가 살아 있을 때의 생활과 력사와 감정이 우리의 기억에 남아있을 뿐이지 우리에게 남아있는 이 기억을 가지고 그 동무의 영혼이니 정신이 살아있다고 한다면 과학을 벗어난 오묘하고 신비한 유심적 관렴을 승인하는 것이야. 그 동무는 죽었어. 생활도 력사도 감정도 다 죽었어. 다시 살아날 수 없어.

김철: 죽지 않았어. 살았어. 이건 무슨 유심론에서 출발하여 말하는 것이 아니야. 철학을 연구한다구 교조주의를 범하지 말라우. 그는 죽어 입을 담으렀지만 그의 말과 행동은 영원히 우리 맘속에 살아있는거야.

현순: 죽었어. 다시 살아날 수 없어. 그의 죽은 몸이 땅속에 들어간 거와 마찬가지로 그의 모든 것도 다 땅속에 들어갔어. 오직 우리에게 그 동무를 생각한 맘과 그 동무를 그리워하는 정만이 남았을 뿐이야.

김철: 그것이 즉 그 동무의 영혼과 정신이 우리 마음속에 살아있기 때문

이야.

현순: 아니야 그 동무의 몸도 정신도 다 없어졌어. 사라졌어. 그는 살아있
는 우리의 심리작용이야.

김철: 아니야 살아있어. 죽지 않았어. 그의 몸은 죽었지만 그의 정신은 살
아 있는거야.

현순: 아니야 죽었어. 살아있을 수 없어. 그의 몸도 정신도 다 죽은거야.

김철: 아니야 살았어. 죽지. 않았어.

현순: 아니야 죽었어. 살아있을 수 없어

(마당에 동무들의 노래 소리가 하늘을 찌른다. 방안에 현순 동무와 김철 동무의 「살았어」
「죽였어」 떠드는 소리가 땅을 울린다. 일봉 동무가 일기를 쓰다 말고 귀를 틀어막으며一)

일봉: 아이구. 꽤들 떠들어대네. 적구에 들어가 싸울 젠 쥐죽은 듯 괴괴하
더니 산우에 올라와서는 제 세상인 줄 아는가부지……(김철 동무와 현순 동무 떠
들어대다가 일봉 동무의 찝으러진 얼굴을 보고 서로 싱긋 웃는다. 이로써 변론을 끝마치고 현
순동무는 그대로 책보고)그럼 여기야 우리세상이지.

김철: 왜놈의 세상인가 오늘은 홀닥 벗고 잘 판인데.

일봉: 너무 맘 놓지 말라우. 적의 거점이 여기서 겨우 사삼리밖에 않돼.

김철: 사심리면 그놈들이 빨리 온대도 세 시간은 와야 해. 적과 오리 사이
를 두구도 갔으리.

일봉: 그래도 경각성은 높여야 할 걸 언제나 너무 맘 놓는데서 병이 생기
는거야.

김철: 에구 그렇게 격강성 높이다가는 글쎄 말러죽는다니.

일봉: (시계를 보며 근심을 띠워) 그런데 어찌된 셈인가? 철동 동무가 아직 돌
아오지 않으니.

현순: 밤이 어두워 길을 잃어버리지 않았나.

김철: 밤길을 걷는데는 부엉이눈인데……………………

일봉: 무슨 일을 저질르지나 안했을가? 여기에 무상스파이들이 많다는데……………………

김철: 검정개쯤이야 철동 동무 밥 먹는 기운으로만도 넉넉할 것.

일봉: (일어서며) 어데 내 좀 나가볼까?

김철: 문제 없을거야. 그 동무가 어떤 동무길래 언제 실수 해봤어.

일봉: 글쎄 그것두 그렇긴 그렇지만……………………

(주저앉는다.)

(마당에 동무들의 노래가 방안의 동무들의 불안한 공기를 사라뜨린다.)

대원: (노래 부르다 갑자기 무엇을 본 듯이) 쉬—맹꽁이 온다. (동무들이 모두 노래를 멈추고 "쉬" "쉬" "맹꽁이온다" "맹꽁이온다" "뛰어든다 뛰어든다 맹꽁이가 뛰어든다" 하며 맹꽁이 노래를 부른다) (안나 동무 무엇을 싼 보를 들고 들어온다. 맹꽁의 노래는 더 크다)

안나: 이거 왜들 이래 승겁게 (손에 보자기를 들며) 꼭 감어 더 먹긴 다 글렀지.

동무들 (노래들을 멈추며) 뭐 꼭감 그래 안나 동무 취소하지

안나: 취소만 해 흥 절들 해.

철호: 얘 그 너즐한 꼭감 가지고 비싸게 군다.

명철: 그러니까 맹꽁이라거던 (코를 잡고 맹 맹 맹 꽁한다)

안나: 조런 조런…… '푸취'는 맹꽁이가 아니냐.

명철: (빙긋이 웃으며) 그것도 맹꽁이지 뭐.

안나: 옳다 내 푸취한테 편지써 고할테다.

명철: (헤헤 웃으며) 아니다. 아니다.

철호: 에이 못난이 같으니 저걸 내 마누라로 두다니 (동무들 웃는다. 안나 동무 방으로 들어간다. 동무들 "꼭감내놔" "꼭감내놔" 하며 몰려 들어간다.)

안나: (학철 동무 앞에 가서) 또 뭘 써?

김철: 추도가 가사 하나 쓰느라구.

안나: 아닌 밤중에 홍두깨 내밀듯이 갑자기 추도가 가사는 다 뭐야 전방에 와서 재수 없게 싹 걷어쳐.

김철: 앗다 미신인가? 그런게 아니라 후방 선전부에서 적당한 추도가가 없으니 가사를 하나 써 보내라고 지시가 왔어. 그래 쓰는 거야.

안나: 그럼 어디 좀 봐.

김철: 아니 아직 다 못썼어. 다 쓴 뒤 뵈여주지.

대원: 저 동무들은 무슨 전술인가?

철호: 산격전 유격전 진지전을 합쳐 논 뒤범벅 전술이야. (동무들 와―웃어댄다)

대원: 자. 잔말은 그만두고 안나 동무 꼭감이나 빨리 내놔.

(동무들이 "꼭감내놔" "꼭감내놔" 떠든다.)

안나: 그럼 동무들 다시는 여자동무들보고 맹꽁이라 안 그러지.

대원: 그랬다 하자.

안나: 뭐 시원치가 않은데.

대원四: 그래 하지 않기다.

안나: (손에 든 보자기를 내어던지며) 자. 그럼 잡수시오들. (동무들 와―쓸어 밀려서로 뺏어먹을려고 타고 누르고 야단이야)

(이때 김 대장이 들어온다.)

대장: (야단치는 바를 보고 빙긋 웃으며) 수라장이로군.

일봉: (대장 동무를 보고) 차렷!

(동무들 덮치구 엎치었다 일어나기가 바쁘다. 왼 밑에 깔리웠던 철호 동무가 "아이구"하며 일어난다. 두 손이 그대로 보자기를 끼어 안고.)

대장: 뭣들을 그리우.

철호: 이놈에 꼭감 먹으려다 하마터면 깔려 죽을번 했소. (동무들에게 눈을

부릅뜨며) 뺏지들 말라우. 대장 동무부터 먼저 드려야지.

(철호 동무 보를 푼다. 납작한 흙덩이 자개돌이 와르르 쏟아진다. 동무들 "속았다" "속았다"하며 또 입이 찢어지게 웃는다.)

철호: (화가 목덜미에 올라 안나 동무를 가리키며) 야— 요 맹꽁아 맹꽁인 맹꽁이로구나 (동무들 날아갈듯이 웃는다)

대장: 웃음을 다 끊고 일봉동무를 향하여)일봉동무 동무네 분대에서는 발병난 동무가 없지요?

일봉: 발병난 동무는 없는데 박철동 동무가 아직 돌아오지를 않았습니다.

대장: (시계를 보고 생각하더니) 짐 실은 말을 끌고 올랴니 늦게야 오게 될거요.

일봉: 제가 동무 몇을 데리고 마중 나가 볼가요?

대장: 그럴 필요 없소. 공연히 동무들까지 피로케 할터이니까. 그 동무는 자기의 임무를 넉넉히 완성할거요.

일영: 대장동무는 그 동무에게 어떤 임무를 준 뒤에는 어떻게 그렇게 맘을 푹 놓소?

대장: 내 그 동무에 관한 이야기를 하나 할가요? 이 전쟁이 나기 얼마전이요. 내가 복건중학에서 일볼 때 그 학교에 조선학생이라고는 꼭 한사람 있었소. 남루하구 출촐하고 소학교두 제대루 못 댄겼기 때문에 공부하는데 성적이 밤낮 공이구. 그 동무가 바로 박철동동무요. 한번은 학교에서 운동대회가 열리었는데 그 동무가 일만메돌 경주에 참가했겠지요. 그래 내가 목이 쉬어라 응원을 했소. 첫 번 바퀴엔 꽤 뛰는 것 같더니 웬걸 한바퀴 떨어지구 두 바퀴 떨어지구 원 나중엔 다른 선수들은 다 들어왔는데 혼자서 질질 뛴단 말이요. 어찌나 창피스러운지 그래도 박철동동무는 관중들이 웃던 말던 다 뛰고 종점에 와서 폭—꼬꾸라지었다오. 그래 내가 뛰어가서 부딩켜 안어주니까 나보고 하는 말이 오늘 넉넉히 일등하는 것인데 세끼 굶고 뛸냐니 못 뛰

겠다고…이런 동무요. 이런 동무에게 임무를 준 뒤에 맘놓지 못하게 어디 있겠소.

　대원三: 아무렇든 지독한 동무야.

　대장: 그 동무에게 배울 바가 많소.

　일영: (천진스럽게) 그러나 난 그 동무에게 밥 먹는거 하나만은 못 배우겠어요. (동무들이 크게 웃는다) (이때 조광동무 급히 뛰어 들어온다.)

　조광: 대장동무 촌 어구 산골작이에서 총소리 두어 방이 났다는 보고가 들어왔습니다.

　(동무들이 긴장한 빛을 띠운다.)

　대장: 네- 나가봅시다. (나갈련다.)

　조광: 벌써 김한 동무와 철수 동무를 파견하여 급속히 조사하여 여기에 와서 보고하라고 하였습니다.

　대장: 음- 촌공소와 연락을 해보셨소?

　조광: 네. 적정에 아무 변화가 없다구해요.

　대장: 십육 단에 통신을 파견하셨지요?

　조광: 네. 왔다 갔다 륙십리 길이니까 빠르면 열두시 전에 돌아올 수 있을 것 같습니다.

　대장: 동무네 분대에서는 다 집합하여 계십니까?

　조광: 네. (동무들 수근거린다.)

　만수: 왜놈에 새끼들이 우리 뒤를 따라왔나?

　대원二: 요놈에 새끼들 와만 봐라. 태행산 돌맹이로 대구리를 바술테다.

　대원三: 여기에 놈들의 검정개가 떠돌아 다닌다지.

　철호: 검정개 새끼들이 우리가 이 촌에 온줄 알고 우리를 놀려 주는지두 몰라.

대원一: 그까짓 새끼들 쯤이야 벼룩이 잡듯이 손톱으로 문질러버리지.

명철: 그래두 앞에서 쏘는 총은 막기 쉽고 뒤에서 쏘는 총은 막기 어렵다는거야.

일봉: (또 근심에 쌓여) 철동 동무 올 때가 되었는데.

조광: 철동 동무가 아직 돌아오지 않았나?

일봉: 아직 안돌아왔어.

철호: 부닥치지 않았나?

만수: 무엇하구?

명철: 검정개 하구-

대원들: (바싹 다가서며) 철동 동무가 (수군거리다. 조각과 같은 무거운 침묵을 지킨다. 오직 긴장하고도 조급하게 가마귀와 같이 날아 들어올 흉한 소식만을 고대한다.)

(로태태 숨차게 뛰어 들어온다.)

로태태: 아니 왜놈들이 온다구.

안나: 할머님 누가 그립데까?

로태태: 아니 촌 밖에서 총소리가 났다고 왜놈들이 온다고 온 촌이 발딱 뒤집히어…

일봉: 할머님. 아직 똑똑히 알 수 없습니다. 사람을 파견하여 알아보러 갔으니 안심하고 계십시오. 일이 있으면 저의들이 통지해드리지요.

로태태: 아이구. 난 그놈에 새끼들이 온다는 말만 들어도 사지가 떨리고 숨이 맥혀 오륙을 쓸 수 없소. 그놈에 새끼들이 우리 촌에 와서 오직이나 못되게 굴었소. 잡아 죽이구 불살르고 뺏어가구. 글쎄 우리 집 며느리의 갓난 어린애를 공중에 뛰어 날창으루 받어 찔러죽이지 않았소. 아이구. (눈물을 씻는다.)

안나: 할머님 안정하십시오. 저의들을 믿고 가 쉬십시오.

대장: 할머님. 별일 없을 것입니다. 촌사람들 보고 똑똑히 알아보기 전에는 뛰지를 말라고 하여주십시오.

로태태: 글쎄 동무들을 보니 그래도 얼마쯤 안심이 되오. 에이구. 쉬지들두 못하구…

(안나 동무 로태태를 부축하여나간다–間–안나 동무 뛰어 들어온다.)

안나: 대장 동무 김한 동무가 돌아왔습니다.

(김한 동무 급히 들어온다.)

김한: 대장 동무 박철동 동무가 돌아왔습니다.

동무들: 어. 철동 동무가 돌아왔어. (모두 마중 나갈려 할 제 중국 상인이 얼떨떨해서 들어온다. 동무들 눈이 둥글랬다. 그 뒤에 철동 동무 총에 날창을 꽂고 들어온다. 동무들 "수고했네" "박철동이 인제 오나" 하며 반겨 맞이한다.)

대장: 철동 동무 총소리 들었소?

철동: 네. 들었습니다. 퍽커요. 제가 쐈습니다.

동무들: 엉–

일영: 배고파 쐈나?

(동무들 기가 맥혀 웃는다.)

철동: 사람들 웃기들은 왜 웃어? 배에 허파가 들었나… 제가 말을 끌구 오는데 지나가는 백성들의 말이 이 호가장 촌에 왜놈에 군대가 들어갔다구 해요. 우리 부대가 왔는데 왜놈에 군대가 들어갔다니 그래 말을 막 때려 몰고 뛰어왔지요. 오는데 또 백성의 말이 왜놈이 군대두 아니구 팔로군도 아니구 괴상한 군대가 들어갔다구 해요. 그래 우리부대를 보고 말하는 것이 아닌가 해서 얼마쯤 안심은 되었지만 그래두 의심스러워 사면을 살피며 오는데 이 중국사람이…

(중국 상인이 들어올 제는 황급하고 겁내여 하였으나 차츰차츰 살금 눈치를 살피다 철동

동무가 자기를 가르치며 말하는 것을 보고 자기 말을 하는줄 알고 얼굴에 간드러진 웃음을 띠워 대장동무를 향하여 절하며…)

　　상인: 사령원님. 저는 장사하는 사람이지만 사실은…

　　대장: 저는 사령원이 아닙니다.

　　상인: 네네. 단장님. 저는 사실은 팔로군을 위하여 장사하는데…

　　철동: (상인의 말을 막으며) 가만히 계시우. 내가 말을 다 한 다음에 당신이 말하여야 되지 않소? (다시 말을 계속한다.) 정신을 바짝 차리고 오는데 옆에서 급한 발자국 소리가 나겠지요. 그래서라 하니까 막 뺑소니를 쳐요. 그래 총을 들구 쏠테니 서라 해두 막 달아나거던요. 그래 냅다 두 방 갈기니까 그때에야 움출하구 서있어요. 그래 어디서 오느냐 하니까 이 호가장에서 온다거던요. 그래 호가장에 무슨 부대가 있더냐 하니까 조선의용대가 있다구. 똑똑히 말해요 그래 통행증명서가 있느냐 하니까 내놓은 것이 이건데 (증명서를 대장에게 준다.) 어떤 기관이나 부대나 촌 공소에 도장이 찍힌 것이 아니라 상인에 도장이거던요. 이 사람에 말은 현 정부 비서에 도장이라 하지만 그건 어쨌던 사람의 행동과 형색이 수상해요. 그래 몸을 수색하였더니 별로 이상할 것은 없구 이 왜놈에 지전뭉치가 나와요. (지전을 대장에게 준다) 내 듣기에는 스파이 놈들이 지전에 호쑤로 암호를 하여 가지고 다닌다는데… 아무렇든 이 밤중에 혼자 길 걷는 것이 수상하구 정말 백성이라면 나를 보고 뛸 리가 만무고 더구나 우리부대의 이름을 똑똑히 알구 그래서 데리구 왔습니다.

　　대장: (증명서를 자세히 본다.) 이름은 팡삼삼. 서평촌에 상인인데 리가촌에 일 있어 가니 (상인을 향해서) 현 정부 비서 애 이름은 뭐요?

　　상인: (간지러운 웃음을 띠우며) 아 현 정부 비서 말입니까? 조건덕이라고 하지요. 그 뿐입니까? 현장은 성충렬이고 민정과장에 왕지인이고 재정과장에 장성산이고…

대장: (자기 주머니에서 편지 한장을 꺼내어 증명서도장과 편지에 도장을 비교해보며 철동 동무에게) 도장이 같지.

철동: (역시 세밀히 비교해보더니) 네 같기는 같습니다 만은.

대장: (상인을 향해서) 어떻게 현정부비서 조건덕이를 알게 되었소?

상인: 하 저하고 친형제와 같은 사이입니다. 너나가 없지요 네게면 내거고 내거면 네거고…

대장: 제 묻는 말만 대답하시오. 어떻게 알게 되었소

상인: 네네. 전문으로 현 정부와 부대의 필요한 물품을 성안에 가서 몰래 사다 줍니다. 그러기에 제가 장사는 하지만 우리 팔로군을 위해서 장사한다고 하지 않았습니까? 그래 부대에 리단장이라든가 려정위라든가 한주임이라든가 그리구 현정부에 석현장이라든가 조비서든가 왕과장이라든가 모두 저와친해서 저보고 동지 동지 하지요. 우리 촌에 들어오시면 꼭 우리 집에 오셔서 진지를 잡수신답니다.

대장: 그럼 어찌하여 현 정부 기관 도장을 찍은 증명서를 하지 않고 비서 사인의 도장을 찍은 증명서를 가졌소?

상인: 아 저는 단장님도 아시다시피.

대장: 저는 단장이 아닙니다.

상인: 네네. 그럼 어 그래서 아시다시피 현 정부는 여기서 칠십 리 되는 곳에 있고 오늘 교묘하게 비서께서 제 촌에 오셨길래 증명서를 써 달라 청하여 써주신 바입니다.

대장: 구 공소와 촌 공소에 증명을 어째 하지 않았소?

상인: 헤헤. 대장. 대장께서도 아시겠지만 리가촌은 일본사람의 구역이 되어 구 공소와 촌 공소의 증명은 무효하지 않습니까? 사인도장이지만 조비서의 도장이면 어디서나 통행할 수 있거던요.

대장: 그러면 어찌해서 리가촌으로 직접 가지 않고 이 호가장에 들어와 늦게야 떠나게 되었소?

상인: 그는 제가 리가촌으로 갈려 하는데 현 정부에서 파견하여 내려와 공작하시는 대장님께서도 아시는지— 리평천선생님이 제에게 부탁할 바가 있으니 리가촌에 왔다가 달라해서 왔던 것입니다. 그리구 일본사람구역에 가는데도 발길이 좋지 않습니까. 해해.

대장: 그럼 당신이 리평천이를 잘 알우?

상인: 잘 알다 뿐이겠습니까? 키가 큼직하고 얼굴이 뚱뚱하신분 우스운 이야기를 곧 잘 하시지요. 그 선생님을 직접 대면하면 제가 좋은 사람이라는 것을 증명해줄 것입니다.

대장: 음- (깊게 고려한다) 리평천 동지를 잘 안다면……(또 생각한다)……돌아가시우. 미안하게 되었소. (증명서와 지전뭉치를 내어준다.)

상인: (받으며) 감사합니다. 감사합니다. 그저 대관님들의 눈이 밝으셔서……고맙습니다. 고맙습니다. (절하며 나간다.)

철동: 대장동무. 아무래두 나와 마주칠 때 태도가 수상해요.

대장: 밤길에 그 사람인들 겁나지 않았겠소. 별로 의심날 바가 없고 의심할 증거가 없다고 생각하오. 현정부 조건덕 동무의 도장두 받는 것이구. 또 이촌에 확실히 무장공작대 리평천 동무가 왔다 간 것이구. 자 오늘 고생하기에 퍽 피로 하시겠소. 빨리 저녁이나 가 잡수시오. 그리고 오늘 밤엔 어떠한 근무나 동무는 담당하지 말고 쉬시우.

철동: 아무래도 끄림직해.

철호: 별일 없을 거야. 빨리 저녁이나 가 먹으라우. 배에서 혁명이 일어나지 않았어.

일영: 오늘은 할머님이 갖다 주신 시금털털한 쏸채가 있어 전 세계 밥통

기록이나 가 타파하라우. (동무들 깔깔 웃으며 몇 그릇이나 먹을 텐가? "쉰 공기는 먹어야지." "너무 먹고 배터지지 말게." 하고 놀린다).

대장: 우리가 이번 전선에 나온 뒤 두 달 동안 우리의 투쟁과 생활은 너무나 긴장하였고 너무나 많은 곡절과 위험을 당하였으며 너무나 동무들이 고생하였소. 이 고생한 대가로 우리는 첫 계단 우리의 전투임무를 완성하고 우리의 근거지 태행산에 올라오게 되었소. 이제는 거미줄과 같이 봉쇄선을 치어 논 왜놈의 통치구역을 떠나온 것만큼 얼마쯤 안심하고 휴식하여 피로를 회복할 수 있으니 자 동무들 밤도 이미 깊었는데 일찍 편히 쉬시우.

대원들: 네.

일봉: 보초를 어떻게 배칠 할까요.

대장: 동무네 분대에서 촌 어구를 경계하고 조광동무 분대에서 뒷산을 경계하시오.

조광: 유동보초를 파견 할까요?

대장: 고만두시우.

일봉: 그래두……

대장: 분대가 이동하여 온 첫날이고 또 비교적 후방이니까.

일봉: 든든히 하는 것이 좋지 않을까요?

대장: 동무들의 피로를 감소시킵시다. 자 동무들 오늘은 편안히 휴식하시오.

대원들: 네.

(대장동무 나간다. 조광동무 김한 동무 따라 나간다. 전체 동무 경례한다.)

(이때 안나 동무 망짝 우에 올라서며―)

안나: 동무들 이 두 달 동안 적과 무자비하게 투쟁한 승리를 축하하기 위하여 오늘밤 여기서 만회를 여는 것이 어떻소?

대원: 좋소.

일봉: 동무들 오늘은 일찍 쉬기오. 내일 무슨 일이 있을지 누가 아오. 너머 맘을 놓으면 탈이 생기는거요.

대원: 아이구 우리 집 할망구 또 바가지 긁는다.

만수: 밤 낮 그 뻣뻣한 총만 끼어 안구 자라우. 애인 끼어 안구 자듯 좀 놀아봅시다.

대원三: 김철 동무가 늘 하는 말 맞다나 너머 요것조것 하다가는 말러죽어요.

철호: (명철동무를 향하여) 여보-마누라 고 어여쁜 주둥아리로 뽕하고 내부오. 오랫동안 춤을 못췄더니 엉덩짝이 근지럽소.

(동무들의 웃음소리가 터진다. 명철동무 "조런 조런"하면서 하모니카를 흥이 나서 분다. 철호 동무 망칙한 엉덩춤을 추기 시작한다. 춤과 노래 노래와 춤이 왕성하여가는 잿불과 함께 열광하여 간다.) (김철 동무가 완성한 추도가 가사를 들고 나온다)

안나: 다 썼나?

김철: 응 다 썼어.

안나: (김철 동무의 손에서 원고를 뺏어 다시 망짝 우에 올라서며) 동무들 우리의 시인 김철 동무가 혁명의 열정으로 빚어낸 가사 하나를 동무들에게 랑송하여드리겠습니다.

대원들: 좋소.

안나: 「추도가」 (노래 부른다.)

　　　사나운 비바람이 치는 길가에
　　　다 못가고 쓰러지는 너의 뜻을
　　　이어서 이룰 바를
　　　맹세하노니
　　　진리의 그늘 밑에 길이길이 잠들어라

불멸의 영영

(온 누리가 잔잔하여진다 안나 동무의 노래가 점점 구슬퍼진다 동무들 모두 머리를 수그린다. 마귀의 울음소리와 같이 사람이 소름을 끼치게 예리하게 회오리친다. 잿불이 점점 진하여간다. 밤은 퍽으나 어두웠다-)

幕

第二幕

때 그날 밤 자정이 넘은 뒤

곳 호가장 촌 어구 보초선

(가운데 늙은 고목 [枯木]이 서있고 뒤 허무러진 돌담장이 널려있는 왼쪽에 촌으로 들어가는 길이 있다. 앞 오른쪽 가녘에는 지신 [地神]의 돌탑이 서있다.

깊은 밤 진한 어둠에 잠긴 주위는 무거운 침묵에 잠겼다 오로지 끊었다 이었다 가끔 불어오는 바람소리와 왔다 갔다 보초 보는 일영동무의 가냘픈 기침소리가 날뿐—

세찬바람이 또 쏴- 불어온다. 일영동무 추위에 못 이기여 고목나무밑에 가서 쪼그리고 앉는다.)

일영: 에이 추워! 평원에서는 추운 줄을 모르겠더니 산속에 들어오니 에 추윗! (세찬바람이 또 불어온다) 음- 오늘밤은 어째 더 긴 것 같다. 날 샐 때가 아직 멀었나? 이 어둠이 사라지면 또 자욱한 안개가 끼겠지……산속은 비록 마음이 안정되나 어쩐지 숨이 맥힐 듯이 속이 답답해 꼭 돌 평풍에 갇히운 듯 앞 뒤 옆이 다 맥히고 오직 하늘만 처다 보자니 낮에는 구름과 안개 밤에는 먹칠을 한 듯한 어둠. (어둠과 적막에 답답을 느끼는 그는 그의 가장 큰 위안인 환상의 넓은 벌판으로 달린다.) 내 어렸을 제는 산산했지만 왜놈의 새끼를 때려 부수

고 난 뒤에는 다시금 산속에 들어와 안살 걸—내 고향 가슴이 툭-터지는 듯한 넓은 바다 새파란 물결과 새파란 하늘 낮에는 햇볕이 번쩍이고 밤에는 별들이 깜빡이는— (바람이 또 쏴— 불어온다. 그의 환상은 깨어지었다.) 쓸데없는 생각을 또 하는군 그래 바다와 고향이 네게 준 게 뭐야? (그는 자기를 책망하며 부스스 일어난다. 다시금 이 어둠을 노려보아야할 책임감을 느끼었다. 그는 다시 왔다 갔다 주위를 살피며 귀를 기우린다. 갑자기 우뚝 선다 먼데서 승냥이 울음소리가 들려온다.)

　　일영: 이리 이리 또 누구네 집 양의 피를 할를냐고 이리— (그의 맘속에 깊이 묻히어있는 뼈아픈 기억이 꼬리를 물고 일어난다.)

　　일영: (걸음이 천천하여 지며)·········그때 내 열 살·········해당화핀 모래밭에 누님과 내가 지어논 작난감 오막사리집이 그 심술구진 바다물결이 밀려들어와 허므러트릴제 내 주먹을 불끈 쥐고 바다를 향하여 욕설을 퍼부며 발을 동동 굴렀지. 누님은 나를 달래주시고········· (자기도 모르게 나무밑에 가 쪼구리고 앉는다) ········· 그해 아버님이 고기 잡으려 나가셨다가 검은 물결에 휩쓸리어 돌아가셨다. 그때 내 바다를 얼마나 원망하였던고········· (그의 추억은 점점 슬픈 골짜기로 들어간다)·········그리고 누님은 드디어 그 이리와 같은 '나까무라'란 놈에게 에 몰리어 끌려가셨지. 음—(벌떡 일어선다.) 내 그때 고향을 얼마나 저주하였던가. (빠른 걸음으로 왔다갔다하며 고통스러운 추억에 못 이기어 가슴 아픈 기침을 한다.)

　　(먼데서 또 승냥이 울음소리가 들려온다.)

　　일영: (그래도 희망의 환상이 떠오른다.) 때는 올 것이다. 암 오구야 말거야 멀지 않어. 우리가 총을 메고 압록강을 뛰어 넘는 날 흥— (이제는 손과 발까지도 환상에 젖었다.) 두말할 것 있나? 그놈의 멱살을 비틀어 동댕이 처논 뒤 발로 그놈의 통통한 배를 타어 누르고 날창으로 놈에 시장을 겨누어 "요 이리같은 놈아!" 하고 푹-(한상의 꽃은 더 찬란하게 핀다.)·········아무래도 바다가 좋아 잔잔하였다 용솟음치었다 뒤집히는 바다가 좋거던·········아무래도 내가 자라나

고 정들었던 고향이 좋아 비록 나에게 무한한 고통과 슬픔을 주었지만 그 고통 그 슬픔을 씻을 때에는………고향도 꽤나 변하였겠다. 어머님도 꽤 늙으셨겠지 고향의 흙을 내 다시 짓밟어……사뿐 사뿐… 어둠컴컴한 저녁에 찾아가 문을 똑 똑 뚜드린단 말이야……

일영: (온 정신 온 몸이 아름다운 꿈에 잠기어) 그럼 어머님이 "누구시오."하며 문을 열고 나오시겠지……총멘 군인 내 그날 꼭 이 꿰어진 군복을 입구 갈 테야. 그럼 어머님이 이상하게 나를 아래위로 쳐다보시며—아니 가만있자 어머님이 늘 말씀하시기를 내 눈이 꼭 아버님 눈을 닮았다고 하셨겠다. 내 눈을 보시면 곧 나를 알아내실테니 모자를 내려 써야지-- 이런댐에야 알아내실 수 있나……거러지같은 군인 허! 그러면 어머님이 "누구를 찾으십니까?" 하시겠지 그러면 내가 시침을 딱 떼고 "여기가 리일영씨 댁이 아니십니까?" 한단 말이거던 허. 리일영씨 그럼 그래야지 그리고"저는 리일영씨의 부탁을 받고 왔는데요." 한단 말이야. 그러면 어머님이 "아니 리일영이라뇨? 죽을 줄 알았던 내 아들이?" ……그때 나는……아니 가마있자 어머님이 만약 돌아가셨다면………(자기도 풀 수 없는 의문에 머리를 북북 긁는다.)

철동: (비슬비슬 걸어 나오며) 별수 있나. 색시나 하나 얻어야지 그래야 밥해주고 빨래해주지.

일영: (그때에야 환상에서 깨어나) 뭐-에익 사람……밥철통인가?

철동: 보초를 그렇게만 보면 대장동무에게 칭찬받기 제일 좋지.

일영: 아니 내 그런게 아니라……그래 내 잘못했소. 이 고요한 밤에 홀로 어둠만 바라보고 서있자니 저절로 이 생각 저 생각이 나서…… (가벼운 기침을 한다.)

철동: (동생을 쓰담듯이) 일영이 쓸데없는 공상을 너무 하지 말라우. 그러니까 몸이 작구 쇠약해지지. 좁은 머리에다 헛바람을 너무 집어넣지 말구 나와

같이 배에다 밥을 잔뜩 쓸어넣란 말이야. 그럼 병이 왜나.

일영: (픽-웃으며) 그러니까 밥철통이라구 하지.

철동: (역시 빙그레 웃으며) 밥철통이래두 좋구 똥철통이래두 좋와. 만사태평이거던 하나만 하나하나 다 한 뒤에 둘 오늘일 오늘 다하기도 급한데 누가 내일일 모레일 심지어 내년 일 후년 일까지 머리 알쿠 있단 말이야? 그러니까 병 없이 신음하게 되거던 신음하자니까 또 병이 나지. 그래서 동무도 몸이 약해진 거야.

일영: 그는 동무의 머리속에 잊어버릴 수 없는 과거의 쓰라린 기억을 장차올 기쁨으로 씻어버리겠다는 희망의 열정이 적으니까 그렇지.

철동: 내에게 쓰라린 기억이 없다구? 음 별루 없어! 중국말 맛다나 내 머리가 '깡테노대' 쏏대구리가 돼서 기억이 오라기 때문에 잊어 버렸는지두 몰라 잊어버리지 않으면 별수 있댔나. 이미 지나간 과거인데 작구 되풀이한대서 찔찔 울든 과거의 일이 엉덩춤추는 일로 변하나? 안될걸! 그리구 장차올 기쁨……물론 우리가 그걸 보구 싸우지 않나. 장차 올 일은 꼭 올 테인데 하필 머리를 썩이며 환상할거야 뭐야 그때 꼭 자기의 머리에 그린 것 같이 그대로 되나? 안될걸! 그게 다 쓸데없는 공상이거던. 그러기에 나는 어떤 희망을 가지고 공상을 한대도 지금 당장 능히 될 수 있는 것 말하자면 어떻게 하면 왜놈에 새끼 대갈백이를 좀 더 깨여바실가 그리구 헤 어떻게 하면 개장국에 좁밥을 말아……

일영: (머리를 흔들며) 나는 그리할 수 없어 나는 오직 이빨이 갈리고 치가 떨리는 과거 내가 당한 고통을 시시각각 아로새김으로 써야만 노여움이 불덩이와 같이 터지고 이 원한을 씻을 수 있는 아름다운 장래를 일일이 생각함으로써야만 용기가 말발굽과 같이 날뛴단 말이야. (점점 흥분된다.) 잊어버릴래야 어떻게 잊어버리겠나. 이리와 같은 그놈에게 끌리워 갈제 발악하시든 누

님의 얼골 즘생과 같은 그놈의 강탈에 한 많은 것을 죽음으로써 해결한 누님의 목에 걸리웠던 노의 새빨간 그림자줄기……어머님은 입에 피 거품을 뿜으시며 기절하시고 나는 땅바닥에서 데굴데굴 굴던……(지나친 흥분에 기침을 몹시 한다.)

(바람이 불어온다.)

철동: (일영 동무를 부딩켜 안으며) 음—마음깊이 기억해야지 그리구 주먹이 부서지두록 놈들과 싸워야지 그리구 어머님 만날 날을 손꼽아 기다리어야지 그리구……자 일영이 추워 들어가 자지!

(철동 동무 일영 동무를 부축하여 촌으로 들어가는 길 어구까지 이끌어다준다. 일영동무 가냘픈 기침을 하며 사라진다. 철동 동무 무거운 걸음으로 보초선에 돌아온다.)

철동: (일영동무에게 영향받은 들먹이는 감정을 억제하려 머리를 휘저으며) 공연히 뒤숭숭하게……음—

(먼 곳에서 승냥이에 울음소리가 들려온다. 철동동무 번쩍이는 눈으로 앞을 쏘아본다. 어둠뿐 사방은 고요하다.)

(이리에 울음소리가 더 길게 들려온다.)

철동: (화를 버럭 내며) 옘병을 할 놈에 승냥이!

(사방은 또 어둠과 침묵 속에 잠긴다)

철동: 오늘밤은 왜 이렇게 많이 산란할가 환장을 했나 (안정하겠다는 듯이 차렷 자세를 하고 사면을 살펴본다.)

철동: (그러나 떠날 수 없으니 들먹이는 감정)……잊어 버렸는 줄 알았댔는데 잊어버리지 않았댔군……에익 이 내 무슨 빌어먹을 생각을 하구 있어! (왔다간다 한다.)

철동: (눈앞에 솟아나느니 괴로운 그림자 조각과 같이 선다) 어두운 밤 깊은 산골짜기…… (또 화를 버럭 낸다.) 내 오늘 여우한테 홀리지 않나!

(바람이 또 불어온다. 철동 동무 정신을 반짝 차린다. 이때 발자욱 소리가 난다)

철동: (촌 어구를 향하여) 누구요? 구령!

대장: 태행산! 나요! (촌 어구에서 나타난다)

철동: 대장동무요. (경례한다)

대장: 내 동무보고 오늘밤은 근무보지 말고 편히 쉬라하지 않았소. 어째 동무가 보초를 나왔소?

철동: 제 차례이니까요.

대장: 너무 수고를 하오.

철동: 제 무슨 고생하는게 있어요.

대장: (빙그레 웃으며)동무 고생하는 것이 없다구? 이번 전방에 나와 동무는 전투원두 되구 정찰원두 되구 선전원두 되구 통신원두 되구 화식원두 되구 마부두 되구……

철동: (웃으며) 개잡는 대장두 되구……

대장: (역시 웃으며) 동무는 누구하고 보초를 교대하였소?

철동: 일영동무하구요.

대장: 그 귀염둥이. 그런데 그 동무는 몸이 하루하루 더 쇠약해가서 큰일 났서. 페병증세야 후방으로 가서 수양하라니 가 줘야지. (천천히 걸어 돌탑 옆에 가 사면을 살펴본다.)

철동: (대장 뒤에 따라가며) 퍽 피로워해요.

대장: 무슨 고민이있나?

철동: (다시 무거운 생각에 잠기다 얼투당투 않게) 대장동무 마누라 있습니까?

대장: (의외로) 엉-뭐요?

철동: 마누라……

대장: 마누라?

철동: 네 마누라.

대장: (이상하게) 건 왜?

철동: 글쎄……

대장: (이상하다는 듯이) 있지요.

철동: 아들딸은 없습니까?

대장: (더욱 영문을 몰라) 있지요.

철동: 아들?

대장: 딸.

철동: (말은 시작하여 놓고 무슨말을 하여야 좋을지 머뭇거린다)……대장동무 마누라생각이 나지 않소?

대장: (더 기가 맥켜) 네?

철동: (자기도 말이 너무 벗어났음을 느끼고) 아니 마누라 뿐만 아니라 아들 딸 아버지 어머니 생각.

대장: (철동 동무를 주시해보다 철동 동무의 묻는 의미를 알았다는 듯이 빙그레 웃으며) 혁명하는 사람이라고 집 생각이 없겠소. 신이 아니고 사람인데 싸우기에 바쁘니까 잊어버렸을 뿐이지 그런데 오늘 그런건 왜 갑자기 묻소?

철동: 아니 별 뭐 있어 묻는게 아니라 응 생각이 나기에……그런데 대장 동무는 어떻게 집을 떠났소?

대장: 엉-어떻게 떠나다니 조국의 비참한 정형을 볼 수 없구. 왜놈들게 압박받기 싫구. 돈 있는 놈들에게 천대받기 싫어 떠났지.

철동: (고만 낭패하여) 네 거야 물론 그렇겠지요. 그런데 집이 엥-말하자면 대장동무에게 준 무슨 잊어버릴 수없는 쓰리린 기억이 없소?

대장: (이마쌀을 찌프리며) 잊어버릴 수없는 쓰라린 기억—말이 점점 괴상해지는데 아니 그런데 오늘 그런건 왜 작구 묻소?

철동: (간절히 알고 싶어) 아니 글쎄……

대장: (철동 동무를 더욱 더 주시해보다가 그의 간절히 알고싶어 하는 태도를 보고 물음에 대답해주지 않을 수 없어)……잊어버릴 수 없는 쓰라린 기억—글세……동무가 새삼스럽게 물으니 말이지 지금 생각나는 것이 있다면……철창속에 가치워 물끄러미 어린 나를 내려다보시던 희고 여윈 아버님의 얼굴도 잊어버릴 수 없는 기억 어린 아들 딸들을 먹이어살리겠다고 떡바구니를 끼고 이거리 저 거리로 해매이던 어머님의 뒷그림자도 잊어버릴 수없는 기억이고……그래 그중에도 왜놈들에게 쫓기어 고향을 떠나지 않아서는 안 되게 되어 어머님과 곧 해산할 안해와 작별하고 기선에 올라 빨리 배가 떠나기만 고대하다가 깜박 잠이 들었는데 잠결에 내 이름을 찢어지게 부르는 소리에 깜짝 놀라 갑판에 나서니 동이 훤-히 터 오는데 늙으신 어머님이 몇십 리 밤길을 뛰어와서 「네 처는 간밤에 딸을 낳았다」 하시는 한마디 말씀을 듣자마자 기선이 뚜-울 며 조국을 떠날 제 머리가 아찔하던 그것두 잊어버릴 수없는 기억이라 할까.

철동: 그럼 아직 따님두 못보셨겠군요.

대장: (픽 웃으며) 못봤지. 지금은 아마 시집갈 처녀가 되었을게요. 동무 때 문에 공연히 쓸데없는 이야기를 했소. 그런데 오늘밤에 동무가 전에 없는 집 생각이니 잊어버릴 수 없는 쓰라린 기억이니 하니 어찌된 셈이요?

철동: (자기도 모르겠다는 듯이) 글쎄 말입니다. 죽을 때가 가까웠는지 공연히 맘이 뒤숭숭해서.

대장: 집 생각이 난단 말이지.

철동: (깊은 생각에 잠기며) 글세 집 생각이라구 할까? 간밤에 마신 술이 깨지 않은 듯이 속이 메스끄름하게 기분이 좋지 못해요.

대장: 동무는 이번 이 전쟁이 나기 전에 비밀공작하다 왜놈에게 체포되어 조선 나갔을 제 집에 한번 갔다 왔다는 말을 들었는데.

철동: (어둠을 바라보며) 갔댔는데 갔던 것이 가지 않았던 것만 못하니까 그렇지요.

대장: (이상하다는 듯이) 어째?

철동: (쓴 입맛을 다시며)……내 언제 동무들한테 제집 이야기를 하였습니까? 내 본래 누구에나 내 집 이야기를 하지 않으려 하였습니다! 그랬는데 이재 일영 동무 집 이야기를 듣고 나니 뱃속에 차있는 쓴물을 꼭 토해버려야 속이 시원할 듯해서……

대장: (주의해 듣고만 있다)……

철동: (오랫동안 맘에 품었던 괴로움을 천천히 풀어낸다)……집에 갔지요. 감옥에서 콩밥만 먹다 나온 뒤 누가 떡 먹으라 오라는 사람이 있어야지요. 그래 떡이나 얻어 먹을가 하고 할 수 없이 집을 찾아갔지요. 가니 코딱지 같은 우리 집은 온데간데 없구 왜놈의 공장의 굴뚝에서 연기만 푹 푹 나겠지요. 쫓겨낫대요. 그래 묻고 물어 집을 찾아 갔지요. 심심 산골짜기에 집이라고 찾아 들어가니 사람의 집 아니라 귀신의 집이예요. 음산한게 꼭 무덤 속과 같은데 눈먼 아버님이 송장 과같이……

대장: (약간 놀라며) 아니 동무의 아버님이 판수요?

(철동 동무 아무 대답 없이 머리만 끄덕인다……)

철동: 그래 집에 갔지요. 두 눈이 움푹 들어간 아버님이 꼭 해골과 같애요. 뼈만 남은 앙상한 두손으로 나의 얼굴을 어루만질때 온몸이 찌르르해요. 내 마누라는 누더기를 몸에 걸고 돌아서 느껴 울고 아들놈은 어미에 옷자락을 붙잡고 굶주린 눈으로 말둥말둥 나를 쳐다보구 있구 떡 먹으라 갔댔는데 돌덩이를 집씹는것 같애요. 참고 참을래야 더 참을 수 있어야지요. 내가 집에 있다구 내집 형편을 좀더 낫게 할 수 없는 것이구. 또 내 집과 같은 집이 한 둘 아니얘요. 무덤속에 송장과 같이 사는 사람들이……그래 하루는 나무하

라 간다 하구 또 뛰어…………

대장: (옳다는 듯이 머리를 끄덕인다)…………

철동: 그 뒤 그 산골짜기에서 나온 사람에 말을 들으니 내가 집을 떠난 뒤 일 년 열두 달 매일같이 눈이 오나 비가 오나 아버님이 낮에는 내 아들놈의 손을 잡구 나와 온 산을 헤매고 밤에는 내 마누라의 손을 잡구 나와 이 산골짜기 저 산골짜기 횃불을 휘저으며 목멘 소리로 철동아 철동아 부른대요. ……이 어두운 밤 이 깊은 산골짜기 꼭 눈먼 아버님이 횃불을 휘저으며 철동아 철동아……(갑작이 무엇을 보았는지 옆 먼 산을 가리키며) 대장동무 저 불!

대장: 응(놀라 철동 동무의 가리키는 방향을 본다.)

철동: (책임감이 떠돌며) 무슨 불일가?

대장: 아마 산우에서 양치는 사람들이 추위에 못 견디어 핀 잿불인가 보오? 거리가 멀우.

철동: (미안한감이 나서) 대장동무 보초 보는 시간에 너무 쓸데없는 말을 해서……

대장: (철동 동무의 두 어깨를 힘있게 잡으며) 철동 동무—과거부터 내 동무를 잘 안다고 했지만 오늘밤에야 비로소 더 깊게 동무를 리해하는 동시에 동무를 더욱 더 존경하지 않을 수 없소. 그와 같은 뼈아픈 고통이 있으면서도 괴롭고 슬픔을 한번도 낯에 비추지 않는 그 정신. 그는 오직 동무가 말한 "내 집만 낮게 한댓자 무슨 소용 있소. 그 산골짜기— 아니 즉 전 조선에— 내 집과 같은 집이 한둘이 아니얘요."라는 조국을 사랑하고 인민을 사랑하는 그 거룩한 사상이 동무를 이끌어 주었기 때문이요. 옳소 왜놈이 우리민족에게 준 비참한 운명과 돈있는 놈들이 우리인민에게 준 가혹한 탈은 동무에게 만 부닥치고 덮힌 바가 아니라 내 에게만 부닥치고 덮힌 바도 아니라 우리 대부분 동무에게 부닥치고 덮힌 바이고 우리 조국 우리 인민에게 부닥치고 덮힌 바

이고 우리 조국 우리인민에게 부닥치고 덮인바이오. 이 비참하고 가혹한 운명의 탈은 내 한사람의 입으로 벗어날 수 없고 또 홀로 벗어날려는 놈이랄 것 같으면 조선민족의 량심을 팔아먹지 않을 수 없고 불상한 인민의 피를 자기 죄악의 손에 바르지 않을 수 없을 것이오. 오로지 내 개인 내 가정의 안락한 생활을 구한다느니보다 전 민족 전인민의 안락한 생활을 구하려 원수와 싸움으로 써야만 전 민족 전 인민의 행복을 가져올 수 있을 것이고 그와 더불어 내 개인 내 가정의 행복을 가져올 수 있을 것이오. 비록 이 싸움의 승리를 늦게 가져옴으로써 우리 아버님 우리 어머님 우리 선대들은 이 비참하고 가혹한 운명의 탈을 벗지 못하고 돌아가신다 하드래도 우리의 아들 딸 우리의 후대들은 다시금 이와 같은 비참하고 가혹한 운명의 탈은 쓰지 않을 것이오. 우리는 우리의 후대를 위하여 싸움이오. 동무의 아들 내딸 조선인민의 아들딸에 영원한 행복과 무궁한 안락을 위해 싸움이오!

(세찬 바람이 쏴-불어온다)

철동: (엄숙히 머리를 끄덕인다)

(첫 닭이 운다.)

철동: 응 새벽녘이 되어 오는군. 왜놈들이 새벽녘에 습격을 잘하지.

대장: 여게서 사십리 되는 왜놈의 지점에 적이 성안으로 이동되어 갔다는 촌 공소에 정보를 보고 나온 길이요 놈들이 부대를 성안으로 이동하는 기도가 어데 있는지 알 수 없거던.

철동: 밤에 내보낸 중국상인이 아무래도 꺼림직해요!

대장: 경각성을 높이는 건 좋으나 너머 과도해두 좋지 못하오. 자 그럼 수고하시오 무슨 새 정보가 왔는가 들어가 보겠소.

(대장동무 촌으로 들어간다. 철동동무 경례하고 이제는 마음속에 괴로움은 티끌없이 사라지고 굳은 결심만이 그의 전신을 무장하여 강철로 비즌 듯이 보초선에 우뚝서있다.)

(사면은 쇠가 녹은 듯이 무거운 침묵이 흐른다.)

철동: (쇠가 울리는 듯) 우리의 후대를 위하여……조선인민의 아들 딸에 영원한 행복과 무궁한 안락을 위하여……

(새벽바람이 또 날카로운 소리를 내며 불어온다.)

(이때 촌에서 사람 발자국 소리가 난다.)

철동: (고함친다)누구요? 구령!

만수: (잠이 아직 깨지않아 하품을 하며 나온다) 나요. 에 추워 내 한잠 잣나.

철동: 만수동무요.

만수: 이름은 만수지만 이러다가는 삼십수두 못살고 죽겠소.

철동: 왜?

만수: 잠을 맘껏 자볼 수 있어야지.

철동: 좀 더 자고 나오지.

만수: 어데 자게 하오 분대장동무가 보초교대시간이 이미 넘었다구 자꾸 깨우는 바람에 잘수가 있소.

철동: 잠을 너무 자면 머리가 흐리터분 해저요. 그리구 만년 산대두 만년 잠만 자보시우 산 맛이 나. 삼십년 산대두 잠을 적게 자구 머리가 똑똑하여 땅땅히 일만 한다면 삼십년 산값이 있다우.

만수: 앗다 동무는 그래 밥을 그렇게 많이 먹어서 똑똑하구 땅땅하오.

철동: (허허 웃는다.) 자 농담은 그만 두구 새벽녘에 왜놈들이 활동을 잘하니 보초를 특히 주의 하시우.

만수: 앗다 큰소리는 그만 두구 빨리 들어가 어제저녁에 남은 찬밥이나 자시우.

철동: 장난에 말이 안이오. 주의해주시우.

만수: 에이구 이렇게 보챈다고 글쎄 알았다니 졸지만 않으면 되지 않소.

철동: 그럼 수고하시오 (촌으로 들어간다)

만수: (하품과 기지개) 아이구 이거야 사람 살겠다구 잠을 잠대로 잘 수 있나 밥을 끼대로 배불리 먹을 수 있나 조밥에다 소금국……그저 하루 종일 행군이 아니면 보초, 보초가 아니면 공작, 공작이 아니면 전투, 전투가 아니면 농사, 농사가 아니면 뭐 학습. 거기다가 백성을 무슨 제하라비와 같이 섬기는지 방을 쓸어줍네 마당을 쓸어줍네 물을 길어다 줍네 망을 가려줍네 넨정맞을 것 이건 제가 우리집 머슴살이보다 더하니 이럴 줄 알았드면…… (총을 끌고 왔다 갔다 한다) 조국을 위하느니 인민을 위하느니 죽을 고생이란 고생은 다 해두 누가 알아주나 이러다가 제기 깜정콩알이나 하나 맞아 꼭구라지면 거 뭐야……나는 혁명군에 참가하면 내 자격으루 무슨 중대장이나 대대장하나쯤 할 줄 알았더니……흥 혁명을 십년 넘어 했다는 박철동이도 겨우 졸병끄럭찌기……(나무밑에 가 털썩 주저앉는다.)

만수: (하품을 또 한다) 아이구 졸려. 두 달 넘어 단잠을 제대로 자보지 못했으니……이 밤중에 글쎄 자지 않고 찬바람 마시며 눈 멀뚱멀뚱하고 있을 놈이 어데 있담……금방 잠이 들어 북경에가 숙자를 맛나 아기자기 재미있게 노는데 깨우기는 제기……에 추워……북경의 밤……화로에 불이 부글부글 붓는데……잔에 술이 넘쳐 흐르고……새빨간 입술……흥 이런말을 했다가는 사상이 정확치 못하다고 또 비판을 하겠지……동무들이 있을 땐 누가 하나……뭐 온 생명을 받치어 조국의 해방을 위하여……또 뭐 오직 인민의 종이 됨으로써……또 뭐 개인의 리익을 희생하고 무산계급의 리익을 위하여……또 뭐 일절을 조직에 복종함으로써……또 뭐뭐 하면……되지……(잠이 든다.)

(사방은 또 고요하다 얼마쯤 있다 둘째번 닭 우는 소리가 난다. 멀리서 수레바퀴 굴려오는 듯한 침중한 소리가 은은히 들린다. 바람이 또 쏴-불어온다.)

만수: (추위에 또 반쯤 깨며 "응" 한다 발자국 소리를 듣고 놀라 벌떡 일어서며) 누구요?

로쌍: (촌에서 바구니를 들고 나오며) 나요 로백성입니다.

만수: 어데 가오?

로쌍: 서평진에서 오늘 장을 본대서 물건사려 갑니다.

만수: 통행증명서 있소?

로쌍: 네 (주머니에서 통행증명서를 꺼내어 만수동무에게 준다.)

만수: (다보고 돌려주며) 가시우.

로쌍: (받아 다시 주머니에 넣고) 수고하십니다. (촌 밖으로 나간다.)

만수: 에 추워 오늘은 안개가 더 첩첩하구나 뭐이 뵈어야 보초를 보지 (또 하품을 한다). 어 시원치 않어. (또 나무 밑에 쪼그리고 앉는다)이렇게 조름이 와서야……

(이때 갑자기 새벽공기를 뚫고 날카로운 총소리 한방난다 만수동무 질겁을 하게 놀라 정신을 수습하지도 못하였을 제 연이어 요란한 기관총 소리가 들린다. 만수동무 총을 들고 어쩔 줄을 모른다. 이때 촌 밖으로 나갔던 백성이 뛰어 들어온다.)

로쌍: (목을 웨쳐) 왜놈들이 쳐 들어옵니다! 왜놈들이 쳐 들어옵니다!

만수: (백성을 잡고 얼떨떨하여) 왜놈이 와.

로쌍: 네. 왜놈의 군대가……많아요……많아요……(촌으로 뛰어들가며 연이어 "왜놈이 온다" "왜놈이 온다" 소리친다.)

(촌 어구 쪽에서 총소리 기관총 소리가 나자 촌 뒤에서 더 크게 요란한 총소리 기관총소리가 들린다. 그러자 대포소리가 하늘을 흔든다.)

만수: (얼굴이 백지가 되어 벌벌 떨며) 포외다 포위다 이걸 어쩌나 이걸 어쩌나 (촌으로 뛰어들어갈려다 무슨 생각을 했는지 총을 나무아래 내어던지고 오른쪽으로 뛰어나갈려다가 다시 왼쪽 촌 옆길로 머뭇거리다 도망질쳐 나간다.)

(총소리 기관총소리가 콩 볶듯 한다. 대포알이 촌에 터진다. 촌 뒤에서 동무들이 적과 싸

우는 아우성 소리가 난다. 일봉동무 대원들을 이끌고 뛰쳐나온다. 옷을 입지도 못하고 어떤 동무는 맨발로 뛰어 나왔다.)

일봉: 만수 동무. 만수 동무.

(아무도 없다.)

(철동 동무 만수가 던지고 간 총을 발견했다. 또 왼쪽 촌 옆길에 떨어트린 모자를 발견했다.)

철동: (분이 머리끝까지 돋아) 비겁한 놈에 자식 내 이 개놈의 자식에 대굴백이를 부시고야(만수가 뛰어간 방향으로 좇아나갈련다. 동무들이 붙잡는다.)

일봉: 철동 동무 떨어질 놈은 떨어지라지오.

일봉: 전투준비! 나를 따라 나오시오! (촌 어구로 뛰나간다 전체동무들 따라 나간다.)

(격렬한 전투가 붙었다 불과 연기와 화약 냄새에 잠겼다. 얼마 있다 대장동무 대원 셋을 데리고 뛰어들어온다.)

대장: (망원경을 끼고 사면을 살피나 안개에 아무것도 보이지 않는다) 안개 안개……
앞엔 화력봉쇄 옆엔 산병선 뒤로 덮치구……용철 동무……

대원六: 네.

대장: (만수가 달아난 왼쪽 촌 옆길을 가리키며) 저 절벽 비탈길을 경계하시오

대원六: 네. (뛰어나간다.)

대장: (가방에서 종이와 붓을 꺼내어 편지 쓴다. 다 쓰고) 관일 동무……

대원七: 네.

대장: (편지를 주며) 이 편지를 곳 또 어젯밤에 갓다 오신 십육단 리단장에게 전달하고 우리가 적에게 포위당하였으니 급속히 증원하여 달라고 하십시오……이 절벽길로 가시오……

대원七: 네……(편지를 받고 경례하고 나갈련다.)

대장: 왔다 갔다 륙십리 길……뛰어 가십시오……

대원七: 네……

대장: 이 절벽 밑에도 적이 매복하였기 쉬우니 특별주의 하시고 적정이 있을 때 수류탄으로 암호하여주시오……

대원七: 네

대장: (그의 손을 잡으며) 우리전체의 생명은 동무에게 달렸소……

대원七: 네……임무를 완성하겠습니다……(뛰어나간다)

(대장 그의 뛰어나간 방향을 바라본다. 옆길에서 대원……六 "누구요……" 대원……"태행산……" 대원六…… "어데로……" 대원七…… "대장의 명령……" 대원六…… "임무를 완성하시오……" 대원七 "끝까지 싸우시오……" 하는 말소리가 난 뒤 총 기관총 대포아우성 소리뿐一)

(대원八이 촌에서 뛰어들어온다.)

대원八: (경례하며) 대장동무 분대장동무의 말씀이 적의 세 번째 돌격을 격퇴하였으나 적의 병력과 화력이 넘어 강렬하여 견지하기 어렵다고……

대장: 동쪽에 적정을 알기 전까지 죽음으로써 견지하라고一

대원八: 네 (뛰어나간다.)

(촌 어구에서 대원一이 희생당한 왕현순 동무를 업고 들어온다.)

대장: (비장하게 왕현순 동무를 내려보며) 왕현순동무 우리부대가 그 마굴과 같은 반동파의 지구를 떠나 북상할 제 동무께서 이번에 출전은 영광스러운 죽음으로써 조선인민에게 새로운 삶을 가져와야 할 최후의 길이라고 말씀하셨지요. 영광스러운 죽음을 하셨소……동무의 피는 조선인민에게 새로운 삶을 주실 것이오……동무는 동무의 그 거룩한 뜻을 완전히 실행하셨소……

(이때 대포알이 터진다. 대장동무와 대원 한 동무 납작 엎덴다. 돌과 흙덩이 대장동무 일어설 때 왼팔에서 피가 흐른다.)

대원九: 대장동무……

대장: 괜찮소……

(대원九 대장의 손을 자기 속적삼으로 싸 매어준다.)

(이때 촌 옆길 방향으로 몇 방 총소리와 수류탄 터지는 소리가 난다.)

대장: (긴장하여) 거게도 적이 있었구나……

대원九: 관일 동무가 어찌 되었나……

(대원六이 뛰어들어온다.)

대원六: 적이 산비탈을 올라오는 소리가 들립니다……

대장: 많소……

대원六: 많은 것 같지 않습니다.

대장: 동원동무……

대원九: 네……

대장: 조일광동무보고 동북간으로 급히 퇴각 목적지 건너 동쪽 산봉오리에 산밑 골짜기에 내려간 뒤 손일봉 동무분대의 퇴각을 엄호하고 산우에 오르기까지 일면 퇴각 일면 교대엄호사격……

대원九: 네. (촌으로 뛰어간다.)

대장: 용철 동무……손일봉 동무보고 퇴각하여 여게 집합……

대원六: 네. (촌 어구로 뛰어나간다.)

(동무들의 아우성소리가 진동한다. 손일봉 동무 대원들을 이끌고 들어온다.)

대장: 일봉동무 우리는 오직 이 절벽 길로 몰래 기어들어오는 적을 불의에 육박하여 적의 포위선을 돌파하는 수밖에 없소……

일봉: (무겁게) 육박준비……

(대원들 날창들을 꽂고 수류탄을 들고 촌 옆길로 나갈려 할 제 그 방향으로 왜놈들의 아우성치며 일본말로 "오이 조선의용대가 어느 방향으로 갔느냐……" "조선의용대가 어느 방향으로 갔느냐……" 소리친다.)

대장: (곧 마주 받아 일본말로) 서 남간으로 퇴각하니 추격……

(왜놈들이 와-하며 그 방향으로 움직이는 소리가 난다.)

대장: (적으나 무겁게) 동무들 나를 따라오시오……안개가 우리를 살리었소……

(동무들 대장을 따라 소리없이 나간다. 서남간에서 총소리가 요란하다 촌 뒤에서 왜놈들이 총 진공을 한다. 왜놈들끼리 서로싸움이 일어났다. 왜놈들의 "사로잡어라" "사로잡어라" 웨치는 아우성소리ㅡ)

(幕)

연변대학 조선문학연구소 편,
『20세기 중국조선족 문학사료전집』(제16집), 연변인민출판사, 2010.7, pp. 194-237

혈해지창[01]

까마귀

피바다 북간도야
우리네 상처받은 가슴속에서
어둠을 뚫고 들려오는
노래를 듣노니
백성들이여
이것이 혈해지창의 연극이노라!

나오는 사람들
뻐꾹새: 30세, 유격대정찰원
김령감: 50세, 농민
분 희: 20세, 김령감의 딸
농민 갑, 을, 병: 모두 40여세
왕 핑: 26세, 한족청년
쑹마마: 50세, 왕핑의 어머니

---

01 《혈해지창》은 1937년 8월에 창작되고, 1987년《문학과 예술》제5기에 발표되었다.

황 자: 지주의 아들

오 장: 왜헌병오장

단 장: 협화회 단장

왜군경

기타(유격대원 약간명)

때: 정축년(음력) 8월 14일

곳: 북간도

무대: 멀리 산 아래 초가들이 옹기종기 놓였고 뒷산으로 오르는 꼬불꼬불한 길이 보이며 마을 앞으로 시내가 흐른다. 북간도는 피바다여도 시내는 맑으며 산도 예대로 푸르다. 정면에는 큰 나무가 전폭을 차지하고 있는데 그 아래에서 피곤한 농민들 쉬기에 한창이다.

△ 막이 오르면 농민 갑, 을, 병과 김령감이 모여서 이야기하고 있다.

김령감: 아유, 원 망할 놈의 세상, 한뉘 뼈가 휘도록 농사를 짓구서 겨우 죽이나 얻어먹는 신세니…

농민갑: 죽이면 괜찮수다. 저 억쇠네는 사흘 전부터 굴뚝에 연기가 끊어졌다우. 힘꼴 쓰던 장사가 조약돌도 바로 들지 못하니 후-(한숨을 뿜는다.)

농민병: 제길할, 하늘이 무심하지. 성주가 억조생활을 흙으로 빚을 제 부자와 빈자를 따루따루 만든탓으루 그저 쇠똥이나 주무르면서 이 꼴로 살아야 하니…쯔쯔.(혀를 찬다.)

김령감: 망나니 같은 소릴 작작 하게. (전원을 가리키며) 저 오곡백과 인절미 진찬은 녹짓고 누가 먹노?

농민병: 하, 거야 농군이 지었어두 창생을 제도하는 옥황의 령이기에 막무가내외다.

농민갑: (발끈하며) 아니, 우리라고 인절미진찬을 먹을 줄 모르나? 아무리 쇠똥에 대가릴 파묻혔다구 먹는 것까지 모르겠나 말이여. 에이 원통할세, 언제나 이 더러운 세상이…

농민을: 쉿, 그런 소릴 아예 하지두 마시우. 자칫하면 공산비적이라구 붙잡아가는 판에 원, 당치두 않은 공담에 목숨까지야 내걸겠소?

농민병: 하기는 그렇쇠다. 밤이슬을 밟고 다니는 량반들이야 사회정치를 아니깐 고생을 하지만 우리야 그저 뒤 끝에 떡이나 얻어먹어야지.

김령감: 왜 그따위 소리만 하나! 그 량반들이 누구를 위해 싸우나? 누구를 위해 피를 흘리는가? 아니 누구를 위해 메뿌리를 먹으며 고생하는가 말이여? 그 량반들이 부모처자 생각을 몰라서 심산유곡에서 깊은 밤을 새우는 줄 아나? 저렇게 사람이 둔하다구야.

농민갑: 조용들 하시우. 요새는 노랑대가리들이 어찌나 쇠파리처럼 싸다니는지…

농민을: 시국이 아마도 뒤번져질 모양이야. (조용하면서도 다급히) 전번에는 이상한 말들이 떠돌더니만 어제 밤엔…

일 동: (모여 앉으며) 아니, 뭐가 어쨌나?

농민을: 어디 가 말들을 마시우. 뒷산에 이상한 사냥군이 나타났는데 그 량반이 돌쇠보구 허는 말이 오래잖아 붉은기가 우리 손에 온다더라나요.

농민병: 엉?!

농민갑: 야, 좋구나!

김령감: 암, 빨리 그렇게 돼야지

농민을: 보아하니 틀림없는 사냥군 같더래. 힘은 장사구 날램이 호랑이 같더라우. (일동 엄숙히 듣는다.) 처음엔 앞 남산에 하연 물건이 떠오르더라나. 그런데 웬걸 별안간 뒷산으루 횡하고 날아오더니만 반갑게 인사를 하더래.

원체 돌쇠란 놈은 퉁눈이 돼놔서 겁이 많은지라 대가릴 나무단속에 처박았대. (혼자말로) 아마 사람인 것 같지 않아. 뛰는걸 봐서는 호랑이렸다. 아니, 날기까지 한다는 것은 장사렸다.

농민갑: 그래 어찌더라나?

농민을: 나무틈으로 가만히 내다보니 돌쇠의 낫을 가지고 우썩우썩 나무를 하더래. 그리고는 "총각!"하고 부르기에 머리를 들어보니 난데없는 회오리바람을 훅 일구고 간곳이 없더라나.

일 동: (말이 떨어지자) 하하하…

김령감: 그럴 수가 있다오. 그 량반들은 축지법에 변신술을 쓴다니까.

△ 이때 사냥군 차림을 한 유격대 정찰원 뻐꾹새가 등장. 키는 후리후리하고 얼굴은 투박하고 목소리는 웅글진데 어딘가 모르게 웃음을 띠였다.

뻐꾹새: 안녕들 하시우?

일 동: (의아하여) 예?!

뻐꾹새: 금년 농사가 잘 되었수다.

김령감: 잘 된들 소용 있나유? '3·7제'이자 출하두 심하구해서…

뻐꾹새: "금준미주는 천인혈이라."함이 지당하지요.

농민병: 근데 길손은 어디서 오시우?

뻐꾹새: 공장에서 실업되니 할 일 없어 인삼이나 캐 볼가 허구 이렇게 장백현으로 가는 길이우다.

농민을: 인삼이라니? 그 어디 여간한 일이우? 에이, 세상두 야박하다구야. 날이 갈수록 잘 사는 놈은 잘 살구 못 사는 놈은 점점 야위여만 지니…

농민병: 하, 이 량반이 팔자소관이라는걸 모르오? 사주에 다 적혀있는거유.

뻐꾹새: 그럼 내 손금을 좀 봐주시오. 혹여 인삼이나 쥐여보겠는지, 하하하. (좀 정색하여) 허지만 세상이란 이렇답니다. 잘 사는 놈들이 가난한 사람들

의 피를 빨아서 피둥피둥 살쪄갈수록 못사는 사람은 빼빼 여위여만 가는 거지요.

농민병: 거 당치 않은 말씀이시우. 난 정말 모르겠는데요?

뻐꾹새: 례를 들라치면 가령 세 사람을 수요하는 공장주가 있다고 합시다. 공장주는 하루 10시간에 1원씩 주고 로동자를 삽니다. 로동자는 돈을 받고 제 몸을 팔았으니 마치 벙어리 기계처럼 순종해야 하겠지요?

일 동: 암 그렇지요. (머리를 끄덕인다.)

뻐꾹새: 1원이란 돈은 죽지 않고 래일 다시 살아올 수 있는 값으로 되거든요. 돈을 번 공장주는 예수교의 신자가 다 뭡니까? 그는 새 기계를 산단 말입니다. 새 기계는 낡은 기계보다 적어도 한배는 효률이 더 높을 것입니다. 그러면 어떻게 됩니까?

김령감: (무릎을 탁 치며) 오라, 사람을 적게 쓰자는 수작이군요.

뻐꾹새: 옳수다. 그 효률만큼 로동자를 내보내도 무방하지요.

농민갑: 망할 놈들, 기껏 우마처럼 부리다가 쓰레기처럼 팽개치자는 게지.

농민병: (자기도 알았다는 듯이) 그러니 절반은 내쫓아도 괜찮다는거구려.

뻐꾹새: 절반보다 더 셋이서 둘을 내보내지요. 그리고 남은 한사람에게 두 사람 몫일을 부담 시키거든요. 다음은 또 로동시간을 연장한단 말입니다. 그러면 보십시오. 3원을 지불해야 하던 것이 1원밖에 나가지 않으니 2원이 제주머니로 들어가게 된단 말입니다.

김령감: 저런! 2원까지라. 로동자의 피와 기름을 뽑는 것이구려.

뻐꾹새: 그렇지요. 공장주가 돈을 번 것만치 빨리우지요.

농민갑: 옳수다.

농민을: 그런걸 (농민병을 가리키며) 저 녀석은 자꾸 팔자소관이라며 하느님 탓을 붙이니…

농민병: 그렇지만 하늘에 미움 끼칠 소리를 작작 하시우. 결국은 한가지우. 죽어 천당에서 인절미진찬을 먹는거나 살아 지옥에서 강낭떡을 먹는거나 뭐가 다르단 말이유?

뻐꾹새: 잘못 생각했습니다. 천당이란 이 말은 부자놈들이 우리를 기편하기 위한 수작이지요. 천당이 정말로 있다면 살아서 피를 빨리기보다 차라리 죽는 편이 낫지요.

김령감: 옳수다. 천당이 정말 있다면 왜 부자놈들이 가지 않고 있겠습니까!

뻐꾹새: 그렇습니다. 지금 당신네들의 처지를 놓고 봅시다. 일년 사시절을 죽게 일하지만 가을에 소작료를 물고 출하를 바치고 나면 차례지는 것이 뭐가 있습니까? 우리는 칭칭 감긴 이 철쇄를 짓부시고 자유와 행복의 꽃동산을 꾸려야 합니다. 여러분들도 땅 파던 괭이를 들고 일어나야 합니다. 잠자는 사자는 깨여났습니다. 승리하는 날까지 싸워야 합니다.

△ 이때 분희가 점심그릇을 쥐고 다급히 뛰어오며 아버지를 부른다.

분 희: 아버지! (김령감의 가슴에 안기며) 저 건너 마을 황지주의 아들이…(흐느껴 운다.)

김령감: 뭐라?!

△ 이때 황자가 등장

황자: (독백) 헤헤헤…천하절색인 색시감이란 말이야. (김령감에게) 령감께 삼가 문안을 드리오.

김령감: (비꼬아서)고맙소다. 황 나으리.

황자: 사실은 분희 때문에 왔소이다.

김령감: 우리 빈한한 사람들은 딸을 낳아도 양귀비처럼 고운 색시감을 낳는답니다. 부랑기 쑤시개머리에 곤지를 찍구 굽 높은 구두에 오줌깨 가방을 쥔 여우새끼는 낳을 줄 모르니까요.

황자: (독백) 에익, 망할놈의 두상. 거지놈들은 취주면 불자랑도 한다구. (김령감을 얼리려는 듯이) 아니우다. 김령감, 분희의 처지가 너무 안 되어서 그러지요. 양귀비가 진흙에 파묻혀서야 되겠수? 헤헤헤, 김령감이 잘 말해서 불행을 행운으로…

분희: (분에 사무쳐) 이 개같은 놈아! 아무리 값없는 빈자의 딸이기루 몸도 마음도 없는 줄 알아? 돈이면 그저…(흐느낀다.)

김령감: (무서운 호랑이처럼) 이 대역무도한 놈아, 하늘이 무서운 줄 알렸다. (원한에 싸여) 벼락이나 떨어집소서!

△ 이때 농민 갑, 을, 병, 뻐꾹새가 황자를 노려보면서 앞으로 다가선다.

황자: 아아…이 거지놈들이…사, 사…사람을 잡으려드는구나.

농민갑: (한발 나서며) 여기 있수다. 실루 빈한한 사람의 기름을 빨아먹은 탓으로 정신이 들락날락했군. (일동은 하하하 웃는다.)

황자: (벌벌 떨며 뻐꾹새를 향하여) 당신은 누구요?

뻐꾹새: 난 삼화탄광의 쿨리올시다.

황자: 내가 보기엔 쿨리 같지 않구려. (좀 생각하다가) 그럼 사장의 명함은 뭐요?

김령감: (긴급한 관두에) 여보 황두령, 저 사람을 말할 것 같으면 내 사위외다. 애 분희야, 왜 언녕 말을 못했니? 삼화탄광에 제 남편이 있다구…

황자: 좋다. 난 알만하다. (호각을 꺼내든다.)

뻐꾹새: 증명서를 꼭 봐야 알겠소? (품에서 증명서를 꺼내는 체 하다가 륙혈포를 꺼내어 황자의 가슴에 겨눈다. 일동은 모두 놀란다. 황자는 벌벌 떤다.)

뻐꾹새: 똑똑히 들어라. 나는 혁명을 위해 싸우는 사람이다! 나는 인민의 자유와 독립을 위해 싸우는 사람이다!

△ 황자는 겁을 먹고 도망치려 한다. 뻐꾹새가 황자의 앞을 막는다.

뻐꾹새: 도망치려구? 안돼! 간도의 땅덩어리에는 가는 곳마다 백성의 원

왕핑: 어머니!

△ 단장이 오장의 귀에 대고 뭐라고 수근거린다.

오장: (앞이가 튀여나온 입을 벌려 히죽이 웃고 왕핑에게) 니디 말이 했소까 안했소까?

왕핑: 난 말할게라고는 없다.

오장: (군경에게) 기무라 나굿데야레! (때려줘라)

군경: 하잇! (채찍으로 왕핑을 사정없이 친다.)

쑹마마: 이놈아, 치지 말아! 내가 말을…

단장: 헤헤, 진작 그러지. 념려마시오. 황군에겐 좋은 약이 많소. (오장에게 눈을 껌벅이며) 오장님, 풀어놓읍시다.

△ 이때 숨어서 엿듣던 뻐꾹새는 문건을 찢어서 입에 넣어 삼킨다.

왕핑: 단장, 내가 죄다 말하리라.

단장: (옷깃을 여며주며) 훌륭한 사나이로군, 참, 올해 몇 살이지? 20살은 넘었겠군. 근데 아직 장가를 못 들다니…

왕핑: 밖에 나와 보니 별안간 수풀 속에서 후후후 떠는 소리가 들리지 않겠나요. 가만가만 가보니 웬걸 사냥군 옷에 피투성인 사나이가 누워있겠지요.

오장: 어떻게 생겼던가? 키는?

왕핑: 컸지요. 오장님 같은 사람은 그 곁에 서면 어린애지요. 그 사람은 호랑이 같았고 어딘가 서글서글한 눈은 새별같이 반짝이였지요.

오장: 나니? 그런 소리 닥쳐!

왕핑: 그래서 난 가만히 숨어가서 악하고 붙잡으려 하니 획 하고 바람을 일쿠며 감쪽같이 사라지더군요. 그런데 웬걸요, 그 자리에는…

오장: 뭐가 있던가?

왕핑: 이런 글이 있었지요. '천황페하의 적자 학강대장 유통사 토벌에 개죽음을 고함, 불 초 운운.'이라고 말입니다.

오장: 에이, 만슈징아 (만주사람)! 빨리 끌어가라!

군경: 하이! (총으로 떠민다.)

쑹마마: 왕핑아, (오장에게 달려들며) 내 아들을 못 끌어간다. 이놈들아!

오장: 너의 아들이 공산비적이다.

왕핑: 어머니, 근심 말아요. 끝까지 싸워야 해요.

군경: 빨리 걸엇!

쑹마마: 왕핑아!

△ 뻐꾹새가 분노와 애수에 사무쳐 나와 보다가 어머니의 품에 안기며 《어머니!》라고 목메여 부를 때 암전된다.

제2막 2장

△ 불이 켜지면 뻐꾹새가 신끈을 동이며 어머니의 이야기를 듣고 있다.

쑹마마: 생각하면 기가 찬 일이지.

뻐꾹새: 잘 알았어요. 대소회 싸움에서 왕핑의 아버지가 우리 혁명군을 숨겨둔 죄로 황가에게 맞아 돌아가셨다는 사실도, 그리구 세상의 모든 비웃음을 받아가며 유복자 하나를 믿고 오늘까지 살아왔다는 슬픈 이야기도. 참 어머니는 중국의 훌륭한 어머님입니다. (어머니의 손을 잡으며) 상심하지 마세요. 어머니, 우리 동지들은 돌아와 어머님의 원한을 풀어드릴 겁니다.

쑹마마: (계속 회상에 잠겨) 그 후 난 어린 왕핑을 데리고 왕지평에서 지팡살이를 했지. 어떤 때는 늦가을의 달을 바라보며 혹여나 남편이 살아 돌아오겠는가를 부질없이 기다려도 보고 어떤 때는 에미가 굶어놓으니 젖이 나와야지. 그래 우리 왕핑이를 업고 쌀이나 꿔볼가 하여 후- (한숨을 짓는다.)이야길 다해 뭘 하겠나? 저마다 겪은 고생을…

뻐꾹새: 어머니, 꼭 좋은 세상이 올 겁니다.

쑹마마: 언제면 그 세월이 오겠는지. (회상) 왕핑이 열네 살 잡던 해 코흘리는 철부지로만 여겼던 그 애가 글쎄 두 살이나 올려가지구 삼화탄광에 가 일자리를 얻었지. 3년이 지나도록 집에 오지 않고 하니 하루는 내가 찾아갔지. 마침 밤일을 하고 돌아오더군. 나는 걔를 보고 깜짝 놀랐네. 아이구 금동자로 키워온 내 아들이 저런 쿨리가 되다니!

뻐꾹새: 어머니, 우리는 쿨리를 동정해야 합니다. 일본놈들은 우리 형제들을 모두 쿨리로 만들려 하지요. 그러기에 우리는 쿨리들과 손잡고 피흘리는 거지요.

쑹마마: (회상) 그 애는 그저 이 에미의 가슴에 머리를 파묻구 가만히 흐느끼였지. 에미가 우는 소리를 들으면 괴로워 할 거 같애서였지. 그러나 내가 왜 모르겠나? 울지 않으려고 입술을 깨물었지만 끝내 참지 못하고 울음을 터뜨리고 말았네. 그러나 그 애는 머리를 들고 "어머니, 자식 하나만 생각하고 흘리는 눈물은 너무나 맥없어요." 하고서는 또 "어머니, 이런 때 울지 않는 것이 자식을 키우는 어머니들의 본분이랍니다."라고 하더란 말이네. 난 제가 낳은 자식에게서 처음으로 그렇게 힘 있는 말을 들었네.

뻐꾹새: (어머니의 옷깃을 만지며) 어머닌 참으로 훌륭한 아들을 두었습니다.

쑹마마: 그래서 난 "왕핑아, 네 말이 장타! 난 울지 않고 살겠다."고 했더니 "어머니, 울지 마세요."라고 하며 웃통을 벗지 않겠나? 난 하마터면 그 자리에서 기혼할 번했네. 가슴과 등에 온통 거머퍼런 멍이 든게 어디 이 에미한테서 태어난 피와 살이 있어야말이지.

뻐꾹새: 그렇답니다. 어머님은 왕핑의 가슴에서 북간도의 피바다를 본 것입니다. 어머님, 절대 울지 말고 살아야 합니다. 우리 다시 싸워 이겨 돌아올 때 온 중국의 어머니들께 영원한 웃음을 안겨줄 것입니다.

쑹마마: 그러면야 오죽 좋으련만…내 살아 그런 때를 못 봐두 후손들이야

락을 누리겠지.

뻐꾹새: 아니, 어머님께서도 꼭 행복한 생활을 누리게 할 텝니다.

쑹마마: 말이 너무 길어졌군. 이젠 떠날 때가 되지 않았나?

뻐꾹새: 북두칠성이 기울어졌는가요?

△ 어머니는 밖으로 나갔다 들어온다.

쑹마마: 기울었네. (품속에서 뻐꾹새의 문건과 육혈표를 꺼내준다.)

뻐꾹새: 그럼 어머니, 시간은 새벽 두시 서향산마루에 북두칠성이 걸릴 때면 우리 동지들의 총소리가 앞뒤산을 울리게 될 것입니다. 그때면 어머니와 왕핑이를 모셔갈 것입니다.

쑹마마: 잘 가서 소원성취하게. 자네들의 총소리를 들었으면 죽어두 한이 없겠네.

뻐꾹새: 그러면 어머니 안녕히 계십시오.

△ 뻐꾹새가 인사를 하고 퇴장. 쑹마마는 뻐꾹새가 멀리 사라질 때까지 바라본다.

쑹마마: (독백) 왕핑아, 우린 의로운 사람들의 총소리를 듣게 됐다. 그때면 우리 함께 가자꾸나. 너도 어깨에 총을 메고 광활한 중국 벌로 뛰어다닐 때가 왔다. 아들을 키운 이 에미의 마음도 자랑스럽구나!

△ 쑹마마가 집에 들어와 불을 끄고 잠자리에 누우려는데 개 짖는 소리가 요란하게 들린다. 그리고 왜놈오장이 "하야꾸, 하야꾸 걸어!"하는 소리가 들린다. 뒤이어 왕핑이 왜놈의 날창에 밀려 들어온다. 뒤에는 협화회 단장, 헌병오장, 왜군경이 따른다.

단장: 안녕하오?

쑹마마: 덕분에 그저 그렇소. (아들을 안으며) 왕핑아, 얼마나 고생을 하니? 나는 의로운 사람들의 마음에 안겨 편안히 있었다.

왕핑: 어머니, 저도 속이 편안합니다. 나는 영원히 행복한 생활을 하고 싶어요. 살면서 저 개놈들이 죽는걸 보고 싶어요.

오장: 나니? (말을 못하게 꽥 소리를 지른다.)

쑹마마: 왕핑아, 념려말어라. 하늘이 무심할리 있니?

오장: (협화회 단장에게) 하야꾸 말이 시켜!

단장: 하잇! (어머니에게) 빨리 숨어있는 공산비적을 내놓으시오. 시간여유는 3분을 주겠소. 말을 하겠소?

쑹마마: 얘 왕핑아, 지금 몇시 쯤 되었니?

단장: 무슨 일이요? (자기 시계를 보며) 10분전 2시오.

쑹마마: 그럼 나에게 한 가지 청을 5분만 들어주오. 마지막으로 죄다 이야기 할테니.

단장: 그야 념려있소? (오장과 수군거린다.)

오장: 니디 만슈고꾸노 호호디 마마다나 (당신은 만주국의 좋은 어미다.) 헤헤…

쑹마마: 난 아들의 노래를 한번 듣고 싶소.

왕핑: 어머니, 노래를 부르지요. 이 노래는 온 중국에 다 알려지고 있으니깐요.

(비록 몸은 지쳤으나 목청을 돋구어 부른다.) "지친 다리 끌고서 험악한 산중에…" (이때 왜군경이 노래를 못하게 하나 왕핑은 왜군경을 뿌리치며 계속 노래를 부른다.) "결심을 품고다니는 우리는 혁명군…"어떠세요? 어머니!

쑹마마: 잘했다! 고양이앞에 선 호랑이소리 같구나.

오장: 이젠 하야꾸 말이 해!

쑹마마: 그럼 잘 듣거라! 나는 의로운 사냥군 한사람을 감추었다.

오장: 엉?!

△ 단장과 왜군경도 놀라 "어디?"한다.

쑹마마: 그렇지만 그 사냥꾼은 때가 되어 제비처럼 강남으로 훨훨 날아갔다.

오장: 이 늙은년이라구야! (발길로 찬다.)

왕핑: 이 개놈들아, 죄없는 우리 어머니를 왜 차는거냐? (오장을 차 넘긴다.)

오장: (노기충천하여 군경에게) 이놈을 쏴라!

왕핑: 어머니, 슬퍼 마십시오. 앞날을 믿고 아들을 키워 오늘에 바치는 그 혁명정신이야말로 중국어머니의 본분입니다.

오장: 빨리 쏴라!

△ 왜군경이 왕핑에게 총을 쏜다.

왕핑: (쓰러지면서) 어머니, 뻐꾹새 아저씨에게 이 왕핑도 혁명을 위하여 끝까지 원쑤에게 굴하지 않았다고 전하여주십시오.

오장: 나니? (자기 권총으로 또 쏜다.)

쑹마마: (아들의 몸에 쓰러지며) 왕핑아! (놈들을 노려보며) 이놈들아, 내 아들 왕핑의 한목숨은 죽었다만 혁명에 일떠선 전체 무산대중은 다 죽이지 못한다. 그들은 우리의 피 값을 꼭 갚아줄 것이다.

△ 이때 산을 울리는 총소리와 나팔소리가 들린다.

쑹마마: 이놈들 똑똑히 듣거라! 저건 우리 유격대의 총소리다. 네놈들에게 벼락을 퍼부을 것이다. 북간도 피바다 속에서도 자유의 노래가 울려퍼질 것이다.

오장: 에잇! (소리와 함께 어머니를 쏜다. 그리고 도망치기에 바쁘다.) 어이 하야꾸, 하야꾸 뛰여!

△ 이때 뻐꾹새, 김령감, 분희 그리고 한족유격대원들이 번개같이 뛰어들어 호령한다. 놈들은 벌벌 떨며 손든다. 몽땅 붙잡아 무릎을 꿇린다.

뻐꾹새: (쑹마마의 시체를 끌어안으며) 어머니! 저 북두칠성은 기울어졌지만 새별을 보십시오. 피바다 속에 새별을 기약하는 우리의 마음이랍니다. 새별

이 지면 어두운 밤은 지나고 희망찬 새아침이 찾아옵니다. 그날을 위하여 어머니는 왕핑을 키웠고 그날을 위하여 백만 중국의 장사를 키우지 않았습니까? 어머니, 깨여나십시오. 몸은 비록 가셨지만 넋이야 어찌 갔다고 하겠습니까? (다시 왕핑 곁에 가서) 왕핑아, 왜 조금만 더 참지 못했느냐? 아, 분하구나! 허나 안심하라. 혁명을 위해 목숨을 바친 숭고한 어머니와 너의 무덤우에 행복의 꽃동산을 만들리라!

△ 유격대원들 모자를 벗고 애도 속에서 시체를 집안으로 옮긴다.

김령감: 나에게도 총을 주게. 이 손으로 원쑤를 갚고야 말겠네.

뻐꾹새: 좋습니다. 우리 이 땅의 형제들은 손을 잡고 싸웁시다. 원쑤들아, 똑똑히 들으라! 잠자던 사자는 깨여났다! (유격대원들을 향해) 동무들, 이놈들을 산으로 압송해갑시다.

대원들: 예! (적들에게) 일어섯!

△ 놈들은 손을 들고 벌벌 떨며 나간다.

뻐꾹새 동무들, 우리의 북간도는 이미 피바다입니다. 그러나 우리의 영웅적 노래는 끝없이 중국벌판에 퍼질 것입니다. (시체에 붉은기를 덮어주며)길이 잠들라. 그 이름 천추에 빛나리라! 어머니와 너의 은혜 가슴깊이 새기면서 싸우리라!(흐느껴 운다.)

△ 비장한 노래 속에서 막이 천천히 내린다.

-끝-

정축년 8월, 샘물골에서.

연변대학 조선문학연구소 편,
『20세기 중국조선족 문학사료전집』(제16집), 연변인민출판사, 2010.7, pp. 41-59.

싸우는 밀림[01]
-홍두산에 매화가 핀다

까마귀

나오는 사람들

왕로인: 50세농민

박로인: 52세농민

김로인: 49세농민

박　민: 유격대군수부장

계　순: 박민의 처

통신병: 유격대통신병

가와모도: 왜군중위

연락병: 왜군특급연락병

주구

기타 (유격대원 약간명)

때: 1938년 이른 봄

---

[01]　《싸우는 밀림》은 1986년《문학과 예술》제2기에 발표되었다.

곳: 도깨비 골

△ 막이 오르면 마을앞 느티나무에 '일본제국주의를 타도하자!' '그의 주구와 앞잡이들을 처단하자!'란 비행선전대의 삐라가 붙어있다. 삐라를 보고 있는 민중은 산(山)사람들에 대한 신화적 이야기로 끓어 넘치고 있다.

제1장

왕로인: 그분들이 왔다갔군.

박로인: 정말 신출귀몰이우다. 일본놈들이 물샐틈없이 경계하는데두 감쪽같이 다니는 걸 보면…

김로인: 허, 바위골 령감한테서 못 들었나? 이 산에서 저 산으루 휭휭 날아다닌다더라구.

왕로인: 나두 봤소.

박로인: 정말 어떻게 생겼던가?

왕로인: 꿩 잡으러 바위골루 들어갔다가…

박, 김: 그래서?

왕로인: 별안간 호각소리가 나데. 그러자 노랑대가리들이 우르르 몰려서 골짜기로 기어오르지 않겠나.

김로인: 그 승냥이눔들이?

왕로인: 가만 있게나, 검은테안경을 쓴 놈이 '무운장구(武運長久)'라고 쓴 기발을 들구 "도쯔게끼(돌격)!"하고 고함을 치데. 허, 눈구뎅이에서 번들번들한 철바가지를 쓴 놈들이 두꺼비처럼 엉금엉금 기여오르는게 100여명은 실히 되겠더군.

박로인: 저걸 어떡하나?

왕로인: 그래서 살금살금 바위 아래로 기여가 숨어서 봤더니 웬걸, 포수 두셋이서 능청스럽게 사슴을 쫓고 있지 않겠나.

김로인: 저런, 뒤에서는 칼 찬 놈들이 추격하고 있는데 사슴하고 뜀박질을 하다니?

박로인: 잘못 본 게군.

왕로인: 허허, 뛰는 호랑이두 성큼하면 덮친다는데 그까짓 사슴이 다 뭔가? 가만 듣게. 로랭 이놈들이 제사 사나운 말 새끼처럼 푸르럭 거리면서 골짜기루 모이더군.

김로인: 맙소서, 저마다 무송(武松)인들 어떻게 100눔도 더 되는걸 당해내나?

왕로인: 나두 몸에 진땀이 나데. 허, 이 수염에 달린 고드름마저 락수물처럼 줄줄 녹아 흐르지 않겠다. (숨을 돌리고) 이때 왜놈들은 한 포수가 등성에 오르는 걸 총으로 쐈네.

박, 김: 그, 그래.

왕로인: 제 딴엔 쐈 눕혔다구 우쭐렁대며 모여 가더군. 그런데 이런 일 봤나? 그 자리에서 메돼지 한 마리가 부스스 일어나 슬금슬금 걸어가지 않겠나?

박로인: 하하하, 변신술을 쓴 모양이군.

왕로인: 몰려든 놈들이 사람을 찾느라구 어스벙 거리는데 갑자기 뚜루룩 땅땅 하는 총소리가 나데. 그러자 왜놈들은 철바가지속에 대가릴 파묻고 한동안 하늘을 향해 페하를 찾지 않겠나.

일동: 하하하…

왕로인: 삽시에 야마도의 적자가 되어 언 명태 신세루 변하더란 말이네.

박, 김: 옳지, 산등성이에 매복하고 있다가 골짜기루 유인해 들인걸세.

왕로인: 원, 쪽제비 눈에 닭만 보였지 다른 것이야 보이겠나? 창애에 치인

때에야 닭우리가 아니라 호랑이굴인걸 알았을 거네.

박로인: 그런데 이걸 어떻허면 좋소? (삐라를 보며) 왜놈들이 알문이 마을은 당장 불바다로 될 거요. 샘물골에서두 이런 방(삐라)이 나붙었더랬는데 얼마 안가서 불더미가 됐대.

김로인: 왕령감, 우리 황대감(지주)허구 상론해봅시다. 그 어른은 이 마을의 천주 격이니 좋은 계책이 있을지.

왕로인: (단호히 반대하는 태도로) 뭐? 황대감 허구서? 그놈에게서 그 무슨 좋은 계책이 나올 줄 아우? 저 귀틀집 령감을 내쫓구 그의 딸을 첩으로 끌어간 놈이 누구요? 특설부대놈 들게 갖은 충성을 다 하다못해 제 머슴군을 공산비적이라구 잡아 바쳐 상을 탄 눔이… 그놈은 혀바닥에 침도 채 마르기전에 온 마을을 삼켜버리지 않았소?

박로인: 옳수다. 우리 만주에 와서 손에 피고름이 맺히도록 나무를 찍어다 기둥을 세우구 뒤 밭을 옥답으로 만들어 겨우 이뤄놓은 이 터전을 우리는 목숨으로 지켜야 할 책임이 있수다.

왕로인: 그렇수다. 어제날은 락동강에서 고기를 낚구 청천벌에서 농토를 다뤘지만 오늘은 이 땅에서 내 피를 뿌려 씨앗을 가꾸었으니 예가 내 고향이우. 속담에 제집에 벗이 찾아오면 후한 대접을 하구 승냥이가 기여들면 렵총으로 맞으란 말이 있잖소? 자, 징을 두드리우. 온 마을 남녀로소를 모이게 하여 이 방을 보게 합시다.

김로인: 옳수. 내발에 미투리를 신었구 내손에 괭이를 쥔 한 제 땅과 같이 살구 제 땅과 같이 죽여야지요. 정말 황대감 그놈이사 얼마나 우리 땅 없는 농군의 피땀을 빨아 먹었다구. 내 당장 가 도끼를 벼리겠네! 맏아들에게는 곡괭일 메우구 둘째딸에겐 식칼을 쥐우겠네.

왕로인: 가 징을 두드리면서 우리의 이 원통한 가슴을 천하에 전하소.

일동: 우리 고향은 우리가 지킵시다!

제2장

△ 불타는 밀림 속. 동굴에서 내다보면 녹기 시작한 고드름. 예가 바로 유격무장대들의 료양소이다. 여기서 많은 당원이 힘을 길렀다. 여기서 위대한 생명들이 소생되었다. 밀림아, 너는 ××동굴을 고이 간직한 채 영원히 푸르러 창창하라.

통신병: 군수부장동지! 웬 로인이 찾아왔습니다. 발구엔 사슴을 싣고 몸에는 렵총을 메었는데 아마도 포수인 듯 합니다.

박민: 들어오게 하시오.

△ 왕로인이 들어온다.

왕로인: 허, 이거 심산유곡에서 수고들 허시우다. 군수부장님, 이 사슴이 기억되시우? 그때 부장님네들은 일본놈들을 골짜기에 에워 넣구 쏴죽이고 있었지요. 나야 원체 포수이니 동쪽으로 내뛰는 사슴이나 쏘는 수밖에.

박민: 허허허, 아저씨는 명사수입니다그려.

왕로인: 천만에유, 저야 말 못하는 사슴이나 쏘지만 여러분들이야 진짜 총칼 든 승냥일 잡지 않수?

박민: 아저씬 어떻게 이곳을 찾아오셨습니까?

왕로인: 바늘 가는데 실 가구 실 가는데 바늘 간다구, 우리들이사 천애지각에 살아두 마음은 하나 지요. 어찌 떨어져 산다구 하겠소이까. (숨을 돌리고) 내가 일루 찾아온 건 우리 마을 온 민중의 소원을 풀어달라고 부탁하러 온 거웨다. (감격적으로) 부장님, 원쑤를 갚아주시오! 일본놈들은 우리 마을 백성을 모아 놓구서 느티나무방에 방을 부친 공산비적을 붙잡아 내라구 하겠지

요. 누군들 제 육친을 짓씹어먹는 개가 되겠수? 아이들은 어른을 쳐다보구 어른들은 늙은이들을 바라보구 늙은이들은 제손에 옹이 박히도록 애써 꾸린 고향산천을 바라보았지요. 이 사람들의 눈에선 피가 흘렀구 불꽃이 타올랐다우.

△ 모였던 유격대원들이 이를 간다. ―빼앗긴 조국을 찾으려는 민족적 의분으로 하여.

통신병: 할아버지, 물 마셔요.

왕로인: 후―(한숨을 짓고 계속하여) 그리고 마을처녀애들이 왜군위안소루 붙잡혀 갔다우. 자고로 우리 민족은 승냥이씨를 받은 적이 없지요. 원, 머리태를 뜯기우면서도 발버둥치는 그 애들을 우리는 차마 눈물 없이는 볼 수 없었수다. 나는 그 꼴을 보지 않으려구 돌아선 채 입술을 깨물며 참다가 그만 까무라쳤수다. 놈들이 멀리 사라져서야 겨우 정신이 들었지요. 그러나 때는 벌써 늦었수다. 아, 내가 왜 도끼루 그놈의 대가릴 찍지 못하였던지. 자, 군수부장님! 그 총으로 이 늙은놈의 가슴을 쏴주시우. 한 평생 이 늙은 머슴군은 참을 인(忍)자가 제일이라구 뼈깊이 새겨두었더랬소이다. 이제야 그 인자가 우리 빈자들게 고통을 가져다준다는 걸 알았수다. 실루 일본놈들 앞에서 참는다는 것은 죄를 짓는 것이지요.

박민: 아저씨의 말씀이 옳습니다. 이제부터는 그 렵총으로 사슴을 쏘지 말고 승냥일 쏘십시오.

유격대원들 부장동지, 어서 명령을 내리십시오.

일동: 원쑤를 갚고야 말겠습니다!

박민: 우리들이 간악한 적들을 타승하려면 더없이 놈들을 증오하는 동시에 또 적을 잘 알아야 합니다. (왕로인을 향하여) 아저씨, 마을의 동태는 어떻습니까?

왕로인: 모두들 이를 갈고 있수다. 울타리를 뛰어 넘어온 승냥이 놈들을 직접 제 눈으로 봤기 때문이지유. 모두들 승냥일 잡겠다구 괭이며 도끼며 몽둥일 들고일어났지만⋯왜놈들의 총탄에 그만⋯후!(한숨)

박민: '3·1'운동이 바루 그러했지요. 그리구 중국의 태평천국혁명이 또 좋은 례로 되지요. 그것은 우선 혁명의 조직자가 없었구 자발적이며 분산적 이였기 때문입니다. 그러나 오늘은 우리들에게 중국공산당이 있구 조선 광복회가 있지 않습니까. 그리고 그때엔 무장이 없었기 때문입니다. 허지만 지금은 조직된 항일련군과 김대장의 부대가 있지 않습니까. 안심하십시오. 원쑤를 만주에서 송두리째 쳐부수겠습니다. (모여선 유격대원들에게) 동무들! 놈들은 50만 관동정예군으로 밀림을 전면으로 진공할 계책을 쓰고있습니다. 기시긴죠르란 놈은 도깨비 골에 한 개 중대를 주둔시키고 헤이샤 즈거우 밀영지를 포위하고 있습니다. 우리는 이 도깨비 골을 적의 손에서 탈환하구 백성과의 련계를 강화해야 하겠습니다.

통신병: 군수부장동지, 저에게 정찰임무를 주십시오. 목숨으로 이 임무를 수행하겠습니다.

박민: 좋소. 아저씨는 우리의 길잡이가 되셔야겠습니다. 그리고 계순동무!

계순: 네.

박민: 이 아저씨하구 마을에 내려가서 분산된 민중을 조직동원하시오. 백성은 우리를 부르고 있소. 우리는 그들의 키잡이가 되어야 하오.

계순: 네. 그렇지만 박민동무의 그 상처는요? 날이 더워지면 썩어날 텐데요.

박민: 안심하우. 내 절로 의사가 되구 간호원 으로도 될 테요. 여기 훌륭한 수술칼이 있잖우.

계순: 에그머니, 그 깡통 가지고 만든 톱으로요?

박민: 계순이, 부디 몸조심하우. 아이를 낳으면 꼭 소식을 전하오. 그 앤

싸우는 밀림의 산아이니 각별히 아껴야 하오.

계순: 네. 당의 임무를 꼭 완수하겠어요.

△ 세 사람은 농민차림으로 퇴장. 서로 손을 흔들며 승리를 기약하는 유격대원들. "승리하고 돌아오시오!"

△ 유격대의 노래-

"백두산하 넓고 넓은 만주 뜰들은 건국영웅 우리들의 운동장일세. 걸음걸음 떼를 지어 앞만 향하여 활발하게 나아감이 엄숙 하도다."

△ 이때 막이 내린다.

제3장

봄. 소쩍새 우는 소리. 녹기 시작한 눈 우에 아자개 꽃이 피었다. 밀림의 봄은 이따금 유격대원들이 날뛰고 싶도록 그들의 마음을 애무해준다.

△ 정찰임무를 승리적으로 수행한 통신병 김동무는 왜군의 특급 연락병 나까야마 히소무를 붙잡아온다.

통신병: 군수부장동지, 돌아왔습니다. 도깨비 골에는 겨우 한 개 소대의 정예 병력과 만주국군 한 개 소대가 주둔하고 있을 뿐입니다. 이 병력만으로는 헤이샤즈 거우밀영을 대체할 수 없어서 샘골의 기시긴죠르 중위의 청원을 받고 있습니다. 이놈이 바로 기시긴죠르 중위의 특급 연락병입니다.

박민: 수고했소. 계순동무의 정형은?

통신병: 이틀 전에 ××나무아래서 만났습니다. 대중의 조직정황은 매우 순리롭지만 소금은 일본놈 이외는 구할 수 없는 금물이여서 백성들에게서 소금을 얻기는 퍽 곤난 하다고 합니다.

박민: (왜군 연락병을 가리키며)눈에 씌운 수건을 푸시오. (어리둥절해하는 왜군 연

락병에게) 자네들 폐하께 국궁하여 감심을 표시하여야겠소. 폐하께서는 우리더러 자네에게 특별 초청장을 내도록 마련시켰지요. 무서워마오. 우리는 적을 관대히 대할 줄 알고 또 엄격히 대할 줄도 아오. 이름은?

연락병 특급 연락병 나까야마 히소무데쓰.

△ 박민은 왜군연락병의 혁띠에 달린 단도를 뽑아든다.

박민: 저, 단도를 뿌릴 줄 아오? 저 나무옹이에 박아보오.

△ 왜군연락병은 망설이다가 단도를 받아 쥐고 뿌린다. 그러나 빗나간다.

박민: 인주게.

△ 박민은 칼을 받아쥐자마자 뿌린다. 칼이 날아가 나무옹이에 박힌다.

박민: (왜군 연락병을 향해)그런 무술루 대국을 감히 침범할 수 있소? 하하하.

연락병: 저는 어려서부터도 종래로 남과 싸운 적이 없습니다. 아버지는 요꼬하마에서 대장쟁이질을 하구 어머닌 교도의 신자입니다. 아버지와 나는 늘 갈매기 날아예는 바다가에서 조개나 미역을 줏는것을 생활의 전부로 삼았더랬습니다. 저는 바다가 좋습니다. 만주의 밀림은 나에게 무서운 고통을 줍니다. 전쟁은 나에게 몸서리치는 괴이세계를 베풀어주었지요. 그러면서도 저는 만주사람의 피를 포도주처럼 삼켜버리는 승냥이 악습을 가지게 됐습니다. 저는 어찌 되여 만슈징(만주사람)의 피를 마시는 승냥이가 됐는지? 난 어째서 손에 총을 들고 당신들과 싸워야 하는지 모르겠습니다.

박민: 나까야마, 당신은 분명히 무산자의 아들이요. 자네의 아버지는 자본가에게 피땀을 빨리우고 있소. 당신과 우리는 다 같은 무산자요. 그런데 어찌하여 피 흘리는 싸움에서 적이 되지 않으면 안 되는가, 그것은 우리들의 조국과 신앙이 다르기 때문인가? 아니요! 무산자들에게는 국경이 없소. 우리 무산자의 신앙은 곧 인류무산혁명을 실현 하는데 있소. 공산사회—이것은 절대적 진리요.

△ 창가에 아이를 안고 다가선 계순은 동트는 새벽하늘을 바라본다. 아, 백두산에 태양이 솟는다. 품에 안긴 아이는 얼마나 아버지를 기다릴 건가? 저 총소리는 아버지의 위력을 전하고 있다.

주구: 가와모도 대장님, 공산비적이 진입했습니다.

가와모도: 난다? 고노바가노닌게. (뭐라구? 몹쓸녀석 같으니) 중대에 집합명령을 알리라. 그리고 만주국군을 전면에 내세워라.

주구: 하이, 아아, 만슈징(만주인) 추항이 뎃스요(도주).

가와모도: 음? 공산군 산베이센노 하나또 지레.

주구: 가와모도 선생, 이걸 어떡허면 좋겠습니까? 늦었습니다.

계순: 동무들 쏴요, 어서! (고함.)

△ 새벽은 울린다. 밀림은 불타오른다. 울리는 소리ー "쏴요! 승냥이들이 여기 있어요!" 만세소리, 아우성소리 우리는 영원히 살아있다. "땅!"하고 주구가 쏜 총소리와 함께 계순이 쓰러진다.

계순: 아버지가 왔다. 아가야, 저 총소리를 들어라, 아버지의 목소리다! 인제야 넌 동트는 아침을 맞았구나! (주구를 쏘아보며) 이 개야, 인민은 너를 심판하리라.

△ 주구가 다시 총을 들어 계순이를 쏠 때 왕로인이 뛰여 들어 그놈의 대가리를 도끼로 깐다.

△ 왕로인이 쓰러지는 계순이에게서 아이를 받아 안고 밖으로 나갈 때 가와모도 놈이 왕로인을 쏜다.

왕로인 이눔아, 나는 죽지마는 밀림의 꽃은 핀다.

△ 이때 유격대원들이 뛰어든다. 우리 많은 백성은 피바다에 자기 생명을 바쳤구나.

△ 박민이 아이를 받아 안는다.

△ 통신병 김 동무가 일본 국기를 벽에서 뜯어내어 가와모도에게 뿌려 던진다.

박민: 동무들, 승리는 혈전에서 얻어옵니다. 동시에 승리는 위대한 산아를 낳습니다. 이 아이는 홍두산 눈속에 핀 매화입니다.

△ 시체를 둘러싸고 유격대원 일동은 적기가를 부른다. 노래 소리 속에서—싸우는 밀림이여! 네가 낳은 이 아이가 커서 어른이 될 때 중화민족에게는 영원히 적수가 없으리라. 우리 천만년 백두산은 우리와 함께 살아있다.

△ 노래 소리.

△ 가와모도는 일본 국기를 부둥켜안은 채 자살한다. 가와모도는 자기의 응접실에서 이렇게 최후의 말로를 고한다.

△ 이때 막이 내린다.

-끝-

연변대학 조선문학연구소 편,
『20세기 중국조선족 문학사료전집』(제16집), 연변인민출판사, 2010.7, pp. 60-74

아리랑
[조선]

문정진

서곡

한·중 양국의 백두산 아래에 위치해 있는 아리랑은 수많은 망명자들이 반드시 지나가야 했던 고개였다.

사람들이 전하는데 의하면 이 고개는 수 년 동안 태양을 보지 못하고 종종 으스스한 찬바람만 일으킨다고 하니, 비참한 지옥의 일각을 방불케 한다.

아리랑고개에는 수많은 망자들이 발자취를 남겼는데 단 한쪽 방향으로만 찍혀있는 발자국들은 영원히 쌍을 이룰 수 없다. 발자국은 가는 방향으로만 있고 돌아오는 방향은 없다. 아무도 그들의 무덤이 어디에 있는지 모른다. 산에 있을까? 아님 바다 깊은 곳에 있을까?

아리랑에는 무수히 많은 처참한 비극이 있었고, 많은 무명영웅들과 무명전사들의 사골이 바로 여기에 묻혀있다. 이 비극들은 오늘날까지도 계속되고 있다.

조선에는 '아리랑'이라는 민요가 있다. 이 민요는 현재 모든 조선 사람들이 부를 줄 안다. 아무도 가르쳐 주지 않았고, 그들 또한 배우고 싶지 않지만 모두 부를 줄 안다.

일본 공장의 음침한 철창 속에서, 악독한 채찍질 속에서, 슬픔에 잠겨있을 때, 모욕과 박해를 당할 때, 그들이 불렀던 노래가 바로 아리랑이다. 특히 망명자들이 아리랑 고개를 넘을 때, 저도 모르게 이 노래를 불렀다. 아리랑 고개는 조국의 마지막 경계선이고, 앞으로 한발자국만 더 내디디면 이국의 토지라는 것을 알기에 그들은 더욱 비통했던 것이다.

'아리랑'이라는 노래는, 언제 누가 만들었는지, 또 언제 누구부터 불렀는지 아무도 모른다. 어떤 이는 30년 전, 서울에서 일본의 나막신 소리가 들릴 때부터라 하고, 또 어떤 이는 백 년 전, 지어 이백년 전부터 있었다고 하기도 한다. … 내 생각에, 조선이 외세의 침략을 받을 때 이 민요가 탄생하였을 것이다.

시간: 193x년 가을

장소: 아리랑고개

인물: 농민

농민의 딸(연순)

혁명청년

많은 망명자들(남녀노소 모두 있음)

무대: 오직 고독하고 적막한, 우뚝 솟은 언덕이 하나 있을 뿐, 이 일대에는 인가도, 나무도, 파헤친 흔적도 없는, 천연지대이다. 사람들이 거의 오가지 않는다는 것을 한눈에 보아낼 수 있다. 울퉁불퉁한 오솔길을 에돌아 올라가면 언덕의 중턱에 다다른다. (가능하면 무대 위에 이 오솔길을 길게 하는 것이 좋다.)

개막: 늦가을의 어느 황혼 무렵, 아득한 하늘가에는 아직 지지 않은 석양이 은은하게 보인다.

무대 위에는 쓸쓸한 오솔길만 보이고, 산 뒤에서 음침한 가을바람이 불어온다.

무대 뒤 먼 곳에서 '아리랑'의 노랫소리(음악 반주)가 점점 가까이 들려온다.

딸: (등장. 그녀는 아주 어리다. 손에는 보따리 하나를 들고 몹시 지친 발걸음을 하고 있었다.)

(노래)

아리랑, 아리랑 아라리요!

아리랑고개를 넘어간다.

삼천리강산이여, 평안하여라!

더 오랫동안 너와 작별하고 싶구나!

(그녀는 아리랑의 절주에 맞춰 산우로 걸어갔다. 그녀는 자꾸 뒤돌아보며 고향땅에 대한 미련을 내비친다.)

(노래)

아리랑, 아리랑 아라리요!

아리랑고개를 넘어간다.

안녕, 사랑하는 고향이여!

내가 돌아올 때, 장미꽃이 만발하기를!

(오솔길에 이른 그녀는 아리랑고개를 넘으려다가 차마 가지 못하고 털썩 주저앉아 언덕을 바라보며 멈춰 있다.)

농부: (짐을 메고 손에는 우산을 쥐고 노래를 부르며 등장한다.)

아리랑, 아리랑 아라리요!

아리랑고개를 넘어간다.

삼천리강산이여, 평안하여라!

더 오랫동안 너와 작별하고 싶구나!

(그는 이 오솔길로 걸어갔다.)

딸: (아버지한테 달려가서 품에 안긴다.)

(노래)

아리랑, 아리랑 아라리요!

아리랑고개를 넘어간다.

사랑하는 내 고향이 등 뒤에 있는데

나는 망명해야 한다. 도대체 어디로 가야 할까?

농부: (올 때의 방향을 가리키며) 사랑하는 고향을 등지고, 연순아! 가자! 안 가면 어떡해? 우리가 가야 할 길은 가야 한다.

(노래)

아리랑, 아리랑 아라리요!

아리랑고개를 넘어간다.

문전의 옥토를 누가 강탈했는가?

멀리 국외로 나가는 우리를 누가 망명하게 했을까?

(두 사람은 오솔길 쪽으로 걸어간다.)

농부: 연순아! 이곳은 '아리랑'이라고 불린단다. 이 고개를 지나면 조국의 마지막 땅을 딛고 지나가는 것이다. 땅이여! 아! 내 고향아, 안녕히 잘 있거라! 내가 너를 영원히 떠날 수 있을까?

딸: 아빠! 우리는 왜 꼭 조국을 떠나야만 하나요? 아! 우리의 삶은 …(한숨 소리)

(노래)

아리랑, 아리랑 아라리요!

아리랑고개를 넘어간다.

청청하늘엔 잔별도 많고

우리의 삶은 파란만장하구다.

(두 사람은 오솔길에 앉는다.)

농부: 청청 하늘엔 잔별도 많고 우리의 삶은 파란만장하구나. 연순아! 우리

조국도, 전에는 행복했다. 저기 동산에 '무궁화'가 만발할 때에, 우리 강산에도 봄은 있었다. 하늘… (자기말로) 저 동산에 무궁화가 가득 피어 있을 때,… .

(노래)

아리랑, 아리랑 아라리요!

아리랑고개를 넘어간다.

동산의 저 무궁화는 왜 아무 말도 없을까?

네가 꽃필 때 나는 목청 높여 노래 부르리!

(두 사람은 올 때의 방향을 응시하며)

딸: (노래)

아리랑, 아리랑, 아라리요!

아리랑고개를 넘어간다.

아리랑 고개는, 어떤 곳이냐?

지나갈 때엔, 눈물이 그렁그렁?

농부: 연순아! 이 고개를 지나가면 질풍노도의 험악한 곳이란다. 아리랑! 아리랑 고개를 넘어가자? 수많은 동포들이 이 고개를 넘어갔단다. 하지만 그들의 후일 소식은 누가 알랴? 지금 우리도 이 고개를 넘어가는구나.

(노래)

아리랑, 아리랑 아라리요!

아리랑고개로 넘어간다.(음악반주)

계림강산, 닭들의 노래 소리는 없어지고

창덕궁은 황량하기 그지없구나!

가자! 가자! 우린 별다른 방법이 없구나. 오직 이 아리랑으로 가야만 한다! 가자! (딸을 일으켜 세워 함께 오솔길로 걸어간다) (두 사람 합창)

아리랑, 아리랑 아라리요!

아리랑고개를 넘어간다.

비웃지 말아주세요, 우리는 망명해요!

우리도 끓는 피가 있고 가슴위로 솟구쳐요!

(두 사람은 눈물을 흘린다)

아리랑, 아리랑 아라리요!

아리랑고개로 넘어간다.

백의동포여 슬퍼하지 마라!

새로운 생명은 지금 성장하고 있다!

(두 사람은 뒤돌아보며)

아리랑, 아리랑 아라리요!

아리랑고개로 넘어간다.

삼각산 위에는, 보라색 제비가

이어진 산봉우리를 자유롭게 날아다니는구나!

(두 사람이 고개를 거의 지나가려고 할 때, 갑자기 총소리가 나더니 산 뒤에서 경쾌한 노랫소리가 들려온다. 두 사람은 깜짝 놀라며 걸음을 멈춘다.)

(노래 소리는 점점 가까이 들려온다.)

아리랑, 아리랑, 아라리요!

우리는 여전히 고향에 돌아가려다. (이 단락 합창)

당신들은 슬퍼하지 마세요.

강의 남쪽에도 태양은 있다. (이 단락은 독창)

아리랑, 아리랑, 아라리요!

우리는 여전히 고향에 돌아가려다. (이 단락 합창)

풍년이 오고 비바람이 순조롭다! (독창)

(청년은 앞으로 걸어가면서 권총을 거둔다. 뒤에 많은 망명자들이 따라오고 노래를 부르

며 등장한다. 농부와 딸은 후퇴한다.)

　(귀환자들의 노래)

　아리랑, 아리랑, 아라리요!

　우리는 고향에 다시 돌아가련다.

　삼천만 동포들이여! 슬퍼하지 마라.

　우리 땅에도, 꽃들이 피어난다!

　아리랑, 아리랑, 아라리요!

　우리는 아리랑을 건너 고향으로 돌아가련다.

(농부와 그의 딸은 오솔길에서 후퇴해 왔고, 나머지 사람들은 청년을 따라온다.)

청년: (농부에게) 돌아가세요! 조선 사람들은 더 이상 이 고개를 넘으면 안 됩니다. 이 고개를 넘으면 살 길이 있다고 생각합니까? … 나도 당신처럼 철이 없을 때 (딸에게) 이 고개를 넘었습니다. 이 아리랑고개를 지나갔습니다. 이제, 우리는 이 고개를 건너면 안 됩니다. 고개 너머에는 폭설이 뒤덮인 광야에서 굶주림에 시달리고 거지처럼 생활하는 사람들이 조선인들입니다. 어디로 가렵니까? 돌아가십시오. 여기는 우리의 땅입니다. 우리의 조국을 버리고 어디로 가려합니까? (폭풍이 점점 불어온다) 돌아갑시다! 조국이 우리를 부르고 있습니다. 우리 땅에서 우리가 살 수 없으면 그 누가 살겠습니까? 조선인이 조선에서 살 수 없는 이유가 무엇입니까? 돌아갑시다! 돌아가서 우리 땅을 지킵시다! 죽으려면 조국에서 죽읍시다. 우리의 조국을 누구한테 내주겠습니까?

　(귀환자 중의 한 노인이 노래 부른다)

　아리랑, 아리랑, 아라리요!

　우리는 고향에 다시 돌아가련다.

　아리랑고개를 넘지 마요.

넘어 간들 암흑하고 광명이 없거늘.

아리랑, 아리랑, 아라리요!

우리는 아리랑으로 돌아가런다. 건너편 고향으로. (합창)

삼천만 동포들이여, 슬퍼하지 마라.

자유의 깃발은 이미 머리위로 들었다. (청년이 노래 부른다)

아리랑, 아리랑, 아라리요!

우리는 고향으로 돌아가런다. (합창)

동포들이여! 목청껏 노래하자!

광명이 우리의 앞길을 비춰준다. (청년이 노래 부른다)

아리랑, 아리랑, 아라리요!

우리는 아리랑으로 돌아가런다. 건너편 고향으로. (합창)

농부, 딸, 돌아온 모든 망명자들은, 노래를 부르며 조국을 향해 전진하고, 오직 청년만이 의기양양하게 고개의 뒤로 되돌아간다.

막이 내린다.

주석: 무궁화는 조선의 국화이다.

脱稿于朝鮮義勇隊, 九, 一零

初刊于廣西曲江『民族文化』2卷 8—9期, 1942年 10月 25日

金柄珉 等 主編,『'中國現代文學與韓國'資料叢書6』, 延邊大學出版社, 2014年 12月, pp. 430-435

엮은이
소 개

김 강(金剛)

중국 연변대학교 조선언어문학학과 전임강사. 연변대학교 조선언어문학학부를 졸업하였고 동 대학원 석·박사 과정을 졸업했다. 다년간 한국 근현대문학 및 한중 비교문학에 대한 연구를 진행하고 있으며 연구논문으로는 「김안서의 격조시형론과 중서시학 관련연구」(2016) 등이 있다.

김병민(金柄珉)

문학박사, 교수, 연변대학교 총장을 역임했다. 주요 학술 저서로는 『조선근대소설에 대한 역사적 고찰』(1984), 『신채호문학연구』(1988), 『조선중세기 북학파 문학연구』(1990), 『조선문학사』(1994), 『한국 실학파문학과 중국관련연구』(공저, 2007), 『근대 망명 문인들의 문학연구』(2021) 등이 있으며 평론집 『민족문학에 대한 통합적 조명』(2003), 회고록 『와룡산일지』(2013) 등이 있다. 이 외 다수의 평론과 수필이 있다.

'한국근대문학과 중국' 자료총서 **16**

정론 · 실기 · 수필 · 희곡 II

초판 1쇄 인쇄	2021년 9월 17일
초판 1쇄 발행	2021년 9월 27일

지은이	김 구 외
엮은이	김 강·김병민
기 획	『한국근대문학과 중국』 자료총서」 편찬위원회
펴낸이	이대현
편 집	이태곤 문선희 권분옥 임애정 강윤경
디자인	안혜진 최선주 이경진
마케팅	박태훈 안현진
펴낸곳	도서출판 역락
주 소	서울시 서초구 동광로 46길 6-6 문창빌딩 2층
전 화	02-3409-2060(편집), 2058(마케팅)
팩 스	02-3409-2059
등 록	1999년 4월 19일 제303-2002-000014호
전자우편	youkrack@hanmail.net
홈페이지	www.youkrackbooks.com
字 數	403,139字

ISBN	979-11-6742-031-2 04810
	979-11-6742-015-2 04810(전16권)

* 책값은 뒤표지에 있습니다.
* 파본은 구입처에서 교환해 드립니다.